PILATE
ET LE GOUVERNEMENT DE LA JUDÉE

TEXTES ET MONUMENTS

NIHIL OBSTAT :

Lyon, 29 Mai 1979.

M. JOURJON,
cens. del.
Doyen de la Faculté de Théologie.

IMPRIMATUR :

Valence, 11 Juin 1979.

R. GLAS,
v. g.

ÉTUDES BIBLIQUES

PILATE
ET LE GOUVERNEMENT
DE LA JUDÉE

TEXTES ET MONUMENTS

PAR

Jean-Pierre LÉMONON

Professeur à la Faculté de théologie
de l'Institut Catholique de Lyon

PARIS
LIBRAIRIE LECOFFRE
J. GABALDA et Cie Éditeurs
RUE BONAPARTE, 90

1981

ISBN 2-85021-003-X

A la mémoire de notre maître,
le Père A. George.

AVANT-PROPOS

Cette recherche sur « Pilate et le gouvernement de la Judée » nous avait été suggérée par le Père A. George. Elle fut conçue à l'origine comme un mémoire de l'Académie des Inscriptions et Belles Lettres dont nous avons été le pensionnaire à l'École archéologique française de Jérusalem pendant l'année scolaire 1975-1976. L'insistance bienveillante de M. le professeur J. Rougé et le jugement porté sur notre mémoire par H. I. Marrou nous ont conduit à poursuivre et développer notre travail. Il a été transformé en thèse de 3e cycle soutenue devant l'Université Lyon II en juin 1979. Le texte que nous livrons au public a été modifié en fonction des remarques des membres de notre jury : C. Mondésert, A. Pelletier et J. Rougé. A ce dernier qui nous a accompagné en tant que patron de thèse, va notre gratitude ; son immense savoir nous a été précieux. Mais nous nous devons d'exprimer aussi notre reconnaissance à tous ceux qui, d'une manière ou d'une autre, nous ont aidé. Les énumérer tous serait fastidieux et conduirait presque certainement à des oublis ; nous devons cependant signaler trois maîtres sans qui nous n'aurions jamais pu conduire notre recherche à son terme : le Père P. Benoit, professeur à l'École biblique et archéologique française de Jérusalem, sut dans les moments difficiles nous encourager ; de plus, il a bien voulu accepter de publier cet ouvrage dans la collection qu'il dirige. P. Lenhardt, professeur à cette même École, nous a initié à la littérature rabbinique et nous a aidé par ses nombreux conseils lorsque nous avons étudié quelques textes rabbiniques dont il a revu avec soin la traduction. Enfin, R. Étaix, de la Faculté de théologie de Lyon, dont on ne sait s'il faut louer davantage l'amitié de chaque instant ou la rigueur de la recherche, nous a suggéré maintes améliorations.

Bien entendu, tout en reconnaissant la dette que nous devons aux uns et aux autres, nous sommes seul responsable de ce travail et de ses imperfections. Les diverses cartes de l'ouvrage ont été dessinées par B. Bouyon, il a ainsi permis de rendre plus concrètes nombre d'affirmations.

J. P. Lémonon,
Lyon, le 20 juin 1980.

ABRÉVIATIONS COURANTES

Act.	Actes des Apôtres.
AE	Année épigraphique. Paris.
Ag.	Aggée.
Ant.	Flavius Josèphe, Antiquités Judaïques.
ANRW	Aufstieg und Niedergang der römischen Welt, Berlin-New York, 1972 ss.
ASTI	Annual of the Swedish Theological Institute, Leyde.
BA	The Biblical Archaeologist. Cambridge, Mass.
Bar.	Baruch.
BASOR	Bulletin of the American Schools of Oriental Research. Cambridge, Mass.
BGU	Aegyptische Urkunden aus den koeniglichen Museen zu Berlin, Griechische Urkunden, II, Berlin, 1898.
Bib.	Biblica. Rome.
BJ	Flavius Josèphe, Guerre des Juifs.
CBQ	Catholic Biblical Quarterly. Washington.
CCL	Corpus Christianorum, Series Latina, Turnhout.
I Chron.	1er livre des Chroniques.
CIL	Corpus Inscriptionum Latinarum, Berlin, 1863 ss.
CRAI	Comptes rendus de l'Académie des Inscriptions et Belles Lettres. Paris.
CSEL	Corpus Scriptorum Ecclesiasticorum Latinorum, Vienne.
CUF	Collection des Universités de France.
DBS	Dictionnaire de la Bible. Supplément.
Deut.	Livre du Deutéronome.
DION CASSIUS, Hist. Rom. = DION CASSIUS, Histoire Romaine.	
Esdr.	Esdras.
ET	Expository Times. Edimbourg.
EUSÈBE, H. E. = EUSÈBE DE CÉSARÉE, Histoire Ecclésiastique.	
EvTh	Evangelische Theologie. Munich.
Ex.	Livre de l'Exode.
Gal.	Épître aux Galates.
GCS	Die Griechischen Christlichen Schriftsteller der ersten (drei) Jahrhunderte, Berlin-Leipzig.
HJP	E. SCHÜRER, The History of the Jewish People in the Age of Jesus Christ (175 B.C.-A.D. 135), rev. and ed. by G. VERMES and F. MILLAR, I, Edimbourg, 1973.

HThR	Harvard Theological Review. Cambridge, Mass.
HUCA	Hebrew Union College Annual. Cincinnati.
IEJ	Israel Exploration Journal. Jérusalem.
IG	Inscriptiones Graecae, Berlin, 1873 ss.
IGR	Inscriptiones Graecae ad res romanas pertinentes, Paris, 1911 ss.
ILS	H. DESSAU, Inscriptiones Latinae Selectae, Berlin, 1892-1916.
J.	Talmud de Jérusalem.
JBL	Journal of Biblical Literature. Missoula, Montana.
JEREMIAS, Jérusalem	= J. JEREMIAS, Jérusalem au temps de Jésus. Paris, 1967 (tr. fr. de Jerusalem zur Zeit Jesu. Göttingen, ³1962).
JJS	The Journal of Jewish Studies. Londres.
Jn	Évangile de saint Jean.
JONES, Studies,	= A.H.M. JONES, Studies in Roman Government and Law, Oxford, 1960.
JQR	The Jewish Quarterly Review. Philadelphie.
JRS	Journal of Roman Studies. Londres.
JThS	Journal of Theological Studies. Oxford.
JUSTER, Juifs,	= J. JUSTER, Les Juifs dans l'Empire romain. Leur condition juridique, économique et sociale, 2 vol., Paris, 1914.
Lc	Évangile de saint Luc.
Legatio	Philon d'Alexandrie, Legatio ad Caium.
LTK	Lexicon für Theologie und Kirche, 2ᵉ éd., Fribourg.
M.	Mishna.
I/II Mac.	1ᵉʳ, 2nd livre des Maccabées.
Mal.	Malachie.
Mc	Évangile de saint Marc.
Mt.	Évangile de saint Matthieu.
Nomb.	Livre des Nombres.
NT	Novum Testamentum. Leyde.
NTS	New Testament Studies. Cambridge.
PBSR	Papers of the British School at Rome. Londres.
PELLETIER, Legatio,	= Legatio ad Caium, Intr. tr. et notes par A. Pelletier, Paris, 1972 ; dans les œuvres de Philon d'Alexandrie, publiées sous le patronage de l'Université de Lyon.
PEQ	Palestine Exploration Quarterly. Londres.
PFLAUM, Procurateurs,	= H. G. PFLAUM, Les procurateurs équestres sous le Haut-Empire romain, 2 vol., Paris, 1950.
PFLAUM, Carrières,	= H. G. PFLAUM, Les carrières procuratoriennes équestres sous le Haut-Empire romain, 4 vol., Paris, 1960-1961.
PG	Migne. Patrologia Graeca, Paris.
I Pi.	1ʳᵉ épître de saint Pierre.
PL	Migne. Patrologia Latina. Paris.

P.O. The Oxyrhynchus Papyri, ed. by B.P. GRENFELL and A. S. HUNT, Londres, I (1898), III (1903).

PO Patrologia Orientalis. Paris.

P. Ryl. Catalogue of the Greek Papyri in the John Rylands Library, II, Manchester-Londres, 1915.

PW A. PAULY, G. WISSOWA, W. KROLL, Real-Encyclopädie der classischen Altertumswissenschaft, Stuttgart, 1893 ss.

QDAP Quarterly of the Department of Antiquities in Palestine. Jérusalem.

RAr Revue Archéologique. Paris.

RB Revue Biblique. Paris.

RdQ Revue de Qumrân. Paris.

REG Revue des Études Grecques. Paris.

REJ Revue des Études Juives. Paris.

RGG Die Religion in Geschichte und Gegenwart, 3ᵉ éd., Tübingen.

RHE Revue d'Histoire Ecclésiastique. Louvain.

RHPhR Revue d'Histoire et de Philosophie Religieuses. Paris.

RHR Revue de l'Histoire des Religions. Paris.

I/II Rois 1ᵉʳ, 2nd livre des Rois.

Rom. Épître aux Romains.

RSPhTh Revue des Sciences Philosophiques et Théologiques. Paris.

RSR Recherches de Science Religieuse. Paris.

I/II Sam. 1ᵉʳ, 2nd livre de Samuel.

SC Sources chrétiennes.

SMALLWOOD, The Jews, = E. Mary SMALLWOOD, The Jews Under Roman Rule. Leyde, 1976.

SMALLWOOD, Legatio, = Philonis Alexandrini Legatio ad Gaium, ed. with an Introduction, Translation and Commentary by E. Mary SMALLWOOD, Leyde (1961), ²1970.

SUÉTONE, Vies, = Suétone, Vies des Douze Césars.

TACITE, Ann. = Tacite, Annales.

TACITE, Hist. = Tacite, Histoires.

ThLZ Theologische Literaturzeitung. Berlin.

ThWNT Theologisches Wörterbuch zum Neuen Testamen. Stuttgart.

TOB Traduction oecuménique de la Bible, Nouveau Testament, Paris, 1972. Ancien Testament, Paris, 1975.

Tos. Tosefta.

TS Theological Studies. Baltimore.

TU Texte und Untersuchungen.

Vig Chr Vigiliae Christianae. Amsterdam.

ZNW Zeitschrift für die neutestamentliche Wissenschaft und die Kunde der Älteren Kirche. Berlin-New York.

Pour l'indication des livres rabbiniques, nous suivons les normes habituelles. Pour la Mishna et la Tosefta, le traité est indiqué, précédé de M. ou de Tos. Pour le Talmud de Jérusalem, l'indication du traité est précédé de J. Le traité, cité sans aucune autre indication, renvoie au Talmud de Babylone.

Sanhédrin = traité Sanhédrin, dans le Talmud de Babylone.

J. Sanhédrin = traité Sanhédrin, dans le Talmud de Jérusalem.
M. Sanhédrin = traité Sanhédrin, dans la Mishna.
Tos. Sanhédrin = traité Sanhédrin, dans la Tosefta.
Pour les transcriptions hébraïques nous suivons les règles de l'Encyclopaedia Judaïca, I, Jérusalem, 1972, p. 90. Cependant,
pour les noms dont la transcription est déjà « consacrée »,
nous suivons la pratique habituelle.

INTRODUCTION

En l'an 26 de notre ère, si nous nous fions à la plupart des critiques [1], l'empereur Tibère « envoya comme procurateur en Judée » Pilate [2]. L'étrange destin de cet homme surprend ; en effet, seuls quelques spécialistes s'intéressent encore aujourd'hui à des hommes tels que Coponius, Rufus ou Valerius Gratus ; ces fonctionnaires romains ont cependant été gouverneurs de Judée tout comme Pilate. Des millions d'hommes connaissent le nom de Ponce Pilate [3] et sont capables de rapporter au moins une de ses actions : il joua un rôle dans la condamnation et le crucifiement de Jésus de Nazareth. La notoriété de ce gouverneur est due à la tradition évangélique et à la mention de son nom dans les confessions de foi chrétienne [4].

La recherche moderne connaissait Pilate par un certain nombre d'attestations littéraires, mais les travaux archéologiques, pourtant

---

1. Cf. par ex. E. SCHÜRER, *The History of the Jewish People in the Age of Jesus Christ (175 B.C. — A.D. 135)*, rev. and ed. by G. VERMES and F. MILLAR, I, Edimbourg, 1973, p. 383. Désormais, nous indiquerons cet ouvrage par le sigle *HJP*.

2. *BJ*, II, 169. Nous reproduisons ici la traduction donnée dans *Flavius* JOSÈPHE, *Œuvres complètes traduites en français sous la direction de Théodore* REINACH, Paris, 1900 ss. Sauf indication contraire, nous citons cette traduction. L'emploi de *epitropos*, traduit ici par « procurateur », suscite des questions difficiles, cf. *infra*, pp. 43 ss.

3. Le prénom de ce personnage est ignoré. Pilate est son surnom. Ponce, transcription de Pontius, rappelle la « gens » à laquelle appartint ce gouverneur de Judée, cf. von DOBSCHÜTZ, Pilatus, dans *Realencyklopädie für protestantische Theologie und Kirche*, XV, 1904, pp. 397-401, à la p. 398. Des notices sur les Pontii sont données dans *PW*, XXII, 1953, col. 30-46. Dans cette encyclopédie, la notice sur Ponce Pilate est insérée à la suite de son surnom, cf. E. FASCHER, dans *PW*, XX, 1950, col. 1322-1323. Dans la liste des Pontii, Pilate est seulement signalé.

4. Déjà, dans *La Tradition apostolique* (§ 21), Hippolyte de Rome (IIIe siècle) rapporte la formulation suivante pour la seconde question posée au candidat au baptême : « Credis in Chr(istu)m Ie(su)m (filium) d(e)i, qui natus est de sp(irit)u s(an)c(t)o ex Maria uirgine et crucifixus sub Pontio Pilato et mortuus est [et sepultus] et resurrexit die tertia uiuus a mortuis. » « Crois-tu au Christ Jésus, Fils de Dieu, qui est né par le Saint-Esprit de la Vierge Marie, a été crucifié sous Ponce Pilate, est mort, est ressuscité le troisième jour vivant d'entre les morts ? », B. BOTTE, *La Tradition apostolique de saint Hippolyte. Essai de reconstitution*, Munster, 1963, p. 49.

importants en Palestine, n'avaient, jusqu'en 1961, mis au jour aucune inscription qui atteste la présence de Pilate en ce pays[5]. Or, cette année-là, au cours des fouilles du théâtre de Césarée les archéologues trouvaient une pierre sur laquelle était gravée une inscription mentionnant le nom de Ponce Pilate ; aussitôt A. Frova la publiait[6] :

...]STIBERIÉVM

... PON]TIVSPILATVS

.., PRAEF]ECTVSIVDA[EA]E

. . .

Cette découverte a donné lieu, en certain pays, à des études particulières plus ou moins développées[7], par contre, en France, elle « a presque passé inaperçue[8] ». Les différents travaux, occasionnés par la publication de cette inscription, manifestent l'opportunité d'un travail d'ensemble sur Pilate[9]. Les historiens modernes de l'Empire

5. Les monnaies des « procurateurs », fort nombreuses, ne comportent jamais le nom de ces derniers, mais celui des empereurs sous lesquels elles ont été frappées, cf. *infra*, pp. 110-115.

6. A. FROVA, L'Iscrizione di Ponzio Pilato a Cesarea, Nota di Antonio FROVA, presentata dal m. e. Aristide Calderini, dans Istituto Lombardo. Accademia di Scienze e Lettere. *Rendiconti. Classe di Lettere e Scienze morale e storiche*, XCV, 1961, pp. 419-434, à la p. 424. Nous étudions cette inscription dans notre 1er chapitre.

7. H. VOLKMANN, Die Pilatusinschrift von Caesarea Maritima, dans *Gymnasium*, LXXV, 1968, pp. 124-135, a donné une présentation d'ensemble des études publiées jusqu'en 1967. Il faut y ajouter deux études, l'une de A. Frova, parue en 1970, cf. *infra*, p. 27, n. 19, l'autre de E. Weber, en 1971, cf. *infra*, p. 26, n. 17.

8. Cette remarque, faite en 1965 par J. Guey demeure vraie, cf. *Bulletin de la Société Nationale des Antiquaires de France*, 1965, p. 58.

9. Depuis la publication de l'inscription de Pilate, le seul ouvrage d'ensemble utile pour la connaissance de Ponce Pilate est : P. L. MAIER, *Pontius Pilate*, New York, 1968, mais le « genre » de cette publication est assez particulier, En effet, bien qu'il ait donné plusieurs études de valeur sur l'histoire de Pilate (cf. les indications bibliographiques, *infra*, p. 287), dans ce livre, P. L. Maier ne réalise pas un travail historique. Il définit son projet en ces termes : « There is too little source material on Pontius Pilate for a biography, yet too much for recourse to mere fiction. These pages attempt a compromise which might be called the documented historical novel. It seemed an appropriate genre for a case, such as Pilate's, in which much authentic data is available, yet with insurmountable gaps in the information », p. VII. P. L. Maier n'ignore cependant pas les données historiques comme le montrent les notes rassemblées dans les pages 355-370. A l'époque moderne, les travaux consacrés à Pilate sont assez peu nombreux. En 1940, A. H. Ross, sous le pseudonyme de F. MORISON, a publié un ouvrage intitulé : *And Pilate said...*, New York, 1940. Il ne nous a pas été possible de prendre connaissance de cet ouvrage ; nous avons dû nous contenter de la recension donnée dans *ET*, LI, 1939-1940, pp. 116-118. Pour des publications antérieures, cf. *infra*, p. 17, n. 14. Au cours de notre travail nous donnerons des indications bibliographiques sur des points particuliers.

romain ne portent pas un grand intérêt à ce personnage [10], car ce gouverneur de Judée n'a pas rempli une charge importante dans l'Empire romain au temps de Tibère. De leur côté, les exégètes du Nouveau Testament font souvent allusion à Pilate, mais ils n'étudient guère ce personnage pour lui-même [11]. Seuls les historiens qui s'intéressent à la question juive dans l'Empire romain lui accordent quelque attention [12]. Il n'est donc pas inutile de consacrer une monographie à cet homme au destin étrange. Notre recherche portera avant tout sur les textes littéraires profanes du Ier siècle. Cependant, ce travail ne peut pas être de type purement littéraire, il doit utiliser les découvertes archéologiques relatives à des monuments mentionnés dans les textes qui s'intéressent à Pilate. Cette orientation explique et justifie le titre donné à cette monographie : Pilate et le gouvernement de la Judée. Textes et monuments. Ces textes se trouvent dans les œuvres de Philon d'Alexandrie et de Flavius Josèphe. On y adjoindra un court témoignage du début du IIe siècle emprunté à Tacite [13]. Toutefois, notre attention pour les écrits profanes du Ier siècle ne nous fera pas oublier les Évangiles, en particulier les récits de la Passion, car ils contribuent, à leur façon, à une meilleure connaissance de Pilate. Si l'on considère les documents du Ier siècle, que savons-nous sur Ponce Pilate, cinquième gouverneur de la province romaine de Judée ? Telle est la question à laquelle nous tenterons de répondre. En outre, dans un chapitre final, nous réfléchirons sur la destinée de Pilate dans la vie et les écrits de l'Église primitive [14]. Cependant, si les textes du Ier siècle évoqués ci-dessus rappor-

---

10. Cf. par ex. A. GARZETTI, *From Tiberius to the Antonines, A History of the Roman Empire AD 14-192*, (1960), Londres, 1974, p. 76.

11. Les exégètes du N. T. étudient la « figure » de Pilate dans le cadre de la Passion et de la condamnation de Jésus de Nazareth. *Le Supplément au Dictionnaire de la Bible*, Paris, 1928 ss, ne comporte aucune notice sur ce gouverneur.

12. Parmi les études récentes, cf. en particulier M. GRANT, *The Jews in the Roman World*, Londres, 1973, pp. 99-119 ; E. M. SMALLWOOD, *The Jews Under Roman Rule*, Leyde, 1976, pp. 160-174.

13. *Ann.*, XV, 44.

14. Cette destinée a retenu l'attention des chercheurs à la fin du XIXe et au début du XXe siècle. Deux études, déjà anciennes, manifestent cet intérêt, l'une est de G. A. Müller, l'autre de H. Peter. G. A. MÜLLER, *Pontius Pilatus, der fünfte Prokurator von Judäa und Richter Jesu von Nazareth*, Stuttgart, 1888. Cet ouvrage donne d'abondantes indications sur la bibliographie antérieure à 1888, pp. V-VIII. G. A. Müller s'intéresse d'abord, comme le titre de son ouvrage l'indique, à Pilate dans sa relation au procès de Jésus ; il ne consacre que quelques pages, sous les titres « Pontius Pilatus in Judäa bis zum Prozesse Christi » (pp. 11-17) et « Pontius Pilatus vom Tode Jesu bis zu seinem Ende » (pp. 44-47), aux événements de la carrière de Pilate, racontés en dehors des sources évangéliques. Par contre, il accorde une grande attention à la littérature apocryphe et à certains courants de la tradition chrétienne. Pour sa part, H. PETER, Pontius Pilatus, der römische Landpfleger in Judäa, dans *Neue Jahrbücher für das klassische Altertum Geschichte und deutsche Literatur*, XIX, 1907, pp. 1-40, ne consacre que quelques pages à Pilate dans les œuvres

tent quelques incidents qui touchent l'administration de Ponce Pilate
en Judée et éclairent en partie la personnalité de ce gouverneur, nous
n'en aurons une bonne intelligence que si nous la situons dans un
cadre plus vaste, celui d'un gouverneur de rang équestre dans la
Judée du Ier siècle. Aussi, dans la première partie de notre ouvrage,
nous examinerons quelques questions relatives à l'histoire des gouverneurs de Judée, de 6 à 66 de notre ère.

de Philon et de Josèphe (pp. 7-8, 11-15) sans étudier vraiment les incidents
rapportés, mais il accorde une vingtaine de pages à la littérature apocryphe,
Tertullien, etc...

PILATE
ET LES GOUVERNEURS DE JUDÉE

Au printemps 67, Vespasien qui deux ans plus tard sera acclamé empereur, prend, en tant que légat, la direction des opérations militaires menées par les armées romaines contre les Juifs[1]. Cette charge fait de lui le gouverneur de Judée[2]. Sa nomination s'est faite en 66 après les premiers revers romains[3]. Quand la révolte juive éclate, la Judée a été pendant près de soixante ans sous l'autorité de gouverneurs romains au nombre de quatorze[4]. Seul le court règne d'Agrippa I, de 41 à 44, a interrompu cette série. Comme il marqua une certaine rupture avec le passé, il permet de diviser les gouverneurs en deux groupes[5], d'autant qu'après lui la province fut agrandie.

1. *BJ*, III, 64-69.
2. Cf. *HJP*, p. 265. Le récit donné par TACITE, *Hist.*, V, 10, doit être précisé : Vespasien remplace Cestius Gallus dans la conduite de la guerre, mais non pas comme gouverneur de Syrie.
3. *BJ*, III, 1-8 ; SUÉTONE, *Vies*, Vespasien, IV.
4. Ces 14 gouverneurs sont : *1* Coponius (environ 6-9) — *2* Marcus Ambibulus, appelé dans quelques manuscrits des *Ant.* Ambibuchus (environ 9-12) — *3* Annius Rufus (environ 12-14) — *4* Valerius Gratus (15-26) — *5* Ponce Pilate (26-36) — *6* Marcellus (36 ou 37) — *7* Marullus (37-41) — *8* Cuspius Fadus (44-45) — *9* Tiberius Alexander (46-48) — *10* Ventidius Cumanus (48-52) — *11* Felix (52-60) — *12* Porcius Festus (60-62) — *13* L. Lucceius Albinus (62-64) — *14* Gessius Florus (automne 64 ou printemps 65-66). Certains historiens se sont demandé si Marcellus et Marullus devaient être considérés comme deux personnages différents. D'après S. J. de LAET, Le successeur de Ponce Pilate, dans *L'Antiquité Classique*, VIII, 1939, pp. 413-419, nous serions en présence d'une erreur de copiste, car ces noms sont graphiquement proches, et ces deux personnages n'apparaissent qu'une fois chacun dans l'œuvre de Josèphe. Caius aurait donc confirmé comme gouverneur celui que Vitellius avait placé à titre provisoire. Mais cette proposition n'est soutenue par aucun manuscrit et transforme nettement le sens de *ekpempei*, ce qu'a bien noté L. H. FELDMAN, *Josephus, Jewish Antiquities, books XVIII-XX*, Londres, 1965, p. 143, n. f. Après avoir, en un premier temps, approuvé le point de vue de S. J. de Laet, E. M. SMALLWOOD, The Dismissal of Pontius Pilatus, dans *JJS*, V, 1954, pp. 12-21, à la p. 14, a reconnu la valeur des arguments de L. H. Feldman, cf. *The Jews*, p. 174, n. 101.
   Sur ces différents gouverneurs, on trouve de brèves monographies avec indication des sources, en *HJP*, pp. 382-383 et pp. 455-470 ; cf. aussi SMALLWOOD, *The Jews*, pp. 156-160 et pp. 256-292. Nous savons très peu de choses sur l'activité des gouverneurs qui ont précédé Pilate, car Flavius Josèphe est très laconique à leur sujet (*Ant.*, XVIII, 26-35), et les documents dont nous disposons en dehors de ceux fournis par l'historien juif, sont rares et difficiles à interpréter. Cependant il semble incontestable que Pilate fut le 5e gouverneur ; le doute que fait planer E. M. SMALLWOOD, *op. cit.*, p. 156, sur la possibilité de quatre gouverneurs avant Valerius Gratus ne s'appuie que sur une version latine de Josèphe, faite au Ve ou VIe siècle et qui, après avoir énuméré seulement trois noms de gouverneur, qualifie Valerius Gratus de « quintus ».
5. Cf. par ex. SMALLWOOD, *The Jews*, pp. 144-180 et pp. 256-292.

Flavius Josèphe, notre principale source d'information sur l'histoire de la Judée à cette époque, ne nous livre pas un traité théorique sur le gouvernement des préfets et procurateurs. Il donne, à propos d'événements divers, des renseignements qui permettent de dessiner ce que pouvait être l'exercice du pouvoir en Judée. Dans cette partie de notre travail, nous utiliserons des renseignements glanés à travers l'activité des différents gouverneurs ; cette manière de procéder n'est point illégitime, car ces hommes, Félix mis à part[6], appartiennent à la classe équestre et remplissent une fonction identique. Nous devons néanmoins tenir compte d'une possibilité d'évolution. Nous n'aurons recours aux institutions romaines que dans la mesure où elles apportent un éclairage nécessaire à notre recherche, car les problèmes qu'elles soulèvent sont complexes[7]. Aussi utiliserons-nous en priorité les témoignages qui se rapportent à la Judée, l'appel à des sources relatives à d'autres régions de l'Empire romain ne sera fait qu'à titre de complément.

---

6. Sur Félix, affranchi de la maison impériale, cf. *infra*, p. 55.
7. L'ouvrage fondamental sur ce point demeure encore : O. HIRSCHFELD, *Die kaiserlichen Verwaltungsbeamten bis auf Diocletian*, ²1905. La 3ᵉ éd. Berlin, 1963, est une réimpression de la seconde. La 1ʳᵉ édition de cet ouvrage a été publiée en 1877 sous le titre : *Untersuchungen auf dem Gebiete der römischen Verwaltungsgeschichte*, I, *Die kaiserlichen Verwaltungsbeamten bis auf Diocletian*. H. G. Pflaum s'est attaché à la question spécifique des procurateurs équestres sous le Haut-Empire romain, dans ses deux ouvrages : *Les procurateurs équestres sous le Haut-Empire romain*, Paris, 1950 ; *Les carrières procuratoriennes équestres sous le Haut-Empire romain*, Paris, 1960-1961.

CHAPITRE PREMIER

L'INSCRIPTION DE PILATE
A CÉSARÉE DE PALESTINE

La Mission Archéologique Italienne de l'Institut Lombard des Sciences et des Lettres a réalisé de 1959 à 1964 six campagnes de fouilles sur le site de l'ancienne Césarée [1]. Dès le début de cette série de travaux, le théâtre romain a constitué un des centres d'intérêt majeur, et en 1961, il était dégagé dans sa totalité. Ce théâtre nous était connu par Flavius Josèphe qui le mentionne au nombre des constructions d'Hérode le Grand à Césarée : « Hérode bâtit aussi un théâtre de pierre (theatron) et, au sud du port et en arrière, un amphithéâtre (amphitheatron) pouvant contenir un très grand nombre de spectateurs et parfaitement situé, avec vue sur la mer [2]. » Manifestement, Josèphe fait une confusion de vocabulaire, car le théâtre est situé au sud, là où il place l'amphithéâtre [3]. D'autre part, ce que Josèphe dit de la vue n'aurait aucun sens pour un amphithéâtre. Il faut intervertir les deux termes utilisés par Josèphe.

Avant les fouilles, le théâtre était recouvert dans sa totalité et

1. Pour cette période des fouilles, nous disposons de plusieurs rapports ou communications de A. FROVA, dans RB, LXIX, 1962, pp. 415-418 ; RB, LXX, 1963, pp. 578-582 ; RB, LXXI, 1964, pp. 408-410 ; Caesarea Maritima (Israele), Istituto Lombardo, Accademia di Scienze e Lettere, Milan, 1959, pp. 9-33 ; Gli Scavi della missione archeologica italiana a Cesarea (Israele), dans Annuario della Scuola Archeologica di Atene, XXXIX-XL, N. S. XXIII-XXIV, 1961-1962, Rome, 1962, pp. 649-657. Un compte rendu de l'ensemble des fouilles du théâtre de Césarée a été donné dans la seconde partie de l'ouvrage collectif : Scavi di Caesarea Maritima, Milan, 1965, pp. 55-244 ; dans cet ouvrage, C. Brusa Gerra a fait une brève présentation de l'inscription de Pilate, pp. 217-220.

2. Ant., XV, 341.

3. A l'aide d'une photographie aérienne, A. REIFENBERG, Caesarea. A Study in the Decline of a Town, dans IEJ, I, 1950-1951, pp. 20-32, à la p. 25, a supposé le site de l'amphithéâtre au nord-est de la ville des Croisés. Cette identification est aujourd'hui admise, cf. les remarques de J. RINGEL, Césarée de Palestine, Paris, 1975, pp. 51-53.

« n'était repérable que par la concavité du terrain [4] ». De sa construction sous Hérode le Grand jusqu'au VIᵉ s., cet édifice a connu d'importants remaniements. En un premier temps, A. Frova avait distingué « au moins trois phases avec de profondes modifications correspondantes de la *cavea* [5] ». Mais les fouilles de 1962 ont établi qu'il y avait en fait un minimum de quatre remaniements [6]. A une époque assez tardive, l'orchestre a été transformé en « *kolymbêthra* » ou « piscine pour jeux nautiques ». Au cours des fouilles, un matériel très abondant a été mis au jour, mais la trouvaille capitale pour notre propos est l'inscription qui fait mention de Ponce Pilate et du *Tibériéum*. La pierre qui porte ces deux noms « a été réutilisée comme marche d'un petit escalier ajouté à l'extrémité nord de la *cavea* au niveau de l'orchestre [7] ». Elle a été réemployée vraisemblablement lors de la dernière phase du remaniement de l'orchestre, au moment de sa transformation en piscine pour jeux nautiques. L'abondance des pierres situées à proximité du théâtre laisse supposer que cette pierre a été utilisée parce qu'elle était en un lieu peu éloigné et donc faisait originellement partie d'une construction voisine. La réutilisation de la pierre ne permet donc pas de connaître son emplacement original, et de savoir à quel type de bâtiment elle était liée.

Conservée aujourd'hui au musée d'Israël à Jérusalem, cette inscription a été déchiffrée et publiée pour la première fois par A. Frova [8] ; elle peut se lire [9] :

```
              /
- - - ] S TIBERIEVM
- - - ] NTIVS PILATVS
- - - ] ECTVS IVDA..E
              /
- - - - - - - - - - - - - -
```

Mutilée et retaillée au moment de son réemploi afin de correspondre parfaitement à sa nouvelle utilisation, la pierre comporte les carac-

---

4. A. Frova, dans *RB*, LXIX, 1962, p. 416.
5. *Op. cit.*, p. 416.
6. A. Frova, dans *RB*, LXX, 1963, p. 579.
7. A. Frova, dans *RB*, LXIX, 1962, pp. 417-418.
8. L'Iscrizione di Ponzio Pilato a Cesarea, Nota di Antonio Frova, presentata dal m. e Aristide Calderini, dans Istituto Lombardo. Accademia di Scienze e Lettere. *Rendiconti. Classe di Lettere e Scienze morale e storiche*, XCV, 1961, pp. 419-434. Cf. également A. Calderini, L'inscription de Ponce Pilate à Césarée, dans *Bible et Terre Sainte*, n° 57, juin 1963, pp. 8-14. Le texte donné dans cette revue est une traduction de la communication faite à l'Institut Lombard.
9. Nous modifions légèrement la reproduction du déchiffrement de A. Frova, car le N fait partie des lettres attestées, il n'est pas restitué. Déjà C. Brusa Gerra, *op. cit.*, p. 219, avait rectifié cette erreur. L'examen de la pierre ne laisse aucun doute à ce sujet.

Service des Antiquités de l'État d'Israël

téristiques suivantes : c'est un bloc de calcaire local[10] dont la hauteur est de 82 cm, la largeur, de 68 cm, et l'épaisseur, de 21 cm. « La partie gauche de l'inscription apparaît burinée sur toute la hauteur et sur toute une largeur de 30 cm environ, de façon à former un plan incliné. La partie droite porte une excavation semi-circulaire, qui laisse penser à une autre adaptation.

L'inscription se compose de quatre lignes... La partie gauche est effacée par un chanfrein. La partie droite des première et deuxième lignes est parfaitement conservée, celle de la troisième a souffert mais demeure lisible, mais la quatrième et dernière ligne est complètement meulée ; elle devait cependant être plus courte. Les caractères sont gravés de manière très profonde, pas très régulière ni homogène. Les lettres sont plutôt serrées[11]. » La hauteur des lettres est de 6 cm à la 1re ligne, de 5,5 cm à la 2e et de 5 cm à la 3e. Deux lettres ne correspondent pas à ces dimensions : « les T dépassent la ligne », les bras de la lettre s'étendent sur les lettres voisines ; le I de Pilatus, également, est plus haut que les autres lettres de ce mot[12]. L'espace entre la première et la deuxième ligne est d'environ 3,5 cm, entre la deuxième et la troisième d'à peine 3 cm[13].

L'inscription est très intéressante en raison de la mention de Pilate et du titre de celui-ci, ces deux éléments ne présentent pas de problème pour la restitution. Nous avons là l'unique témoignage épigraphique du séjour de Pilate en Judée. Cette inscription, si importante pour déterminer la titulature des premiers gouverneurs de Judée, est difficile à restituer pour certaines de ses parties. L'élimination des premières lettres, l'absence de trace à la quatrième ligne hormis un apex, l'ignorance de l'emplacement primitif rendent les restitutions problématiques. Les chercheurs ont proposé des solutions diverses. Nous exposerons celles-ci avant de tracer les voies d'une lecture possible. Dans un troisième temps, nous étudierons la question du *Tiberiéum*.

---

10. Selon A. Frova, la pierre provient de la carrière de Kabbara, à quelques kilomètres au nord de Césarée, cf. *op. cit.*, p. 423.

11. A. FROVA, *op. cit.*, p. 423. Nous utilisons la traduction donnée par A. CALDERINI dans *Bible et Terre Sainte*, n° 57, juin 1963, p. 10.

12. A. Frova estime que la manière dont le I est gravé correspond à une simple habitude graphique.

13. Les dimensions données par A. FROVA, *op. cit.*, p. 423, sont approximatives ; nous donnons ci-dessus des dimensions plus précises. Nous avons pu faire ces vérifications grâce à l'amabilité de la Direction du Musée d'Israël.

1. PRÉSENTATION ET CRITIQUE DES RESTITUTIONS PROPOSÉES.

Nous retenons trois propositions de restitution [14] : celle de l'éditeur, A. Frova [15] ; l'essai de A. Degrassi [16] et enfin, plus récente, la restitution proposée par E. Weber [17].

a) L'éditeur a proposé les restitutions suivantes :

[Caesarien]s(ibus) Tiberiéum
[Pon]tius Pilatus
[praef]ectus Iuda[ea]e
[d]é[dit]

Pour justifier les restitutions proposées, A. Frova fait un certain nombre d'observations [18].

« Tiberiéum, avec l'accent nettement marqué sur le E pour indiquer une voyelle longue, désigne clairement une construction en l'honneur de Tibère. Le mot effacé qui précède et dont il ne reste plus que la dernière lettre s, était vraisemblablement [Caesarien] s(ibus) plutôt que [Cae]s(ariensibus) puisqu''il y a suffisamment de place pour une telle intégration, étant donné aussi la disposition serrée des lettres qui, dans les 30 cm burinés, laisse même place à une marge.

---

14. D'autres propositions ont été faites, nous nous contentons de les signaler. Dans l'*Année épigraphique*, 1963, Paris, 1964, nous trouvons p. 26, n° 104 deux restitutions de l'inscription ; en fait, elles ne tiennent pas compte des lettres mêmes de l'inscription : — celle, donnée à partir d'un texte de J. H. Gauze, laisse tomber le S du début, pourtant très net sur la pierre ; — la nouvelle lecture proposée par A. Merlin est un simple rectificatif de celle de J. H. Gauze ; elle ne résoud pas la difficulté du S ignoré par celui-ci et en ajoute une autre en introduisant les lettres AUG, ce qui donne *Tiberio Aug*, alors que, sur la pierre, nous avons très nettement *Tiberiéum*. Une autre proposition a été faite par B. LIFSHITZ, Inscriptions latines de Césarée, dans *Latomus*, XXII, 1963, p. 783. Il suggère de lire à la première ligne : « [Tib(erio) Caes(are) Aug. V ? Con]s(ule) Tiberiéum ». Cette restitution ne tient pas compte du nombre de lettres possible sur la partie burinée. A. Degrassi a fait une critique de cet essai dans l'article que nous citons n. 16. Plus récemment, V. BURR, Rom und Judäa im 1. Jahrhundert. v. Chr., dans ANRW I, 1, Berlin-New York, 1972, p. 886, n. 24, complète la 1re ligne de l'inscription par [*Nemu*]s, mais il ne donne aucune explication qui justifierait une proposition aussi curieuse. C. BRUSA GERRA, dans le volume collectif *Scavi di Caesarea Maritima*, Milan, 1965, pp. 217-220, fait une présentation des solutions de A. Frova et de A. Degrassi. J. VARDAMAN, A New Inscription Which Mentions Pilate as « Prefect », dans *JBL*, LXXXI, 1962, pp. 70-71, dans une note très brève, signale la publication de l'inscription par A. Frova.

15. A. Frova, *op. cit.*, *supra*, p. 24, n. 8.

16. A. DEGRASSI, Sull' Iscrizione di Ponzio Pilato, dans *Atti della Accademia Nazionale dei Lincei*, Serie ottava, Classe di Scienze morali, storiche e filologiche, Rome, XIX, 1964, pp. 59-65 (réédité dans *Scritti Vari di Antichità*, III, Venise-Trieste, 1967, pp. 269-275).

17. E. WEBER, Zur Inschrift des Pontius Pilatus, dans *Bonner Jahrbücher*, CLXXI, 1971, pp. 194-200.

18. A. FROVA, L'Iscrizione di Ponzio Pilato a Cesarea, Nota di Antonio FROVA, presentata dal m.e. Aristide Calderini, dans Istituto Lombardo. Accademia di Scienze e Lettere. *Rendiconti. Classe di Lettere e Scienze morale e storiche*, XCV, 1961, à la p. 425. A. CALDERINI, dans *Bible et Terre Sainte*, n° 57, juin 1963, p. 10.

Dans la deuxième ligne, il manque malheureusement le prénom de Pilate. On peut lire cependant [Pon]tius Pilatus, on aperçoit l'angle droit inférieur de la lettre N.

A la troisième ligne, le supplément est aussi évident : [praef]ectus Iuda[ea]e, précédé peut-être par quelque adjectif.

A la quatrième ligne, on ne peut voir que l'accent, appartenant à un É. En supposant au début de l'inscription [Caesarien]s (ibus), nous aurions [d]é[dit], précédé probablement par un adverbe. »

Cet ensemble d'observations et la taille restreinte de la pierre conduisent l'éditeur à penser que cette pierre est à rattacher à une construction de petite dimension en l'honneur de Tibère.

Les propositions de l'éditeur n'ont pas toutes la même force :
— le nom et la fonction de Pilate ne soulèvent pas de difficulté ;
— par contre, les restitutions : [Caesarien]s(ibus) et [d]é[dit] suscitent quelques objections, d'autant plus que la seconde restitution s'appuie sur la première déjà hypothétique. La lecture [Caesariens]s(ibus) est fragile, elle suppose que le lapicide a laissé tomber quatre lettres dans une inscription qui ne comporte pas d'abréviation ; et de plus, elle présume de la part de Pilate, la volonté de plaire aux gens de Césarée. A. Frova lui-même a senti la fragilité de son hypothèse, puisqu'il s'est finalement rallié à une autre proposition, celle de A. Degrassi [19].

b) La restitution de A. Degrassi est la suivante :

[Dis Augusti]s Tiberiéum
[- - Po]ntius Pilatus
[praef]ectus Iuda[ea]e
[fecit, d]é[dicavit]

Cette proposition offre une belle harmonie pour l'ensemble de l'inscription, elle présente l'avantage de ne supposer aucune abréviation, ce qui est plus conforme au style de l'inscription qui n'abrège pas *praefectus* contrairement à une pratique courante. Selon A. Degrassi, *Dis Augustis* se réfère à Auguste et Livie, la mère de Tibère [20].

L'hypothèse de A. Degrassi présente deux difficultés. L'expression *Di Augusti* pour désigner Auguste et Livie n'a qu'un parallèle plus tardif [21] ; de plus, est-il possible que le *Tiberiéum* soit dédié à d'autres personnes qu'à Tibère ? Le terme *Tiberiéum* n'est-il pas déjà porteur de la dédicace ?

---

19. A. DEGRASSI, *op. cit.*, cf. *supra*, n. 16. A. Frova a exprimé son ralliement à la restitution de A. Degrassi dans Ponzio Pilato e il Tiberiéum di Cesarea, dans *La Veneranda Anticaglia — In Memoria di Aristide Calderini*, Pavie, 1970, pp. 216-227, à la p. 216.

20. A. DEGRASSI, *op. cit.*, p. 62, fait un rapprochement avec une inscription de Leptis Magna. Selon cet épigraphiste, Pilate aurait procédé comme cela se rencontre dans la partie orientale de l'Empire où Auguste et Livie sont présentés ensemble comme les *theoi sebastoi*.

21. En 43 ap. J.-C., cf. *AE*, 1951, n° 85.

c) La proposition de E. Weber qu'il nous reste à examiner est d'un tout autre style [22] :

[Kal(endis) Iulii]s Tiberiéum
[M(arcus) ? Po]ntius Pilatus
[praef]ectus Iuda[ea]e
[dedicávit]

Par rapport aux précédentes restitutions, celle de E. Weber présente trois éléments originaux :

1) une date ;

2) un prénom ;

3) une interprétation nouvelle de l'utilisation primitive de la pierre.

1) La date que E. Weber donne comme premier élément de l'inscription se référerait au 1er juillet, jour où Tibère reçut pour la première fois la puissance tribunicienne. Par sa proposition, E. Weber lève la contradiction signalée précédemment dans l'hypothèse de A. Degrassi. Le *Tiberiéum* ne peut être dédié qu'à Tibère. On peut toutefois objecter que la dédicace comporte d'ordinaire le nom du destinataire clairement exprimé [23]. Si l'on maintient l'aspect dédicatoire au sens strict, est-il suffisant d'englober le destinataire dans le nom lui-même du bâtiment ? Mais cette solution soulève une objection encore plus déterminante. En effet, cet anniversaire de Tibère ne semble pas avoir été célébré [24], et rien ne permet de dire que Pilate a pu avoir une telle initiative.

2) Le prénom proposé est Marcus. L'auteur en reconnaît lui-même l'aspect hypothétique [25].

3) Le troisième élément relevé par E. Weber est, sans aucun doute, le plus original, mais, hélas ! dépourvu de fondement. La pierre n'aurait pas eu pour but la dédicace ou le signalement d'un bâtiment, elle serait la pierre de fondation d'une construction qui n'a jamais été édifiée. La grande difficulté d'une telle proposition provient de l'absence de parallèle [26], aussi n'est-il pas possible de la retenir.

2. PROPOSITIONS POUR UNE RESTITUTION.

Les critiques que nous avons faites aux restitutions exposées ci-dessus tracent déjà des limites aux solutions possibles. Notre recherche pour retrouver des parallèles assez proches pour être

22. Cf. *op. cit.*, *supra*, n. 17.
23. Cf. R. CAGNAT, *Cours d'épigraphie latine*, Paris, [4]1914, pp. 252-253 ; 259.
24. W. F. SNYDER, Public Anniversaries in the Roman Empire, dans *Yale Classical Studies*, VII, 1940, pp. 223-317, aux pp. 235-236.
25. E. WEBER, *op. cit.*, p. 198.
26. Ce que E. Weber reconnaît lui-même, cf. *op. cit.*, p. 196.

convaincants n'a pas abouti. Faut-il donc en rester à un constat d'échec ? Nous ne le pensons pas, car il est possible de faire quelques observations qui permettent de mieux situer le problème.

Pour la restitution de l'inscription, la meilleure hypothèse de travail serait de rechercher le formulaire typique de ce genre d'inscription. Malheureusement, l'ignorance où nous sommes de l'emplacement de la pierre, l'élimination des premières lettres et de la dernière ligne ne permettent pas de définir avec précision le type d'inscription devant lequel nous nous trouvons. S'agit-il d'une inscription de dédicace, comme le supposent des études citées précédemment[27], ou d'une simple inscription gravée sur le *Tiberiéum* pour l'identifier ? La taille de la pierre, assez petite, laisse supposer que nous ne sommes pas en présence d'une inscription solennelle de type dédicatoire. L'inscription est brève, or, avec l'Empire, on commence à développer les formules dédicatoires. De plus, est-il possible de dire que le *Tiberiéum* est dédié ? Si le *Tiberiéum* est dédié, il va de soi que Tibère est le destinataire de la dédicace. Le type même de l'inscription n'apparaît pas sûr. La restitution *dedicávit* ne peut être que conjecturale. Compte tenu des observations ci-dessus, un simple « *fécit* » paraîtrait plausible.

La restitution du début de l'inscription pose les mêmes problèmes. Nous n'avons retenu ni *Dis Augustis*, ni *Kalendis Iuliis*. L'idée d'une dédicace étant exclue pour les motifs indiqués ci-dessus, les possibilités de restitution demeurent cependant nombreuses[28]. En l'absence de parallèles rigoureux, il est difficile de préciser le complément de la première ligne. Nous proposons donc la restitution suivante :

[- - -]s Tiberiéum/ [? Po]ntius Pilatus / [praef]ectus Iuda[ea] e / [*fécit*].

3. LE TIBERIÉUM.

L'identification du *Tiberiéum* suscite de difficiles problèmes. Le seul élément certain a été bien mis en valeur par A. Frova : « *Tiberiéum*, avec l'accent nettement marqué sur le *e* pour indiquer une voyelle longue, désigne clairement une construction en l'honneur de Tibère[29]. » En dehors de cette inscription, ce terme est inconnu[30], mais nombreux sont les noms construits d'une façon semblable, ils ont été signalés dans les différentes études. Le *Tiberiéum* est-il un

27. Cf. aussi Lee I. LEVINE, *Roman Caesarea, An Archeological-Topographical Study*, Jérusalem, 1975, p. 19.
28. Cf. R. CAGNAT, *op. cit.*, p. 264.
29. Cf. *supra*, p. 26, n. 18 la référence de cette citation.
30. Cf. H. VOLKMANN, Die Pilatusinschrift von Caesarea Maritima, dans *Gymnasium*, LXXV, 1968, p. 133.

temple [31] ou représente-t-il un autre type de bâtiment [32] ? Les parallèles orientent aussi bien vers un bâtiment non religieux que vers un temple.

Les discussions relatives à l'identification du *Tiberiéum* ont eu pour objet l'attitude de Tibère par rapport aux honneurs divins. Précisons tout d'abord cette question. Auguste meurt le 19 août 14 à Nole, et le 17 septembre de la même année, le Sénat proclame la consécration d'Auguste qui prend place parmi les dieux de l'État. Le 25 novembre 14, cette nouvelle parvient à Pergame. Lors d'une réunion tenue après cette date, le *koinon* d'Asie décrète qu'en ce jour-là sera célébré un culte officiel à Auguste [33]. L'érection d'un autel est décidée, ainsi que l'offrande des sacrifices à l'empereur défunt. Le texte qui nous reste provient d'Halicarnasse, mais il est probable que chaque ville d'Asie a fait graver ce décret. L'assemblée qui prend cette décision en envoie un exemplaire à Tibère et au Sénat. La décision du Sénat, proclamant la *consecratio* d'Auguste, correspond tout à fait à la politique de Tibère qui s'est attaché à développer le culte d'Auguste et à célébrer la mémoire de son père adoptif ; c'est la grande affaire, surtout au début de son règne [34]. Pour sa part, Tibère ne paraît pas avoir souhaité le développement de son propre culte ; néanmoins il laissa faire [35], se justifia de cette attitude, mais aussi s'opposa à des projets de culte [36]. A l'occasion d'un discours au Sénat où il expose les raisons qui l'ont amené à accepter un culte en Asie, Tibère exprime la doctrine du culte impérial : un culte est rendu à l'empereur après sa

---

31. Cette solution avec plus ou moins de nuances est proposée par la plupart des études. Cf. E. STAUFFER, *Die Pilatusinschrift von Caesarea*, Erlangen, 1966, p. 13 ; H. VOLKMANN, Die Pilatusinschrift von Caesarea Maritima, dans *Gymnasium*, LXXV, 1968, pp. 124-135 ; Lee I. LEVINE, *Roman Caesarea*, Jérusalem, 1975, pp. 19-21 ; J. RINGEL, *Césarée de Palestine*, Paris, 1975, pp. 101-103.

32. A. Frova a refusé de reconnaître un temple dans le *Tiberiéum*. Cf. ses articles indiqués *supra*, p. 24, n. 8 et surtout p. 27, n. 19.

33. *IBM*, 894, cf. W. H. BUCKLER, Auguste, Zeus Patroos, dans *Revue de Philologie, de Littérature et d'Histoire anciennes*, LXI, 1935, pp. 177-188. Le texte du décret est donné pp. 182-183. La lecture proposée par W. H. Buckler « a été revue sur la stèle au British Museum ».

34. SUÉTONE, *Vies*, Tibère, XLVII ; DION CASSIUS, *Hist. Rom.*, LVI, 46 ; LVII, 10 et LIX, 7 ; TACITE, *Ann.*, I, 78 ; II, 41 ; IV, 57 ; VI, 45 (ce dernier texte rapporte le même fait que SUÉTONE, *Vies*, Tibère, XLVII) ; *CIL*, VI, 909 et 910. Cf. L. CERFAUX et J. TONDRIAU, *Le culte des souverains dans la civilisation gréco-romaine*, Paris - Tournai, 1957, pp. 339-340.

35. TACITE, *Ann.*, IV, 15. Les villes d'Asie décidèrent d'élever un temple à Tibère, à sa mère et au Sénat. Par ce geste, elles exprimaient leur reconnaissance à Tibère qui avait défendu la province contre deux fonctionnaires malhonnêtes, Lucilius Capito et Silanus, cependant le temple n'était pas élevé qu'en l'honneur de Tibère. Les villes d'Asie se disputèrent pour obtenir l'édification du temple sur leur territoire (cf. TACITE, *Ann.*, IV, 55), mais le Sénat trancha en faveur de Smyrne (TACITE, *Ann.*, IV, 56).

36. TACITE, *Ann.*, IV, 37-38. L'Espagne ultérieure demanda l'autorisation d'élever un temple à Tibère et à sa mère ; Tibère refusa un tel honneur et en profita pour expliquer pourquoi il avait accepté l'édification d'un temple en Asie : — il n'innovait pas, il y avait le précédent d'Auguste à Pergame ; de plus, les sénateurs étaient associés à cet honneur.

mort, s'il a été un bon empereur. L'empereur en vie ne doit pas avoir de temple, les dérogations à ce principe sont tout à fait exceptionnelles. Indépendamment des sentiments et de l'attitude de Tibère, le matériel épigraphique affirme l'existence d'un culte en l'honneur de Tibère [37]. De plus, à Césarée, Pilate pouvait invoquer un précédent, le temple d'Auguste [38].

Mais le véritable problème ne nous paraît pas être celui des honneurs divins rendus ou non à Tibère. Il est à situer au niveau de l'inscription elle-même. Si le *Tiberiéum* est un temple, la pierre est très vraisemblablement dédicatoire ; en ce cas, le ou les destinataires doivent être exprimés, ce qui n'est pas le cas ici. Notre refus d'identifier le *Tiberiéum* avec un temple provient donc de la formulation de l'inscription ; *Tiberiéum* suppose par lui-même que le bâtiment est érigé en l'honneur de Tibère ; restituer *dedicavit* à la quatrième ligne est difficile, comme nous l'avons déjà exposé. La pierre, en fait, indique le nom du bâtiment, il n'y est pas question de dédicace [39]. Le *Tiberiéum* échappe à notre connaissance précise, ce pourrait être un temple, mais beaucoup plus vraisemblablement une place, une colonnade, voire un bâtiment administratif [40]. Ce bâtiment pouvait être un élément d'un espace sacré ou prendre place dans un ensemble analogue au *Cesaréum* de Cyrène [41].

Dans l'état actuel des recherches, en l'absence de parallèles déterminants, il n'est pas possible de se prononcer de manière absolue sur toutes les énigmes de l'inscription. En résumé, nous pouvons dire : les premières lettres de l'inscription ne peuvent pas être restituées de façon sûre ; à la quatrième ligne, *fécit* est vraisemblable. Le *Tiberiéum* n'est sans doute pas un temple ; il est difficile de préciser davantage sa nature. La date d'érection demeure incertaine [42] ;

---

37. D. MAGIE, *Roman Rule in Asia Minor to the End of the Third Century After Christ*, Princeton, (1950), [2]1966, pp. 501-502 ; 1360-1361, a rassemblé un matériel épigraphique assez important attestant un culte rendu à Tibère, cf. par ex. *ILS*, 162 ; *IGR*, III, 474 ; 933 ; IV, 454...

38. Cf. J. RINGEL, *Césarée de Palestine*, Paris, 1975, pp. 40-44.

39. Cf. *supra*, p. 29.

40. A Aphrodisias, c'est un portique (et peut-être une basilique) qui était dédié à Tibère. Le texte de l'inscription est donné par J. et L. ROBERT, *Bulletin épigraphique*, dans *REG*, LXI, 1948, 211. A propos de cette inscription, K. ERIM, dans *Anatolian Studies*, XX, 1970, p. 24 remarque : « Among the epigraphical items discovered here, one must mention an architrave fragment bearing a dedication to Tiberius, but obviously cut in second century letter forms. This suggests either a long period of construction for the portico or some repair work undertaken in the second century » ; pour les rapports portique-basilique et les précisions apportées par les fouilles récentes, cf. *Anatolian Studies*, XX, 1970, pp. 23-24 ; XXI, 1971, pp. 28-29 ; XXII, 1972, pp. 37-38 ; XXIII, 1973, pp. 21-22 ; XXIV, 1974, p. 23 ; XXV, 1975, pp. 20-21 ; à Apollonia de Pisidie, une statue magnifie Tibère, cf. *Monumenta Asiae Minoris Antiqua*, IV, 1933, n° 143. A Leptis Magna, une salle dans le théâtre est dédiée à Auguste.

41. Cf. A. FROVA, *Ponzio Pilato e il Tiberiéum di Cesarea*, dans *La Veneranda Anticaglia — In Memoria di Aristide Calderini*, Pavie, 1970, aux pp. 226-227.

42. Cf. *infra*, p. 276.

car penser, comme le fait par ex. E. M. Smallwood [43], que l'érection a eu lieu après l'épisode des boucliers dorés rapporté par Philon en arguant que les boucliers auraient été ramenés dans le *Tiberiéum* et non dans le temps d'Auguste, suppose résolue la question du genre du bâtiment. Ces incertitudes ne doivent pas nous faire oublier le triple intérêt de cette inscription pour la connaissance de Pilate : elle atteste son gouvernement, son titre et sa dévotion à l'empereur, au moins sous son aspect extérieur. De plus, elle nous aide à mieux connaître, au moins en théorie, les constructions de Césarée, au Ier siècle [44].

---

43. SMALLWOOD, *The Jews*, p. 167.
44. La suggestion de Lee I. LEVINE, *Roman Caesarea*, Jérusalem, 1975, p. 20 et n. 141 sur une éventuelle découverte archéologique de restes du *Tiberiéum* est tout à fait hypothétique.

CHAPITRE II

CRÉATION DE LA PROVINCE DE JUDÉE
SON STATUT. SON TERRITOIRE

La mort d'Hérode le Grand, en 4 av. J.-C., ouvrit une période d'agitation en Judée et de lutte à l'intérieur de la famille royale. Au début du livre II de la Guerre des Juifs, Flavius Josèphe nous a laissé le récit des révoltes de Judée et de la course au pouvoir entre Archélaüs et Hérode Antipas, tous deux fils de Malthacé la Samaritaine. Le testament d'Hérode n'entrait en vigueur que s'il était confirmé par Auguste, de plus il prêtait à contestation [1]. Les prétendants au trône, Archélaüs et Antipas, devaient effectuer le voyage à Rome auprès de l'empereur, car seul celui-ci pouvait régler la succession d'Hérode et mettre un terme à la rivalité des deux frères. Archélaüs arriva le premier. « Antipas, à son tour, surgit pour disputer la royauté à son frère, soutenant que le codicille avait moins d'autorité que le testament où lui-même avait été désigné pour roi [2]. » La menace, venant d'Antipas, s'accompagnait pour Archélaüs d'une autre : « Archélaüs eut à soutenir à Rome un nouveau procès contre les députés juifs qui, avant la révolte, étaient partis avec l'autorisation de Varus pour réclamer l'autonomie de leur nation [3]. » L'habileté de

1. Hérode apporta des modifications à ses dispositions testamentaires. Il fit en 6 av. J.-C. un testament en faveur d'Antipater et d'Hérode, le fils de Mariamme II, cf. *BJ*, I, 573. A la suite de la mise en jugement d'Antipater, Hérode modifia son testament : « Il désigna pour roi Antipas, laissant de côté ses aînés, Archélaüs et Philippe, qu'Antipater avait également calomniés » (*BJ*, I, 646). Après avoir fait tuer Antipater, « il (Hérode) modifia encore son testament : il désigna pour héritier Archélaüs, son fils aîné, né du même lit qu'Antipas, et nomma ce dernier tétrarque » (*BJ*, I, 664). En se référant à cette ultime disposition testamentaire, Antipas parle de codicille, il considérait comme véritable testament celui qui avait été rédigé en sa faveur. Cf. également *Ant.*, XVII, 146 ; 188-189 ; 224.
    Sur les trois fils d'Hérode qui se partagèrent le royaume à sa mort, cf. *HJP*, pp. 336-357 ; SMALLWOOD, *The Jews*, pp. 181-200.
2. *BJ*, II, 20.
3. *BJ*, II, 80.

Nicolas de Damas, avocat de la cause d'Archélaüs, joua un rôle déterminant en faveur de celui-ci. « Quelques jours plus tard, il (Auguste) rendit sa décision : il donna la moitié du royaume à Archélaüs avec le titre d'ethnarque, lui promettant de le faire roi s'il s'en montrait digne ; le reste du territoire fut partagé en deux tétrarchies, qu'il donna à deux autres fils d'Hérode, l'une à Philippe, l'autre à Antipas, qui avait disputé la couronne à Archélaüs [4]. » Flavius Josèphe précise avec soin le territoire dont Archélaüs recevait la charge : « L'ethnarchie d'Archélaüs comprenait toute l'Idumée et la Judée, plus le territoire de Samarie, dont le tribut fut allégé du quart, pour la récompenser de n'avoir pas pris part à l'insurrection. Les villes assujetties à Archélaüs furent la Tour de Straton, Sébaste, Joppé et Jérusalem ; quant aux villes grecques de Gaza, Gadara et Hippos, Auguste les détacha de sa principauté et les réunit à la Syrie. Le territoire donné à Archélaüs produisait un revenu de 400 talents [5]. » Nous nous sommes quelque peu arrêtés sur l'avènement d'Archélaüs comme ethnarque et sur les limites du territoire qu'il devait administrer, car, dès cette époque, la province romaine de Judée est en germe.

Arrivé au pouvoir dans de mauvaises conditions, Archélaüs ne sut pas retourner la situation en sa faveur ; au contraire, il dressa le peuple contre lui. Les principaux des Juifs et les Samaritains se plaignirent auprès de l'empereur, du comportement d'Archélaüs ; à la suite de cette accusation, Auguste déposa l'ethnarque, lui assigna « pour résidence Vienne, ville de Gaule, et (il) confisqua ses biens [6] ». Dès lors qu'il décidait de faire entrer l'ethnarchie d'Archélaüs dans l'Empire romain, Auguste avait deux possibilités : créer une province particulière ou rattacher ce territoire à la province de Syrie. Respectueux des particularismes, Auguste choisit la première voie, car le problème juif méritait une considération toute spéciale [7], d'autant que la population présentait un passé très différent de celui de la

---

4. *BJ*, II, 93-94.

5. *BJ*, II, 96-97. Les *Antiquités* mentionnent un revenu de 600 talents (*Ant.*, XVII, 320). Un récit à peu près semblable est donné en *Ant.*, XVII, 299 s. Jamnia, Azot, Phasaëlis et le palais d'Ascalon étaient la propriété de Salomé, sous la dépendance de la principauté d'Archélaüs (*BJ*, II, 98 ; *Ant.*, XVII, 321). Plus tard Salomé reçut aussi Archélaïde, car, à sa mort (sous le préfet Ambibulus), elle lègue ce territoire avec ses autres états à Livie (*Ant.*, XVIII, 31 ; *BJ*, II, 167 sans la mention d'Archélaïde). En 29, à la mort de Livie, ses biens revinrent à Tibère qui plaça à leur tête un procurateur (*Ant.*, XVIII, 158), cf. *infra*, p. 52, n. 53. Les territoires venus de Salomé constituèrent donc une sorte d'enclave d'abord dans le domaine d'Archélaüs, puis à l'intérieur de la province romaine. SMALLWOOD, *The Jews*, p. 158, a suggéré que la bienveillance d'Auguste à l'égard de Salomé n'était peut-être pas dépourvue d'arrière-pensée. L'empereur n'aurait-il pas favorisé Salomé en ajoutant aux biens légués par Hérode le palais d'Ascalon et Archélaïde, à condition que l'ensemble de ses propriétés revienne à sa mort à la famille impériale ? Confrontée au texte de Josèphe, cette proposition reste du domaine de l'hypothèse.

6. *Ant.*, XVII, 344 ; cf. *BJ*, II, 111. Cf. également STRABON, *Géographie*, XVI, 2, 46.

7. Cf. le bref résumé de D. B. SADDINGTON, Race Relations in the Early Roman Empire, dans *ANRW*, II, 3, 1975, pp .112-137, à la p. 132.

province de Syrie. C'est ainsi que l'ensemble des territoires qui avaient constitué l'ethnarchie d'Archélaüs devenait en 6 ap. J.-C. la province romaine de Judée [8], elle était confiée à un gouverneur de l'ordre équestre. Son premier gouverneur fut Coponius [9]. Cette province regroupait quatre types de population : les Juifs, les Samaritains, les Iduméens [10], et deux villes à prédominance païenne, Césarée et Sébaste. Faire vivre ensemble des populations si diverses n'allait pas être chose aisée.

De 6 à 66 ap. J.-C., la Judée fut administrée par un gouverneur romain, sauf pendant le temps très bref (41 à 44) où le royaume d'Hérode fut reconstitué au profit d'Agrippa I, son petit-fils [11]. De 6 à 41, Coponius et ses successeurs eurent en charge un territoire qui comprenait la Judée, avec l'Idumée palestinienne assimilée depuis Jean Hyrcan, et la Samarie [11 bis]. Jamnia, Azot, Ascalon et Gaza bénéficiaient d'un statut particulier. La nouvelle province de Judée était limitée au sud et sud-est par le royaume nabatéen, à l'est par la Pérée, au nord par la Décapole, la Galilée et la province de Syrie. Jusqu'en 39, Pérée et Galilée constituèrent la tétrarchie d'Hérode Antipas.

A la mort d'Agrippa I, la Judée redevint province romaine [12], mais son territoire fut agrandi, car la province reconstituée héritait de l'ensemble du domaine d'Agrippa I. La province romaine de Judée connut une étendue maximale de 44 à 53. En effet, quand Félix fut nommé procurateur, l'ancienne tétrarchie de Philippe fut confiée à Agrippa II [13]. La province de Judée subira encore une modification de

---

8. Nous employons le terme de Judée car, selon l'inscription de Césarée, telle est la dénomination officielle de la province. Il ne s'agit pas de la Judée au sens géographique, mais au sens administratif : l'ensemble du territoire confié au gouverneur romain.

9. Nous suivons ici la version de *BJ*, II, 117 ; nous n'ignorons pas que les Antiquités (XVII, 355 ; XVIII, 1-3) donnent une version plus complexe qui soulève d'emblée le problème des liens entre la province de Judée et celle de Syrie, nous traiterons donc de la présentation des Antiquités en parlant des rapports entre ces deux provinces, cf. *infra*, pp. 60 ss.

10. Les Iduméens avaient été convertis de force au judaïsme par Jean Hyrcan, à la fin du IIᵉ siècle av. J.-C. La dynastie hérodienne provenait de cette population.

11. Cf. *BJ*, II, 215. Par rapport au royaume d'Hérode, celui d'Agrippa I ne comprenait pas les villes grecques : Gaza, Gadara, Hippos. Azot et Jamnia, propriétés impériales, furent liées à son royaume probablement à ce moment-là, peut-être aussi Apollonia et Antipatris.

11 bis. Cf. p. 38, carte 1.

12. *BJ*, II, 220. La totalité des états d'Agrippa I fut confiée aux gouverneurs romains de Judée, y compris l'Abilène ; cf. p. 39, carte 2.

13. *BJ*, II, 247. Nous n'avons pas à retracer ici l'histoire de l'accroissement des états d'Agrippa II, cf. *BJ*, II, 223, 247, 252, et *Ant.*, XX, 104, 138, 159. Nous indiquons simplement les diverses modifications survenues au territoire de la province romaine de Judée. La formulation d'*Ant.*, XX., 137-138 laisse entendre que Félix fut nommé avant que Claude ait accompli la douzième année de son principat, et que ce n'est qu'un peu plus tard que le territoire d'Agrippa II fut agrandi. Félix a peut-être été nommé en 52, et la tétrarchie de Philippe, confiée à Agrippa II en 53. Cette dernière date ne présente pas d'incertitude ; cf. p. 40, carte 3.

territoire, car un des premiers actes du gouvernement de Néron fut, selon Josèphe[14], d'étendre les territoires d'Agrippa II qui reçut à cette occasion une partie de la Galilée avec Tibériade et Tarichée, ainsi que « la ville de Julias en Pérée et quatorze bourgs situés dans son voisinage ». Josèphe ne donne pas de point de repère chronologique clair pour cette nouvelle modification de territoire. Bien que la date de 54 ait été contestée, nous suivons l'indication des Antiquités, qui lie ces modifications et l'avènement de Néron. Certains auteurs ont pensé à l'année 61[15], car les dernières monnaies d'Agrippa II mentionnent une ère qui commence en 61, ce serait, selon l'opinion de ces auteurs, la date de l'accroissement dont parle Josèphe en *Ant.*, XX, 158-159. Cette position nous paraît d'autant plus hypothétique qu'elle contredit les textes de Josèphe, qui lient cet événement et la présence de Félix, or en 61 Félix a déjà quitté la Judée[16]. La province romaine de Judée ne connut pas jusqu'en 66 de nouvelles modifications territoriales, elle comprenait donc à cette époque la province primitive déjà décrite, plus le royaume d'Hérode Antipas, amputé au profit d'Agrippa II.

Ces modifications de territoire ne changèrent pas la nature même de la province qui demeura une province impériale, confiée à un gouverneur de rang équestre[17], comme d'ailleurs cela était la coutume pour une province petite ou au statut très particulier. Au moment où la Judée est annexée, en 6 ap. J.-C., la Sardaigne est aussi confiée à des gouverneurs de l'ordre équestre[18].

Afin de situer la Judée dans le système d'organisation de l'Empire, nous décrivons brièvement celui-ci[19]. Sous Auguste, en 27 av. J.-C., l'Empire est divisé en deux parties[20], l'une revient à l'empereur, l'autre au peuple romain, « les provinces de César » et « les provinces du peuple ». Ces expressions de Strabon, ne doivent pas induire en erreur. Mis à part quelques territoires qui étaient son bien propre, les pro-

---

14. *Ant.*, XX, 158-159. Les territoires donnés à cette occasion sont présentés un peu différemment en *BJ*, II, 252. Cf. p. 41, carte 4.

15. Cf. par ex. Y. AHARONI — M. AVI-YONAH, *The Macmillan Bible Atlas*, New York-Londres, ⁸1976, p. 156, mais dans cette publication, les auteurs n'expliquent pas les raisons de leur choix. Sur cette question cf. *HJP*, p. 473, n. 8. M. AVI-YONAH, dans *The Holy Land*, Grand Rapids, 1966, p. 106 proposait la date de 54.

16. Cf. *HJP*, pp. 459 ss.

17. Nous aurons l'occasion de revenir sur le problème de Félix qui fut gouverneur de 52 à 60 et qui originellement n'appartenait pas à l'ordre équestre, cf. *infra*, p. 55, n. 69.

18. *Stratiarchais hippeusin* selon DION CASSIUS, *Hist. Rom.*, LV, 28. Le statut de la province de Sardaigne a varié, cf. *infra*, p. 76. Sur l'ordre équestre, cf. A. STEIN, *Der römische Ritterstand*, Munich, 1927 ; les travaux de H. G. PFLAUM, cités *supra*, p. 22, n. 7 ; F. de MARTINO, *Storia della Costituzione Romana*, IV, 1, Naples, 1962, pp. 318-321 et 467-480.

19. Notre but est de situer à grands traits la Judée parmi l'ensemble des provinces. Sur le régime provincial cf. F. de MARTINO, *op. cit.*, IV, 2, Naples, 1965, pp. 715-745.

20. Cf. STRABON, *Géographie*, XVII, 3, 25. Au moment où Strabon écrit, les provinces sont divisées selon les dispositions arrêtées par Auguste.

vinces impériales ne furent jamais considérées comme le bien particulier de l'empereur, elles étaient administrées par celui-ci pour
Rome[21]. Auguste confiait à l'administration du Sénat les provinces
pacifiées, il se réservait les provinces difficiles qui exigeaient un effort
militaire particulier ; cette division habile lui permettait d'avoir les
troupes sous son commandement[22]. Une province sénatoriale était
administrée par un gouverneur choisi par le Sénat, sous la responsabilité de celui-ci. Dans la partie orientale de l'Empire, la province
d'Asie relevait de cette catégorie. Les provinces impériales, quant à
elles, se subdivisaient en deux catégories, les provinces propréatoriennes
et les provinces administrées par un préfet. Les premières avaient à
leur tête des gouverneurs, membres de l'ordre sénatorial, qui, en tant
que légats de l'empereur, commandaient les troupes cantonnées dans
leur province. Les autres provinces impériales, moins importantes que
les précédentes[23] quant à leur étendue et à leur revenu, étaient en principe dirigées par des membres de l'ordre équestre. Ce dernier type de
province regroupait un ensemble de territoires dont la population
présentait des caractères particuliers. A sa création, comme il convenait, la Judée prenait place parmi ces provinces dont le gouverneur
était membre de l'ordre équestre.

Cette dernière assertion peut surprendre, car certains gouverneurs, surtout au début de l'Empire, n'étaient pas des hommes de
rang équestre[24] ; il arrivait que des centurions reçoivent cette charge[25]
dans le prolongement de leur commandement militaire. Néanmoins
ces exceptions n'enlèvent rien à la pratique courante. Quatre faits
montrent que les gouverneurs de Judée, Félix mis à part, étaient de
rang équestre :
— la pratique habituelle ;
— le précédent créé par la nomination de Coponius dont nous
connaissons par Josèphe son appartenance à l'ordre équestre[26] ;
— le fait que peu à peu, sans doute à partir de la seconde moitié
du règne de Tibère, l'habitude fut prise de nommer des chevaliers à
la tête de provinces. Après avoir accompli une carrière militaire, ces
hommes recevaient la charge d'une province où ils accomplissaient
alors des tâches plus diversifiées ;
— l'importance toujours plus grande prise par des membres de
l'ordre équestre. Même si l'ordre ne représenta pas comme tel une
force politique, sous la dynastie julio-claudienne ses membres jouè-
rent un rôle important. Le statut des provinces, conçu par Auguste,
fut maintenu par Tibère, soucieux de continuer l'œuvre de son père.
Ce statut était donc en vigueur au temps de Pilate.

21. Cf. Pflaum, *Procurateurs*, p. 24.
22. Dion Cassius, *Hist. Rom.*, LIII, 12 ,3.
23. La préfecture d'Égypte constitue un cas à part.
24. Cf. par ex. C. Baebius Atticus, *ILS*, 1349.
25. A. N. Sherwin-White, Procurator Augusti, dans *PBSR*, XV, 1939, pp. 11-
26, à la p. 12, n. 5, a donné des exemples de centurions promus gouverneurs.
26. « *epitropos tês hippikês para Rômaiois taxeôs* » (*BJ*, II, 117). Cf. en
Ant., XVIII, 2, une expression assez semblable.

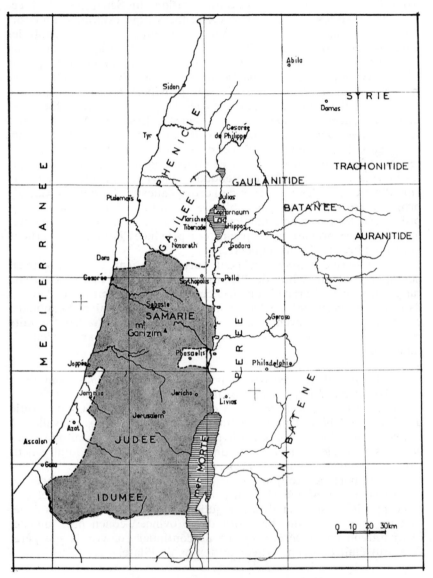

1. Province romaine de Judée de 6 à 41.

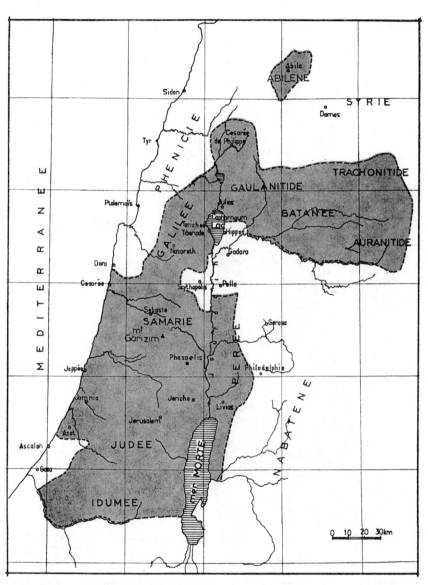

2. Royaume d'Agrippa I de 41 à 44.
Province romaine de Judée de 44 à 53.

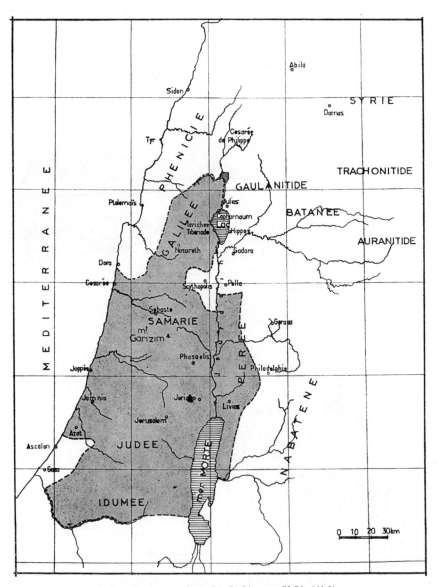

3. Province romaine de Judée en 53-54 (61 ?).

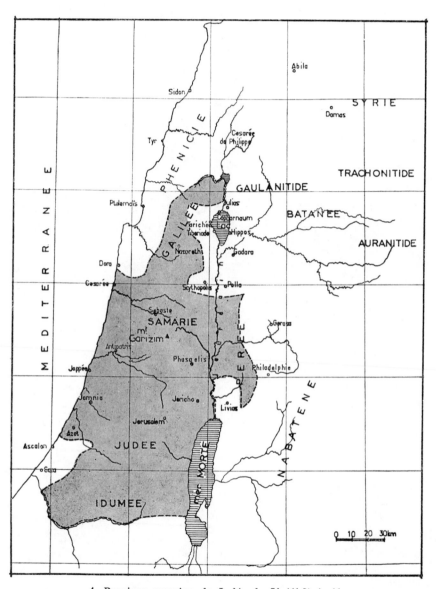

4. Province romaine de Judée de 54 (61 ?) à 66.

CHAPITRE III

L'INSCRIPTION DE CÉSARÉE
ET LA TITULATURE DES GOUVERNEURS DE JUDÉE

Selon l'inscription de Césarée, le titre de Pilate, gouverneur de Judée, est « *praefectus Iudaeae* », l'équivalent grec de cette expression est *eparchos tês Ioudaias*. Mais les textes littéraires présentent un témoignage différent, en effet ils n'attribuent pas le titre *praefectus* ou *eparchos* à Pilate :

1) Josèphe, Philon et Tacite qualifient Pilate d'*epitropos*[1] ou de *procurator*[2], équivalent latin de *epitropos*. Selon Philon, sa charge est une *epitropê*[3]. Ces trois auteurs sont indépendants les uns des autres dans leur témoignage.

2) Le même Josèphe, dans les *Antiquités*[4], et les auteurs néo-testamentaires[5] ont recours à *hêgemôn* quand ils parlent du cinquième gouverneur de Judée[6].

Le terme *hêgemôn*, très utilisé pour des gouverneurs provin-

1. *BJ*, II, 169 ; *Legatio*, 299.
2. TACITE, *Ann.*, XV, 44.
3. *Legatio*, 302.
4. *Ant.*, XVIII, 55.
5. Mt., XXVII, 2, 11 (deux fois), 14, 15, 21, 27 ; XXVIII, 14 ; Lc, III, 1 ; XX, 20. Luc, III, 1 comporte une variante : *epitropeuontos* au lieu de *hêgemoneuontos*. Cette variante indiquée entre autres par le *Codex Bezae* pourrait témoigner de la lecture primitive ; *hêgemoneuontos*, en effet, s'explique bien par la volonté d'harmoniser ce texte avec l'ensemble du vocabulaire néo-testamentaire.
6. Dans les Évangiles, *hêgemôn*, appliqué à Pilate, semble très matthéen. Le Nouveau Testament connaît d'autres emplois de *hêgemôn* :
— au sens de « chef » en Mt., II, 6 citant Mich., V, 1 ;
— « gouverneur », mais sans référence historique précise : Mt., X, 18 ; Mc, XIII, 9 ; Lc, XXI, 12 ; I Pi., II, 14 ;
— le verbe *hêgemoneuô*, au participe, est utilisé par Lc, II, 2, pour Quirinius, gouverneur de Syrie ; le même évangéliste emploie aussi *hêgemonia* pour Tibère (III, 1). *Hêgeomai* n'apporte aucune précision utile à notre recherche.

ciaux romains[7], n'a jamais revêtu pour eux dans son équivalence latine *praeses* un caractère officiel, il a conservé le sens large de son origine : « celui qui est à la tête de...[8] ». Nous n'avons donc pas à le considérer comme pouvant éventuellement représenter le titre officiel de Pilate, gouverneur de Judée. Des trois termes qui qualifient Pilate dans les différents témoignages rassemblés, seuls *eparchos* (*praefectus*) et *epitropos* (*procurator*) ont eu un caractère officiel dans la titulature des gouverneurs romains. Si l'on en croit l'ensemble du témoignage littéraire et épigraphique, ces deux titres, *eparchos* et *epitropos*, ou leurs équivalents latins ont été appliqués à Pilate. Or ni témoignage direct ni données parallèles ne laissent penser que cet homme a porté successivement ces deux titres. L'étude des divers témoignages doit donc permettre de préciser la véritable titulature de Pilate, gouverneur de Judée.

1. LA TERMINOLOGIE DE PHILON, JOSÈPHE ET TACITE.

Jusqu'en 1961, les témoignages directs sur la titulature de Pilate provenaient d'œuvres littéraires. Nous analyserons d'abord ces textes en tenant compte de l'époque où ils ont été rédigés.

PHILON.

Philon, en 41, écrit la *Legatio ad Caium*. Quand il met en scène Pilate dans la lettre d'Agrippa à Caius[9], Philon le présente comme un *epitropos*[10] dont la charge est une *epitropê*[11] ; et selon lui, le palais des gouverneurs de Judée à Jérusalem est *hê oikia tôn epitropôn*[12].

Dans la *Legatio ad Caium*, Philon recourt à *epitropos* pour désigner les gouverneurs des provinces d'Asie sous Auguste[13], le légat de Syrie, Petronius[14], et d'une façon tout à fait surprenante, le préfet

---

7. Outre l'usage constant du Nouveau Testament sur ce point [Félix et Festus, dans les Actes des Apôtres, sont désignés par ce terme : Act., XXIII, 24, 26, 33 ; XXIV, 1, 10, (pour Félix) ; Act., XXVI, 30 (pour Festus)], cf. STRABON, *Géographie*, XVII, 3, 25 ; *IG*, XIV, 1437, et très souvent pour le préfet d'Égypte : *P. Ryl.*, CXIX, 4 ; *P. Oxy.*, XXXIX, 6. Dans ces cas, comme dans les Actes des Apôtres, *hêgemôn* est pris au sens de « gouverneur ».

8. Il s'emploie pour des fonctions très diverses. L'idée fondamentale est de désigner quelqu'un qui *guide, dirige*.

9. Notre formule « quand il met en scène Pilate dans la lettre d'Agrippa à Caius », sera justifiée quand nous analyserons cette lettre, cf. *infra*, pp. 208-209. Historiquement, l'incident se situe à un moment où Pilate a déjà accompli un temps de gouvernement assez long en Judée.

10. « *Pilatos ên tôn hyparchôn epitropos apodedeigmenos tês Ioudaias* ». « Parmi les gouverneurs (que Tibère nomma) Pilate avait été désigné comme *epitropos* de la Judée » (*Legatio*, 299). *Hyparchos* est à entendre au sens général de gouverneur, cf. *Legatio*, 161 ; au § 207, il est appliqué à Pétronius. Les contextes des § 299 et 161 sont en faveur de ce sens large.

11. *Legatio*, 302.

12. *Legatio*, 306.

13. *Legatio*, 311.

14. *Legatio*, 333. Au § 245, le verbe *epitropeuô* désigne l'activité de ce même Petronius ; au § 231, *epitropê* s'applique à Vitellius auquel Pétronius succède.

d'Égypte [15]. Cet emploi de *epitropos* pour le préfet d'Égypte n'est pas
un cas isolé dans l'œuvre de Philon ; en effet, dans l'*In Flaccum*, quand
il décrit l'installation de Flaccus dans ses fonctions, l'écrivain
alexandrin note : « *kathistatai tês Alexandreias kai tês chôras epitropos* ; il est nommé *epitropos* d'Alexandrie et du territoire de
l'Égypte [16] ». Or il ne fait aucun doute que le titre officiel du gouverneur d'Égypte était *eparchos Aigyptou* [17], d'ailleurs il conserva ce
titre, même après la réforme de Claude [18]. Ces quelques faits montrent
qu'il n'est pas possible d'invoquer les textes de Philon comme des
témoins sûrs du titre officiel de Pilate. Aux §§ 299 et 302 de la
Legatio ad Caium, l'Alexandrin donne à *epitropos* un sens large, ce qui
est sans doute une pratique courante à son époque qui, cependant,
connaît la valeur technique de ce terme [19]. Dans l'ensemble de son
œuvre, Philon n'utilise pas *eparchos* [20]. L'*In Flaccum* et la *Legatio ad
Caium* témoignent peut-être aussi d'un changement qui commence à
s'opérer, le passage de *eparchos* à *epitropos*, que nous étudierons
après avoir inventorié les textes de Josèphe et de Tacite.

FLAVIUS JOSÈPHE.

La seconde série de textes à examiner relève de l'œuvre de Flavius
Josèphe qui appelle Pilate *epitropos* [21]. L'étude de l'emploi par Josèphe
des termes *epitropos* et *eparchos*, appliqués aux gouverneurs de Judée,
doit être conduite méthodiquement. A l'aide d'un tableau nous présentons l'ensemble des données relatives à l'utilisation de ces titres
par Josèphe. Nous faisons ce relevé en tenant compte de la succession chronologique des gouverneurs, condition indispensable pour
porter un jugement précis sur l'œuvre de Josèphe comme témoin de
la titulature des gouverneurs de Judée [22].

---

15. *Legatio*, 132.
16. *In Flaccum*, 2. Dans cet ouvrage, *epitropê* ou *epitropeuô* sont employés
en lien avec la charge de préfet d'Égypte aux § 128 ; § 74 pour Magius Maximus ;
§ 133.
17. Cf. A. STEIN, *Die Präfekten von Ägypten in der römischen Kaiserzeit*,
Berne, 1950, pp. 177-180. Dans l'*In Flaccum*, Philon appelle au moins quatre fois
epitropos le préfet d'Égypte (cf. § 43, 152, 163 — en plus du § 2). Dans la *Legatio
ad Caium*, Philon utilise encore *epitropos* en des sens qui ne relèvent pas de
notre recherche.
18. Cf. *infra*, pp. 53-54.
19. Cf. *infra*, pp. 50 ss sur le sens technique du terme.
20. Pour vérifier le vocabulaire de Philon, nous utilisons l'*Index Philoneus*
publié par G. MAYER, Berlin-New York, 1974.
21. *BJ*, II, 169.
22. Pour avoir une idée exacte du jeu epitropos — eparchos, appliqués aux
gouverneurs de Judée, il est nécessaire de prendre en considération la façon dont
Josèphe qualifie la *charge* exercée par le gouverneur et le nom donné au
territoire que celui-ci administre. En raison de cet impératif, notre tableau
comporte trois colonnes. Nous ne mentionnons pas les noms des gouverneurs
pour lesquels aucun titre n'est indiqué. Nous n'avons pas retenu dans ce
tableau le nom de *Marullus*, car pour ce gouverneur *eparchon* est mal attesté

Titres donnés par Josèphe aux différents gouverneurs

	titre	charge	territoire
1. Coponius (environ 6-9)	epitropos BJ, II, 117		eparchia BJ, II, 117
3. Annius Rufus (environ 12-14)	eparchos Ant., XVIII, 33 [23]		
4. Valerius Gratus (15-26)	eparchos Ant., XVIII, 33		
5. Pilate (26-36)	epitropos BJ, II, 169		

Claude [24]

	titre	charge	territoire
8. Cuspius Fadus (44-45)	eparchos Ant., XIX, 363 epitropos Ant., XV, 406 Ant., XX, 14 Ant., XX, 97 [25] BJ, II, 220 Ant., XX, 2	epitropê Ant., XX, 99	eparchia BJ, II, 220
9. Tiberius Alexander (46-48)	epitropos BJ, II, 220		eparchia BJ, II, 220

Les gouverneurs ayant précédé *Cumanus* sont dits : « *hoi pro autou tês Ioudaias epitropeusantes* ».   *Ant.*, XX, 107

	titre	charge	territoire
10. Cumanus (48-52)	epitropos Ant., XX, 132	epitropê BJ, II, 223	à la tête d'une partie d'une eparchia BJ, II 223

(*Ant.*, XVIII, 237). La suggestion de A. H. M. JONES, *Studies in Roman Government and Law*, Oxford, 1960, p. 195, n. 20, proposant de lire *eparchon* ou *hyparchon* ne semble pas acceptable.

Epitropos, dans l'œuvre de Josèphe, ne s'applique pas qu'aux gouverneurs romains, il qualifie beaucoup d'autres personnes, cf. par ex. *BJ*, I, 49, 199, 399, 487... II, 134... 595... Ant., VII, 267, 369... Il en est de même pour *eparchos* cf. *BJ*, II, 450, 544... *Ant.*, XI, 89... XIX, 353. Ce dernier terme est souvent utilisé pour des officiers romains. Cf. *A Complete Concordance to Flavius Josephus*, ed. by K. H. RENGSTORF, II, Leyde, 1975.

23. Indirectement. Nous signalons par cette mention les cas où le titre n'est pas appliqué immédiatement à un gouverneur, mais se déduit à partir d'une autre indication. Nous avons retenu les lieux où le résultat de la déduction ne fait aucun doute.

24. Nous mentionnons le nom de l'empereur Claude (41-54) en ce tableau, car le changement de titre des gouverneurs provinciaux de rang équestre s'opère pendant son règne. Dans les premières années de son gouvernement, le gouverneur conserve le titre d'*eparchos*.

25. *Epitropeuontos*.

11. Félix   *epitropos*   *epetropeue*
    (52-60)   BJ, II, 247, 252   *Ant.*, XX, 142
                           Ant., XX, 162   de même en
                                                    Autobiogra-
                                                    phie, 13
12. Porcius Festus   *eparchos*   *epitropê*
    (60-62)   *Ant.*, XX, 193   BJ, II, 271
                           Ant., XX, 197 [26]

    (Les gouverneurs avant *Albinus* : *epitropoi* BJ, II, 273)
13. Albinus   *eparchos*   *epitropê* [27]
    (62-64)   BJ, VI, 303, 305   BJ, II, 272
                           Ant., XX, 197
                           epitropos
                           BJ, II, 273 [28]
14. Gessius Florus   *epitropê*
    (automne 64 ou   *Ant.*, XX, 257
    printemps 65-66)

Ce tableau concerne la qualification donnée à chaque gouverneur par l'historien juif, il convient d'y ajouter quelques autres textes où Josèphe emploie l'un ou l'autre des termes étudiés en l'appliquant aux gouverneurs dans leur ensemble. Agrippa II, dans son discours « aux Juifs pour les dissuader de la guerre » emploie le terme *epitropos* [29] pour les gouverneurs de Judée. Ce discours est, en fait, œuvre littéraire de Flavius Josèphe. En BJ, II, 269, à propos de Félix et des gouverneurs qui l'ont précédé, Josèphe recourt à *eparchos*.

Quelques remarques permettent de clarifier l'utilisation que Flavius Josèphe fait des titres des gouverneurs de Judée : emploi technique rigoureux ou sens large ? Le critère d'utilisation de ces termes n'est pas d'ordre chronologique, car ils interviennent parfois pour une même période et, pour les années qui précèdent le règne de Claude, les deux titres sont employés. De plus, pour le temps immédiatement antérieur à la guerre juive (60-64), Flavius Josèphe donne encore le titre d'*eparchos* aux gouverneurs de Judée. Ce fait étonne, car l'historien a connu ces années, il ne peut ignorer que désormais le titre officiel du gouverneur de Judée est *procurator* (équivalent d'*epitropos*). Enfin, Cuspius Fadus et Albinus reçoivent l'un et l'autre les deux titres [30]. Dans le livre II de BJ, deux fois, Josèphe parle d'*epitropos* à la tête d'*eparchia* [31], quoiqu'en ce livre il s'en tienne au

---

26. Indirectement.
27. Indirectement.
28. Indirectement, à partir du nom donné aux gouverneurs qui l'ont précédé.
29. BJ, II, 348, 350, 354.
30. Pour Cuspius Fadus, ce fait se situe dans la même œuvre.
31. BJ, II, 117 et 220.

terme *epitropos*. *Eparchos* est plutôt le terme utilisé en *Antiquités* et
en outre en *BJ*, VI [32].

Que conclure de cet examen des textes de Josèphe ? Josèphe
utilise avec une grande souplesse les différents titres dont il dispose ;
sa façon de mélanger ces termes rend difficile de définir le titre officiel des personnes dont il parle. L'historien juif n'utilise pas ces
termes en un sens technique, il les emploie de façon imprécise.
A. H. M. Jones [33] simplifie la question de l'emploi des deux titres dans
l'œuvre de Josèphe quand il attribue *epitropos* à un anachronisme
de Josèphe, *eparchos* aux sources. Pour une solution d'ensemble, il
faut tenir compte de tous les emplois et entre autres, de l'application d'*eparchos* aux 12e et 13e gouverneurs, et en *BJ*, II, 269 à Félix et
aux gouverneurs qui l'ont précédé. Il nous suffit pour l'instant de
constater l'imprécision de Josèphe, quand il qualifie les gouverneurs
de Judée ; seule une connaissance précise de l'histoire des termes
eparchos et *epitropos* permet de comprendre les causes qui ont poussé
Flavius Josèphe vers un pareil flou.

Josèphe applique encore d'autres termes aux gouverneurs de
Judée : *epimelêtês* pour Marcellus, par exemple [34], *hipparchês* pour
Marullus [35], *hêgemôn* [36]. Mais même si, parfois, certains d'entre eux
revêtent un sens précis dans l'administration provinciale romaine,
Josèphe n'y fait pas appel en ce sens, car ils n'ont jamais désigné
d'une façon technique un gouverneur de province comme celle de
Judée.

TACITE.

Le dernier texte à étudier est dû à Tacite. Le témoignage de
Tacite sur Pilate est très bref. L'historien romain rappelle la rumeur
qui courut au sujet de l'incendie de Rome sous Néron, « rumeur
infamante d'après laquelle l'incendie avait été ordonné ». Il continue :
« Aussi pour l'anéantir, il (Néron) supposa des coupables et infligea
des tourments raffinés à ceux que leurs abominations faisaient détes-
ter et que la foule appelait chrétiens. Ce nom leur vient de Christ que,

---

32. Ces regroupements ne permettent pas cependant d'expliquer la diversité
des emplois de Josèphe par le seul recours aux sources.

33. JONES, Procurators and Prefects in the Early Principate, dans *Studies*,
p. 119. Cette explication de A. H. M. Jones est souvent donnée, cf. par ex. P. L.
MAIER, The Episode of the Golden Roman Shields at Jerusalem, dans *HThR*,
LXII, 1969, p. 110, n. 5.

34. En raison des circonstances qui conduisent Marcellus à prendre la tête
de la province de Judée, le sens de « fonctionnaire délégué à... » est le meilleur
(*Ant.*, XVIII, 89). On ne peut pas définir de manière précise le statut qu'eut
Marcellus.

35. *Ant.*, XVIII, 237. Ce terme semble devoir être conservé (cf. *supra*, p. 45,
n. 22), bien que certains manuscrits comportent *eparchon* ; Niese restitue
hyparchon.

36. *Ant.*, XVIII, 25.

sous le principat de Tibère, le procurateur Ponce Pilate *(per procuratorem Pontium Pilatum)* avait livré au supplice[37]. » Ce dernier témoignage semblerait précis, car Tacite est un historien romain qui s'adresse à des gens dont la connaissance de l'administration impériale est sûre. Cependant deux faits desservent Tacite. Il écrit, au début du second siècle ; il est donc tout à fait possible que Tacite utilise pour un gouverneur antérieur, un titre courant à son époque. En outre, à l'intérieur même de l'œuvre de Tacite, une remarque d'*Ann.*, XII, 54 provoque un doute sur la bonne information de l'auteur à propos de la Judée. Selon ce texte, Félix et Ventidius Cumanus sont des fonctionnaires romains qui auraient exercé, à la même époque, une charge équivalente, celle de *procurator* ; le premier se serait occupé des Samaritains, le second des Galiléens. Tacite fait en ce texte une confusion qui relativise son témoignage sur les affaires de Judée. Il est au courant, mais il n'évite pas les approximations.

Le Nouveau Testament, comme nous l'avons rappelé, emploie *hêgemôn* pour les gouverneurs de Judée, il utilise aussi, mais d'une manière peu éclairante, les termes techniques analysés ci-dessus. *Epitropos* s'y rencontre trois fois[38], mais ses emplois n'ont aucun rapport avec la question du gouverneur de Judée[39]. Le seul élément de cette famille linguistique qui intéresse notre recherche serait peut-être attesté par Lc, III, 1[40]. *Eparchos*, par contre, est absent du vocabulaire néo-testamentaire tandis qu'*eparcheia* se trouve en Act., XXIII, 34 et XXV, 1. Dans le premier cas, sa meilleure traduction serait « province » ; dans le second, il désigne la région dont Festus a la charge[41].

Cette incertitude des témoignages littéraires constituait un obstacle sérieux à l'établissement sûr de la titulature des premiers gouverneurs de Judée. L'étude des institutions romaines et des témoignages parallèles a conduit cependant certains chercheurs, avant même la découverte de l'inscription de Césarée, à penser que le véritable titre de Pilate n'était pas *procurator*, mais *praefectus*. En 1939, A. N. Sherwin-White, à la suite de Hirschfeld, suggérait qu'avant Claude, le titre du gouverneur de Judée était *praefectus*[42].

---

37. *Ann.*, XV, 44. Nous utilisons la traduction de H. Goelzer, dans Tacite, *Annales, livres XIII-XVI*, Paris, 1925, p. 491. La situation de ce texte dans l'œuvre de Tacite a été fort discutée, cf. *infra*, pp. 173-174 ; Tacite, à juste titre, pour une période plus tardive, parlera de « procurateur » pour Gessius Florus (*Hist.*, V, X, 1).

38. Mt., XX, 8 ; Lc, VIII, 3 ; Gal., IV, 2.

39. Le sens est alors celui d'intendant.

40. Cf. *supra*, p. 43, n. 5.

41. Ou la fonction de celui-ci si l'on opte pour la leçon *eparcheiô*.

42. A. N. Sherwin-White, Procurator Augusti, dans *PBSR*, XV (New Series, II), 1939, pp. 11-25, à la p. 12, spécialement n. 7 : « The original title of the governor of Judaea remains uncertain... The balance of probalility inclines towards *praefectus*, though less on the analogy of Egypt, which Hirschfeld puts forward, than on that of Sardinia and the Maritime Alps. » Hirschfeld, déjà en 1905, dans *Die kaiserlichen Verwaltungsbeamten*, pp. 382 ss, avait émis

A.H.M. Jones, en 1960, à partir d'une documentation précise, élevait au rang de conviction ce que ses devanciers concevaient comme probable [43]. L'inscription de Césarée a confirmé de façon éclatante la position de Jones.

2. Brève histoire des équivalents latins d'*EPARCHOS* et d'*EPITROPOS*. Le changement opéré sous Claude.

Sous la République, *praefectus (eparchos)* dont le sens originel est « celui qui est établi à la tête de... » s'appliquait notamment à des hommes placés à la tête de troupes auxiliaires, chargés à l'occasion de fonctions plus larges et entre autres du gouvernement de villes [44]. Dans les armées de César, les préfets étaient les commandants de cavalerie, ils faisaient partie de l'entourage du proconsul tout comme les tribuns [45]. Auguste reprend de la tradition républicaine ce titre de préfet, cette expression désigne d'abord les officiers de rang équestre ; quand ces derniers, dans le prolongement de leurs fonctions militaires, sont chargés d'administrer des provinces, ce terme devient le titre des gouverneurs de rang équestre [46], placés à la tête d'un certain nombre de provinces dont l'empereur a l'administration. Auguste, proconsul, investit ses légats et ses préfets de pouvoirs qui avaient été accordés sous la République à des gouverneurs de villes, mais le lieu géographique où les représentants d'Auguste les exercent est plus vaste.

Sous les premiers empereurs, les procurateurs ne sont pas ignorés, mais les personnages désignés par ce titre s'occupent d'abord de questions financières. Ils veillent aux intérêts d'autres personnes, ce qui est tout à fait en accord avec le sens étymologique du terme *procurator*, « celui qui a soin pour un autre ». En ce sens, leur statut ne relève pas du domaine public [47] ; ils ne prennent rang dans

des doutes sur l'emploi d'*epitropos* au début du principat pour les gouverneurs de rang équestre. Il soulignait la distinction à effectuer entre les procurateurs proprement dits et les chevaliers de rang équestre placés à la tête des provinces dont le véritable titre devait être *praefectus* ; cf. aussi H. Peter, Pontius Pilatus, der römische Landpfleger im Judäa, dans *Neüe Jahrbücher*, XIX, 1907, p. 1.

43. A. H. M. Jones, Procurators and Prefects in the Early Principate, dans *Studies*, pp. 117-125. Nous utilisons les données rassemblées par Jones. Ce titre originel des gouverneurs de petites provinces impériales est bien admis aujourd'hui, cf. par ex., F. Millar, Some Evidence on the Meaning of Tacitus Annals, XII, 60, dans *Historia*, XIII, 1964, p. 181.

44. C'est le cas par ex. de C. Gallonius, chevalier romain, placé au commandement de la place de Gadès, cf. César, *Guerre Civile*, II, 18.

45. Cf. César, *Guerre des Gaules*, I, 39 ; III, 7 ; *Guerre Civile*, I, 21.

46. Nous avons déjà signalé que des gouverneurs ont porté ce titre sans appartenir à l'ordre équestre, cf. *supra*, p. 37, n. 24.

47. Pflaum, *Procurateurs*, pp. 14-15, en s'appuyant sur Cicéron, avait cru pouvoir montrer que, déjà sous la République, le *procurator* avait obtenu un certain statut public. Les textes allégués par H.G. Pflaum ne sont pas pertinents, aucun d'ailleurs n'utilise le terme *procurator*, mais l'abstrait *procuratio*, cf. A. H. M. Jones, Procurators and Prefects in the Early Principate, dans *Studies*, p. 117.

la vie publique de l'Empire romain qu'en tant qu'agents impériaux, ils s'occupent alors des intérêts de l'empereur[48] et jouent un rôle dans la vie de l'Empire dans la mesure où leurs pouvoirs vont croissant. Jusqu'à Claude, nous ne trouvons pas ce titre appliqué d'une façon sûre à un gouverneur de province. Les procurateurs impériaux se divisent sous les premiers empereurs en trois groupes[49] :

— Les procurateurs des provinces impériales, gouvernées par des légats. Ils lèvent le tribut qui alimente les caisses impériales. Même quand ils paient les troupes, ils n'accomplissent pas une tâche publique. Ils sont les correspondants des questeurs des provinces sénatoriales[50] ; certains, occasionnellement, exercent une activité qui dépasse le cadre habituel de leurs fonctions[51].

— Les procurateurs des provinces sénatoriales. Ils s'occupent des propriétés impériales. Ils n'ont en théorie aucune tâche administrative[52].

— Les procurateurs des domaines impériaux. Ils gèrent et administrent les biens qui appartiennent en propre à l'empereur ou à des

---

48. A. N. Sherwin-White, Procurator Augusti, dans *PBSR*, XV, 1939, aux pp. 14-15. L'historien anglais insiste avec raison sur les limites de la fonction de *procurator* : « The term procurator in the time of Augustus and Tiberius was thus limited to the agents who administered the public revenues and the private property of the Princeps » (p. 14). L'expression « public revenues » peut induire en erreur. Au début de l'Empire, les affaires financières ne relèvent pas du domaine public proprement dit, cf. Dion Cassius, *Hist. Rom.*, LVII, 23 ; Jones, *op. cit.*, p. 123.

49. Sur la diversité des catégories de procurateurs impériaux et les tâches de chacun, cf. F. Millar, Some Evidence on the Meaning of Tacitus Annals, XII, 60, dans *Historia*, XIII, 1964, pp. 180-187. La question des procurateurs exerçant des fonctions subalternes à Rome ou dans des provinces (bibliothèques, jeux impériaux, routes, taxes indirectes) n'a pas à nous retenir ici.

50. Cf. Dion Cassius, *Hist. Rom.*, LIII, 15. Sabinus, « procurateur des biens de l'empereur en Syrie », relève de cette catégorie (*Ant.*, XVII, 221, cf. *BJ*, II, 16).

51. Nous trouvons un cas typique de cette situation lors de la venue à Jérusalem de Sabinus, procurateur de Syrie, en 4 av. J.-C., cf. *Ant.*, XVII, 252-253 ; *BJ*, II, 16-17, 41. Pour une époque plus tardive, on trouve d'autres exemples indiqués par F. Millar, The Development of Jurisdiction by Imperial Procurators; Further Evidence, dans *Historia*, XIV, 1965, pp. 362-367, à la p. 362.

P. A. Brunt, Procuratorial Jurisdiction, dans *Latomus*, XXV, 1966, pp. 461-489, à la p. 464, suggère qu'en raison de leur analogie avec les questeurs des provinces sénatoriales, les procurateurs des provinces impériales disposaient de pouvoirs judiciaires ; ce que nous considérons comme un droit occasionnel pourrait donc, selon cet auteur, avoir un fondement légal permanent. D'après cette étude, le texte de Tacite en Annales, XII, 60 viserait d'abord l'extension des pouvoirs des procurateurs des provinces sénatoriales.

52. Tacite, *Ann.*, IV, 15 donne un témoignage très clair des limites du procurateur dans une province sénatoriale : « Les sénateurs, (qui) continuaient alors à traiter toutes les affaires — au point que le procurateur d'Asie Lucilius Capito dut répondre devant eux d'une accusation portée par la province, tandis que le prince affirmait hautement qu'il ne lui avait donné de pouvoir que sur ses esclaves et sur ses biens personnels et que, si l'autre avait usurpé l'autorité du préteur et fait appel à la force armée, il avait agi en cela au mépris de ses instructions ». (Tacite, *Annales IV-VI*, tr. P. Wuilleumier, Paris, 1975, p. 18). Cf. également Dion Cassius, *Hist. Rom.*, LVII, 23.

membres de la famille impériale[53]. En agissant ainsi, les empereurs reprennent les habitudes de la noblesse sous la République, ils confient l'administration de leurs biens à des procurateurs d'origine équestre[54], qualifiés pour cette gestion. Quand le domaine impérial s'étend sur une surface assez vaste, le procurateur jouit de certains pouvoirs légaux[55] ; ce dernier point est évident à partir du début du second siècle.

Donc, sous Auguste et Tibère, *praefectus* et *procurator* recouvrent deux réalités distinctes. Le praefectus, seul, a un pouvoir proprement administratif et dirige une province, il exerce une juridiction civile et criminelle[56].

Dans des provinces impériales, en général de petites provinces, la même personne exerce deux charges distinctes ; le gouverneur agit alors à deux niveaux différents : — celui de gouverneur de province = praefectus ; — celui de défenseur des intérêts de l'empereur ; il assure alors les fonctions de *procurator*[57], et entre autres s'occupe de la levée des impôts. La situation en Judée est caractéristique à cet égard : Pilate accomplit deux charges distinctes. Ce cumul amène le gouverneur de Judée à exercer des fonctions militaire - judiciaire - et financière[58].

Cette distinction entre *praefectus* et *procurator* a été respectée sans doute jusqu'aux premières années de Claude. Quelques témoi-

---

53. Herennius Capito (*Ant.*, XVIII, 158) est qualifié de *tês Iamneias epitropos* ce qui correspond bien à la situation de Jamnia, domaine privé de l'empereur. Pour ce même bien impérial, nous connaissons un autre procurateur, Mellon, mentionné sur une inscription placée sur le sarcophage de sa fille, cf. M. AVI-YONAH, Newly Discovered Latin and Greek Inscriptions, dans *QDAP*, XII, 1945, pp. 84-102, aux pp. 84-85. Ces biens pouvaient être de nature variée : petits états, gros domaines, carrières...

54. Cf. A. N. SHERWIN-WHITE, *op. cit.*, p. 14.

55. F. MILLAR, Some Evidence on the Meaning of Tacitus Annals, XII, 60 dans *Historia*, XIII, 1964, pp. 185 ss. Mais tous les exemples cités par F. Millar sont du IIe ou IIIe siècle.

56. « The legal evidence shows clearly that procurators never had a recognised right to exercise criminal jurisdiction », F. MILLAR, The Development of Jurisdiction by Imperial Procurators ; Further Evidence, dans *Historia*, XIV, 1965, p. 364. Il pourrait même ajouter qu'au moins au début de l'Empire, ils n'ont aucune juridiction civile (P. A. BRUNT, *op. cit.*, *supra*, p, 51, n. 51, propose une interprétation sensiblement différente). Mais il y a toujours une distance entre le droit et le fait. Nous n'avons pas à nous arrêter ici sur les questions qui concernent une évolution très postérieure à la période qui nous intéresse. Sur ce dernier point, on peut se reporter aux conclusions de l'article de F. MILLAR, cité ci-dessus, dans *Historia*, XIV, 1965, pp. 362-367, en particulier les quatre remarques rassemblées p. 367. La remarque de F. Millar, citée au début de cette note, n'englobe pas les procurateurs qui, à partir de Claude, dirigent des provinces en tant que successeurs des préfets.

57. Cf. P. A. BRUNT, Procuratorial Jurisdiction, dans *Latomus*, XXV, 1966, p. 465.

58. Nous consacrons le chapitre IV à l'étude de ces pouvoirs.

gnages littéraires [59] et un donné épigraphique, assez abondant et précis, mettent en évidence le titre des gouverneurs équestres placés à la tête des provinces, *praefectus* (dont l'équivalent grec est *eparchos*). A. H. M. Jones a rassemblé les éléments du dossier épigraphique qui se présente ainsi [60] :

— Avant Claude ou au début de son principat, *praefectus* se rencontre à plusieurs reprises pour désigner des gouverneurs placés à la tête d'un ensemble de cités ou d'une région [61]. Quelques inscriptions témoignent aussi de l'utilisation de *pro legato* [62] dans quelques situations particulières, entre autres sous Auguste. Il est vraisemblable que, dans ce cas, un gouverneur de rang équestre recevait le commandement d'une légion, charge réservée à un légat de rang sénatorial. A cette même époque, *procurator* n'est pas employé pour des gouverneurs, mais pour des agents fiscaux [63]. Il désigne un agent impérial qui appartient à l'une des catégories de procurateurs, mentionnées ci-dessus.

— A partir de Claude et après lui, le titre de *procurator* apparaît comme le titre normal pour des gouverneurs de provinces impériales du type de la Judée. La charge exercée recouvre alors un domaine plus vaste que celui des questions financières. Cette situation se rencontre dans les provinces, entre autres, de Cappadoce, de Thrace ou de Mauritanie Tingitane [64]. Ces deux dernières régions qui ont été annexées par Claude semblent dès le début avoir été gouvernées par un *procurator*. La province d'Égypte, confiée à un gouverneur de rang équestre, est un cas tout à fait particulier. Le maintien du titre de *praefectus*, même après le changement opéré sous Claude, témoi-

---

59. Ces témoignages littéraires relèvent d'écrivains plus proches de la période concernée que Tacite : Strabon (58 av. J.-C. et 21-25 ap. J.-C.) ; Pline l'Ancien (23-79 ap. J.-C.). STRABON, *Géographie*, IV, 6, 4 : « Quant aux Ligyens installés entre le Var et Gênes, ceux du bord de la mer ont le même statut que les Italiotes, tandis que Rome envoie à ceux qui habitent la partie montagneuse, comme elle le fait à l'égard d'autres peuples entièrement barbares, un préfet de l'ordre équestre (« *tis hyparchos tôn hippikôn andrôn* ») tr. F. LASSERRE, Paris, 1966, pp. 172-173 ; cette province des Alpes Maritimes a été créée en 14 ap. J.-C. PLINE L'ANCIEN, *Histoire naturelle*, X, 134 : « Egnatius Caluinus, préfet des Alpes (*praefectus*), a rapporté qu'il avait vu dans ces montagnes l'ibis propre à l'Égypte », tr. E. DE SAINT-DENIS, Paris, 1961, p. 74.

60. JONES, Procurators and Prefects in the Early Principate, dans *Studies*, pp. 118-119. Après vérification, nous utilisons cet excellent dossier.

61. Préfet de cités dans les Alpes Maritimes ; « praefectus ciuitatium Moesiae et Treballiae » *ILS*, 1349 ; en Sardaigne « praefectus cohortis Corsorum et ciuitatum Barbariae in Sardinia » (*ILS*, 2684) ; préfet de région dans les Asturies et la Galice (*ILS*, 6348 ; *CIL*, II, 3271) ; préfet de Corse (*CIL*, XII, 2455). Les différents préfets mentionnés dans ces inscriptions ont exercé leur charge avant Claude ou dans les premières années de son règne, comme c'est le cas pour le préfet de Sardaigne, nommé en *ILS*, 2684 ; pour la Rhétie cf. *CIL*, XII, 2689.

62. *ILS*, 105, par ex. ; cf. A. H. M. JONES, *Augustus*, Londres, 1970, pp. 103 ss.

63. Le *procurator* mentionné pour la Rhétie est vraisemblablement un *procurator* fiscal, cf. *ILS*, 9007 commenté par JONES, *Studies*, p. 118.

64. *ILS*, 231 (Thrace) ; *AE*, 1924, 66 (Mauritanie Tingitane).

gne de la tâche militaire de ce gouverneur qui a trois légions sous ses ordres.

Le témoignage épigraphique est clair. Avant Claude, pour les gouverneurs de provinces impériales de rang équestre le titre qui se lit dans les inscriptions est *praefectus* ; à partir de lui et après lui, *procurator* est mentionné. Avec le règne de Claude, apparaît donc une quatrième catégorie de procurateurs, ils sont les équivalents des préfets-gouverneurs, les autres catégories de procurateurs demeurent telles que nous les avons décrites. Ce changement de titulature qui s'est opéré, sans doute, aux environs de l'année 46 [65], n'a pas provoqué une modification de pouvoirs.

3. *PRAEFECTUS* OU *PROCURATOR* ? LA TITULATURE DE PILATE ET DES DIFFÉRENTS GOUVERNEURS DE JUDÉE JUSQU'A CLAUDE.

La découverte de l'inscription de Césarée en 1961 a confirmé le témoignage indirect fourni par d'autres inscriptions. Le titre officiel du gouverneur de Judée, à l'époque de Pilate, est *praefectus*. Cependant ce titre n'a pas empêché Pilate d'exercer les fonctions de *procurator*, c'est-à-dire de s'occuper de questions financières. Nous choisissons le témoignage épigraphique contre celui des textes littéraires pour quatre raisons :

— L'inscription de Césarée, comme nombre d'autres inscriptions, fait figure de document officiel, elle ne peut pas souffrir l'à peu près possible de textes littéraires.

— L'inscription de Césarée est soutenue par des documents qui proviennent d'autres provinces.

— Le témoignage des textes littéraires de Philon, Josèphe et Tacite est apparu comme tout à fait critiquable [66].

— Le changement de titulature (passage de *praefectus* à *procurator*) correspond à une évolution historique du statut des gouverneurs de rang équestre. Quand Claude modifie la titulature, il prend acte d'une situation.

Trois faits expliquent ce changement de titulature :

— Quand les fonctions de *procurator* et de *praefectus* étaient encore différenciées, des gens de même origine (ordre équestre) les ont exercées. Dans un certain nombre de cas, sans doute dans des

---

65. Cf. A. DEGRASSI, Sull'Iscrizione di Ponzio Pilato, dans *Atti della Accademia Nazionale dei Lincei*, Serie ottava, Classe di Scienze morali, storiche e filologiche, Rome, XIX, 1964, p. 64 ; Lee I. LEVINE, *Caesarea Under Roman Rule*, Leyde, 1975, p. 157, n. 45.

66. Cf. *supra*, pp. 44-50.

provinces semblables à celle de Judée, les charges de praefectus et de procurator ont été exercées par la même personne [67]

— Le pouvoir s'est concentré entre les mains de l'empereur, assez souvent en opposition avec le Sénat, ce qui est manifeste sous Claude.

— Au début du principat, les empereurs ont accordé à l'ordre équestre une place importante dans l'administration des provinces, or Claude amplifie ce mouvement, comme le montre Tacite : « La même année on entendit souvent ce propos du prince que les jugements rendus par ses procurateurs(*procuratoribus suis*) devaient avoir la même valeur que ses décisions personnelles. Et, afin que ce mot ne parût pas lui avoir échappé au hasard, un sénatus-consulte y pourvut avec une précision et une ampleur jusque-là inconnues. En effet, le divin Auguste avait donné aux chevaliers romains qui gouvernaient l'Égypte la compétence légale et avait prescrit que leurs décisions auraient même valeur que si elles eussent été rendues par des magistrats romains ; puis on étendit à d'autres provinces et à Rome même le droit pour les chevaliers de connaître d'affaires qui ressortissaient jadis aux préteurs : mais Claude livra l'ensemble du droit [68]. » Après avoir rappelé les luttes de jadis et la puissance de certains chevaliers, Tacite ironise sur la conduite de Claude qui a permis à des affranchis de connaître une grande puissance. En effet, avec Claude, les affranchis prennent une place importante dans la mesure où l'administration impériale, surtout en matière financière, devient une réalité de plus en plus précise. Ils dirigent souvent les services impériaux à Rome et en Italie ; en province, ils sont plutôt les adjoints des chevaliers. On trouve cependant des affranchis dans le gouvernement des provinces, c'est le cas de Félix en Judée. En fait, il y a eu sans doute une assimilation préalable de Félix à l'ordre équestre [69], car bien que les affranchis aient joué un grand rôle sous Claude, officiellement leurs tâches étaient liées à une fonction domestique [70]. Le texte de Tacite a été très discuté. Qui vise-t-il ?

---

67. Après Claude, on trouve encore quelques cas où la même personne est appelée « *praefectus* » et « *procurator* », ce qui manifeste la diversité des fonctions du gouverneur, cf. JONES, *Studies*, pp. 124-125. Pilate d'ailleurs est mêlé à des problèmes financiers, cf. *Ant.*, XVIII, 60 ; *BJ*, II, 175 ; à propos de Florus, cf. *BJ*, II, 405-407.

68. *Ann.*, XII, 60 tr. H. GOELZER, Paris, 1924, p. 346.

69. G. BOULVERT, *Esclaves et affranchis impériaux sous le Haut-Empire romain. Rôle politique et administratif*, Naples, 1970, p. 198 : « Si Antonius Félix, affranchi impérial, devient procurateur gouverneur de Judée, il a été auparavant intégré à l'ordre équestre ». Cf. un point de vue semblable en P. R. C. WEAVER, *Familia Caesaris. A Social Study of the Emperor's Freedmen and Slaves*, Cambridge, 1972, pp. 267-294, en particulier aux pp. 279 et 282. F. MILLAR, par contre, Some Evidence on the Meaning of Tacitus Annals XII, 60, dans *Historia*, XIII, 1964, p. 182, n. 13 refuse à tort cette idée d'assimilation préalable de Félix à l'ordre équestre.

70. G. BOULVERT, *op. cit.*, pp. 199-204 donne un bilan du rôle joué par les affranchis pour la période qui s'étend de l'avènement de Claude à la mort de Néron. Cette période diffère de la précédente dans la mesure où désormais certains postes sont presque toujours attribués à des affranchis ; sur les affranchis au début du principat, cf. G. BOULVERT, *op. cit.*, pp. 88-90.

Le début du texte ne laisse pas place à l'incertitude : les personnages mentionnés sont les procurateurs personnels de Claude, ses agents financiers, qui acquièrent à cette occasion des pouvoirs plus vastes, en particulier sur le plan de la juridiction[71]. Mais, ensuite, l'historien romain élargit son propos, l'importance de plus en plus grande prise par les chevaliers ne s'est pas manifestée qu'au niveau des procurateurs de Claude ; déjà, aux temps qui ont précédé cet empereur, le gouverneur d'Égypte d'abord, puis les gouverneurs d'autres provinces avaient obtenu des pouvoirs plus étendus, or tous ces personnages étaient d'origine équestre. Quand il accorde le titre de *procurator* aux gouverneurs de rang équestre, Claude sanctionne un état de fait, il n'innove pas sur le fond. La tâche de nombre de gouverneurs était devenue administrative au sens large, et non plus seulement militaire, les appeler procurateurs est reconnaître ce fait. Appelé désormais *procurator*, le gouverneur de rang équestre voit affirmé jusque dans son titre son lien avec l'empereur, son statut en reçoit davantage d'éclat. Ce regroupement, sous un même titre, de charges qui à l'origine étaient distinctes, constitue une étape vers une organisation plus systématique des carrières de l'ordre équestre. Cette unification du titre permet aussi, sans doute, d'accorder plus facilement aux procurateurs fiscaux des pouvoirs d'ordre judiciaire. Sous

71. D. Stockton, Tacitus Annals, XII, 60 : A Note, dans *Historia*, X, 1961, pp. 116-120. Selon cet auteur, le sénatus-consulte accorderait des pouvoirs judiciaires plus étendus à des procurateurs équestres importants. Rien ne serait dit des pouvoirs plus larges accordés à des affranchis s'occupant de biens impériaux. R. Seager, Tacitus Annals XII, 60 dans *Historia*, XI, 1962, pp. 377-379 a soutenu cette interprétation *combattue*, par contre, avec vigueur par F. Millar, Some Evidence on the Meaning of Tacitus Annals, XII, 60, dans *Historia*, XIII, 1964, pp. 180-187. D'après cet historien, le texte de Tacite ne se comprend qu'à la lumière de situations historiques concrètes, il résume ainsi sa pensée : « the only interpretation of this passage which is clearly supported by documentary evidence is that it marks the beginning of seigneurial jurisdiction within the imperial domains, an element of some importance in the later history of the Empire » p. 187. Approfondissant l'étude de ce texte dans son article: The Development of Jurisdiction by Imperial Procurators, dans *Historia*, XIV, 1965, pp. 362-367, F. Millar maintient la même conclusion. Selon lui, le sénatus-consulte accorderait donc le pouvoir de prendre des décisions et d'exercer une juridiction aux procurateurs des domaines impériaux, que ces procurateurs soient de l'ordre équestre ou des affranchis.

P. A. Brunt, Procuratorial Jurisdiction, dans *Latomus*, XXV, 1966, pp. 461-489, à la p. 466, a une interprétation quelque peu différente : « The measure of 53 conferred then no new powers on presidial procurators, previously called prefects, but consolidated or enhanced the jurisdiction of financial procurators ». Selon P. A. Brunt, une juridiction plus étendue fut accordée aux procurateurs des provinces impériales et des domaines privés, tandis que les procurateurs des provinces sénatoriales obtenaient des pouvoirs judiciaires qu'ils n'avaient pas auparavant ; ce qui suppose que les premiers bénéficiaient déjà d'une certaine juridiction.

Même si ce texte de Tacite peut prêter à discussion, une de ses données est claire et confirmée par les faits : les gens de rang équestre, au début de l'Empire et sous Claude, ont joué un rôle de plus en plus important.

Claude, au terme d'une longue évolution, *procurator* devient donc un titre officiel très différent de sa signification originelle, il passe du domaine financier au domaine public ; celui qui le porte est un gouverneur provincial aux pouvoirs assez vastes. En bref, l'adoption du titre révélait le rôle important joué par l'empereur dans l'administration de l'Empire et la place accordée à l'ordre équestre ; elle rendait plus aisé aussi le passage d'une charge financière à une fonction de gouverneur et inversement.

Ayant esquissé à grands traits l'évolution du titre du gouverneur d'une province impériale de rang équestre, nous sommes mieux à même de comprendre les causes de l'imprécision des témoignages littéraires. Tacite, autour de 115, confère à Pilate un titre qui, en fait, est celui de ses successeurs à partir du règne de Claude. Il commet un anachronisme.

Même si les témoignages de Philon et de Josèphe ne peuvent pas être retenus, ils sont cependant pleins d'intérêt. Philon, en raison même de la constance de son vocabulaire, est un bon témoin d'une utilisation large du terme *epitropos*. En outre, en recourant à ce terme, il fait preuve de finesse. L'*epitropos* traditionnel est le défenseur des intérêts de l'empereur. Quand il donne ce titre au préfet d'Égypte, Philon ne rappelle-t-il pas que celui-ci devrait être plein de mansuétude pour les Juifs, fidèles sujets de l'empereur [72] ?

A une époque où *epitropos* est devenu le titre officiel des gouverneurs de provinces semblables à la Judée, Josèphe, pour sa part, reflète la manière courante de s'exprimer, il a souci de ne pas dépayser le lecteur [73]. Aussi spontanément, même pour les premiers gouverneurs, il emploie *epitropos*, titre qu'il a connu pendant sa jeunesse avant la guerre juive. Le retour à *eparchos* pour le 8e et surtout pour les 12e et 13e gouverneurs [74], ne peut pas se justifier par le désir qu'aurait eu Josèphe d'insister sur leur rôle militaire [75]. Seul un flottement, né dans les esprits à la suite du changement de la titulature officielle, explique ce fait étonnant : l'emploi par Josèphe, pour des gouverneurs qu'il a connus, d'un titre qui avait été celui de leurs

---

72. La suggestion de A. H. M. JONES, Procurators and Prefects in the Early Principate, dans *Studies*, p. 125, de voir dans la façon dont Philon appelle Pilate en *Legatio*, 299, une manière exacte de le désigner sous ses deux fonctions, ne nous paraît pas devoir être retenue quand on tient compte des emplois d'*epitropos* en Philon.

73. Dans sa paraphrase de la lettre d'Aristée, ce souci de Josèphe est net, cf. A. PELLETIER, *Flavius Josèphe adaptateur de la lettre d'Aristée*, Paris, 1962, pp. 268-269.

74. Cf. *supra*, pp. 45-48.

75. Dans certaines provinces, même après Claude, on trouve le titre *praefectus* ou *pro legato* ajouté à celui de *procurator* pour insister sur l'aspect militaire de la fonction, c'est le cas, entre autres, de la Sardaigne. *Eparchos* pourrait chercher ici à mettre en valeur cette fonction première du gouverneur, mais ces hommes n'ont pas eu en ce domaine une tâche plus spécifique que leurs prédécesseurs.

lointains prédécesseurs, mais qui ne leur a jamais été appliqué. En outre, cette acceptation des « à peu près » du langage courant manifeste aussi un souci littéraire de Josèphe qui le conduit à éviter l'emploi trop rigoureux des termes techniques.

Le préfet, placé à la tête de la province romaine de Judée, avait une tâche difficile à accomplir, la population qui lui était confiée était mêlée, et l'élément juif avait la réputation d'être turbulent, ce que manifestèrent bien les deux révoltes juives. Pour accomplir leur tâche, les gouverneurs bénéficiaient de pouvoirs étendus. Nous nous attachons dans le chapitre suivant à les préciser.

CHAPITRE IV

LES POUVOIRS DU GOUVERNEUR DE JUDÉE

Auguste, conformément à l'ensemble de sa politique, avait choisi d'ériger le territoire d'Archélaüs en province plutôt que de l'absorber dans la province de Syrie[1]. Ce choix, en théorie, était le plus sage. Les événements allaient cependant révéler la difficulté de cette politique. Créer une province comme celle de Judée ne signifiait pas couper tout lien avec l'environnement romain immédiat. En effet, le gouverneur de Judée avait pour voisin un personnage important de l'Empire, le légat de Syrie. Envisager les pouvoirs du gouverneur de Judée suppose qu'auparavant on ait précisé la nature des liens qui existaient entre les deux provinces voisines. Si le légat de Syrie a un droit de regard sur la province de Judée, les pouvoirs du gouverneur de cette dernière en seront très limités. Le gouverneur de la province créée en 6 ap. J.-C. était-il un véritable gouverneur ou un subordonné de son voisin ?

1. Cf. *supra*, p. 34.

Première Partie

Nature des relations entre la province de Judée, confiée à un gouverneur de rang équestre, et la province impériale de Syrie

La nature des rapports qui existaient entre ces deux provinces a suscité des thèses extrêmes. Ph. Horovitz[2], à la suite de Mommsen, a voulu démontrer la parfaite indépendance des procurateurs-gouverneurs et leur égalité de pouvoirs par rapport aux gouverneurs d'origine sénatoriale. Il est peu sensible à la complexité des rapports, due à la situation militaire. A l'opposé de cette conception, nous trouvons des prises de position comme celle de Lee I. Levine[3] qui parle d'annexion du royaume d'Archélaüs par la province de Syrie. Certains historiens[4], par l'ambiguïté même de leurs formules, font sentir combien il est difficile de cerner avec précision la nature des liens tissés entre les deux provinces. Nous rassemblons les éléments du dossier, en particulier les textes littéraires les plus fréquemment invoqués ; pour les comprendre, il est nécessaire de connaître les provinces en présence. Au cours de nos chapitres précédents, la province de Judée a été présentée[5], donnons quelques indications sur la province de Syrie.

---

2. Ph. Horovitz, Essai sur les pouvoirs des procurateurs-gouverneurs, dans *Revue Belge de Philologie et d'Histoire*, XVII, 1938, pp. 53-62 et 775-792. S. J. de Laet, Le Successeur de Ponce-Pilate, dans l'*Antiquité Classique*, VIII, 1939, pp. 415-416 défend le même point de vue.

3. Lee I. Levine, *Caesarea Under Roman Rule*, Leyde, 1975, p. 18.

4. Smallwood, *The Jews*, p. 145 écrit : « In normal circumstances Judaea was an administratively independent unit, but it was subject *to the general oversight of the legate of Syria*, to whom the Jews hat the right to appeal over the head of their governor and who could and did intervene in Judaea in case of crisis with or without specific instructions from Rome » (c'est nous qui soulignons). M. Grant, *The Jews in the Roman World*, Londres, 1973, p. 87, tout en accordant une indépendance réelle au gouverneur de Judée, évoque « *un certain lien* » entre les deux provinces.

5. Cf. *supra*, pp. 33-37.

1. LA PROVINCE DE SYRIE[6]. SON ORIGINE. SA FONCTION MILITAIRE.

La Syrie connut après la mort d'Antiochus IV, un déclin très rapide qui conduisit le royaume séleucide à un grand affaiblissement et à des divisions territoriales. En 83 av. J.-C., Tigrane d'Arménie imposa sa loi à cette région[7]. Quelques années plus tard, l'intervention romaine mit un terme à son pouvoir[8] et, en 64-63 av. J.-C., Pompée réduisit la Syrie en province romaine ; il laissait Scaurus comme premier gouverneur *pro quaestore pro praetore*[9]. Josèphe rend fort bien compte de la charge assez vaste qui était confiée à ce gouverneur et de la situation nouvelle des Juifs, née de l'intervention romaine : « Pompée rendit Jérusalem tributaire des Romains ; il enleva aux Juifs les villes de Coelé-Syrie dont ils s'étaient rendus maîtres et soumit celles-ci à l'autorité du gouverneur romain ; ainsi il ramena dans ses anciennes frontières ce peuple juif naguère si ambitieux... Jérusalem fut redevable de tous ces maux aux dissensions d'Hyrcan et d'Aristobule. Nous perdîmes, en effet, la liberté et devînmes sujets des Romains, nous dûmes rendre aux Syriens tout le territoire que nous leur avions enlevé par les armes ; de plus, les Romains, en peu de temps, levèrent sur nous plus de mille talents, et la royauté, autrefois héréditaire dans la famille des grands prêtres, devint l'apanage d'hommes du peuple... Pompée, après avoir confié à Scaurus toute la Coelé-Syrie (et le reste de la Syrie) jusqu'à l'Euphrate et à l'Égypte, avec deux légions romaines, partit pour la Cilicie, ayant hâte de rentrer à Rome[10]. » Josèphe rassemble en cette page les caractéristiques que nous trouvons encore au Ier siècle de notre ère. En effet, les espoirs de véritable indépendance du peuple juif prennent fin avec l'occupation romaine ; désormais, les Juifs ont trouvé de nouveaux maîtres avec qui il faut compter. Josèphe ne présente pas le gouverneur de Syrie comme un personnage quelconque, mais comme celui qui a charge de « tout le pays jusqu'à l'Euphrate et à l'Égypte ». Ce premier gouverneur[10 bis] conduisit une expédition peu glorieuse contre le roi nabatéen Arétas, mais il sut habilement présenter son

---

6. Sur la Syrie cf. E. HONIGMANN, Syria, dans *PW*, IV A, 2, 1932, col. 1549-1727, aux col. 1622-1680 ; *HJP*, pp. 243-266.
7. *Ant.*, XIII, 419 ; STRABON, *Géographie*, XI, 15.
8. *BJ*, I, 127 ; STRABON, *Géographie*, XI, 15.
9. Cf. E. RENAN, *Mission de Phénicie*, 1864, pp. 533-534 ; *IGR*, III, 1102. Hê boulê kai ho dêmos / Markon Aimylion Markou yion / Skauron antitamian anti / stratêgon ton heautôn // patrôna eunoias heneke[n].
10. *Ant.*, XIV, 74-79 ; *BJ*, I, 157 : « Il (Pompée) la (la province de Syrie) confia, avec la Judée et tout le pays jusqu'à l'Égypte et l'Euphrate, à l'administration de Scaurus, qui commanda deux légions. » Cf. également APPIEN, *Histoire romaine, Syriakê*, 51.
10 bis. *Ant.*, XIV, 80-81 ; *BJ*, I, 159-160 ; *PW*, I, 1893, col. 588-590 ; *HJP*, pp. 244-245 ; cf. également sur ce personnage et sa famille, les remarques de P. GRIMAL, dans son édition-trad. de CICÉRON, *Pour M. Aemilius Scaurus*, Paris, 1976, pp. 145-156.

demi-échec comme un succès, puisque, en 58 av. J.-C., en tant qu'édile, il frappa des monnaies qui célébraient cette campagne.

Au début de l'Empire, quand les provinces sont partagées entre le Sénat et l'empereur, la Syrie revient à ce dernier. Ancien consul, le gouverneur de Syrie est un *legatus Augusti pro praetore*, nommé par l'empereur qui le relève de ses fonctions selon son bon plaisir. Cet homme est un personnage important, car la situation-clé de la Syrie suppose le stationnement de troupes romaines nombreuses et sûres. Cette province constitue un élément essentiel dans le système de défense de l'Empire[11] ; c'est d'elle que partirent de nombreuses expéditions militaires qui tentèrent de soumettre avec plus ou moins de bonheur les royaumes environnants.

A l'époque de Pilate, trois légats gouvernent successivement la province : L. Aelius Lamia ; L. Pomponius Flaccus ; L. Vitellius[12]. Jusqu'au règne de Tibère, pour défendre la frontière orientale les légats de Syrie ont à leur disposition trois légions : la *VIe Ferrata*, la *Xe Fretensis*, la *IIIe Gallica*[13] ; en 18, l'empereur leur adjoignit la *XIIe Fulminata*. Outre ces troupes, le gouverneur de Syrie pouvait encore compter sur des auxiliaires ou des contingents fournis par des rois clients. En cas d'extrême urgence, des armées lui étaient envoyées à partir d'autres provinces. Cette simple énumération des légions exprime mieux que tout commentaire l'importance de ce légat qui, au temps de Pilate, avait donc quatre légions sous son commandement[14]. D'ailleurs, plusieurs gouverneurs de Syrie s'illustrèrent dans l'histoire de l'Empire.

---

11. Les Parthes constituaient alors une redoutable menace pour Rome. La puissance parthe fut un danger permanent pour la partie orientale de l'Empire, d'autant plus que la configuration de la région ne permettait pas de fixer des frontières nettes. Il s'agissait entre autres de protéger l'Égypte, grenier à blé de Rome, cf. H. M. D. Parker, *The Roman Legions* (1928), Cambridge-New York, 1971, p. 126. Sur le danger parthe, cf. également G. Webster, *The Roman Imperial Army on the First and Second Centuries A. D.*, Londres (1969), 1974, pp. 52-53.

12. Sur les différents gouverneurs de Syrie, de la création de la province par Pompée jusqu'en 69 ap. J.-C., cf. *HJP*, pp. 243-266. Pour chaque gouverneur, *HJP* indique les sources et donne une brève monographie.

13. L'histoire de chacune de ces légions est décrite par Ritterling, dans *PW*, XII, 1925, aux col. 1587 s ; 1671 s ; 1517 s ; 1705 s. Sur les mouvements de ces différentes légions entre 14 et 180 ap. J.-C., cf. H. M. D. Parker, *op. cit.*, pp. 118-168, cf. Index, pp. 281-283 ; sur leurs origines, cf. pp. 264-265 ; 267-269. Pour une présentation d'ensemble des légions de l'armée romaine, cf. la plaquette de G. Webster, *The Roman Army*, Chester, 1956, et G. Webster, *The Roman Imperial Army*, pp. 107-142.

14. Ce nombre est confirmé par Philon, *Legatio*, 207 et Josèphe, *Ant.*, XVIII, 261-262. D'après Philon, Pétronius reçut de Caius l'ordre d'utiliser pour l'érection de la statue « la moitié de l'armée qui, en garnison près de l'Euphrate, gardait le passage des rois et des peuplades d'Orient ». Selon Josèphe, *Ant.*, XVIII, 261-262, Pétronius prit deux légions, ce qui correspond à la situation. Ce chiffre est à retenir plutôt que celui donné en *BJ*, II, 186. Sur le nombre des légions en Syrie sous Tibère, cf. également Tacite, *Ann.*, IV, 5. La légion comportait 5 120 hommes.

2. TEXTES DE JOSÈPHE DÉCRIVANT DES INTERVENTIONS DES LÉGATS DE SYRIE
DANS LA JUDÉE VOISINE.

Quand Josèphe rapporte le discours des délégués juifs venus à
Rome en 4 av. J.-C. dire leur opposition à la nomination d'Archelaüs
comme prince, il emploie une expression ambiguë. Selon lui, ces
délégués demandent de « rattacher leur pays à la Syrie et de le faire
administrer par des gouverneurs particuliers [15] ». Dix ans après cette
démarche, Auguste donne un statut nouveau à cette région. Accomplit-
il alors le souhait qui avait été exprimé en 4 av. J.-C. ou crée-t-il une
province parfaitement indépendante de la Syrie ? Incontestablement,
plusieurs gouverneurs de Syrie sont intervenus en Judée, mais peut-
on, à partir de cette donnée, conclure à une relation de dépendance ?
Pour répondre à cette question, il est nécessaire de préciser le cadre
des différentes interventions décrites par Josèphe et la personnalité
de leurs auteurs.

A. *QUIRINIUS* [16].

Dans les *Antiquités*, à propos de faits différents, Josèphe s'intéresse à l'activité de Quirinius en Judée ; ce personnage apparaît pour
la première fois à la fin du livre XVII ; l'historien juif y achève
ses propos sur Archelaüs en rapportant les songes de ce prince et de
sa femme, Glaphyra. Selon son habitude, il invite ses lecteurs à
réagir en toute liberté face à ces songes : « Que ceux qui ne croient
pas à de telles histoires gardent leur opinion personnelle à ce sujet,
mais ne blâment pas qui les raconte pour exhorter à la vertu. » Sans
s'arrêter davantage sur le sort d'Archélaüs, l'historien juif poursuit :
« Le pays d'Archélaüs fut rattaché en tributaire à la Syrie *(tês
d'Archelaou chôras hypotelous prosnemêtheisês tei Syrôn)* et l'empereur envoya Quirinius, personnage consulaire, pour faire le recensement en Syrie et liquider les propriétés d'Archélaüs [17]. » Le

---

15. *BJ*, II, 91 « *sunapsantas de tei Syriai tên chôran au̶tôn dioikein ep'
idiois hêgemosin* ». « *Idiois* » est compris par certains traducteurs au sens de
« autochtones », cf. JOSEPHUS, *The Jewish War, books I-III*, tr. H. S. J. THACKERAY,
Londres, 1927, in loco ; Flavius JOSÈPHE, *La Guerre des Juifs*, tr. P. SAVINEL,
Paris, 1977, p. 234 ; au contraire, dans *De Bello Judaico. Der jüdische Krieg*,
Bd I, Munich, ²1962, in loco, O. Michel et O. Bauernfeind comprennent
« *idiois* » au sens de « particuliers », comme l'avaient fait R. Harmand et
T. Reinach, dans Flavius JOSÈPHE, *Œuvres complètes*, Paris, 1911, p.152. Ce
dernier sens convient mieux ici. Rien ne permet de donner, en ce contexte,
le sens d'autochtones, qui supposerait une origine locale de ces gouverneurs.
16. Sur la carrière de ce personnage cf. P. BENOIT, dans *DBS*, IX, 1977,
col. 700-717.
17. *Ant.*, XVII, 355. TACITE, *Ann.*, II, 42, 5, au contraire, emploie une formule
qui fait supposer l'existence de deux provinces différentes : « et prouinciae Syria
atque Iudaea, fessae oneribus, diminutionem tributi orabant », « en outre, les
provinces de Syrie et de Judée, écrasées sous les charges, imploraient une
diminution du tribut », tr. P. WUILLEUMIER, Paris, 1974, p. 107. Tacite situe cet
événement vers 17.

livre XVIII s'ouvre à nouveau avec le même personnage : « Quirinius, membre du Sénat, qui, par toutes les magistratures, s'était élevé au consulat et qui jouissait d'une considération peu commune, arriva en Syrie où l'empereur l'avait envoyé pour rendre la justice dans cette province et faire le recensement des biens. On lui avait adjoint Coponius, personnage de l'ordre équestre, qui devait gouverner les Juifs avec pleins pouvoirs. Quirinius vint aussi dans la Judée, puisqu'elle était annexée à la Syrie *(eis tên Ioudaian prosthêkên tês Syrias genomenên)* pour recenser les fortunes et liquider les biens d'Archélaüs [18]. » En outre, il déposa Joazar, le grand pontife, pour lui substituer Anan, fils de Seth [19]. Quirinius semble alors quitter la Judée et désormais Coponius « venu avec Quirinius pour gouverner la Judée [20] », exerce sa charge de gouverneur.

Ces textes suscitent quelques remarques :

1) Dans la Guerre Juive, Josèphe n'ignore pas l'activité de Quirinius, mais il y fait allusion tout à fait occasionnellement. Parlant de deux descendants de Judas le Galiléen, son fils Menahem [21] et Eléazar [22], l'historien évoque l'action de leur ancêtre au temps de Quirinius. Dans le texte où il décrit le commandement d'Eléazar, Josèphe lie Quirinius et le recensement ; mais, quand il parle de la création de la province de Judée [23], Josèphe ne mentionne que Coponius. Quirinius s'est occupé d'un recensement en Judée, cela est bien attesté. Son rôle exact dans la création de la province est moins clair.

2) A l'intérieur même des Antiquités, une difficulté surgit. Josèphe présente deux fois la destitution de Joazar du souverain pontificat. Selon un premier récit, l'auteur de la destitution est Archélaüs à son retour de Rome en 4 av. J.-C. L'autre récit de la déposition est assez différent ; celle-ci a lieu en 6 ap. J.-C., et elle est accomplie par Quirinius [24]. En outre, en *Antiquités* XVIII, 27, Josèphe revient sur la prise de possession par Hérode Antipas et Philippe de leurs tétrarchies, événement qui eut lieu dix ans avant le recensement de Quirinius qu'il situe en 6. L'enchaînement chronologique n'est donc pas très satisfaisant.

3) L'analyse des textes de Josèphe laisse apercevoir une certaine imprécision sur le rôle de Quirinius en Judée. Nous ne pouvons

---

18. *Ant.*, XVIII, 1-2. Cette charge de recensement est encore confirmée en *Ant.*, XX, 102 ; *BJ*, VII, 253. Sur ce recensement qui a suscité nombre de discussions, surtout à propos de sa date, cf. *HJP*, pp. 399-427 ; P. BENOIT, Quirinius (Recensement de), dans *DBS*, IX, 1977, col. 693-720, avec indication de la bibliographie antérieure.

19. *Ant.*, XVIII, 26.

20. « *Kôpôniou de tên Ioudaian diepontos, hon ephên Kyriniôi sunekpemphthênai* » *Ant.*, XVIII, 29.

21. *BJ*, II, 433.

22. *BJ*, VII, 253.

23. *BJ*, II, 117.

24. *Ant.*, XVII, 399 ; *Ant.*, XVIII, 1.

pas en tirer un argument pour affirmer de façon claire un droit quelconque du légat de Syrie sur le gouverneur de Judée. De plus, cette activité de Quirinius se situe dans la période de création de la province [25] ; or, dans ces circonstances, la présence d'un légat d'origine sénatoriale, gouverneur de la province de Syrie, n'est pas pour nous étonner ; en effet, dans les provinces, le recensement était accompli par un haut personnage, appelé *legatus ad census accipiendos*, des procurateurs l'assistaient dans cette tâche. Le recensement était une opération qui, par sa nature même, ne pouvait que mécontenter les Juifs ; un appel aux légions s'avérait nécessaire, seul Quirinius pouvait les commander.

4) Enfin, la précision même du vocabulaire employé par Josèphe *(prosnemêtheisês, prosthêkên* [26]*)* étonne ; si l'on s'y fie, il ne s'agirait plus d'un lien, mais d'une véritable dépendance, d'une annexion pure et simple réduisant le gouverneur de Judée à un rôle de figurant.

B. *VITELLIUS* [27].

Plus probants peut-être sont les textes allégués au moment des interventions de Vitellius, car la province est constituée et certaines démarches de ce légat ont lieu à l'époque de Pilate [28]. Lors d'une visite à Jérusalem en 36, le peuple demande à Vitellius la restitution de la garde du vêtement du grand prêtre, Vitellius ne décide pas de lui-même, mais écrit à Tibère à ce sujet [29]. Les Samaritains, victimes de la violence de Pilate [30], sollicitent l'intervention de Vitellius qui réagit avec rapidité et ordonne « à Pilate de s'en aller à Rome afin de renseigner l'empereur sur ce dont l'accusaient les Samaritains [31] ». Le gouverneur de Syrie envoie alors un de ses amis pour s'occuper des Juifs. A la suite du renvoi de Pilate, Vitellius monte à Jérusalem pour la Pâque 37. A cette occasion, il confie aux Juifs la garde du vêtement du grand prêtre [32] et fait « remise aux habitants de l'ensem-

---

25. DION CASSIUS, *Hist. Rom.*, LX, 9, 1 présente un parallèle intéressant qui invite à distinguer érection et gouvernement ordinaire de la province.

26. *Prosthêkê*, ce qui s'ajoute à ; *prosnemô*, assigner, attribuer à. Ces termes signifient une annexion. TACITE a des propos aussi inexacts quand il parle de la situation de la Judée en 44, après la mort d'Hérode Agrippa (*Ann.*, XII, 23). En *Hist.* V, 9, le même Tacite donnerait plutôt l'idée d'une indépendance parfaite de la province à la même époque. Nous avons déjà eu l'occasion de signaler la connaissance approximative dont fait preuve Tacite quand il évoque les affaires de Judée.

27. Sur Vitellius, cf. T. MAYER-MALY, dans *PW*, suppl. IX, 1962, col. 1733-1739.

28. Josèphe passe très rapidement sur la période des premiers gouverneurs, cf. *supra*, p. 21, n. 4.

29. *Ant.*, XV, 405. Sur les montées de Vitellius à Jérusalem, cf. *infra*, pp. 243-244.

30. *Ant.*, XVIII, 88-89, cf. *infra*, pp. 237-238.

31. *Ant.*, XVIII, 89. Pour le choix de la variante *Samaritains* cf. *infra*, p. 232.

32. *Ant.*, XVIII, 90, 95 ; XX, 12.

ble des impôts sur la vente des récoltes [33] ». Enfin, lors d'une autre montée, Vitellius fait prêter serment au peuple au moment de l'avènement de Caius [34].

Ces textes semblent clairs, en particulier celui qui rapporte l'envoi de Pilate à Rome. Ils témoigneraient d'une étroite dépendance si ces actions n'étaient pas situées à un moment où les circonstances sont très particulières. D'une part, Vitellius est un personnage important, chargé d'une mission spéciale [35] qui lui confère de larges pouvoirs ; d'autre part, quand il intervient dans les affaires intérieures de la province de Judée, il se trouve en face d'un gouverneur qu'il a lui-même nommé à titre provisoire [36]. Enfin, lorsqu'il restitue aux Juifs la garde du vêtement du grand prêtre, Vitellius ne fait qu'exécuter un ordre de l'empereur, et son intervention ne constitue pas une anomalie.

C. *PÉTRONIUS* [37].

Pétronius, envoyé par Caius en Syrie, est chargé en Judée d'une mission délicate : ériger une statue de l'empereur dans le Temple de Jérusalem. A cette occasion, servi par un sens politique aigu, Pétronius manifeste un grand respect des coutumes juives. Caius n'ignorait pas combien son projet était provocant pour le peuple juif ; aussi, c'était évident, l'affaire dépassait les possibilités du gouverneur de Judée.

« Caius envoya *(epempsen)* Pétronius avec une armée à Jérusalem pour installer dans le Temple des statues faites à son image ; il lui ordonna, si les Juifs ne consentaient pas à les recevoir, de mettre à mort les mutins et de réduire en esclavage tout le reste de la nation [38]. » Pétronius conduit toute l'affaire, mais il agit ainsi parce qu'il en a été chargé par Caius. Le témoignage de Philon va dans le

---

33. *Ant.*, XVIII, 90.
34. *Ant.*, XVIII, 124.
35. Pour définir la situation de L. Vitellius, Tacite emploie deux formules différentes : « pour diriger tout ce qui se préparait en Orient, il (Tibère) désigne L. Vitellius » (*Ann.*, VI, 32, tr. P. WUILLEUMIER, Paris, 1975, p. 113). L'historien romain parle ensuite de Vitellius comme « praeses de Syrie » (*Ann.*, VI, 41). Ces deux expressions ne sont pas contradictoires. La première décrit le but exact de l'envoi de Vitellius : la Syrie, à cette époque, est entourée de voisins turbulents, un homme de talent est mis à la tête de la province pour coordonner la politique romaine dans cette région. Tout en étant gouverneur de Syrie, au sens strict, L. Vitellius est investi d'une mission précise sur l'ensemble de la région.
36. Le gouverneur de Syrie n'a jamais choisi le préfet de Judée.
37. Cf. R. HANSLIK, dans *PW*, XIX, 1, 1937, col. 1199-1201.
38. *BJ*, II, 185. La présentation donnée dans les Antiquités est assez semblable : « Mais Caius, irrité d'être tellement dédaigné par les Juifs seuls, envoya comme légat en Syrie Pétronius, qui succéda à Vitellius dans le gouvernement ; il lui ordonna d'entrer en Judée avec de nombreuses forces et de lui dresser une statue dans le Temple de Dieu » (*Ant.*, XVIII, 261).

même sens [39]. Caius charge Pétronius d'une tâche particulière, il sait que son ordre va soulever des émeutes, or seul le gouverneur de Syrie peut mener à bien un tel projet, car il dispose de légions.

D. *CASSIUS LONGINUS* [40].

A plusieurs reprises, la garde du vêtement sacré du grand prêtre avait provoqué des tensions entre les Juifs et les gouverneurs romains. La sagesse de Vitellius semblait avoir permis de régler ce problème [41] d'autant plus que le règne d'Agrippa I avait, sans aucun doute, confirmé les Juifs dans leur sécurité. En fait, ce vêtement fut à nouveau cause de dispute sous le gouvernement de Fadus. Celui-ci pensait normal qu'à la suite de la mort d'Agrippa, cette charge revint aux Romains, car pendant longtemps, la garde du vêtement du grand prêtre avait été confiée à celui qui détenait le pouvoir politique [42]. Les Antiquités judaïques nous donnent deux versions de l'événement : l'une en XV, 406-407, l'autre en XX, 6-14. Les deux récits diffèrent sur le point qui nous occupe. En *Ant.*, XV, Cassius Longinus joue un rôle essentiel, c'est à lui que Claude écrit pour faire connaître sa décision. En *Ant.*, XX, l'affaire est conduite par Fadus, gouverneur de Judée, et la lettre de Claude lui est adressée (*Ant.*, XX, 14) ; en ce récit, Cassius Longinus n'intervient que pour apporter un soutien militaire au gouverneur de Judée dont la décision risque de provoquer de sérieux mouvements d'humeur chez les Juifs [43]. Le texte d'*Ant.*, XV sur la garde du vêtement du grand prêtre à l'époque de Fadus constitue une anticipation par rapport au déroulement normal du récit de l'historien juif ; ce texte est bref et comporte en outre une anomalie : la lettre n'est pas adressée à Cassius Longinus, mais à Vitellius (*Ouitelliôi tôi tês Syrias antistratêgôi*) [44], or, à cette époque, Vitellius a quitté le gouvernement de Syrie. Josèphe commet un lapsus. Nous nous fierons au récit plus circonstancié d'*Ant.*, XX : l'affaire a été provoquée par Fadus, c'est à lui que Claude s'adresse pour faire connaître sa décision. Cependant la présence de Cassius Longinus n'est pas sans importance, car il accourt avec des forces militaires sûres et importantes. La situation est très proche de celle connue sous Pétronius.

E. *C.UMMIDIUS DURMIUS QUADRATUS* [45].

Pilate avait été envoyé par Vitellius auprès de Tibère pour se justifier des accusations portées contre lui par les Samaritains. Un

---

39. PHILON, *Legatio*, 207 s. insiste davantage sur la crainte d'une révolte juive, éprouvée par Pétronius.

40. Cf. *HJP*, p. 264.

41. *Ant.*, XV, 405.

42. *Ant.*, XV, 404 ; XVIII, 90-95.

43. *Ant.*, XX, 7.

44. *Ant.*, XV, 407.

45. Cf. R. HANSLIK, dans *PW*, suppl. IX, 1962, col. 1827-1831 ; R. SYME, The Ummidii, dans *Historia*, XVII, 1968, pp. 72-105, aux pp. 73-75.

autre gouverneur, Cumanus, fut aussi obligé quelque temps plus tard de se justifier auprès de Claude à la suite des plaintes des Samaritains contre les Juifs, et des Juifs contre les Samaritains et le gouverneur [46]. Samaritains et Juifs, après avoir plusieurs fois fait appel en vain à Cumanus pour régler leurs différends, s'adressent à Ummidius Durmius Quadratus. Ce dernier ne prend pas une décision sur le fond du problème, mais il envoie tout ce monde s'expliquer devant Claude. Dans ces circonstances, Juifs et Samaritains semblent avoir considéré le gouverneur de Syrie comme celui qui constituait leur recours ultime. Ummidius Durmius Quadratus ne paraît pas avoir eu de pouvoirs spéciaux, mais il agit dans le cadre normal de ses fonctions.

F. CESTIUS GALLUS [47].

Au moment où la guerre juive éclate en mai 66, Cestius Gallus, gouverneur de Syrie, prend la première place dans la tentative de répression de la révolte juive. Au début de son ouvrage sur la guerre juive [48], Josèphe s'exprime comme si Cestius Gallus était gouverneur de Judée. Il n'en est rien, mais il intervient pour secourir Florus, et dès lors, jusqu'à sa mort, au cours de l'hiver 66-67, il conduit les opérations qui, d'ailleurs, ne furent glorieuses ni pour les troupes romaines ni pour leur chef. Mais Cestius Gallus était déjà intervenu en Judée avant l'éclatement de la révolte ; les Juifs, en effet, avaient profité d'un passage du gouverneur de Syrie à Jérusalem pour exprimer leurs plaintes contre les exactions de Florus qui, en cette circonstance, éprouva la nécessité de se justifier [49]. A la suite des premiers désordres, « Florus fournit un nouvel aliment au conflit en faisant à Cestius un rapport mensonger sur la défection des Juifs... D'autre part, les magistrats de Jérusalem ne gardèrent pas le silence : ils écrivirent, ainsi que Bérénice, à Cestius pour lui apprendre quelles iniquités Florus avait commises contre la cité [50]. » Ayant reçu ces différents rapports, Cestius envoya un de ses amis, Néapolitanus, à Jérusalem afin de se rendre compte de la situation [51]. De nouvelles violences en Judée et des massacres de Juifs en différents lieux, notamment à Alexandrie, poussèrent le gouverneur de Syrie à conduire des opérations importantes en Palestine : « Cestius, voyant que de tous côtés on faisait la guerre aux Juifs, ne voulut pas rester inactif pour son compte. Il partit donc d'Antioche, emmenant avec lui la XIIe légion au complet et, de chacune des autres, deux mille hommes choisis ; en outre, six cohortes d'infanterie et quatre escadrons de cavalerie [52]. » Désormais la conduite de la guerre allait être

46. *BJ*, II, 236-244 ; *Ant.*, XX, 118-136.
47. Cf. *HJP*, p. 265.
48. *BJ*, I, 20-21.
49. *BJ*, II, 280-283.
50. *BJ*, II, 333.
51. *BJ*, II, 334.
52. *BJ*, II, 499-500.

jusqu'à sa mort l'affaire du gouverneur de Syrie, et Josèphe considéra la défaite romaine, en ce premier temps, comme une défaite de Cestius [53]. Ce rôle de premier plan, attribué à Cestius Gallus dans la conduite des opérations pendant la première partie de la guerre juive, n'est pas étonnant [54], car les revers de Florus obligeaient les troupes romaines de Syrie à intervenir ; or seul le gouverneur de cette province pouvait en assurer le commandement, la conduite de la guerre dès lors était son affaire. Il ne s'agissait plus de révoltes locales appelées à s'essouffler, mais d'une mise en cause de la *Pax Romana* en Orient, comme l'envoi de Vespasien le confirme. L'affaire dépassait les possibilités d'un gouverneur de Judée.

Les premières plaintes des Juifs contre Florus et l'envoi de Neapolitanus [55] confirment la fonction d'arbitrage que pouvait exercer le gouverneur de Syrie dans les démêlés entre le gouverneur de Judée et ses administrés. Nous sommes en présence d'une situation assez semblable à celle rencontrée avec C. Ummidius Durmius Quadratus.

Que retenir de ce dossier glané à travers l'œuvre de Josèphe ?

1) Plusieurs textes, allégués pour manifester une subordination du gouverneur de Judée à l'égard du légat de Syrie, ne sont pas pertinents quand ils sont replacés dans leur situation historique [56].

2) Pétronius, chargé d'une opération précise et limitée en Judée, a reçu mandat spécial pour cela. Son intervention est d'autant plus précieuse qu'elle situe le vrai niveau des rapports entre les deux provinces : Pétronius est chargé d'une opération qui nécessite l'intervention des légions [57].

3) Les gouverneurs de Syrie interviennent, même sans mission spéciale de l'empereur, quand il est manifeste que le gouverneur de Judée ne peut pas conduire une opération avec les forces dont il dispose.

4) Le gouverneur de Syrie constitue une sorte de référence. Juifs et Samaritains ont recours à lui quand le gouverneur de Judée commet des exactions à leur égard. Le légat de Syrie peut même aller jusqu'à envoyer le gouverneur et ses opposants s'expliquer à Rome [58].

Le sens exact des interventions du gouverneur de Syrie dans les affaires de la province de Judée n'est bien compris que si l'on prend soin de les situer dans un contexte historique plus large. Avant

---

53. Cf. par ex. *BJ*, III, 9, 133 ; V, 267 ; cf. également TACITE, *Hist.*, V, 10.
54. L'*Autobiographie* de Josèphe offre une présentation assez semblable, par ex. 23, 24.
55. *BJ*, II, 335, 338-341.
56. Cf. par ex. les événements étudiés à propos de l'activité de Quirinius et de celle de Vitellius, *supra*, pp. 63-66.
57. Cette situation n'est pas faite pour surprendre. Les provinces procuratoriennes n'ont pas de légion, et dans les cas graves, c'est toujours le légat proprétorien le plus voisin qui intervient avec ses légions pour prêter main forte au préfet ou au procurateur en difficulté, cf. *infra*, pp. 100-103.
58. Cf. les décisions de Vitellius et de C. Ummidius Durmius Quadratus.

d'achever l'étude des rapports entre les gouverneurs de Syrie et de Judée, relevons quelques faits qui se sont déroulés à des époques où la Judée était gouvernée par des rois-alliés et qui montrent le prestige du gouverneur de Syrie ; néanmoins, l'autorité de ce dernier ne nuit pas à l'indépendance des rois-alliés qui ne sont jamais présentés comme les subordonnés de l'illustre gouverneur voisin.

Sous Hérode le Grand, C. Sentius Saturninus est mêlé aux affaires du royaume [59], et le roi juif, lui-même, fait appel aux conseils de Quintilius Varus [60]. Pour sa part, Pomponius Flaccus connaît de près les querelles d'Agrippa et de son frère Aristobule [61], tandis qu'Agrippa, devenu roi, fait appel à Publius Pétronius contre le comportement des gens de Dora [62]. Ce regard du gouverneur de Syrie sur le royaume d'Agrippa se manifeste encore mieux avec Marsus que Josèphe qualifie d'ennemi d'Agrippa [63] ; car ce gouverneur de Syrie dénonce auprès de l'empereur la reconstruction des murs de Jérusalem, entreprise par Agrippa I [64], et intervient à Tibériade pour disperser un rassemblement de rois qui lui paraissait ne rien signifier de bon pour les Romains [65]. Lors du règne d'Agrippa II, cette importance du légat romain de Syrie n'est pas moindre [66]. Ces situations sont assez proches de celles que nous rencontrons à l'époque des gouverneurs : le légat de Syrie a en Orient une autorité morale incontestée et il veille sur les intérêts romains.

Notre conclusion est donc claire : le gouverneur de Judée ne peut pas se passer de l'appui de son puissant voisin de Syrie, chargé de maintenir la *Pax Romana* dans cette région [67]. Or le légat de Syrie jouit d'un prestige considérable en raison de sa fonction et des forces militaires mises à sa disposition. Les habitants de la province de Judée ont tout naturellement recours à ce personnage quand leur propre gouverneur commet des exactions ; mais celui-ci n'en demeure

---

59. Cf. *BJ*, I, 538, 541, 554, 577 ; *Ant.*, XVI, 277 (Reinach, livre XVI, p. 47, commet une erreur en identifiant Saturninus avec L. Volusius Saturninus ; il s'agit bien plutôt de C. Sentius Saturninus, cf. *HJP* p. 257), 280, 283, 344, 368, 369 ; XVII, 6, 7, 24, 57. On pourrait d'ailleurs relever des interventions bien antérieures, cf. par ex. sous Hyrcan II (*Ant.*, XIV, 170).

60. *Ant.*, XVII, 89. A la mort d'Hérode, Varus interviendra en Judée.

61. *Ant.*, XVIII, 151-154.

62. *Ant.*, XIX, 300-312.

63. *Ant.*, XIX, 363.

64. *Ant.*, XIX, 326. Cette version des Antiquités est préférable à celle de *BJ*, II, 218. Dans le récit de *BJ*, l'inachèvement paraît dû seulement à la mort subite d'Agrippa I. Si elle n'avait pas eu lieu, on ne voit pas pourquoi Josèphe, dans le récit des Antiquités, aurait créé cette intervention de Marsus. En *BJ*, il l'omet, car il évite de rapporter un fait désagréable qui traduit une opposition entre un Hérodien et Rome.

65. *Ant.*, XIX, 338-342.

66. *BJ*, II, 481 ; *Autobiographie*, 49.

67. Même si nous n'avons pas les mêmes positions que H. G. Pflaum, notamment en ce qui concerne le problème de l'*imperium*, sa formule nous paraît juste : « Du point de vue militaire, le procurateur de Judée est donc le subordonné du légat consulaire de Syrie » (*Procurateurs*, p. 148), à condition de bien maintenir la subordination à ce seul niveau.

pas moins indépendant dans le gouvernement de sa province, il n'est pas un administrateur aux ordres du gouverneur de Syrie. Le gouverneur de Judée est nommé par l'empereur et n'a de comptes à rendre qu'à ce dernier [68]. Il faut, enfin, replacer ces rapports entre les deux gouverneurs voisins dans le cadre des influences à la cour impériale [69]. Nous ne sommes pas encore sous Hadrien et devons nous garder de voir en ce début du principat une administration trop hiérarchisée et précise. D'ailleurs, les pouvoirs dont jouit le gouverneur de Judée font ressortir son indépendance, ce sont ces pouvoirs que nous étudions dans la seconde partie de ce chapitre.

68. Pilate et Cumanus sont envoyés à Rome devant l'empereur pour s'expliquer sur leur comportement en Judée.

69. Nous avons un bon témoignage sur l'importance et l'enjeu de ces influences en *Ant.*, XX, 134-136.

Seconde Partie

Droits et pouvoirs
d'un gouverneur de rang équestre

« Quand le domaine d'Archélaüs eut été réduit en province »,
écrit Josèphe, « Coponius, romain de l'ordre équestre, y fut envoyé
comme procurateur, il reçut d'Auguste des pouvoirs étendus, sans
excepter le droit de vie et de mort[70]. » Que recouvrent exactement
ces pouvoirs, ont-ils été mis en œuvre par les différents gouverneurs
et sous quelle forme ?

Comme nous l'avons vu, le préfet de Judée n'est pas un fonctionnaire dépendant du gouverneur de Syrie ; cependant le problème de
ses pouvoirs mériterait une étude spécifique, car il est difficile de le
traiter avec rigueur. Nous conduirons cette recherche en partant des
différentes questions soulevées par le séjour de Pilate et par les
incidents qui le marquèrent. Nous relèverons les éléments les plus
caractéristiques qui permettent d'éclairer son comportement dans
ses rapports avec la population.

Le gouverneur de Judée avait pour tâche fondamentale de maintenir l'ordre dans cette partie de l'Empire et de lever le tribut. Ces
charges le faisaient bénéficier d'un certain nombre de pouvoirs utiles
à sa fonction. Nous étudierons quelques aspects de son pouvoir dans
les domaines administratif, militaire et financier. Sous l'expression
« pouvoir administratif », nous regroupons deux études distinctes ;
d'une part, un essai sur les problèmes de juridiction proprement dits,
en particulier les attributions du gouverneur en matière de peine
capitale, et, d'autre part, une étude des pouvoirs du gouverneur
romain vis-à-vis des fonctions du grand prêtre.

---

70. *BJ*, II, 117 *(mechri tou kteinein labôn para Kaisaros exousian)*. Dans
les Antiquités, après avoir présenté la mission de Quirinius, Josèphe poursuit :
« On lui avait adjoint Coponius, personnage de l'ordre équestre, qui devait
gouverner les Juifs avec pleins pouvoirs » *(hêgêsomenos Ioudaiôn tei epi pasin
exousiai)*, Ant., XVIII, 1-2.

1. Pouvoirs administratifs du gouverneur de Judée.

A. *Pouvoir de Juridiction.*

La pratique courante des Romains dans les territoires soumis a été d'accepter coutumes et lois locales dans la mesure où elles n'allaient pas à l'encontre de l'ordre romain. Sous la République, lorsque Rome avait conquis une région, le général vainqueur recevait la charge d'organiser cet espace, qu'il s'agisse de fixer les frontières de la nouvelle province ou de définir les droits et devoirs des peuples conquis. Cette disposition marquait l'autorité de Rome sur la terre et les habitants. Il arrivait aussi qu'un magistrat romain intervienne pour réorganiser l'administration d'une cité ou d'une province. Dans ces circonstances, en tenant compte des coutumes locales, une *lex prouinciae* était donnée au territoire. D'ailleurs cette appellation pratique, mais impropre, désigne plus un ensemble de dispositions qu'une loi romaine proprement dite [71]. Pline, dans sa correspondance avec Trajan, se réfère à des dispositions prises par Pompée en Bithynie et parle à cette occasion de *Pompeia lex* [72]. Sous l'Empire, au moins en ses débuts, cet état d'esprit est respecté, mais la situation ne présente pas les mêmes caractéristiques selon qu'il s'agit d'un peuple allié, d'une ville libre ou d'un territoire provincial. Dans les deux premiers cas, l'autonomie était assez large ; les villes libres s'administraient selon leurs traditions, avec magistrats et assemblées [73]. Cependant, même parfois pour les villes libres, on notera assez vite des signes de restriction des pouvoirs des assemblées locales en matière de juridiction [74]. Dans les régions qui avaient un statut de territoire provincial, comme c'est le cas de la Judée, la situation était différente. Certes, là encore se manifestait le souci de faire leur place aux usages traditionnels, et les gouverneurs romains respectaient les coutumes, laissant en général les tribunaux indigènes s'occuper d'affaires subalternes ; d'ailleurs, d'un point de vue pratique, il n'était pas possible que le gouverneur et ses collaborateurs s'occupent de toute chose. Néanmoins, le respect des lois locales n'enlevait rien au pouvoir du gouverneur romain qui était l'autorité judiciaire suprême. De plus, sous l'Empire, un mouvement se dessina en faveur d'une centralisation plus forte, ce qui conduisit les autorités romaines à exercer des fonctions qui, à l'origine, relevaient des pouvoirs locaux [75]. Cette orientation s'est manifestée, entre autres, dans le

---

71. Cf. C. Nicolet, L' « impérialisme » romain, dans *Rome et la conquête du monde méditerranéen* II, *Genèse d'un Empire*, Paris, 1978, pp. 883-920, à la p. 917.

72. *Lettres*, X, 79, éd. M. Durry, Paris, 1947, p. 60 ; X, 114, p. 81.

73. F. de Martino, *Storia della Costituzione Romana*, IV, 2, Naples, 1975, pp. 755-757 ; J. Gaudemet, La juridiction provinciale d'après la correspondance entre Pline et Trajan, dans *Revue internationale des droits de l'Antiquité*, XI, 1964, pp. 335-353, à la p. 351.

74. F. de Martino, *op. cit.*, pp. 824-825.

75. F. de Martino, *op. cit.*, pp. 824-827.

domaine de la juridiction criminelle et lors des décisions importantes [76]. « La tendance générale inclinait en tout cas à réserver au tribunal du gouverneur la juridiction capitale [77]. » Cependant, on ne peut pas juger de la situation en Judée qu'à la lumière de ces éléments généraux, car non seulement les Juifs bénéficiaient des habitudes courantes dans l'Empire, mais de plus, ils jouissaient de dispositions particulières [78]. En Judée, selon les sources hellénistiques, Josèphe et les Évangiles, le Sanhédrin constituait la plus haute autorité, aussi bien pour les affaires civiles que religieuses [79].

I. Le Pouvoir en matière de peine capitale.

Les gouverneurs romains de Judée disposaient-ils du droit de condamner à mort [80] ? Si la réponse à cette question est positive, une autre doit être résolue : bénéficiaient-ils seuls de ce pouvoir ou en jouissaient-ils conjointement avec l'autorité locale, le Sanhédrin ? X. Léon - Dufour a présenté ainsi le *status quaestionis* : « Deux tendances se font jour chez les historiens.

— Le Sanhédrin n'exerçait pas le droit de peine de mort (cf. J. Blinzler, Die Strafe für Ehebruch in Bibel und Halacha. Zur Auslegung von Joh VIII, 5, dans *NTS*, IV, 1957-1958, pp. 32-47 ; et dans *Der Prozess Jesu*, pp. 109-115 [81]).

76. F. F. Abbott and A. C. Johnson, *Municipal Administration in the Roman Empire*, Princeton, 1926, pp. 60-61 ; 81-82 ; Lee I. Levine, *Caesarea Under Roman Rule*, Leyde, 1975, pp. 21-22, et les notes correspondantes, a rassemblé un certain nombre de données sur les tensions entre centralisation et libertés locales.
77. E. Bickermann, Utilitas Crucis, dans *RHR*, CXII, 1935, p. 188.
78. Cf. notre étude sur le texte de la *Legatio, infra*, pp. 219-225 ; Juster, *Juifs, passim.*
79. Les spécialistes sont loin d'être d'accord sur l'histoire et le rôle du Sanhédrin (ou des sanhédrins), cependant on s'accorde à reconnaître à cette institution une place centrale dans la vie juive, bien que son rôle réel ait souvent dépendu de la situation politique, cf. S. B. Hoenig, The Great Sanhedrin, New York, 1953 ; T. A. Burkill, Sanhedrin, dans The Interpreter's Dictionary of the Bible, IV, 1962, pp. 214-218 ; H. Mantel, Studies in the History of the Sanhedrin, Cambridge, Mass., 1965 ; H. Mantel, Sanhedrin, dans Encyclopaedia Judaica, Jérusalem, XIV, 1971, col. 836-839.
80. Nous cherchons à définir les pouvoirs du gouverneur vis-à-vis de l'ensemble de la population. Nous laissons de côté le problème des pouvoirs du gouverneur vis-à-vis des personnes ayant la citoyenneté romaine.
81. J. Blinzler, Le procès de Jésus, p. 239 formule ainsi sa thèse : « Au temps des procurateurs, le Sanhédrin avait le droit de traiter le procès au criminel et de prononcer des sentences de mort, mais l'exécution en était réservée au gouverneur. » D. R. Catchpole, The Trial of Jesus. A Study in the Gospels and Jewish Historiography from 1770 to the Present Day, Leyde, 1971, a réexaminé les textes invoqués habituellement, cf. Ch. IV, The Legal Setting of the Trial of Jesus, pp. 221-260. Tenant compte des arguments avancés de part et d'autre, sa conclusion est semblable à celle de J. Blinzler : « The distinction asserted by Blinzler between the right to pass a sentence and the right to execute it turns out to be entirely justified. The conclusion which seems most in accord

— Le Sanhédrin pouvait, sous le couvert de l'autorité romaine, exercer le droit de peine de mort, comme le montre la lapidation d'Étienne et tel ou tel exemple rapporté par Josèphe. Cette opinion déjà fortement soutenue par Goguel et Lietzmann a un regain de faveur dans les articles de T. A. BURKILL, The Competence of the Sanhedrin, dans *Vig Chr*, X, 1956, pp. 80-96, et de P. WINTER, Marginal Notes on the Trial of Jesus, dans *ZNW*, L, 1959, pp. 14-33. En l'état actuel des recherches, semble-t-il, on ne peut pas affirmer que le Sanhédrin ne pouvait pas exercer le ius gladii [82]. »

Ce *status quaestionis* est formulé en fonction de la manière ordinaire de poser le problème : celui-ci est considéré du point de vue du Sanhédrin ; le pouvoir du gouverneur est alors défini à partir des limites de celui du Sanhédrin. Essayons d'envisager le problème tel qu'il s'est logiquement posé : pour les condamnations à mort, le gouverneur romain de Judée avait-il ou non autorité sur les indigènes et quand devait-il intervenir ?

a) *Le pouvoir des gouverneurs.*

Une précision technique s'avère tout d'abord nécessaire. Dans ce débat autour du pouvoir du gouverneur en matière de peine capitale, parler de *ius gladii* est inexact. A. H. M. Jones a montré que, pendant les deux premiers siècles de l'Empire, le *ius gladii*, au sens strict, recouvre le pouvoir conféré à un commandant d'armée d'exécuter des soldats romains servant sous ses ordres. Investi du *ius gladii*, ce commandant n'est plus alors gêné par les possibilités d'appel à César dont pourrait faire usage un citoyen romain [83], mais ce pouvoir ne lui confère aucun droit sur des civils ayant la citoyenneté romaine. Ce privilège peut être accordé à un gouverneur provincial du rang de préfet ou de procurateur qui, pour un certain temps, a des troupes de citoyens romains, stationnées sur son territoire [84]. Cependant les inscriptions qui mentionnent le *ius gladii* ne sont pas antérieures à

with the evidence is that the Sanhedrin could pass sentence, but that the execution could not to be in their hands but was restricted by and to the Romans », p. 254 ; point de vue assez semblable chez M. GRANT, *The Jews in the Roman World*, Londres, 1973, pp. 92, 110-111, 116.

82. X. LÉON-DUFOUR, Passion, dans *DBS*, VI, 1960, col. 1487.

83. Cf. A. H. M. JONES, I appeal unto Caesar, dans *Studies presented to David Moore Robinson on his seventieth birthday*, II, St Louis, Missouri, 1953, pp. 918-930, aux pp. 925-927 (réimprimé dans JONES, *Studies*, pp. 51-65). JONES est approuvé et suivi par A. N. SHERWIN-WHITE, *Roman Society and Roman Law in the N. T.*, Oxford, 1963, p. 10.

84. Cf. *ILS*, 1368, 1372, 9200 ; *CIL*, III, 1919. JONES (*op. cit.*, p. 927) identifierait volontiers le *mechri tou kteinein*, accordé au premier gouverneur de Judée et le *ius gladii*. Pour appuyer sa remarque, il se réfère à Act., X, 1 qui mentionne la cohorte italique. Nous ne pensons pas que Act., X, permette de soutenir un tel point de vue, car la mention de cette cohorte en ce texte est un anachronisme, cf. *infra*, p. 102. Cependant DION CASSIUS, *Hist. Rom.*, LIII, 13, rappelle qu'Auguste donna aux gouverneurs de provinces « procuratoriennes » le droit d'exécuter même des soldats. Le gouverneur de Judée a pu donc bénéficier du *ius gladii*, dans la mesure où les commandants des troupes auxiliaires étaient citoyens romains.

l'époque de Domitien ; relativement rares, elles concernent des personnes investies de ce droit à titre exceptionnel. On peut néanmoins conjecturer que ces cas d'exception remontent au début du Principat.

Envoyé en Judée au nom de l'empereur qui seul possède l'*imperium*, le gouverneur avait-il ou non reçu délégation de ce droit à l'intérieur de cette province ? L'*imperium* peut être défini comme le pouvoir administratif suprême dans un territoire déterminé. Il comprenait le droit de condamner à une peine capitale et permettait au gouverneur de jouir d'une indépendance assez large dans son gouvernement.

Relevons tout d'abord quelques éléments qui montrent qu'un gouverneur de rang équestre disposait de cet *imperium* [85].

1) Le texte littéraire fondamental se lit dans les « *Annales* » de *Tacite*, XII, 60 : « Le divin Auguste avait donné aux chevaliers romains qui gouvernaient l'Égypte la compétence légale et avait prescrit que leurs décisions auraient même valeur que si elles eussent été rendues par des magistrats romains ; puis on étendit à d'autres provinces et à Rome même le droit pour les chevaliers de connaître d'affaires qui ressortissaient jadis aux préteurs [86]. »

Ce texte met en évidence deux données :

— La compétence légale dont bénéficient les préfets d'Égypte ne peut être autre chose que dire le droit, c'est-à-dire l'*imperium* [87].

— Cette extension se fit même pour d'autres provinces où les gouverneurs de rang équestre eurent droit de traiter des affaires qui auparavant relevaient des préteurs. Le parallèle pour les provinces ne peut être fait qu'avec l'époque où, sous la République, les préteurs exercèrent une tâche d'administration provinciale au plus haut niveau.

2) Le proconsul détenait l'*imperium* [88]. De 6 ap. J.-C., à 67, la Sardaigne a été gouvernée par un homme de rang équestre [89] ; avant et après cette période par un proconsul. Peut-on supposer que les gouverneurs de rang équestre de cette province eurent des pou

---

85. Nous reprenons quelques remarques de A. N. Sherwin-White, *op. cit.*, pp. 6-9.

86. Tacite, *Annales*, tr. H. Goelzer, Paris, 1924, p. 346.

87. Ulpien confirme cette lecture en notant que par une loi, le préfet d'Égypte reçut un « imperium ad similitudinem proconsulis » : « Praefectus Aegypti non prius deponit praefecturam et imperium, quod ad similitudinem proconsulis lege sub Augusto ei datum est, quam Alexandriam ingressus sit successor eius, licet in prouinciam uenerit : et ita mandatis eius continetur » D. I, 17, 1. Ce texte se réfère à la création de la charge de préfet d'Égypte par Auguste, époque où seule une loi pouvait conférer l'*imperium*. A. H. M. Jones a montré, avec raison, que ce texte constituait une bonne référence historique, cf. Procurators and Prefects in the Early Principate, dans *Studies*, pp. 121-122.

88. Cf. A. N. Shervin-White, *Roman Society*..., pp. 3-6.

89. Cf. Dion Cassius, *Hist Rom.*, LV, 28 ; Pausanias, *Description de la Grèce*, VII, 17, 3. En 27 av. J.-C., la Sardaigne est revenue au Sénat, cf. Dion Cassius, *Hist. Rom.*, LIII, 12.

voirs moindres que leurs prédécesseurs et successeurs proconsulaires, alors que les chevaliers prennent une importance de plus en plus grande dans le système impérial ? Or nous savons par les édits de Cyrène que le proconsul, gouverneur de la province de Cyrénaïque, avait seul la compétence en matière capitale [90].

3) Enfin, A. N. Sherwin-White remarque que le titre donné au premier gouverneur de Mauritanie et au gouverneur équestre de Sardaigne les assimile à des légats [91].

Ces quelques données situent l'*imperium* des gouverneurs de rang équestre dans l'Empire : « De tels gouverneurs (procurateurs gouvernant de petites provinces), appelés à l'origine préfets, exerçaient une juridiction criminelle et civile dans leurs territoires. Celle-ci était semblable à celle des gouverneurs sénatoriaux, si ce n'est que les premiers ne disposaient du *ius gladii* qu'en certaines circonstances [92]. » Regardons maintenant les témoignages qui concernent la province de Judée.

Les deux textes de Josèphe, cités au début de la seconde partie de ce chapitre ont trait à l'arrivée de Coponius dans la nouvelle province. Après avoir parlé de la tâche de Quirinius, l'historien juif écrit : « *Kôpônios te autôi sygkatapempetai tagmatos tôn hippeôn, hêgêsomenos Ioudaiôn tei epi pasin exousiai* ». « Coponius, un membre de l'ordre équestre, lui fut adjoint afin de gouverner les Juifs avec pouvoir en toute chose ». La présentation de *BJ*, II, 117 est quelque peu différente : « *Tês de Archelaou chôras eis eparchian perigrapheisês epitropos tês hippikês para Rômaiois taxeôs Kôpônios pempetai, mechri tou kteinein labôn para Kaisaros exousian* ». « Après que le

90. Très souvent, à propos du pouvoir du gouverneur romain en matière de juridiction capitale en Judée, les historiens invoquent le 4ᵉ édit d'Auguste, relatif à Cyrène. D'après cet édit, pour les accusations capitales le gouverneur doit juger lui-même ou constituer un tribunal de jurés. Ces cas jugés sous sa seule responsabilité. A ces dispositions indiquées par l'incise du 4ᵉ édit : « à l'exception des accusés d'un crime capital à l'égard desquels le gouverneur de la province est tenu soit de connaître et de statuer lui-même, soit de réunir un jury », certains commentateurs ont opposé le 1ᵉʳ édit qui, pour les causes capitales, ne semble connaître que la procédure du jury. F. De Visscher a montré qu'en fait, le 1ᵉʳ édit visait les dispositions à prendre au cas où le gouverneur décide de réunir un jury. Ayant rappelé l'alternative indiquée ci-dessus, De Visscher achève son étude par cette conclusion : « S'il est vrai que telle est la règle fondamentale de la juridiction capitale romaine dans la province, il en résulte, d'autre part que l'organisation d'un jury criminel constitue pour le gouverneur une simple faculté, non une obligation. Le principe de la compétence du gouverneur en matière capitale demeure ainsi intact. » F. DE VISSCHER, *Les édits d'Auguste découverts à Cyrène*, 1940, réimpres. Osnabrück, 1965, p. 68 ; sur la compétence du gouverneur, cf. *op. cit.*, pp. 62-69 ; p. 120. Le texte et la traduction du 1ᵉʳ et du 4ᵉ édits sont donnés pp. 16-19 ; 20-23. Ce parallèle entre la situation en Judée et en Cyrénaïque est intéressant, il n'est pas à lui seul décisif, car la Cyrénaïque est une province sénatoriale. Il faut donc montrer que sur ce point les gouverneurs de provinces de type différent ont le même pouvoir.

91. Cf. *AE*, 1924, 66 ; *ILS*, 105.

92. F. MILLAR, Some Evidence on the Meaning of Tacitus Annals XII, 60, dans *Historia*, XIII, 1964, p. 181.

pays d'Archelaüs eut été réduit en province, Coponius (membre) de la classe équestre chez les Romains fut envoyé comme procurateur, ayant reçu pouvoir de César, y compris (le droit de) mettre à mort [93]. »

Ces textes posent deux questions :

1) Que disent-ils des pouvoirs de Coponius ?

2) Les pouvoirs reconnus au premier gouverneur s'appliquent-ils à ses successeurs ? Les deux textes se complètent. Dans celui des Antiquités, il s'agit, d'une façon claire, d'un pouvoir à tous égards vis-à-vis des Juifs, il n'existe pas de meilleure définition de l'*imperium* d'un gouverneur de province sur ses administrés. Le second texte ne désigne pas d'une façon claire ceux à l'égard de qui s'exerce le « pouvoir de mettre à mort », mais le contexte et le parallèle des Antiquités orientent vers les Juifs. Les deux textes, avec des termes différents, explicitent l'aspect absolu des pouvoirs de Coponius : celui-ci peut même exercer le droit de mort à l'égard de ceux à qui il est envoyé [94]. Les termes de Josèphe concernent les pouvoirs de Coponius vis-à-vis de l'ensemble de la population juive. Le gouverneur pouvait donc juger en matière capitale sans qu'il y ait besoin de recourir à une autre instance pour confirmer sa décision. Les textes de Josèphe et ce que nous savons sur la situation dans l'ensemble de l'Empire concordent. Coponius, premier gouverneur de Judée, avait donc le droit de condamner à mort un indigène et de le faire exécuter. Ce pouvoir fut celui de Coponius, mais aussi celui de ses successeurs [95]. D'ailleurs plusieurs gouverneurs, sous prétexte de réprimer les troubles, ne se sont fait aucun scrupule d'user et même d'abuser de ce droit [96]. En outre, ils couvrirent les soldats agissant sous leurs ordres et qui souvent avaient un comportement très brutal [97]. Le gouverneur avait besoin de ce pouvoir pour poursuivre et éventuellement exécuter tous ceux qui mettaient en danger la présence romaine et la sécurité publi-

---

93. Le premier texte se trouve en *Ant.*, XVIII, 2. Nous avons refait la traduction des deux textes.

94. Josèphe a pour centre d'intérêt l'histoire des Juifs. Cette orientation exclut toute attention de Josèphe à l'égard du *ius gladii*, au sens strict, c'est-à-dire le pouvoir du gouverneur vis-à-vis des citoyens romains servant sous ses ordres.

95. Trois faits permettent de l'affirmer :
— la situation dans l'ensemble de l'Empire,
— le comportement des successeurs de Coponius,
— le silence de Josèphe sur un éventuel changement.

96. Outre Pilate, cf. Cuspius Fadus (*Ant.*, XX, 5), Tiberius Alexander (*Ant.*, XX, 102) et évidemment Albinus et Florus (*BJ* II, 305). Cet abus se rencontre aussi dans d'autres régions de l'Empire, cf. SÉNÈQUE, *De la colère*, II, 5, 5. Le fait rapporté par SÉNÈQUE s'est passé sous Auguste. Festus usa, lui aussi, de ce droit, mais selon Josèphe, il le fit avec discernement, car « il poursuivit les principaux auteurs de la ruine du pays ; il prit un très grand nombre de brigands et en fit périr beaucoup », *BJ* II, 271.

97. Cf. par ex., *Ant.*, XX, 97-99. Pendant le gouvernement de Pilate, cette violence est très visible lors de l'épisode de l'aqueduc, cf. *infra*, pp. 163-165.

que. Il devait faire respecter l'ordre impérial, aussi intervenait-il chaque fois que ce dernier lui paraissait menacé. Nous avons là le véritable critère de l'intervention du gouverneur, ce qui suppose une certaine souplesse dans l'appréciation des faits et dans l'utilisation du
pouvoir de condamner à mort et d'exécuter la sentence. Les Juifs,
ainsi que les autres communautés, conservaient leur organisation
légale pour la juridiction courante.

Ce pouvoir de condamnation à mort et d'exécution de la sentence,
dont bénéficiait le gouverneur romain, même s'il présentait un aspect
irritant pour les Juifs, n'avait pas de quoi les surprendre, car le pouvoir romain était l'héritier politique d'Hérode le Grand et d'Archelaüs
qui s'étaient octroyé ce droit. Hérode condamna à mort et exécuta ses
sentences sans le moindre recours au Sanhédrin à qui pourtant,
semble-t-il, appartenait alors ce droit [98]. En effet, ce reproche d'usurpation du droit lui est déjà adressé avant même qu'il accède à la
royauté, car même un criminel ne peut être exécuté s'il n'a auparavant
été condamné par le Conseil ; c'est en s'appuyant sur cette tradition,
que les premiers des Juifs se plaignent auprès d'Hyrcan du comportement d'Antipater et de ses fils, en particulier d'Hérode [99]. Devenu roi,
Hérode n'eut aucun scrupule de faire des entorses aux coutumes
nationales et il alla jusqu'à livrer des condamnés aux bêtes [100]. Administrer la justice était devenu son affaire [101]. Ce droit de vie et de
mort, Hérode en usa sans hésitation à l'égard de tous ceux qui pouvaient selon lui, nuire à son pouvoir. Les héritiers d'Hérode eurent
un comportement moins violent, mais tout aussi plein de mépris pour
le Sanhédrin [102] et ils n'hésitèrent pas à condamner à mort et à faire
exécuter leurs décisions [103].

Les gouverneurs se situent comme les héritiers de ce pouvoir
hérodien [104], ils reprennent cette usurpation hérodienne qui, de plus,
concorde bien avec les pouvoirs de leur charge, considérés du point
de vue de Rome. Le pouvoir de condamner à mort et d'exécuter la
sentence est désormais l'affaire du gouverneur.

b) *Situation du Sanhédrin* [105].

Le gouverneur a le droit de vie et de mort, celui-ci peut-il aussi

98. Cf. JUSTER, *Juifs*, II, pp. 127-128.
99. *Ant.*, XIV, 165-167, 173.
100. *Ant.*, XV, 273-276.
101. *Ant.*, XIV, 175 ; XVI, 1-5 ; cf. E. LOHSE, Der Prozess Jesu Christi, dans
Ecclesia und Res publica, Festschrift für K. D. Schmidt, Göttingen, 1961, (dans
Die Einheit des Neuen Testaments, Göttingen, 1973, pp. 93-94).
102. Cf. JUSTER, *Juifs*, II, pp. 128-130.
103. *Ant.*, XVIII, 116-119 ; Mt., XIV, 1-12// ; *Act.*, XII, 2.
104. Cet héritage des coutumes royales apparaît par exemple dans la question
de la garde du vêtement du grand prêtre (*Ant.*, XVIII, 93).
105. La compétence du Sanhédrin en matière de peine capitale a suscité
une abondante littérature. A l'époque moderne, ce débat a été très marqué par
les prises de position de JUSTER, *Juifs*, II, pp. 127-149 et surtout de H.
Lietzmann, bien que celui-ci se soit surtout attaché à démontrer la non-histo-
ricité de Mc, XIV, 55-65, et n'ait pas fait de la compétence du Sanhédrin le

appartenir à l'autorité locale, en l'occurrence pour les Juifs, au Sanhédrin ? Vouloir effectuer une distinction pour les condamnations capitales entre procès religieux et procès politique [106] ne nous paraît pas tenir compte de la situation réelle. Du point de vue romain, ce qui comptait était moins la nature de la faute que les répercussions possibles sur l'ensemble de la vie publique ; pour les Juifs, ce type de distinction leur était étranger.

Le Sanhédrin pouvait-il juger en matière de peine capitale ? Deux remarques générales doivent être faites :

1) Les Romains avaient la volonté de laisser les institutions indigènes fonctionner [107], et Titus après sa victoire rappelle que ce principe a été bien appliqué en Judée [108].

---

centre de son étude. H. Lietzmann a écrit deux articles sur ce sujet : Der Prozess Jesu, dans Sitzungsberichte der Preussischen Akademie der Wissenschaften, phil. hist. Klasse, XIV, Berlin 1931, pp. 313-322 ; Bemerkungen zum Prozess Jesu, II, dans ZNW, XXXI, 1932, pp. 78-84 (Ces articles sont reproduits dans H. LIETZ-MANN, Kleine Schriften, II Studien zum Neuen Testament, hgb von K. Aland, Berlin, 1958, pp. 251-263 ; 269-276). Juster et Lietzmann se sont efforcés de prouver la compétence du Sanhédrin en matière de peine capitale. Dans cette même ligne cf. aussi T. A. BURKILL, The Competence of the Sanhedrin, dans Vig Chr, X, 1956, pp. 80-96, (reproduit dans Mysterious Revelation, An Examination of the Philosophy of St. Mark's Gospel, New York, 1963, pp. 300-318 ; l'ouvrage de T. A. Burkill reproduit le texte de l'article publié en 1956. La seule modification apportée est l'ajout p. 317, du n. 4) ; P. WINTER, On the Trial of Jesus, Berlin 1961 ; The Trial of Jesus and the Competence of the Sanhedrin, dans NTS, X, 1963-1964, pp. 494-499 ; T. HORVATH, Why was Jesus brought to Pilate ?, dans NT, XI, 1969, pp. 174-184. Parmi les auteurs qui, en sens opposé, ont affirmé que le Sanhédrin avait une compétence limitée en matière de peine capitale, cf. F. BÜCHSEL, Die Blutgerichtsbarkeit des Synedrions, dans ZNW, XXX, 1931, pp. 202-210 ; ibid., Noch einmal : Zur Blutgerichtsbarkeit des Syne-drions, dans ZNW, XXXIII, 1934, pp. 84-87 ; J. JEREMIAS, Zur Geschichtlichkeit des Verhörs Jesu vor dem Hohen Rat, dans ZNW, XLIII, 1950-1951, pp. 145-150 ; J. BLINZLER, Le Sanhédrin était-il compétent ?, dans Le procès de Jésus, pp. 239-260 ; E. LOHSE, Der Prozess Jesu Christi, dans Ecclesia und Res publica, Festschrift für K. D. Schmidt, Göttingen, 1961, pp. 24-39 (reproduit dans Die Einheit des Neuen Testaments, Göttingen, 1973, pp. 88-103) ; J. Duncan M. DERRETT, Law in the New Testament, dans NTS, X, 1963-1964, pp. 1-26, aux pp. 9-12 ; E. BAMMEL, Die Blutgerichtsbarkeit in der römischen Provinz Judäa vor dem ersten jüdischen Aufstand, dans JJS, XXV, 1974, Studies in Jewish Legal History in Honour of David Daube, ed. by B. S. JACKSON, pp. 35-49 ; cf. également les auteurs cités supra, p. 74, n. 81. Les auteurs qui défendent la thèse de la limitation de la compétence du Sanhédrin ne sont pas d'accord sur l'époque où cette limitation a commencé de se manifester, cf. infra, p. 90, n. 127.

106. Certains auteurs comme T. A. BURKILL, The Competence of the Sa-nhédrin, dans Vig Chr, X, 1956, pp. 80-96 (Mysterious Revelation, An Examination of the Philosophy of St Mark's Gospel, New York, 1963, pp. 300-318, cf. à la p. 310) ou SMALLWOOD, The Jews, pp. 149-150 ne nient pas que le gouverneur représentait le pouvoir législatif et judiciaire suprême, mais ils prétendent que les Romains accordaient au Sanhédrin une compétence pour tout ce qui concer-nait les prescriptions mosaïques. Nous ne pensons pas que les documents dont nous disposons, et en particulier les textes rabbiniques, autorisent une telle interprétation.

107. Cf. supra, p. 73.

108. BJ, VI, 333-336.

2) Le gouverneur constituait l'autorité judiciaire suprême. Compte tenu de ces deux éléments fondamentaux, la meilleure solution semble être la suivante : le pouvoir judiciaire juif pouvait instruire les procès au criminel, mais il n'avait pas la possibilité d'exécuter la sentence, c'est-à-dire que son jugement était soumis à la décision du gouverneur. Cette solution a l'avantage de respecter la tradition libérale romaine vis-à-vis des pouvoirs indigènes et de bien montrer, néanmoins, que le gouverneur était le maître du jeu. Les textes invoqués à ce sujet pour préciser la situation en Judée sont parfaitement compréhensibles dans cette perspective.

a. La tradition rabbinique.

Trois types de textes sont invoqués.

1. *Megillat Taanit*. Cet ouvrage rabbinique est composé de deux parties qui, du point de vue historique, sont de valeur inégale. La liste des jeûnes est une donnée historique ancienne [109] ; le commentaire, au contraire, est de rédaction tardive et comprend des éléments assez mêlés. De ce dernier on ne peut attendre aucun renseignement précis pour notre problème. Dans la liste des jeûnes, deux faits sont liés au mois Elul :

בשיבסר ביה נפקו רומאי מן ירושלם.
בעשרין ותרין ביה תבו לקטלא משמדיא. [110]

Le 17 du mois, les Romains quittèrent Jérusalem,

le 22 du mois on recommença à tuer ceux qui poussent à l'apostasie [111].

H. Lichtenstein a fait suivre son édition de *Megillat Taanit* d'un commentaire intéressant où il fait le point sur les interprétations

---

109. Par le fait que la langue est aramaïsante.

110. *Meg Taanit*, 16, éd. LICHTENSTEIN, dans *HUCA*, VIII-IX, 1931-1932, p. 320. Cf. J. JEREMIAS, Zur Geschichtlichkeit des Verhörs Jesu vor dem Hohen Rat, dans *ZNW*, XLIII, 1950-1951, pp. 149-150.
Ce texte difficile a donné lieu à des interprétations très différentes. S. ZEITLIN, *Megillat Taanit as a Source for Jewish Chronology and History in the Hellenestic and Roman Periods*, Philadelphie, 1922, pp. 96-97, a identifié *mšamdaïa* avec les soldats romains qui ne s'étaient pas rendus précédemment. Après leur avoir accordé un délai de cinq jours pour leur permettre de se rendre, les Juifs les auraient à nouveau attaqués et massacrés. Le rapprochement des deux brèves mentions de Megillat Taanit ne permet en aucune façon une telle lecture. T. A. BURKILL, The Competence of the Sanhedrin, dans *Mysterious Revelation*, pp. 309-310, lit dans la mention de Megillat Taanit au sujet du 22 du mois la possibilité qu'ont désormais les révolutionnaires d'exécuter les Juifs qui ont trahi la cause de leur peuple en collaborant avec les Romains. Cette interprétation pourrait être acceptable si le texte ne comportait pas l'idée de reprise d'une action qu'on avait dû jadis abandonner.

111. Nous utilisons la traduction proposée par H. LICHTENSTEIN, dans *op. cit.*, p. 305, en la modifiant légèrement. Le terme « malfaiteur » qu'il utilise ne rend pas très exactement *mšamdaïa* qui, à strictement parler, recouvre « ceux qui poussent à l'apostasie ».

possibles [112]. Les explications données par le commentaire post-talmudique ne sont d'aucun secours, car elles reflètent une perspective tardive, voyant sous le terme *Romains*, les Grecs. En fait, il faut identifier *roma'i* avec l'ensemble des fonctionnaires romains qui, à la suite des premiers revers, essuyés par les troupes romaines, quittèrent Jérusalem. Liée à ce premier événement, se trouve une seconde affirmation : le 22 du mois, on recommença à tuer ceux qui poussent à l'apostasie. Or, le 22 Elul est jour de fête nationale, jour où le jeûne est interdit. L'explication la plus claire semble être la suivante : cinq jours après avoir chassé les Romains, les Juifs rétablirent leur droit de mettre à mort, signe de souveraineté. Ils manifestèrent ce droit retrouvé en exécutant ceux qui poussaient ou avaient poussé à l'apostasie. Le pouvoir d'exécuter avait donc été enlevé aux Juifs. D'autres textes confirment cette interprétation.

2. Mekhiltas de R. Ishmaël et de Šiméon ben Yoḥai.

Ces deux mekhiltas donnent des versions quelque peu différentes à partir de Ex., XXI, 14.

Mekhilta d'R. Ishmaël [113] :

מעם מזבחי תקחנו למות נמצאנו למדין שסנהדרין בצד מזבח

« Tu l'arracheras même de mon autel pour qu'il meure.
Nous en déduisons que le Sanhédrin est près de l'autel. »

Mekhilta d'R. Šiméon ben Yoḥai :

מנין שתהא סנהדרין סמוכה למזבח ת״ל מעם מזבחי תקחנו למות ומנין שאין ממיתין
שלא בפני הבית ת״ל מעם מזבחי תקחנו למות. הא אם יש מזבח אתה ממית ואם לאו אין
אתה ממית מכאן אמרו ארבעים שנה קודם חורבן בית שני בטלו דיני נפשות מישראל
מפני שגלו סנהדרין ולא היה מקומן במקדש.

« D'où savons-nous que le Sanhédrin sera à côté de l'autel, de ce qu'il est dit dans l'Écriture : tu l'arracheras même de mon autel pour qu'il meure, et d'où savons-nous qu'on n'a pas le droit de mettre à mort quand on n'est pas auprès du Temple, de ce qu'il est dit dans l'Écriture : tu l'arracheras même de mon autel pour qu'il meure. Voici : s'il y a un autel, tu as le droit de mettre à mort et s'il n'y a pas d'autel, tu n'as pas le droit de mettre à mort. C'est pourquoi on a dit : 40 ans avant la destruction du second Temple, la peine de mort a cessé d'exister en Israël parce que le Sanhédrin a été exilé et que leur lieu n'était plus auprès du sanctuaire. »

Manifestement la Mekhilta de R. Šiméon ben Yoḥai amplifie un texte plus simple qui, à l'origine, ne s'intéressait qu'au lieu où siégeait le Sanhédrin. Elle y joint une indication de temps. S. B. Hoenig a fait remarquer que le texte de la Mekhilta de R. Šiméon ben Yoḥai

---

112. Cf. pour notre passage *HUCA*, VIII-IX, 1931-1932, pp. 304-306.
113. *Mekhilta d'Rabbi Ishmaël*, Mishpaṭim 7, HOROVITZ-RABIN, p. 264.

présente des difficultés [114]. Le texte lie trois faits : destruction de l'autel, exil du Sanhédrin, abrogation de la peine de mort. Ce rapprochement fait douter de la validité de l'indication 40 ans, car cette date ne peut pas correspondre à la destruction de l'autel. S. B. Hoenig propose de voir dans la mention « 40 ans » une addition tardive ou de lire « 4 ». Cette façon d'interpréter le texte ne nous paraît pas satisfaisante.

La mention discutée est introduite par l'expression *mikan 'amᵉrû* qui est l'indice d'une citation de genre mishnaïque, elle a donc en elle-même une valeur d'ancienneté par rapport au midrash halakhah qu'elle complète, même si, comme il est très vraisemblable [115], la mention a été ajoutée après une première rédaction. En insérant cette citation, le rédacteur a voulu montrer que la tradition de type mishna, c'est-à-dire sans relation avec l'Écriture, dit la même chose que le midrash, à savoir : pas de peine de mort si le Sanhédrin n'est pas auprès du sanctuaire. Il montre ainsi que la théorie du midrash, déduite de l'Écriture, est justifiée par une tradition de type mishnaïque, antérieure au midrash. Même si le rédacteur a cité cet élément pour montrer cet accord et non pas pour nous fournir une donnée historique, cette indication de la date « quarante ans », ou « quatre ans » reste une donnée intéressante : la peine de mort a cessé d'exister en Israël. Le texte explique cette situation par l'exil du Sanhédrin : parce qu'il n'est plus à proximité de l'autel, le Sanhédrin ne peut pas mettre à mort [116]. L'indication « quatre », proposée par S. B. Hoenig, pourrait avec quelque aménagement convenir à la situation de 66, car l'insurrection juive éloigne le Sanhédrin de la proximité de l'autel. Mais nous ne pensons pas pouvoir retenir cette proposition, le texte comporte « 40 ans », et ce chiffre est d'ailleurs confirmé par d'autres données rabbiniques.

3. Les textes du Talmud.

Deux textes du Talmud de Jérusalem rappellent la situation que connut le Sanhédrin vers la fin de l'époque du second Temple : il ne lui fut plus possible de porter des jugements en matière de peine capitale. Ces textes se trouvent dans le traité Sanhédrin, mais quoiqu'en disent nombre de commentateurs, les ensembles dans lesquels ils prennent place ne sont pas tout à fait parallèles.

תני׳ קודם לארבעים שנה עד שלא חרב הבית נוטלו דיני נפשו ובימי שמעון בן שטח
ניטלו דיני ממונות׃ אמר ר״ש בן יוחי בריך רחמנא דלינא חכים, מירון׃

« On a enseigné : plus de 40 ans avant que le Temple ne soit

114. S. B. HOENIG, *The Great Sanhedrin*, New York, 1953, p. 212.
115. *Mekhilta d'Rabbi Šiméon ben Yoḥai*, Mishpaṭim s/Ex. XXI, 14, J. N. EPSTEIN-MELAMED p. 171. Dans cette édition, J. N. EPSTEIN et MELAMED ne retiennent pas la citation de genre mishnaïque qui fait l'objet de notre discussion.
116. La *Mekhilta* d'R. Šiméon ben Yoḥai rapproche, semble-t-il, deux données différentes historiquement : 40 ans avant la destruction du Temple, le Sanhédrin n'a plus pu mettre à mort ; ensuite on a expliqué ce fait par une autre donnée : l'éloignement du Sanhédrin.

détruit, les jugements concernant la vie (c'est-à-dire en matière capitale) furent enlevés et au temps de Šiméon ben Šetaḥ, les jugements concernant les affaires financières furent enlevées. Rabbi Šiméon ben Yoḥai dit : béni soit le Seigneur, car je ne suis pas capable de porter des jugements [117]. »

תני קודם לארבעים שנה עד שלא חרב ב״ה ניטלו דיני נפשו׳ מישראל׳ (בימי ר״ש
בן יוחי״ ניטלו דיני ממונות מישראל׳ אר״ש בן יוחי בריך רחמנא דלי נא חכים מידון׳)

« On a enseigné : plus de 40 ans avant que le Temple ne soit détruit, les jugements concernant la vie furent enlevés d'Israël. (Au temps de rabbi Šiméon ben Yoḥai les jugements concernant les affaires financières furent enlevées d'Israël. Rabbi Šiméon ben Yoḥai dit : béni soit le Seigneur, car je ne suis pas capable de porter des jugements [118]. »

Dans l'un et l'autre cas, la mention qui nous intéresse est introduite par la formule : *t^{e}nei*, indicatif d'une tradition tannaïtique dont le terminus ad quem est la fin de la rédaction de la Mishna. L'expression *qodem l^e* invite à comprendre l'indication chronologique non pas au sens de « 40 ans avant la destruction du Temple », mais « plus de 40 ans avant » (au sens littéral : antérieur à 40 ans). Enfin, le verbe qui est au centre de la sentence *(nitt^{e}lû)* est à la forme passive (niphal), ce que précise d'ailleurs fort bien le texte du ch. VII du traité Sanhédrin : les jugements furent enlevés d'Israël.

Ces textes présentent nombre de difficultés. On ne peut manquer d'être étonné par le caractère hétérogène du texte du ch. 1er. On cite d'abord un fait qui s'est passé sous les Romains pour remonter ensuite à la période hasmonéenne avec Šiméon ben Šetaḥ. Ce maître de l'époque du second Temple enseigna sous les règnes d'Alexandre Jannée et de Salomé Alexandra (Shelomziyyon). Bien que Šiméon ben Šetaḥ fût le frère de cette dernière, il fut en butte aux persécutions du roi, mais son prestige et son activité permirent ensuite aux Pharisiens de retrouver quelque influence à la fin du règne d'Alexandre Jannée et de devenir puissants au temps de la reine Alexandra [119]. Ce maître se préoccupa à plusieurs reprises de questions de procédure judiciaire. Il prescrivit notamment qu'en cas de peines capitales, on ne se fie point à des preuves indirectes, mais que le jugement soit toujours rendu à partir de la déposition d'au moins deux témoins [120] comme le prescrit l'Écriture [121] : « on ne pourra être condamné à mort qu'aux dires de deux ou trois témoins ». C'est sans doute cette préoccupation de Šiméon ben Šetaḥ pour la procédure judiciaire en matière de peine capitale, qui a provoqué le rapprochement entre les

117. *J. Sanhédrin*, I, 1/18 a, 42.
118. *J. Sanhédrin*, VII, 2/24 b, 48.
119. Cf. Y. Dov GILAT, dans *Encyclopaedia Judaica*, Jérusalem, XIV, 1971, col. 1563-1565.
120. Cf. *Tos. Sanhédrin*, VIII, 3 (et//).
121. *Deut.*, XVII, 6 a.

deux données qui sont regroupées en cette sentence du ch. 1er du traité Sanhédrin : dans les procès en matière de peine capitale, le Sanhédrin fut dépouillé de ses prérogatives, tout comme il l'avait été auparavant pour les affaires financières. Le début du ch. 1er du traité se préoccupe du nombre de juges qui doivent statuer lors de procès financiers. Or Šiméon ben Šetaḥ eut un rôle important en ce domaine puisqu'il modifia les règles de la *ketûbah* (contrat de mariage [122]) et améliora ainsi le statut de la femme. C'est dans ce contexte qu'on rappelle que les Israélites perdirent le droit de s'occuper des affaires financières. Cette mention renvoie à la situation que connut le Sanhédrin sous le règne d'Alexandre Jannée, qui vit une main-mise du pouvoir royal sur ses prérogatives.

Ce texte est donc plus homogène qu'il ne semble à première vue. A propos de procès financiers, est mentionnée la situation que connut le Sanhédrin au temps de rabbi Šiméon ben Šetaḥ, cette restriction des pouvoirs du Sanhédrin ne fut d'ailleurs pas la seule : on rappelle ce qui se passa sous les Romains, vers la fin de la période du second Temple. L'ensemble est introduit par une formule qui renvoie à une tradition tannaïtique. Cette situation provoqua l'action de grâces de rabbi Šimeon ben Yoḥai, élève de rabbi Aqiva. Ce tanna du milieu du second siècle se trouvait ainsi soustrait à l'obligation de juger en ces domaines importants.

Le texte que nous trouvons au ch. VII du même traité ne fait plus mention de Šiméon ben Šetaḥ, mais donne à la place de ce dernier le nom de Šiméon ben Yoḥai, ce qui introduit une plus grande unité. On indique d'abord ce qui s'est passé à une époque plus ancienne, puis la situation plus récente ; de plus, une progression est manifestée : les pouvoirs des Israélites furent de plus en plus réduits : non seulement on leur enleva le droit de traiter les questions relevant de la peine capitale, mais même l'ensemble des procès financiers leur fut enlevé. Sur cette mention de Šiméon ben Yoḥai en ce ch. VII, là où le ch. Ier indiquait Šiméon ben Šetaḥ, les éditions présentent des données différentes. L'édition de Venise donne le texte sans indication spéciale. L'édition de Krotoshin considère la mention de « ben Yoḥai » comme une lecture fautive et donne la seconde partie du texte entre parenthèses. Quant à l'édition de Pietrokoff, elle signale simplement la différence.

Que conclure de ces mentions ? Dans quelle mesure représentent-elles des données sûres pour notre étude ? Nous sommes en présence d'une tradition tannaïtique ; de plus, le rapprochement avec les événements du temps de Šiméon ben Šetaḥ n'est pas pour surprendre : ce maître a légiféré en matière de peine capitale, ainsi que pour les questions financières. C'est autour de son nom qu'on a rassemblé la baraïta qui nous intéresse. La difficulté textuelle provient sans doute d'une correction faite par un copiste qui désirait donner un

---

122. Cf. *Tos. Ketuboth*, XII, 1.

texte pour lui plus cohérent, car le nom de rabbi Šiméon ben Yoḥai permettait un meilleur enchaînement chronologique.

De leur côté, trois textes du Talmud de Babylone présentent des données qui méritent de retenir notre attention. Ils sont des témoins du déplacement du Sanhédrin quarante ans avant la destruction du Temple, ce qui le mit dans l'incapacité de juger en matière de peine capitale.

Le passage du traité Avodah Zarah [123] fait partie d'un ensemble qui discute des rapports avec les païens. Parmi les temps où un israélite ne doit pas avoir de relations avec les païens se trouvent les temps des fêtes païennes. Une discussion est alors engagée sur la nature de ces fêtes. A propos d'une de ces fêtes païennes, *Kratêsis*, célébrant la conquête de l'Orient par les armées romaines, le traité Avodah Zarah donne une série de renseignements sur les rapports entre Rome et Israël. Après avoir rappelé que les Romains ne vainquirent les Grecs qu'en raison de l'alliance qu'ils passèrent avec Israël, le texte poursuit :

עשרין ושית שנין קמו להו בהימנותייהו בהדי ישראל מכאן ואילך אישתעבדו בהו
מעיקרא מאי דרוש ולבסוף מאי דרוש מעיקרא דרוש נסעה ונלכה ואלכה לנגדך
ולבסוף דרוש יעבר נא אדני לפני עבדו עשרין ושית שנין דקמו בהימנותייהו בהדי
ישראל מנא לן *דאמר רב כהנא כשחלה רבי ישמעאל בר יוסי שלחו ליה רבי אמור לנו
שנים וג׳ דברים שאמרת לנו משום אביך אמר להו מאה ושמנים שנה קודם שנחרב הבית
פשטה מלכות הרשעה על ישראל פ׳ שנה עד לא חרב הבית גזרו טומאה על ארץ העמים
ועל כל י׳ זכוכית * מ׳שנה עד לא חרב הבית גלתה סנהדרין וישבה לה בחנות למאי הלכתא
א״ר יצחק בר אבדימי לומר שלא דנו דיני קנסות.

« Pendant 26 ans les Romains se sont tenus à leurs engagements à l'égard d'Israël, ensuite ils (les Israélites) leur ont été soumis. Quelle est l'allusion scripturaire à cette première attitude ? et quelle autre pour la dernière ? A la première peut être appliquée : « Partons et marchons ; et moi je marcherai près de toi » (Gen., XXXIII, 12). Et à la dernière peuvent s'appliquer les mots : « Que mon Seigneur passe maintenant devant son serviteur » (Gen., XXXIII, 14). D'où apprenons-nous que Rome tint ses engagements à l'égard d'Israël pendant vingt-six ans ? De ce que Rav Kahana dit : Quand Rabbi Ishmaël ben Yosé fut malade ils lui firent cette demande : Rabbi, disnous deux ou trois choses que tu nous as dites au nom de ton père. Alors il leur dit : cent quatre vingts ans avant que le Temple soit détruit, le royaume pervers étendit son pouvoir sur Israël ; quatre vingts ans avant que le Temple soit détruit nos sages ont édicté que les règles d'impureté frappaient les régions en dehors d'Israël et les récipients de verre. Quarante ans avant que le Temple soit détruit, le Sanhédrin s'exila et tint ses séances à Ḥanut. Ceci a-t-il quelque conséquence juridique ? — Rabbi Isaac ben Avdimi dit : cela indique qu'ils ne prononcèrent plus de jugement en matière d'amendes ». La discussion qui suit conteste cette dernière affirmation en citant un fait

---

123. *Avodah Zarah*, 8 b.

concernant Rabbi Judah ben Bava qui ordonna cinq anciens qui, dès lors, étaient aptes à traiter des affaires d'amendes. C'est alors qu'intervient Rav Naḥman ben Isaac :

לא תימא דיני קנסות אלא 'שלא דנו דיני נפשות מ"ט כיון דחזו דנפישי להו רוצחין
ולא יכלי למידן אמרו מוטב נגלי ממקום למקום' כי היכי דלא ליחייבו דכתיב ועשית
על פי הדבר אשר יגירו לך מן המקום ההוא *מלמד שהמקום גורם.

« Ne dis pas les amendes, mais dis qu'ils ne rendirent plus de jugement en matière de peine de mort. Pourquoi ? Parce que lorsque le Sanhédrin vit que les meurtriers étaient si nombreux qu'ils ne pouvaient plus les juger, ils dirent : il vaut mieux que nous nous exilions d'un endroit à un autre endroit, car autrement comment pourrions-nous ne pas les déclarer coupables, car il est écrit : « Tu te conformeras à la parole qu'ils t'auront fait connaître à partir de ce lieu choisi par Yahvé » ? (Deut., XVII, 10), ceci enseigne que c'est le lieu qui est le facteur déterminant. » Ensuite, le texte revient à la mention des cent quatre-vingts ans de domination romaine sur Israël avant la destruction du Temple, pour rappeler qu'en fait il s'agit de deux cent six ans, mais qu'on doit bien parler de cent quatre-vingts ans, puisque pendant vingt-six ans les Romains ne soumirent pas Israël.

Comme dans la plupart des cas, rabbi Ishmaël ben Yosé rapporte des dires de son père Yosé ben Ḥalafta, tanna du milieu du second siècle. Parmi les propos de ce dernier se trouve l'affirmation de l'exil du Sanhédrin. Dans la suite du texte, on affirme que ce déplacement eut des répercussions sur les sentences capitales, car le Sanhédrin n'en traita plus. Selon le Talmud, le Sanhédrin s'exila volontairement car il ne pouvait plus accomplir sa tâche, en raison du trop grand nombre de meurtriers. On peut se demander si ce texte ne présente pas simplement l'opinion des Juifs sur la situation : certes, les Romains peuvent empêcher le Sanhédrin d'accomplir sa fonction en matière capitale, mais du point de vue juif cela n'a pas force de loi, seul un exil volontaire du Sanhédrin explique cette situation nouvelle. Cette interprétation du texte est d'autant plus plausible qu'il prend place dans un ensemble qui se préoccupe de la domination romaine sur Israël et de ses conséquences. Ce texte qui affirme que les sanhédrites cessèrent de s'occuper des affaires capitales n'est donc pas très éloigné des propos du Talmud de Jérusalem quand on le considère dans son contexte et sa totalité.

Le second texte que nous nous proposons d'examiner est tiré du traité Sanhédrin 41 a. Une discussion est engagée pour savoir dans quelle mesure des dépositions contradictoires lors d'un procès en matière criminelle influencent le déroulement de ce procès. Selon Rav Ḥisda, il y a lieu de distinguer *bediḳot* et *haḳirot*, c'est-à-dire entre ce qui concerne les questions secondaires et l'interrogatoire contradictoire concernant la date, le temps, le lieu du délit. Selon l'interprétation traditionnelle, représentée par les propos de Rav Ḥisda (environ 217-309), il faut distinguer les deux domaines, et si les contradictions des témoins portent sur des éléments qui n'ont pas de lien direct avec le crime, les témoignages, portés sur des éléments fondamentaux, ne sont pas considérés sans valeur. A ce propos, Rav Joseph invoque une pratique différente ; elle est tirée d'un interrogatoire que mena « ben Zakkaï » à propos de queues de figues. Ce dernier considérait qu'une contradiction, même sur un point secondaire, provoquait la disqualification des témoignages liés plus directement au délit. Pour déterminer la valeur à attacher à la pratique de ce « ben Zakkaï », on en vient à s'interroger sur sa titulature éventuelle : était-il alors « ben Zakkaï » ou « *rabbi* Yohanan ben Zakkaï » ?

מאן בן זכאי אילימא רבי יוחנן בן זכאי מי הוה בסנהדרי והתניא *כל שנותיו של רבי
יוחנן בן זכאי מאה ועשרים שנה ארבעים שנה עסק בפרקמטיא מ' שנה למד ארבעים
שנה לימד ותניא *ארבעים שנה קודם חורבן הבית גלתה סנהדרי וישבה לה בחנות ואמר ר'
יצחק בר אבודימי לומר שלא דנו דיני קנסות דיני קנסות ס"ד אלא שלא דנו דיני נפשות
ותנן *משחרב בית המקדש התקין רבן יוחנן בן זכאי אלא בן זכאי דעלמא הכי נמי מסתברא
דאי ס"ד רבן יוחנן בן זכאי קרי ליה ר' בן זכאי והתניא מעשהובדק רבן יוחנן בן זכאי
בעוקצי תאנים

« Qui est ce ben Zakkaï (qui est mentionné sans titre dans la baraïta citée plus haut et invoquée par Rav Joseph) ? S'il est appelé Rabbi Yohanan ben Zakkaï, était-il pour autant membre du Sanhédrin, alors qu'il est enseigné par ailleurs : « l'ensemble de la vie de Rabbi Yohanan ben Zakkaï fut de cent vingt ans : quarante ans il fut dans les affaires ; quarante ans il étudia, et quarante ans il enseigna » ; et qu'il a été également enseigné : « quarante ans avant la destruction du Temple, le Sanhédrin s'exila et s'établit à Ḥanut ». Et à ce sujet, Rabbi Isaac ben Avdimi dit : ceci nous apprend qu'ils ne jugèrent pas les affaires d'amendes. Affaires d'amendes. Penses-tu qu'il en soit ainsi ? Dis plutôt : ils ne jugèrent pas les affaires criminelles ; et nous avons appris de la Mishna : quand le Temple fut détruit, Rabban Yohanan ben Zakkaï décréta (etc.) ! Mais, en réalité, le fait qu'il est appelé « ben Zakkaï » tout court peut s'expliquer également, car si l'on suppose qu'il se soit agi de Rabban Yohanan ben Zakkaï, Rabbi l'aurait-il appelé simplement « ben Zakkaï » ? ! Cependant n'a-t-il pas été enseigné : il arriva que Rabban Yohanan ben Zakkaï examina (des témoignages) à propos de queues de figues » ?

La discussion rabbinique envisage donc deux hypothèses permettant de comprendre les raisons de cette titulature surprenante : « ben Zakkaï ». Tout d'abord, on rappelle que ce dernier n'a été appelé Rabban qu'après la destruction du Temple, et qu'il n'a jamais été membre du Sanhédrin. Pour soutenir ce point de vue on invoque plusieurs données traditionnelles. Mais une autre hypothèse est également formulée : la différence de titulature n'est-elle pas due au fait que, sous les noms de « ben Zakkaï » et de « Rabbi Yohanan ben Zakkaï » on se réfère à deux personnages différents ? Cette seconde hypothèse est aussitôt éliminée, car pour ce jugement à propos de queues de figues, la tradition parle de « ben Zakkaï », mais aussi de « Rabban Yohanan ben Zakkaï ». Aucun doute n'est donc permis, il

s'agit bien de la même personne. La suite du texte tire une conclusion à partir des différents faits apportés au cours de la discussion :
la différence de titulature est fonction du moment où l'on se place :
dans le premier cas, Yoḥanan ben Zakkaï ne reçoit pas le titre de
« Rabban », car au moment où l'affaire s'est passée, « Rabban
Yoḥanan ben Zakkaï » n'avait pas encore l'autorité, signifiée par ce
titre ; mais, à propos de la même affaire, on parle de « Rabban »
Yoḥanan ben Zakkaï quand on considère l'époque où la baraïta a été
enseignée comme sentence d'un maître. C'est donc dans ce contexte
où l'intérêt principal concerne la titulature de Rabbi Yoḥanan ben
Zakkaï, qu'est introduite la mention de l'exil du Sanhédrin quarante
ans avant la destruction du Temple et sa conséquence : selon la tradition rectifiée de Rabbi Isaac ben Avdimi, le Sanhédrin avait perdu
sa compétence dans les affaires concernant les peines capitales. On
fait appel à cette tradition pour montrer qu'en aucune façon, Rabban
Yoḥanan ben Zakkaï n'a pu être membre du Sanhédrin : non seulement il n'a pas pu siéger quand on prend en considération les différentes périodes de sa vie, mais de plus, à ce moment-là, le Sanhédrin
n'avait plus compétence pour s'occuper des procès en matière capitale. La tradition sur la vie de Rabban Yoḥanan ben Zakkaï et la mention sur la situation du Sanhédrin sont introduites l'une et l'autre
par une même formule : *tanja* (il a été enseigné), indicatif d'une
donnée traditionnelle qui nous renvoie au moins à l'époque de la
Mishna.

Enfin une autre mention de cette donnée relative à la fin des
activités du Sanhédrin en matière pénale se trouve dans le traité
Shabbat 15 a. La donnée sur le Temple est prise dans un ensemble
comparable au texte que nous avons trouvé en Avodah Zarah : il
s'agit de propos rapportés par rabbi Ishmaël ben Yosé, au nom de
son père. Cette tradition est évoquée lors d'un débat sur la déclaration d'impureté faite à l'égard des pays païens et des récipients de
verre.

Ces textes de l'un et l'autre Talmud [124] confirment l'interprétation
que nous avons donnée des autres textes rabbiniques. La tradition
des Sages d'Israël mentionne donc à plusieurs reprises l'incapacité
du Sanhédrin à juger des peines capitales, au moins pendant une
partie du Ier siècle. Rien ne permet d'éliminer ce chiffre « quarante »,
rapporté par des traditions anciennes et diverses [125], il faut donc le

124. A la suite d'une suggestion de Juster, P. WINTER, *On the Trial of Jesus*,
Berlin, 1961, p. 191, n. 33 a soutenu que ces textes rabbiniques qui supposent
la perte d'une compétence du Sanhédrin en matière pénale, étaient une adaptation apologétique, en réponse aux chrétiens qui accusaient le Sanhédrin d'avoir
condamné Jésus à mort. En fait, plusieurs de ces mentions sont présentées
comme des données traditionnelles. Ni fait, ni texte ne permettent d'appuyer
cette thèse de P. Winter.

125. H. MANTEL, *Studies in the History of the Sanhedrin*, Cambridge, Massachusetts, 1965, pp. 284-286, 290-294 propose, comme l'avait fait précédemment
S. B. HOENIG, cf. *supra*, p. 83, de remplacer 40 par 4. Il examine les arguments
proposés par S. B. HOENIG, dans « Sof ha-Sanhedrin ha-Gedolah bi-Yeme Bayit

recevoir comme un témoin de la situation du Sanhédrin ; quarante ans avant la destruction du Temple, le Sanhédrin perdit son pouvoir en matière de peines capitales [126]. Ce chiffre renvoie à l'époque de Pilate, en 30 ; or en ce temps, quel événement pouvait justifier ce changement ? D'ailleurs, si un tel changement était intervenu à l'époque de Pilate ou en 66, il serait curieux de n'en trouver aucune mention chez Josèphe. Nous sommes en fait en présence d'un témoignage global sur la situation du Sanhédrin à l'époque des gouverneurs, cette situation commence avec l'arrivée du premier gouverneur, Coponius [127]. Des textes de Flavius Josèphe et des Évangiles confirment ce dépouillement dont fut victime le Sanhédrin.

b. Josèphe rapporte les conditions dans lesquelles furent exécutés Jacques et certains autres, à la suite d'une réunion du Sanhédrin convoqué par Anan pendant une vacance du gouvernement de la province [128]. Après ces exécutions, des habitants de la ville, attachés à la Loi, effectuent une double démarche ; l'ensemble des adversaires d'Anan s'adressent au roi Agrippa II ; mais certains vont même jus-

---

Sheni », dans *Horeb*, 3, 1936, pp. 169-175, il note qu'aucun des arguments avancés par ce dernier n'est hors de contestation, mais que, liés les uns aux autres, ils acquièrent une grande force. Nous pensons néanmoins qu'il faut conserver « 40 », car s'il est bien exact que « 40 » et « 4 » ont été parfois confondus dans la tradition manuscrite des textes rabbiniques, ici nous ne sommes pas en présence d'une donnée isolée, mais bien d'une attestation multiple et provenant de sources indépendantes.

126. Maïmonide relève d'ailleurs cette affirmation de la tradition rabbinique : « Forty years prior to the destruction of the Second Temple, the right of Israel to try capital cases ceased, for, though the sanctuary still existed, the Sanhedrin was exiled and no longer held sessions in the place assigned to it in the sanctuary. » *The Code of Maimonides. Book fourteen, the Book of Judges*, tr. from the hebrew by A. M. Hershman, New Haven, 1949, p. 41.

127. Déjà E. SCHÜRER, *Geschichte des jüdischen Volkes im Zeitalter Jesu Christi*, ⁴1907, II, p. 261 n. 79 ; E. LOHSE, Der Prozess Jesu Christi, dans *Die Einheit des Neuen Testaments*, Göttingen, 1973, pp. 88-103, aux pp. 95-96. E. STAUFFER, *Jesus and his Story*, New York, 1960, p. 72, tiendrait à l'année 30, mais il nous semble surtout guidé par sa volonté de montrer en Pilate une créature de Séjan, persécuteur des Juifs. Dans un article où il reprend les discussions sur le droit de mettre à mort dans la province romaine de Judée, E. Bammel pense que ce droit a été enlevé au Sanhédrin sous Pilate, mais aucun des arguments apportés en faveur de ce point de vue ne nous paraît déterminant, Die Blutgerichtsbarkeit in der römischen Provinz Judäa vor dem ersten jüdischen Aufstand, dans *JJS*, XXV, 1974, *Studies in Jewish Legal History in Honour of David Daube*, ed. by B. S. JACKSON, pp. 35-49.

Sur l'aspect global du chiffre 40 et de ses multiples cf. Gen., VII, 12 ; Jug., III, 11, 30 ; V, 31 ; VIII, 28 ; XIII, 1 ; I Sam., IV, 18 ; II Sam., V, 4 ; I Rois VI, 1 (cf. *TOB*, 1975, note p. 634) ; XI, 42 ; Ex., XXIV, 18 ; XXXIV, 23... Ez., IV, 6 ; XXIX, 11, cf. E. MAHLER, *Handbuch der jüdischen Chronologie*, Leipzig, 1916, pp. 98-103. La littérature rabbinique prolonge cette orientation vétérotestamentaire quand elle divise la vie de Moïse et celle de maîtres célèbres comme Hillel, Yoḥanan ben Zakkaï ou Aqiva en périodes de 40 ans, cf. *Bereschit rabba*, C, 10 (éd. J. THEODOR-Ch. ALBECK III, Jérusalem, 1965, p. 1295) ; *Sifrei devarim* sur Deut., XXXIV, 7 (éd. L. FINKELSTEIN, (1939), New York, 1969, p. 429)...

128. *Ant.*, XX, 197-203. Cf. D. R. CATCHPOLE, *The Trial of Jesus*, Leyde, 1971, pp. 241-244.

qu'à dénoncer l'attitude d'Anan auprès du nouveau gouverneur, Albinus, alors en route vers la Judée. Selon Josèphe, le motif des deux démarches est différent. Auprès du roi, ces hommes font valoir l'injustice du comportement d'Anan, ils se situent alors par rapport à la loi juive ; Anan a fait exécuter des gens qui n'avaient, en aucune façon mérité une telle peine. Le reproche adressé à Anan, lors de la rencontre avec Albinus, est autre : il a convoqué le Sanhédrin sans l'autorisation du gouverneur. Certains ont argué de cette donnée pour soutenir que le Sanhédrin jouissait bien du pouvoir de mettre à mort ; seule sa convocation aurait nécessité une autorisation [129]. Ce point de vue nous paraît inexact. Néanmoins il suppose une surveillance étroite exercée par le gouverneur à l'égard des agissements du grand prêtre. En fait, l'ensemble du texte souligne qu'Anan a profité de la vacance de la charge procuratorienne pour traduire Jacques et certains autres devant le Sanhédrin et les faire lapider. Il est clair que, si le Sanhédrin avait eu plein pouvoir en matière de peine capitale, Josèphe n'aurait pas souligné aussi fortement qu'Anan crut avoir une occasion favorable en ce temps de vacance [130].

Josèphe rapporte un autre fait qui se situe aussi à l'époque d'Albinus, l'histoire de Jésus, fils d'Ananias [131]. Ce dernier parcourait nuit et jour Jérusalem en proclamant : « Voix de l'Orient, voix de l'Occident, voix des quatre vents, voix contre Jérusalem et contre le Temple, voix contre les nouveaux époux et les nouvelles épouses, voix contre tout le peuple ! ». Arrêté par quelques notables, excédés par ses propos, il fut conduit par les magistrats devant Albinus. Une affaire de type religieux s'achève devant le gouverneur romain. N'est-ce pas là encore le signe de la nécessité de recourir aux autorités romaines pour faire taire cet homme, puisque ce silence ne semble pouvoir être obtenu qu'au prix de la mort de Jésus, fils d'Ananias ?

c. L'analyse littéraire des récits de la passion de Jésus de Nazareth conduit aussi à reconnaître le rôle du gouverneur. Les chefs juifs n'ont pas mené eux-mêmes le procès, ils ont eu besoin de recourir à Pilate [132]. En ce sens, la réplique des Juifs à Pilate, rapportée par l'Évangile de Jean : « Il ne nous est pas permis de mettre quelqu'un à mort [133] », apparaît comme une bonne donnée du point de vue de

---

129. C'est la position par ex., de SMALLWOOD, *The Jews*, pp. 149-150. A juste titre, LIETZMANN, Bemerkungen zum Prozess Jesu. II, dans *ZNW*, XXXI, 1932, pp. 78-84 (reproduit dans *Kleine Schriften*, II *Studien zum Neuen Testament*, hgb von K. Aland, Berlin, 1958, pp. 269-276, aux pp. 270-272) attachait une grande importance à ce texte qui constitue une des pièces maîtresses du débat sur la compétence du Sanhédrin en matière de peine capitale ; malheureusement, il en a donné une interprétation qui nous paraît inexacte. Nous ne saurions trop renvoyer à l'excellente analyse de ce texte faite par F. Büchsel, lors de son débat avec H. Lietzmann sur ces questions, Noch einmal : Zur Blutgerichtsbarkeit des Synedrions, dans *ZNW*, XXXIII, 1934, pp. 84-87.

130. *Ant.*, XX, 200.
131. *BJ*, VI, 300-309.
132. Cf. *infra*, pp. 178-195.
133. Jn, XVIII, 31 b.

l'historien. On a fait remarquer la difficulté de ce texte johannique : comment se fait-il que les Juifs soient amenés à rappeler au gouverneur les décisions romaines ? En fait, quand Pilate invite les Juifs à juger eux-mêmes Jésus, ces derniers dévoilent alors leur véritable intention : ils ne veulent pas mener un procès dans les limites qui leur sont fixées, mais ils désirent une action qui conduise Jésus à la mort. Or cela, seul le gouverneur peut l'accomplir [134].

Faits concernant l'ensemble de l'Empire et témoignages relatifs à la situation judéenne convergent, ils nous permettent de conclure avec le maximum de vraisemblance : le gouverneur de Judée, détenteur de l'*imperium*, avait seul le pouvoir de permettre l'exécution d'une sentence capitale, si bien qu'un procès juif qui aboutissait à une décision de peine capitale n'avait de sens que dans la mesure où le gouverneur acceptait la condamnation et l'exécution.

Des historiens se sont appuyés sur un certain nombre de faits pour affirmer que le Sanhédrin avait conservé le pouvoir de mettre à mort, nous nous contenterons d'en étudier les quatre principaux : le martyre d'Étienne - l'inscription du Temple - l'exécution de la fille d'un prêtre, accusée de se prostituer et un passage de la *Legatio ad Caium* de Philon d'Alexandrie.

1) *Le martyre d'Étienne*, Act., VII, 55 ss. Cet événement ne peut pas être retenu en faveur d'un pouvoir du Sanhédrin car « au lieu d'un jugement en règle rendu par le Sanhédrin, on assiste à un lynchage populaire [135] ». En effet, aucune donnée du récit des Actes ne

---

134. J. E. ALLEN, Why Pilate ?, dans *The Trial of Jesus*, ed. by E. BAMMEL, Londres, 1970, pp. 78-83, a cru pouvoir reconnaître dans la parole des Juifs de Jn, XVIII, 31 b une allusion à la Loi juive, et propose de lire : *auton*, au lieu de *oudena*. Les Juifs exprimeraient alors un « scrupule » vis-à-vis de leur Loi. Ils sont décidés à faire périr Jésus, mais comme ils n'ont pu trouver aucun motif qui, selon leur Loi, leur permettrait une telle action, ils demandent au gouverneur d'intervenir. Une telle interprétation apporterait alors un soutien à la thèse qui reconnaît au Sanhédrin une compétence en matière de peine capitale, mais elle est inacceptable, car elle ne trouve pas d'appui dans la tradition manuscrite.

135. *Bible de Jérusalem*, [2]1974, p. 1582, n. e. ; cf. également J. BLINZLER, *Le Procès de Jésus*, pp. 258-259 ; E. HAENCHEN, *Die Apostelgeschichte*, Göttingen, [6]1968, pp. 243-245. On doit d'ailleurs remarquer que le livre des Actes rapporte à plusieurs reprises des poursuites engagées par le Sanhédrin à l'égard des apôtres : ils sont arrêtés, jetés en prison, battus (Act., IV, 3 ; V, 18, 40), mais jamais condamnés à mort. Cf. également pour l'ensemble des chrétiens Act., VIII, 3 ; IX, 2, 21 ; XXII, 19 ; XXVI, 11. Il n'est question de mort de chrétiens, en termes vagues d'ailleurs, qu'à propos de l'activité de Paul. Cette dernière donnée provient du désir de créer un contraste très fort entre l'activité de Paul persécuteur et sa nouvelle situation dans la communauté chrétienne (Act., XXII, 4-5 ; XXVI, 10). Selon S. DOCKX, Date de la mort d'Etienne le Protomartyr, dans *Bib.*, LV, 1974, pp. 65-73, Etienne aurait été lapidé au terme d'un jugement rendu par le Sanhédrin. Le Sanhédrin aurait agi ainsi alors qu'il n'en avait pas le droit, en raison de l'absence du gouverneur romain, remplacé par Marcellus, chargé d'affaires, qui n'osa pas intervenir. En fait, S. Dockx pour justifier sa thèse fait nombre de lectures hyothétiques aussi bien de l'œuvre de Josèphe que du livre des Actes. Il ne montre pas comment le texte des Actes permet de reconnaître dans la lapidation d'Etienne, l'exécution d'une sentence décrétée par le Sanhédrin.

permet de dire qu'Étienne fut exécuté à la suite d'un jugement régulier prononcé par le Sanhédrin.

2) En *Ant.*, XV, 417, Josèphe écrit : « Tel était le premier parvis. Il en renfermait un second, assez peu éloigné, auquel on avait accès par quelques marches et qu'entourait une barrière de pierre ; une inscription en interdisait l'entrée aux étrangers sous peine de mort. » Une de ces inscriptions a été retrouvée en 1871 par Clermont-Ganneau. Cet archéologue en a proposé la lecture et la traduction suivantes :

Mêthena allogenê eisporeuesthai entos tou peri to hieron tryphaktou kai peribolou : hos d'an lêphthê heautôi aitios estai dia to exakolouthein thanaton.

« Que nul étranger ne pénètre à l'intérieur du *tryphactos* (balustrade) et de l'enceinte (péribole) qui sont autour du *hiéron* (esplanade du Temple) : celui donc qui serait pris (y pénétrant, *eisporeuomenos* sous-entendu) serait cause (litt. coupable, responsable envers lui-même) que la mort s'ensuivrait (pour lui) [136]. »

Dans un discours que lui prête Josèphe, Titus fait allusion à ce type d'inscription qui interdisait de franchir la barrière séparant le parvis des Gentils du reste du Temple et il s'écrie : *ouch hêmeis de tous hyperbantas hymin anairein epetrepsamen, kan Rômaios tis êi ;* « Ne vous avons-nous pas nous-même donné toute liberté pour faire périr ceux qui franchiraient (cette barrière), même si (le fautif) était un romain [137] ? »

Cette inscription et le texte de Josèphe appellent deux remarques :

— Les Romains, tenant compte de la sainteté [138] du Temple, ont concédé aux Juifs un droit sur ce point particulier. Titus insiste sur le caractère exceptionnel du droit concédé.

— L'inscription ne fait aucune allusion à un procès régulier, il s'agit d'un lynchage, provoqué par la colère du peuple devant un tel scandale. S'il y a lynchage du coupable, les autorités romaines n'interviendront pas.

3) Dans la Mishna, au traité Sanhédrin VII, 2, nous trouvons le témoignage suivant : « Rabbi Eléazar ben Sadoq raconte : Une fois, une fille de prêtre se prostitua. Alors, on l'entoura de fagots de sarments et on la brûla (de l'extérieur) [139]. » Ce fait est rapporté à pro-

---

136. *RAr*, XXIII, 1872, p. 220. Un fragment d'une deuxième inscription, très différente par les caractères graphiques, mais, au contraire, assez proche par le sens, a été publié par J. H. ILIFFE, dans *QDAP*, VI, 1938, pp. 1-3.

137. *BJ*, VI, 126 ; cf. *Ant.*, XV, 417. Nous proposons une traduction sensiblement différente de celle donnée dans Flavius JOSÈPHE, *Œuvres complètes, traduites en français sous la direction de* Th. REINACH.

138. Cf. PHILON, *Legatio*, 212 ; *M. Kélim*, I, 8 ; Act., XXI, 28.

139. Nous reproduisons la traduction de J. LE MOYNE, *Les Sadducéens*, Paris, 1972, p. 237. On trouvera aux pp. 236-238 de cet ouvrage une présentation d'ensemble de la dispute rabbinique qui nous vaut de connaître l'événement qui nous retient.

pos d'une discussion sur la façon de faire brûler celui qui a été condamné au supplice du feu : faut-il le brûler de l'intérieur ou de l'extérieur ? Ces paroles de Rabbi Eléazar ont été utilisées pour soutenir le droit du Sanhédrin en matière capitale. En fait, une précision de la Tosefta permet de situer dans l'histoire de la Judée le fait rapporté et de mieux juger l'intérêt qu'il présente pour notre problème. Rabbi Eléazar commence ainsi son récit dans la Tosefta : « J'étais bambin et je me trouvais à califourchon sur les épaules de mon père...[140]. » Ce détail biographique, repris par l'un et l'autre Talmud[141], situe l'événement sous le règne d'Agrippa I (41-44), en tenant compte du fait que Eléazar ben Sadoq a étudié auprès de Rabbi Yohanan, fils de la Hauranite, au temps des années de sécheresse, sans doute au moment de la famine sous Claude en 48-49[142].

4) Dans la *Legatio ad Caium*, Philon « rapporte[143] » une lettre du roi Agrippa à Caius, qui l'invite à renoncer à son projet d'ériger une statue d'être humain dans l'adyton. Afin de bien mettre en valeur la sainteté de ce lieu, Agrippa rappelle à Caius la sévérité de la loi juive à l'égard de celui qui s'aventurerait en ce lieu « où une seule fois par an le grand prêtre pénètre, le jour dit du jeûne, simplement afin d'y brûler l'encens et de prononcer la prière traditionnelle pour obtenir l'abondance, la prospérité et la paix pour tous les hommes. Et si jamais quelqu'un, je ne dis pas des autres Juifs, mais des prêtres, et non pas du dernier rang, mais de ceux à qui est échu le premier rang immédiatement après lui, osait entrer, soit tout seul, soit en même temps que lui, ou mieux encore, si le grand prêtre lui-même y pénétrait deux jours dans l'année ou même trois ou quatre fois le même jour, il est passible d'une mort inévitable[144]. » Ce texte évoque une pratique et une rigueur inspirées du Lévitique[145]. Contrairement à ce que certains auteurs[146] ont prétendu, ce texte ne présente pas une pratique réelle ; mais pour manifester la sainteté du lieu que l'empereur prétend violer, Philon évoque le point de vue juif : un prêtre, voire le grand prêtre, qui enfreindrait les règles traditionnelles, serait passible de mort. La Mishna, à sa manière, traduit bien l'aspect d'épreuve que revêt une telle entrée dans le Saint des Saints, car le grand prêtre, lorsqu'il sort sain et sauf de ce lieu redoutable, se réjouit avec ses amis[147].

---

140. *Tos. Sanhédrin*, IX, 11.

141. *J. Sanhédrin*, VII, 2/24 b, 51 ; *Sanhédrin*, 52 b.

142. Cf. J. Jeremias, Zur Geschichtlichkeit des Verhörs Jesu vor dem Hohen Rat, dans ZNW, XLIII, 1950-1951, pp. 145-150, à la p. 146, a rassemblé les données qui permettent de dater l'événement rapporté.

143. Cf. nos remarques sur la valeur historique de cette lettre, *supra*, pp. 208-209.

144. *Legatio*, 306-307, tr. A. Pelletier, *Legatio*, pp. 279-281.

145. Lév., XVI, 12-17.

146. Cf. par ex. T. A. Burkill, *The Competence of the Sanhedrin*, dans *Mysterious Revelation*, p. 317.

147. M. *Yoma*, VII, 4.

Aucun texte donc ne laisse envisager l'idée d'un double pouvoir pour un procès au criminel. Il n'y a pas deux pouvoirs parallèles en Judée. Le gouverneur conserve l'autorité dernière, seul il peut exécuter une sentence de condamnation à mort. Cette autorité du gouverneur le rend apte à juger l'ensemble des situations qui se présentent dans sa province.

Pour minimiser cet aspect décisif du jugement du gouverneur en Judée, on invoque deux faits :

1) Dans certains cas, le gouverneur traduit des personnages importants devant l'empereur. Pendant sa procuratèle, Félix envoie à Rome Eléazar, fils de Dinaios [148] et une autre fois, quelques prêtres, amis de Josèphe [149]. En ces circonstances, Félix fait preuve de prudence ; devant les conséquences possibles provoquées par le jugement de ces hommes, il préfère les remettre à la décision impériale. Quadratus, gouverneur de Syrie, avait agi de la même façon lorsqu'il avait eu à intervenir à propos des démêlés entre Juifs et Samaritains [150].

2) Les habitants de la province pouvaient constituer des ambassades auprès de l'empereur, cependant, envoyer une délégation à Rome n'était pas un droit, et pour une telle entreprise les habitants devaient obtenir l'autorisation du pouvoir romain. Quand, au temps de Fadus, la garde du vêtement du grand prêtre, une fois de plus, agite les milieux juifs, ces derniers demandent à Fadus et à Longinus, alors en Judée, de pouvoir constituer une ambassade [151]. En fait, la population locale avait peu de pouvoirs à sa disposition, quand elle se heurtait à un gouverneur brutal et qui abusait de ses droits. Certes, les provinciaux disposaient en théorie de moyens légaux pour se défendre contre les malversations ou les brutalités des gouverneurs [152]. Déjà la République avait prévu une législation précise que l'Empire adopta et essaya d'améliorer. Mais, pour des raisons diverses, ces dispositions étaient souvent difficiles à mettre en œuvre, aussi les provinciaux n'y avaient-ils que peu recours. Individus, villes, provinces pouvaient porter plainte contre un gouverneur qui outrepassait ses droits. Mais pour que la plainte soit recevable, il fallait attendre que le gouverneur ne soit plus en fonction, or les gouverneurs, nommés par l'empereur, recevaient leur charge pour trois ans, quelquefois beaucoup plus ; souvent même, le temps d'exercice de ces gouverneurs était soumis au bon vouloir du prince. Les provinciaux

---

148. *Ant.*, XX, 161.
149. *Autobiographie*, 13.
150. *Ant.* XX, 131.
151. *Ant.*, XX, 7, cf. également *Ant.*, XX, 193-194 ; PHILON, *In Flaccum*, 97 ; *Legatio*, 247.
152. Cf. *infra*, p. 229, n. 119. D'ailleurs, certains gouverneurs furent poursuivis, accusés devant l'empereur ou le Sénat et condamnés. P. A. Brunt a relevé les motifs d'accusation portés contre des gouverneurs d'Auguste à Trajan, « Charges of Provincial Maladministration Under the Early Principate », dans *Historia*, X, 1961, pp. 189-227, voir en particulier les annexes à son article pp. 224-227.

pouvaient donc être obligés d'attendre longtemps avant de pouvoir déposer une plainte formelle [153]. Si cette dernière était reçue, le gouverneur accusé bénéficiait d'appuis solides dans l'entourage immédiat de l'empereur, or, ces influences pouvaient être déterminantes. De plus, les gouverneurs utilisaient les rivalités et les divisions de leurs administrés, ils trouvaient alors des complicités parmi les provinciaux [154]. Enfin se profilaient à l'horizon les risques encourus si la plainte était rejetée [155]. Si le gouverneur acquitté conservait son poste, n'allait-il pas faire sentir sa vengeance ? Faire appel à l'empereur ou au gouverneur de Syrie constituait toujours une opération dangereuse et, de toute façon, cela ne mettait point en cause le droit qu'avait le gouverneur de juger en matière capitale.

c) *Le rôle de la foule dans les condamnations à mort.*

Le droit de prononcer une sentence en matière capitale et de la faire exécuter appartenait-il au Sanhédrin ou au gouverneur romain ? A cette alternative classique, faut-il substituer un troisième terme et attribuer au peuple un rôle central dans les décisions capitales ? La populace pouvait-elle se prononcer « d'une façon contraignante à l'égard du gouverneur romain dans un vote par acclamations [156] », l'*epiboêsis* ? J. Colin a cru possible de répondre positivement à une telle question. Selon lui, cette procédure était pratiquée dans l'Orient grec où l'Empire romain l'aurait conservée dans les villes libres. Mais cet historien croit la retrouver également en Judée, entre autres lors du procès de Jésus de Nazareth : la variante *anaboêsas* de Mc, XV, 8 en témoignerait [157]. Bien que J. Colin ait rassemblé toute sorte de documents qu'il estime liés de près ou de loin à ce qu'il appelle l'*epiboêsis*, un certain nombre d'objections peuvent être faites contre sa thèse. Tout d'abord, les faits recueillis ne relèvent pas tous d'un jugement en matière capitale. Si l'on s'en tient à cette dernière catégorie, les documents à examiner et à interpréter sont peu nombreux, et aucun ne semble attester l'*epiboêsis* comme un droit véritable. Il faut, en outre, distinguer, décisions acquises par le peuple au terme d'un vote par acclamations et pressions populaires sur le gouverneur [158]. Ce dernier a parfois cédé à la pression populaire, mais cette action de la foule avait-elle un statut légal et constituait-elle une décision proprement dite ? Cette thèse déjà hasardeuse pour les villes libres de l'Orient gréco-romain ne peut en aucune façon être appli-

---

153. Cf. P. A. BRUNT, *op. cit.*, pp. 206-207.
154. Cf. P. A. BRUNT, *op. cit.*, pp. 213-214.
155. *BJ*, II, 351 ; *BJ*, II, 280.
156. J. COLIN, *Les villes libres de l'Orient gréco-romain et l'envoi au supplice par acclamations populaires*, Bruxelles, 1965, p. 37.
157. *Op. cit.*, pp. 13-16.
158. J. COLIN, *op. cit.*, p. 117 reconnaît la nécessité de distinguer ces deux aspects, mais le fait-il en pratique ? De même, p. 134, il distingue décisions et pressions, mais ne majore-t-il pas ces dernières à l'intérieur même des villes libres (pp. 134-152) ?

quée à la Judée comme le fait l'auteur [159]. En effet, ce territoire constitue une province gouvernée par un préfet, son statut n'est pas identique à celui des villes libres [160]. L'appui qu'apporterait Mc, XV, 8 à
une telle thèse ne va pas de soi [161]. En fait, nous ne disposons pas de
témoignage qui accorderait à la foule en Judée un véritable pouvoir
judiciaire [162].

II. Gouverneurs de Judée et communautés ethniques diverses

En plus des pouvoirs que nous venons d'étudier, les gouverneurs
de Judée avaient entre autres tâches, celle de permettre la cohabi-
tation de populations diverses et de régler les litiges qui naissaient de
leurs oppositions. Cumanus, accusé par les Juifs de ne pas s'être
occupé comme il le devait d'un conflit entre Galiléens et Samaritains,
fut exilé [163]. Florus, selon Josèphe [164], aurait dû intervenir dans l'affaire
qui opposait Grecs et Juifs de Césarée. Sa négligence fut cause de
l'éclatement de la révolte [165].

Chargé de faire vivre en harmonie des populations parfois hété-
rogènes, comme c'était le cas en Judée [166], le gouverneur avait le pouvoir de trancher des problèmes de frontières. Quand Fadus prend
son poste en Judée, son irritation est grande en découvrant la lutte
qui oppose les Juifs de Pérée et les Philadelphiens « au sujet des
limites d'un bourg appelé Zia qui était plein de gens belliqueux [167] ».
Dans cette discussion sur des limites de territoire, le gouverneur de
Judée considère comme normal le recours à son arbitrage [168]. Nous
connaissons dans d'autres provinces des situations semblables pour
une époque légèrement postérieure à celle de Fadus [169] ; le 18 mars 69,

---

159. Cf. *op. cit.*, pp 9-37.
160. Expliquer cette application du soi-disant statut des villes libres à la
Judée par la politique d'hellénisation des Hérodes est une hypothèse gratuite
en ce domaine. C'est prêter à Hérode Antipas un rôle important, lors du procès
de Jésus, que de voir en lui celui qui a suggéré à Pilate de convoquer le peuple,
cf. *op. cit.*, p. 19.
161. Il faudrait montrer de manière claire que *anaboêsas* est la bonne
variante pour Mc, XV, 8 ; si ce terme est retenu, peut-il être considéré comme
un des divers vocables grecs de l'*epiboêsis*, alors que dans aucun des autres
emplois de *anaboaô*, rassemblés par J. COLIN, *op. cit.*, p. 116, l'idée de vote
pour une peine capitale n'est sous-jacente à ce terme. Le *sugkalesamenos* de Lc,
XXIII, 13 ne conduit pas à une décision du peuple.
162. Un autre essai a été tenté en ce sens : Cl. I. FOULON-PIGANIOL, Le rôle
du peuple dans le procès de Jésus, dans *NRT*, XCVIII, 1976, pp. 627-637. Cet
essai, très différent de celui que nous avons analysé ci-dessus, ne nous paraît
pas convaincant. Notamment le parallèle avec l'Ancien Testament ne relève-t-il
pas plus de la théologie que de l'histoire ?
163. *BJ*, II, 232-246.
164. *BJ*, II, 284-288.
165. *BJ*, II, 285.
166. Cf. *supra*, p. 35.
167. *Ant.*, XX, 2.
168. *Ant.*, XX, 3.
169. Cf. M. STERN, dans *The Jewish People in the First Century*, p. 336, n. 2.

le proconsul de Sardaigne, L. Helvius Agrippa, tranche un conflit de frontières entre deux populations et rappelle les décisions du dernier procurateur de Sardaigne, M. Juventius Rixa, sur ce même problème [170]. Sous Vespasien, un conflit oppose Thasos et vraisemblablement Philippes, L. Vinuleius Pataicius, procurateur gouvernant la Thrace, promet son intervention afin de placer les bornes de manière à ne léser personne [171]. Commentant l'inscription qui nous fait connaître ce conflit et sa solution, C. Dunant et J. Pouilloux remarquent que nous ne somme pas là en présence d'une intervention à caractère exceptionnel [172].

B. *Gouverneurs de Judée et Grands Prêtres.*

I. *La garde du vêtement du grand prêtre*

Le gouverneur romain, dans l'exercice même de son pouvoir, se trouvait en face d'un personnage central dans la vie politique et religieuse d'Israël, le grand prêtre, « personnage le plus important du clergé et par suite du peuple tout entier [173] ». Sous les gouverneurs, au moins jusqu'en 45 ap. J.-C., une dispute a animé la vie politique juive, elle a trait à la garde du vêtement du grand prêtre. J. Jeremias a fort bien montré comment ce problème de la garde du vêtement du grand prêtre était une affaire importante, et non point une anecdote : « le rôle de chef joué par le grand prêtre reposait sur le caractère de nature cultuelle, la « sainteté éternelle », que lui donnait sa fonction et qui l'habilitait à accomplir l'expiation pour la communauté en tant que mandataire de Dieu. Ce caractère venant de sa fonction lui était conféré par l'investiture, la tradition des ornements pontificaux, composés de huit pièces. Ce vêtement possédait une vertu expiatrice ; chacune des huit pièces expiait des péchés tout à fait précis. Aussi ce vêtement était-il pour les Juifs un symbole de leur religion [174]. » Reprenant un droit que s'était octroyé Hérode [175] et dont avait hérité Archélaüs, les Romains étaient « maîtres du vêtement du grand pontife [176] ». Cette situation offensait la piété juive, aussi Vitellius, homme sensible aux exigences des Juifs, leur rendit la garde du vêtement du grand prêtre et de tous ses ornements [177]. Mais cette question ne fut réglée qu'en 45 avec l'intervention de Claude [178]. Pilate eut donc sous sa garde les vêtements du grand prêtre, déposés à l'Antonia.

170. *CIL*, X, 7852, cité par Pflaum, *Procurateurs*, p. 43, n. 7.
171. Cf. C. Dunant et J. Pouilloux, *Recherches sur l'histoire et les cultes de Thasos*, II, Paris, 1958, pp. 82-87.
172. C. Dunant et J. Pouilloux, *op. cit.*, pp. 81-82.
173. J. Jeremias, *Jérusalem*, p. 210.
174. J. Jeremias, *op. cit.*, pp. 210-211.
175. *Ant.*, XVIII, 92.
176. *Ant.*, XVIII, 93. Cf. M. Grant, *The Jews in the Roman World*, Londres, 1973, p. 92.
177. *Ant.*, XVIII, 90.
178. *Ant.*, XX, 6-16.

II. Choix et destitution du grand prêtre

Le caractère théocratique d'Israël faisait du grand prêtre un personnage sacré, essentiel à la vie juive. Sa fonction était à vie et héréditaire. Au Ier siècle de notre ère, les Juifs sont convaincus qu'il y eut sans interruption une succession de grands prêtres sadocites depuis Aaron jusqu'à l'époque du séleucide Antiochus IV Epiphane (175-164 av. J.-C.[179]). L'intervention de ce roi dans les affaires juives et la révolte maccabéenne mirent un terme à cette lignée sadocite. Après quelques épisodes confus et une vacance de sept années, le souverain pontificat revint aux membres d'une famille sacerdotale du commun, c'est-à-dire non-sadocite, celle des Hasmonéens qui étaient en même temps les chefs politiques du peuple. Très vite, les milieux piétistes boudèrent un souverain pontificat détenu par des non-sadocites, plus soucieux de gloire politique que de vie religieuse, cependant deux principes demeuraient saufs : le souverain pontificat était à vie et héréditaire.

L'arrivée au pouvoir d'Hérode le Grand ouvrit une nouvelle période. Il s'institua maître du souverain pontificat, désormais cette charge devint un objet entre ses mains ; à sa guise, il en instituait et destituait le titulaire. Les gouverneurs romains, là encore, suivirent la voie tracée par le souverain juif. Ils prirent le droit de nommer et de déposer les grands prêtres. Quirinius, le gouverneur de Syrie, au terme des opérations de recensement leur en avait d'ailleurs peut-être donné l'exemple. N'avait-il pas déposé Joazar[180] qui pourtant avait collaboré avec lui ? Valerius Gratus, le prédécesseur immédiat de Pilate, s'illustra par les bouleversements qu'il opéra au sein du souverain pontificat. « Il (Tibère) envoya comme gouverneur de Judée Valerius Gratus, pour succéder à Annius Rufus. Celui-ci destitua de la prêtrise Anan et désigna comme grand pontife Ismaël, fils de Phabi. Il le destitua peu après et investit du grand pontificat Eléazar, fils du grand pontife Anan. Une année après, l'ayant également privé de ses fonctions, il transmit le grand pontificat à Simon, fils de Camith. Celui-ci n'avait pas rempli cette charge pendant plus d'un an quand lui succéda Joseph, appelé aussi Caïphe. Gratus, après avoir fait cela, rentra à Rome ; il avait passé onze ans en Judée, Ponce Pilate lui succéda[181]. » Si Pilate se fit remarquer par d'autres gestes, il n'abusa pas de ce pouvoir. Caïphe, installé par Valerius Gratus, demeura grand prêtre jusqu'en 37, il fut destitué par Vitellius[182] au moment où la Judée n'avait pas de gouverneur nommé par l'empereur, à la

---

179. J. JEREMIAS, *op. cit.*, p. 251.
180. *Ant.*, XVIII, 26. Sur ce texte et les problèmes soulevés par la déposition de Joazar, cf. *supra*, p. 64.
181. *Ant.*, XVIII, 34-35. Valerius Gratus tenait sans doute les grands prêtres pour responsables des difficultés qu'il pouvait connaître avec la population.
182. *Ant.*, XVIII, 95.

suite de l'envoi de Pilate à Rome pour s'expliquer sur son comportement. Pour illustrer les rapports de Caïphe et de Pilate, nous manquons de faits, mais sans doute, ce grand prêtre sut-il admirablement satisfaire le gouverneur, ce qui explique son si long maintien dans le souverain pontificat [183]. Après le règne d'Agrippa I, le pouvoir de choisir et de destituer le grand prêtre est donné aux Hérodes [184], désormais ce n'est plus le bien des gouverneurs.

2. LE COMMANDEMENT MILITAIRE DU GOUVERNEUR DE JUDÉE [185].

Maintenir l'ordre en Judée constituait la tâche fondamentale du gouverneur. Pour réussir dans cette charge, il ne suffisait pas de disposer de pouvoirs étendus dans le domaine de la juridiction, encore fallait-il que le gouverneur eût la possibilité de faire exécuter ses décisions et d'intervenir avec efficacité quand cela s'avérait nécessaire [186].

A. *La nature et l'importance des troupes stationnées en Judée.*

Le gouverneur commandait les troupes stationnées en Judée. Ses possibilités militaires étaient limitées par le type même des troupes dont il disposait et par leur petit nombre. Les légions romaines étaient stationnées en Syrie pour la défense de la frontière orientale de l'Empire [187] ; elles étaient susceptibles d'intervenir en Judée si cela s'avérait nécessaire [188], ce qu'elles firent à plusieurs reprises. Ces interventions révèlent l'insuffisance des troupes stationnées en Judée

---

183. Les récits de la passion de Jésus de Nazareth nous donnent peu d'indications précises sur les rapports de Caïphe et de Pilate. Ce long temps de maintien dans la fonction du souverain pontificat inspire à J. KLAUSNER, *Jésus de Nazareth*, Paris, 1933, p. 492, la réflexion suivante : « il (Caïphe) était un rusé diplomate et savait aussi bien manier le peuple que le gouverneur romain .»

184. Agrippa I exerça ce pouvoir lorsqu'il fut à la tête du royaume de son grand-père (*Ant.*, XIX, 297, 316). Hérode de Chalcis obtint de Claude la conservation de ce droit pour les Hérodes (*Ant.*, XX, 15, 103) ; ce pouvoir revint ensuite à Agrippa II, héritier d'Hérode de Chalcis (*Ant.*, XX, 104, 213).

185. Pour traiter du commandement militaire en Judée, nous sommes obligé de faire appel à différentes parties de l'œuvre de Josèphe, rendant compte de périodes historiques distinctes. Cette manière de procéder n'est pas illégitime, car de 6 à 66, ni l'œuvre de Josèphe, ni les institutions romaines ne laissent supposer qu'il y eut, du point de vue de l'organisation militaire, des changement importants dans cette région de l'Empire.

186. Cf. R. W. DAVIES, Police Work in Roman Times, dans *History Today*, XVIII, 1968, pp. 700-707 ; sur la vie quotidienne des soldats et l'ensemble des tâches qu'ils pouvaient être amenés à accomplir voir R. W. DAVIES, The Daily Life of the Roman Soldier Under the Principate, dans *ANRW*, II, 1, 1974, pp. 299-338. Sur le travail de police qui leur était imposé, cf. pp. 321-324.

187. Cf. *supra*, pp. 61-62. La situation militaire dans cette partie de l'Empire met en relief les deux composantes fondamentales de l'armée romaine, légions et troupes auxiliaires. La Marine, troisième composante de l'armée romaine, semble avoir été considérée comme une arme inférieure, cf. G. WEBSTER, *The Roman Imperial Army on the First and Second Centuries A. D.*, Londres, (1969), 1974, pp. 155-165.

188. Cf. *supra*, pp. 63-71.

dès qu'il s'agissait d'accomplir des tâches délicates. Le gouverneur de Judée disposait de troupes auxiliaires levées sur place [189], et occasion-nellement dans les pays voisins, parmi la population non-juive. Au terme de leurs 25 ans de service, lors de leur libération, les membres des troupes auxiliaires pouvaient recevoir la citoyenneté romaine par diplôme [190]. Les commandants des corps auxiliaires par contre étaient des chevaliers romains [191].

Cette force, aux mains du gouverneur, comportait de l'infanterie et de la cavalerie, la première organisée en cohortes, la seconde en *alae* [192]. Selon R. W. Davies [193], il y aurait eu aussi en Judée sous les gouverneurs des « *cohortes equitatae* », formations mixtes composées de fantassins et de cavaliers. Ces troupes auraient été utilisées en particulier pour un travail de police [194]. Pour appuyer sa démonstra-tion, cet historien relève un certain nombre de textes de Josèphe qui décrivent en différentes circonstances l'emploi côte à côte de cava-liers et de fantassins [195]. Ce fait revêtirait une signification toute parti-culière au cours du récit [196] qui décrit deux événements qui se sont déroulés sous Florus. Mais R. W. Davies appuie sa démonstration sur un postulat, car il suppose que Josèphe utilise *speira* en un sens technique, or en étudiant la titulature du gouverneur de Judée, nous

189. Surtout au début de l'Empire, les troupes auxiliaires étaient rarement éloignées de leur lieu d'origine, cf. G. Webster, *op. cit.*, pp. 144-145.

190. A. N. Sherwin-White, *The Roman Citizenship*, Oxford, ²1973, pp. 221-250. Cet auteur majore peut-être le rôle joué par Claude dans l'évolution du statut des auxiliaires. Certes, Claude dispensa largement le droit de cité romaine ; dès 46, certaines peuplades des Alpes reçurent collectivement le droit de cité (CIL, V, 5050). Il alla même beaucoup plus loin, puisqu'en 48 il accorda l'éligi-bilité aux honneurs à des notables de la Gaule chevelue, cf. le discours conservé en grande partie par la « Table Claudienne » de Lyon (*CIL*, XIII, 1668 ; Tacite, *Ann.* XI, 24-25). Mais, en ce qui concerne le statut des Auxiliaires, il ne fait, semble-t-il, que systématiser un mouvement qui a commencé avant lui ; cf. également A. N. Sherwin-White, *Roman Society and Roman Law in the New Testament*, Oxford, 1963, pp. 144-149 ; F. de Martino, *Storia della Costituzione Romana*, IV, 2, Naples, 1975, pp. 938-944 ; G. R. Watson, *The Roman Soldier*, Bristol, 1969, pp. 136-137. Sur les diplômes cf. H. Thédenat, *Diploma*, dans Dictionnaire des Antiquités grecques et romaines, sous la direction de Daremberg-Saglio, I, 2ᵉ partie, pp. 266-268. Sur les Auxiliaires cf. V. Domaszewski, Auxilia, dans *PW*, II, 1896, col. 2618-2622 ; cf. également A. Neumann, Veterani, dans *PW*, suppl., IX, 1962, col. 1597-1609 ; E. Sander, Militärrecht, dans *PW*, suppl., X, 1965, col. 396-404 ; G. Webster, *op. cit.*, pp. 142-155.

191. Cf. P. Petit, *La Paix romaine*, Paris, 1971, p. 98. En Act. XXII, 28, il est étrange de constater que l'officier romain n'appartient pas à l'ordre équestre, mais rien ne permet de le dire que Luc soit bien informé sur les usages romains, cf. *infra*, p. 102. De plus, en ce texte des Actes, Luc semble surtout vouloir mettre en valeur la citoyenneté de Paul ; il est vraisemblable que sa référence à la citoyenneté de l'officier n'a pas d'autre but.

192. Cf. G. R. Watson, *op. cit.*, pp. 24-25 ; G. Webster, *op. cit.*, 146-149.

193. R. W. Davies, *Cohortes equitatae*, dans *Historia*, XX, 1971, pp. 751-763.

194. R. W. Davies, *op. cit.*, pp. 759-760.

195. Sous Pilate, *Ant.*, XVIII, 85-87 ; sous Félix, *BJ*, II, 258-260 ; *Ant.*, XX, 169-171. R. W. Davies reconnaît cependant que rien, dans ces différents textes, ne permet d'affirmer qu'il s'agit de « *cohortes equitatae* ».

196. *BJ*, II, 296-332, cf. en particulier § 296 et 332 ; 318-320 et 326.

avons remarqué que Josèphe n'évite pas les à peu près du langage courant et même peut-être y recourt par coquetterie littéraire [197]. De plus, Josèphe dans d'autres passages de son œuvre quand il parle des troupes dont dispose le gouverneur ne fait pas allusion à ce type d'unités mixtes [198]. La division des troupes en deux armes demeure donc la solution la plus sûre.

Un escadron de cavalerie et cinq cohortes furent levés de Sébaste et de Césarée, ce qui représentait environ 3 000 hommes [199]. Nous trouvons encore mentionnée pour cette époque la cohorte italique [200], signalée par l'auteur du livre des Actes des Apôtres lors de la visite que Pierre fit à Corneille à Césarée. L'épisode rapporté se situe entre 35 et 40. Cette unité militaire, constituée d'hommes originaires d'Italie et possédant la citoyenneté romaine, est sans doute la *Cohors II Italica ciuium romanorum uoluntariorum*, dont la présence est attestée en Syrie par des inscriptions, entre 69-157 [200 bis]. Or rien ne permet d'expliquer la présence de cette cohorte à une date très antérieure à ses attestations épigraphiques. Quand il mentionne cette cohorte, Luc commet sans doute un anachronisme, il connaît une cohorte italique basée à Césarée à son époque et fait à partir de là une projection sur le passé [201].

Si la situation l'exigeait, le gouverneur levait une force supplémentaire. Le légat de Syrie et le gouverneur de Judée eurent recours à cet expédient. Au moment où Vologèse, roi des Parthes, met en danger la Syrie, Corbulon arme en hâte une troupe de provinciaux [202]. Lorsque les Galiléens se révoltèrent contre les Samaritains, Cumanus « prit avec lui l'escadron de Sébaste et quatre cohortes de fantassins, fit armer les Samaritains et marcha contre les Juifs [203] ». Enfin, si les forces locales ne couvraient pas les besoins, le gouverneur pouvait

---

197. Cf. *supra*, pp. 57-58. D'ailleurs, Josèphe en *BJ*, II, 296-332 n'emploie-t-il pas dans le même sens *speira* et *stratia* ?

198. Act., XXIII, 23, 31-33 ne prouve pas davantage qu'il y eut en Judée des *cohortes equitatae*.

199. *Ant.*, XIX, 365.

200. Act., X, 1.

200 bis. *CIL* III, 13483 a ; VI, 3528 ; XI, 6117 ; XVI, 106 ; cf. *PW*, IV, 1900, col. 304.

201. Cf. E. HAENCHEN, *Die Apostelgeschichte*, [6]1968, p. 291, n. 2. C. H. KRAELING, The Episode of the Roman Standards at Jerusalem, dans *HThR*, XXXV, 1942, aux pp. 266-267, donne des explications assez embarassées sur cette cohorte dont la présence lui apparaît improbable et cependant possible ; il n'ose pas faire une nette critique du livre des Actes.

La cohorte ascalonite, mentionnée par certains auteurs (cf. par ex. M. STERN dans *The Jewish People in the First Century*, I, p. 329) à partir des inscriptions données en *ILS*, 2724 ; 9057 et *CIL*, XVI, 35, ne concerne pas le gouverneur de Judée. Ascalon a un statut particulier. En outre, ces inscriptions n'attestent pas cette cohorte pour la période des gouverneurs de 6 à 66 ap. J.-C., mais pour une période plus tardive.

202. TACITE, *Ann.* XV, 3.

203. *Ant.*, XX, 122.

faire appel à une aide extérieure [204] qui, dans le cas de la Judée, provenait de la province de Syrie [205].

B. L'origine de ces troupes et leurs lieux de garnison.

La composition des troupes, une fois de plus, fait apparaître la continuité entre le pouvoir hérodien et les gouverneurs romains. Les troupes des procurateurs se situent, sans doute, dans le prolongement des troupes d'élite d'Hérode [206] dont nous trouvons mention lors des troubles que suscita à Jérusalem l'intervention de Sabinus, *procurator Augusti* de Syrie. Celui-ci, profitant des disputes surgies entre les héritiers d'Hérode, voulut s'emparer des trésors royaux, mais son intervention produisit un très grand mécontentement parmi le peuple [207]. De violents combats éclatèrent et mirent en difficulté les troupes romaines qui se livrèrent à des destructions et à un véritable carnage [208]. Ces événements divisèrent les troupes royales en deux camps. « Les rebelles avaient avec eux la plupart des troupes royales qui avaient passé de leur côté. Pourtant les soldats d'élite, 3 000 soldats Sébasténiens, ayant à leur tête Rufus et Gratus, commandant l'un de l'infanterie, l'autre de la cavalerie royale — deux hommes qui, même sans troupes, valaient une armée par leur bravoure et leur science militaire — s'étaient joints aux Romains [209]. » A cette époque troublée, ces Sébasténiens se comportent en défenseurs de l'ordre romain et en alliés fidèles [210]. Sous le commandement de Gratus, apparaissent aussi les archers de la Trachonitide [211]. Tous ces soldats sont définis par leur origine et sont des non-Juifs [212].

Les gouverneurs héritèrent des troupes d'Archélaüs et continuèrent à recruter leurs soldats dans les mêmes cités. En agissant ainsi, ils se conformaient aux habitudes romaines et respectaient la coutume de dispenser les Juifs de servir dans les armées [213]. Les incidents

---

204. *Ant.*, XVII, 286 ; XVIII, 120.
205. Cf. *supra*, pp. 63 ss.
206. Cf. SMALLWOOD, The Jews, p. 146.
207. *BJ*, II, 41.
208. *BJ*, II, 51.
209. *BJ*, II, 52.
210. *BJ*, II, 58, 63, 74.
211. *BJ*, II, 58.
212. Les *Antiquités* ,dans les passages parallèles (cf. XVII, 264), parlent simplement de l'élite des troupes royales sans faire mention de leur origine. Il n'y a cependant aucune raison de suspecter les données plus précises de la *Guerre des Juifs*. Les troupes d'Hérode ne se réduisaient pas à ces seuls éléments, les autres troupes royales, mentionnées ici, étaient sans doute juives.
213. Ce droit leur avait été reconnu par César (*Ant.*, XIV, 204). Aucun témoignage ne permet de dire qu'il ait été remis en question sous les gouverneurs. Cette dispense était probablement due au désir d'éviter des difficultés à propos des coutumes juives. JUSTER, *Juifs*, II, pp. 271-273 a voulu démontrer que cette compréhension du décret était mauvaise, il cite des faits qui, selon lui, montrent qu'il y eut des soldats juifs sous les gouverneurs romains. Cette position de Juster est inacceptable pour plusieurs raisons :
— 1. Les faits qu'il cite n'ont rien d'évident : la colonie des Zamarides (*Ant.*, XVII, 23-28), alléguée par Juster en faveur de sa thèse, n'apparaît à aucun

qui suivirent la mort d'Agrippa I attestent cette constance dans le recrutement des soldats. Les habitants de Césarée et de Sébaste [214] se réjouirent publiquement de la mort du roi et outragèrent la famille royale. L'empereur Claude, en souvenir d'Agrippa I, prit des sanctions sévères qu'il ne fit d'ailleurs pas exécuter : « Il ordonna avant tout à Fadus de châtier les habitants de Césarée et de Sébaste pour leurs violences à l'égard du mort et leurs insultes à l'égard des vivantes et d'envoyer dans le Pont pour y faire campagne l'escadron des habitants de Césarée et de Sébaste ainsi que leurs cinq cohortes, tandis qu'un nombre égal de légionnaires romains de Syrie devait prendre leur place. Cependant ceux qui avaient reçu l'ordre de partir ne s'en allèrent pas. En effet, une délégation envoyée par eux apaisa Claude et ils obtinrent de demeurer en Judée [215]. » D'autres faits attestent bien cette origine des troupes des gouverneurs [216]. Les troupes commandées par les gouverneurs provenaient donc en très grande partie de Sébaste et de Césarée [217].

Ces unités auxiliaires étaient basées dans diverses places. Les lieux habituels de stationnement de la plus grande partie de ces forces étaient Césarée, lieu de résidence du gouverneur [218], et Sébaste. Ces deux grandes villes païennes convenaient bien. Cependant les forteresses dispersées sur l'ensemble du territoire n'étaient pas laissées sans garnison [219]. De même, à Jérusalem, l'Antonia abritait en perma-

---

moment comme ayant fourni des troupes aux gouverneurs, ils ont servi sous les rois (*Ant.*, XVII, 29).

— 2. Juster ne donne aucune référence positive qui indiquerait la présence de Juifs parmi les troupes des gouverneurs. Les témoignages, nous l'avons relevé, vont dans un tout autre sens.

— 3. Il confond droit de lever des troupes parmi les Juifs et possibilité d'engager des volontaires juifs. Qu'il y eut des Juifs à titre individuel dans les troupes des gouverneurs est possible ; encore faudrait-il le prouver !

214. La sanction prévue par Claude est dirigée contre les troupes, alors que l'ensemble des habitant a eu un comportement qui méritait sanction.

215. *Ant.*, XIX, 364-366.

216. Cf. Th. Mommsen, Die Conscriptionsordnung der römischen Kaiserzeit, dans *Hermes*, XIX, 1884, pp. 1-79, 210-234, aux pp. 51, 217 ss., cité par *HJP*, p. 363, n. 48.

217. *Ant.*, XX, 126, ou encore pour ceux de Sébaste *Ant.*, XX, 122 ; *BJ*, II, 236. Les témoignages parlent le plus souvent des Sébasténiens, signe peut-être de l'antériorité de leur recrutement et de leur nombre considérable. Les inscriptions mentionnées par M. Stern, dans *The Jewish People in the First Century*, I, p. 327 n. 7 concernent une époque beaucoup plus tardive.

218. *Ant.*, XVIII, 55.

219. *BJ*, II, 484-485. Josèphe donne des indications plus nombreuses sur les forces militaires de Judée lorsque son récit décrit la période qui précède la guerre juive, mais il n'y a aucune raison de refuser des dispositions semblables pour l'époque des premiers gouverneurs. Quand la guerre éclate en 66, les insurgés prennent des forteresses occupées par les Romains : Cypros (*BJ*, II, 484), Massada (*BJ*, II, 408) ; des habitants obligent la garnison de Machéronte à évacuer les lieux (*BJ*, II, 485). Pour l'occupation de Massada par les troupes romaines, cf. Y. Yadin, *IEJ*, XV, 1965, p. 117, et *Masada*, Paris, 1966, p. 206.

nence une cohorte [220], et des soldats demeuraient au palais d'Hérode [221].

Cette armée, à la disposition du gouverneur, était chargée de maintenir l'ordre dans la province ; mais, formée de non-Juifs, elle n'était pas sans danger pour les Juifs. Ces derniers risquaient, à tout moment, d'être livrés à la force et à la fureur de leurs rivaux païens. A plusieurs reprises, les interventions des soldats du gouverneur ne sont pas dépourvues de partialité. Nous en trouvons un bel exemple lors des désordres survenus à Césarée sous le gouvernement de Félix. Les troubles furent occasionnés par une querelle entre Grecs et Juifs de Césarée, car les uns et les autres revendiquaient le pouvoir dans la ville. Ni les Grecs ni les Juifs n'étaient satisfaits par une situation qui accordait des droits semblables aux deux communautés. Les Juifs « l'emportaient par la richesse et la vigueur corporelle, les Grecs tiraient avantage de l'appui des gens de guerre, car les Romains levaient en Syrie la plupart des troupes chargées de garder cette région, et, en conséquence, les soldats de la garnison étaient toujours prêts à secourir leurs compatriotes [222]. » Cette situation existait déjà sous les premiers gouverneurs. La brutalité des troupes, lors de plusieurs incidents, s'explique par l'origine de celles-ci et l'animosité latente entre Grecs, c'est-à-dire païens résidant en Judée, et population juive [223]. Josèphe accuse les troupes, originaires de Césarée et de Sébaste, d'être la cause « des plus grandes calamités pour les Juifs, parce qu'(elles) jetèrent les semences de la guerre qui eut lieu sous Florus [224] ».

3. LES POUVOIRS FINANCIERS DU GOUVERNEUR DE JUDÉE.

Le gouverneur de la province de Judée devait veiller à ce que le tribut dû à Rome soit levé et correctement versé. Nous évoquerons cette tâche du gouverneur, en essayant de voir le type de rapports qu'une telle charge pouvait créer entre le gouverneur et les habitants de la province. L'étude du monnayage réalisé sous Pilate mérite une attention toute particulière, nous l'entreprendrons dans un second temps.

A. *Le problème des impôts.*

En 6 ap. J.-C., les gouverneurs romains sont en présence d'une population qui a été soumise à de fortes contributions financières

220. *BJ*, V, 244. Ce texte ne fait pas allusion qu'à la seule période qui précéda la guerre juive, mais à une coutume bien établie. C'est à une telle cohorte que renvoie *Act.*, XXI, 31, cf. également *BJ*, II, 223-224 ; ce texte, éclairé par *BJ*, V, 244, en effet laisse penser qu'il s'agit de la cohorte stationnée en permanence à l'Antonia.
221. *Ant.*, XX, 110 ; *BJ*, II, 328.
222. *BJ*, II, 268 ; *Ant.*, XX, 173-178. Syrie désigne ici les régions païennes.
223. Sous le gouvernement de Pilate, nous trouvons cette situation lors de l'incident de l'Aqueduc, cf. *Ant.*, XVIII, 62.
224. *Ant.*, XIX, 366.

sous Hérode le Grand et sous son fils Archélaüs. La politique de prestige, pratiquée par Hérode, a eu un double effet : le pays a été embelli et développé, mais, en même temps, considérablement appauvri. Les délégués juifs, venus « réclamer l'autonomie de leur nation » et supplier Auguste de ne pas accorder le pouvoir à Archélaüs, évoquent l'état du pays laissé par Hérode le Grand : « pendant qu'il ruinait ses propres villes, il ornait de leurs dépouilles celles de l'étranger, offrant en sacrifice aux nations extérieures le sang de la Judée. Au lieu de l'ancienne prospérité, au lieu des lois des ancêtres, il a fait régner dans le peuple la misère et la dernière iniquité [225]. » Archélaüs n'améliora pas cette situation, il réalisa même quelques constructions nouvelles [226].

Les Juifs de Judée, sous les gouverneurs romains, eurent à acquitter deux catégories de taxes très différentes, en effet, l'impôt romain s'ajoutait aux taxes traditionnelles du judaïsme. D'un point de vue politique, les gouverneurs romains ont été les héritiers d'Archélaüs [227]. Ce fait apporte quelque éclairage sur le tribut versé à Rome par la province de Judée. A deux reprises, Flavius Josèphe donne des indications sur les revenus du territoire d'Archélaüs : 600 talents selon les Antiquités judaïques [228], 400 selon la Guerre Juive [229]. Nous retenons ce dernier chiffre, car dans les Antiquités et dans la Guerre des Juifs, nous trouvons des indications identiques pour les revenus d'Antipas (200 talents), de Philippe (100 talents) et de Salomé (60 talents). Or par rapport à ces données, la somme de 400 talents, attribuée à Archélaüs, paraît plus vraisemblable. Ce revenu annuel, destiné à l'origine à Archélaüs, fut sans doute désormais versé à Rome, mais les Romains ne se contentèrent pas de cette somme. De toute façon, de multiples charges s'ajoutaient au tribut [230].

Le *tributum capitis* ne pouvait être calculé qu'à partir d'un recensement général de la population, opération réalisée lorsqu'une province était créée ou réorganisée [231]. Le recensement de Judée ne se fit pas sans difficultés [232] bien que le grand prêtre Joazar eut pris position en sa faveur. Si les données relatives aux recensements sont assez nombreuses et précises pour l'Égypte romaine [233], la situation est bien moins claire pour le reste de l'Empire [234]. Les indications

---

225. *BJ*, II, 85-86.
226. *Ant.*, XVII, 340.
227. Nous en avons déjà donné quelques exemples, cf. *supra*, pp. 79-98 ; 103.
228. *Ant.*, XVII, 320.
229. *BJ*, II, 97.
230. Pour une période antérieure (*Ant.*, XIV, 78), Josèphe parle de dix mille talents, cette somme est exceptionnelle et, peut-être, exagérée. Josèphe ne la présente pas comme un impôt imposé par Pompée.
231. Cf. Tacite, *Ann.*, II, 6, par ex.
232. Cf. *Ant.*, XVIII, 3-4 ; XX, 102 ; *BJ*, VII, 253 ; *Act.*, V, 37.
233. M. Hombert et C. Préaux, *Recherches sur le recensement dans l'Égypte romaine*, Leyde, 1952.
234. Cf. P. Benoit, Les recensements dans les provinces de l'Empire romain, dans Quirinius, dans *DBS*, IX, 1977, col. 695-697.

ayant trait à un recensement en Judée sont difficiles à interpréter ; elles ont été fort discutées, car elles intéressent au plus haut point l'histoire de Jésus de Nazareth. Selon l'Évangile de Luc [235], un recensement a été opéré par Quirinius au moment de la naissance de Jésus de Nazareth ; Josèphe, quant à lui, en connaît un, réalisé par le même personnage lors de l'exil d'Archélaüs [236], c'est-à-dire 10 ou 12 ans plus tard. Quoi qu'il en soit de la date exacte de ce recensement, il est incontestable qu'il était nécessaire pour le *tributum capitis*, et du point de vue de la pratique romaine, la date proposée par Josèphe est en harmonie avec les circonstances. F. M. Heichelheim [237] a estimé à un denier le montant du *tributum capitis*, il s'appuie sur les indications néo-testamentaires [238]. Par un document plus tardif, nous apprenons que tous les hommes de 14 à 65 ans et les femmes de 12 à 65 devaient payer le *tributum capitis* dans la province de Syrie [239]. Cet impôt sur les personnes recevait en Judée le nom de *census* [240]. En plus du *tributum capitis*, était levé le *tributum soli* que nous trouvons déjà mentionné sous César : « Caius César, général en chef, [dictateur] pour la seconde fois, a décidé que chaque année [les Juifs] paieront un tribut pour la ville de Jérusalem [et le reste de leur territoire] excepté Joppé, sauf tous les sept ans, en l'année que les Juifs appellent sabbatique, puisqu'ils ne cueillent pas cette année-là les fruits des arbres et ne font pas de semailles [241]. » Cet impôt était calculé à partir des récoltes.

A côté de ces impôts directs, de multiples taxes indirectes, *vectigalia*, étaient imposées. La plus célèbre de ces taxes, et sans aucun doute la plus utile pour l'alimentation des caisses de l'Empire et des caisses municipales, était le *portorium*, « un impôt de transport perçu sur la circulation des marchandises ». Cet impôt tenait de la douane, de l'octroi et du péage [242]. En effet, une redevance sur

235. Lc, II, 2.
236. *Ant.*, XVIII, 1. Pour une discussion de ces données divergentes, Cf. P. BENOIT, *Quirinius*, dans *DBS*, IX, 1977, col. 693-720.
237. F. M. HEICHELHEIM, Roman Syria, dans *An Economic Survey of Ancient Rome*, ed. by Tenney Frank, IV, Baltimore, 1938, p. 237 ; cf. également SMALLWOOD, *The Jews*, p. 151. F. M. HEICHELHEIM a rassemblé un grand nombre de données sur les questions financières, pp. 228-254 ; malheureusement il ne traite pas pour elle-même la province de Judée.
238. Mt., XXII, 15-22.
239. D. L., 15, 3 ; cf. G. Mc Lean HARPER, Jr., Village Administration in the Roman Province of Syria, dans *Yale Classical Studies*, I, 1928, pp. 105-168, aux pp. 156 ss.
240. Cf. Mc, XII, 14.
241. *Ant.*, XIV, 202. Le tribut pour la ville de Jérusalem est peut-être à rapprocher de cette taxe sur les maisons qu'Agrippa I suspendit pour remercier les Hiérosolymitains de l'affection qu'ils lui avaient manifestée (*Ant.*, XIX, 299).
242. S. J. DE LAET, *Portorium*, Bruges, 1949, pp. 16-17 ; cf. M. STERN, dans *The Jewish People in the First Century*, I, pp. 332-333. L'importance du *portorium* se traduit dans l'évolution du vocabulaire. Alors que, sous la République, *vectigal* et *portorium* désignent deux réalités distinctes : le *portorium* n'est que le plus important des *vectigalia*, au Haut-Empire, les deux termes sont parfois considérés comme synonymes (cf. Tacite, *Ann.* XIII, 50 ; *Hist.* IV, 65) ; et au Bas-Empire, le *portorium* est désormais appelé *vectigal*.

les marchandises transportées était imposée aussi bien aux frontières et aux ports qu'à l'intérieur du pays. C'est au niveau des taxes indirectes qu'intervenaient les collecteurs d'impôts[243] dont les charges étaient affermées, et qui, très vraisemblablement, avaient la possibilité de faire appel aux soldats romains en cas de difficultés. En outre, les fonctionnaires romains pouvaient pour des travaux publics ou en cas de besoin imposer des corvées et donc réquisitionner les habitants de la province[244].

Où allait l'argent collecté ? Les renseignements ne sont pas toujours faciles à interpréter. A. H. M. Jones pense que l'Empire, au moins en un premier temps, a repris les pratiques républicaines[245]. L'argent versé par les collecteurs d'impôts, tout comme les impôts rassemblés sous l'autorité du gouverneur, étaient à la disposition de ce dernier pour le fonctionnement de la province, sous la responsabilité globale de l'empereur quand il s'agissait d'une province impériale. On peut, en ce sens, parler d'un « fiscus » du gouverneur. Si les revenus étaient supérieurs aux dépenses, le surplus était alors versé à l'aerarium (trésor public). Le trésor impérial était alimenté à partir des propriétés privées de l'empereur et des dons qui lui étaient faits ; en cette région, les revenus des propriétés léguées par Salomé à la maison impériale n'étaient pas négligeables[246].

Cet impôt romain était ressenti par la population juive comme une lourde charge, mais, de plus, pour certaines couches de la population, il apparaissait comme un signe de soumission inadmissible à l'autorité de maîtres humains. Tacite relève le premier trait : « Les

---

243. Cf. Mt., V, 46 ; Mc, II, 15 ; Lc, III, 12 ; XVIII, 10, XIX, 1-10. Les collecteurs d'impôts auxquels le Nouveau Testament fait si souvent référence sont à distinguer des « publicains » proprement dits, personnages romains importants qui exerçaient une fonction officielle et étaient chargés de centraliser les impôts ; mais sous le Haut-Empire, trois provinces, l'Égypte, la Syrie et la Judée jouissent d'un système spécial pour l'affermage des impôts. En effet, ces trois provinces ne connaissent pas de grandes circonscriptions douanières, mais chaque bureau du portorium est affermé séparément à des percepteurs locaux, et le regroupement de plusieurs bureaux entre les mains d'un même collecteur est rare, cf. S. J. DE LAET, op. cit., pp. 363, 420-421. Les collecteurs d'impôts des Évangiles sont des Juifs détestés de leurs compatriotes, en raison de leur collaboration avec les Romains, cf. SMALLWOOD, The Jews, pp. 151-152.

244. Nous trouvons dans le N. T. des échos de ces pratiques, cf. Mt., V, 41 ; XXVII, 32 //.

245. A. H. M. JONES, The Aerarium and the Fiscus, dans JRS, XL, 1950, pp. 22-29 (réimprimé dans Studies, pp. 101-114). Ces institutions romaines ont donné lieu à nombre de discussions. F. Millar a cru pouvoir montrer que le « fiscus » n'avait jamais été officiellement institué, mais que ce terme s'imposa peu à peu pour désigner l'ensemble de la richesse impériale, cf. F. MILLAR, The Fiscus in the First Two Centuries, dans JRS, LIII, 1963, pp. 29-42 ; The Aerarium and its Officials Under the Empire, dans JRS, LIV, 1964, pp. 33-40. Le point de vue de F. Millar qui réduit les sens multiples de « fiscus » à la seule richesse impériale a été critiqué par P. A. BRUNT, The « Fiscus » and its Development, dans JRS, LVI, 1966, pp. 75-91.

246. Cf. PLINE L'ANCIEN, Hist. Nat., XII, 111-123 (tr. A. ERNOUT, Paris, 1949, pp. 55-58) ; sur les biens de Salomé, cf. supra, p. 34, n. 5.

provinces de Syrie et de Judée, écrasées sous les charges, imploraient une diminution du tribut[247]. » L'autre aspect est sous-jacent au récit de la Guerre Juive de Flavius Josèphe qui y voit la cause de la révolte : « Judas et Saddok, en introduisant et en éveillant chez nous une quatrième secte philosophique et en s'entourant de nombreux adhérents, remplirent le pays de troubles immédiats et plantèrent les racines des maux qui y sévirent plus tard, et cela grâce à cette philosophie inconnue avant eux et dont je veux parler un peu, principalement parce que c'est la faveur de la jeunesse pour leur secte qui fut cause de la ruine du pays[248]. » La conviction de Judas et Saddok est résumée en ces termes par Josèphe : « Ils prétendaient que ce recensement n'amenait avec lui rien de moins qu'une servitude complète et ils appelaient le peuple à revendiquer la liberté[249]. »

Cette opposition au recensement pouvait d'ailleurs se prévaloir de la tradition biblique qui assimila ce genre d'opération à un péché, à un point tel que le Chroniste[250] attribue à une suggestion de Satan le recensement accompli par David alors que le second livre de Samuel[251] l'attribuait à la colère de Dieu contre les Israélites. En effet, « une antique croyance voyait dans tout recensement (aussi bien des hommes que de la richesse) un danger, car c'était une atteinte portée à la divinité qui, elle seule, avait le droit de connaître ces chiffres[252]. »

Refuser de payer le tribut était de la part des provinciaux un acte grave. Agrippa II conseille aux Juifs, révoltés par le comportement de Florus, de rassembler et de payer le tribut dans sa totalité. Lors de cet incident, les notables jouent un rôle considérable et s'occupent en personne de rassembler l'argent. En ce cas précis, pour les toparchies autres que Jérusalem, Florus désigne parmi les magistrats et les principaux citoyens ceux qui lèveront le tribut dans le pays alors que magistrats et conseillers s'étaient déjà répartis les villages de la toparchie de Jérusalem[253]. Les notables servaient d'intermédiaires dans la levée des impôts. Il est possible d'ailleurs que le *tributum soli* fut payé en Judée à l'époque qui nous intéresse, sous une forme globale dont les chefs de communautés locales avaient la charge. Dans l'Empire, la diminution des taxes a été utilisée comme un moyen de manifester de la reconnaissance à une population pour

---

247. *Ann.*, II, 42, (tr. P. Wuilleumier, Tacite, *Annales, Livres I-III*, Paris, 1974, p. 107).

248. *Ant.*, XVIII, 9-10.

249. *Ant.*, XVIII, 4 ; cf. *BJ*, II, 118, 433. Pendant le ministère de Jésus de Nazareth, on trouve l'écho des discussions suscitées dans les milieux juifs par le tribut, cf. Mt. XXII, 15-22 //.

250. I Chron., XXI.

251. II Sam., XXIV, 1.

252. F. Michaeli, *Le livre de l'Exode*, Neuchâtel-Paris, 1974, p. 264 ; cf. également M. Grant, *The Jews in the Roman World*, Londres, 1973, p. 89.

253. *BJ*, II, 405-407. La division du pays en toparchies (*BJ*, III, 54-56) facilitait sans doute la levée du « *tributum capitis* ».

son comportement[254]. C'était aussi une occasion de s'assurer une fidélité plus grande de la part de celle-ci.

Le pouvoir quasi absolu dont jouissaient les gouverneurs ouvrait parfois la voie aux abus. Même si le cadre général des impôts était fixé, des gouverneurs peu scrupuleux avaient de multiples occasions de s'enrichir[255], car ils disposaient d'une grande marge de liberté dans la mise en place et le fonctionnement du système de perception. Certes ils avaient des comptes à rendre, mais ils pouvaient le faire avec plus ou moins de précision. Les plus véreux d'entre eux n'hésitaient même pas à faire acheter leurs décisions[256]. Selon Josèphe[257], Tibère maintenait longtemps les gouverneurs à leur poste ; par cette pratique, il espérait éviter que se manifeste trop leur avidité. A ce propos, l'historien juif prête à Tibère un magnifique apologue. Même si l'explication donnée par Josèphe est inexacte, elle reflète sans aucun doute une pensée populaire sur l'avidité de certains gouverneurs. D'autre part, dans sa lettre à Caius, Agrippa fait allusion aux concussions et rapines de Pilate[258].

B. *Le monnayage sous les gouverneurs romains.*

De 6 à 66 de notre ère, le monnayage juif fut remplacé par celui des gouverneurs romains. Cette période de soixante ans ne fut interrompue que par le règne d'Agrippa I entre les années 41 et 44. Ce roi battit monnaie.

Nombre de pièces de monnaies découvertes en Palestine ont été attribuées à des frappes réalisées par des gouverneurs romains. L'ensemble des monnaies permet de faire quelques observations qui, semble-t-il, ne risquent pas d'être mises en cause par des découvertes ultérieures. Déjà, en 1963, A. Spijkerman, bien informé des questions de numismatique palestinienne, remarquait : « Il semble que la série des monnaies dites des procurateurs publiées jusqu'à ce jour soit complète[259]. » Même une découverte aussi importante que celle

---

254. *Ant.*, XVII, 319 ; *BJ*, II, 96. La Samarie voit son tribut allégé « pour la récompenser de n'avoir pas pris part à l'insurrection ». L'incident se place sous Archélaüs, mais il est sans doute révélateur de la manière habituelle de procéder. Cf. *Ant.*, XVIII, 90. Sur la traduction d'*Ant.*, XVII, 319, cf. *infra*, p. 238, n. 29.

255. Cf. *BJ*, II, 273 ; Philon, *Legatio ad Caium*, 199.

256. *Ant.*, XVIII, 176 ; *BJ*, II, 273, 292.

257. *Ant.*, XVIII, 172 ss. Tacite, *Ann.*, IV, 6 rappelle la volonté de Tibère, au moins pendant une partie de son principat, de veiller à ce que les provinces ne souffrissent pas des exactions des magistrats.

258. Sur la portée exacte de ce texte, cf. *infra*, pp. 227-229.

259. A. Spijkerman, Some Rare Jewish Coins, dans *Liber Annuus*, XIII, 1962-1963, p. 310. Il renvoyait alors aux catalogues de G. F. Hill, *Catalogue of the Greek Coins of Palestine*, Londres, 1914, et de A. Reifenberg, *Ancient Jewish Coins*, Jérusalem, ²1947, ⁴1965. Le Dr. Y. Meshorer, du Musée d'Israël, nous a confirmé cette remarque de A. Spijkerman. Les pièces retrouvées depuis 1963 n'ont rien apporté du point de vue de la classification fondamentale des « monnaies dites des procurateurs » ; par contre, elles ont fourni des cas nouveaux de pièces frappées avec des erreurs.

du trésor d'En-Gedi, trouvé au cours des fouilles dirigées en 1965 par B. Mazar, n'a pas remis en question ce jugement[260]. Les monnaies que l'on regroupe sous la dénomination « monnaies des procurateurs »[261], ne comportent aucune indication directe sur les gouverneurs[262]. Pour identifier ces pièces nous ne disposons que du nom de l'empereur régnant et d'une date. Pourtant aucun doute n'est possible, car ces pièces ne comportent aucune représentation humaine et leur aire géographique est restreinte, elles ont circulé surtout dans la province de Judée. En effet, ces pièces sont retrouvées en très grand nombre dans ce qui fut la province romaine de Judée, et en particulier dans les environs de Jérusalem ; ces découvertes deviennent rares lorsqu'on s'éloigne de la province ; néanmoins, un certain nombre de pièces proviennent de Galilée et de Transjordanie, quelquefois de lieux plus éloignés comme le Sinaï ou Doura-Europos[263]. Battre monnaie facilitait les échanges à l'intérieur d'un territoire limité et marquait une certaine autonomie du gouverneur. En Judée, cinq gouverneurs battirent monnaie : sous Auguste, Coponius et Ambibulus ; sous Tibère, Valerius Gratus et Ponce Pilate. Félix frappa des pièces sous Claude, mais aussi sous Néron. Les monnaies sont toutes en bronze, et, bien sûr, elles n'étaient pas les seules à circuler dans le pays ; les monnaies romaines en or ou argent avec l'effigie de l'empereur étaient aussi utilisées en Judée, comme le manifeste bien un incident entre Jésus et ses adversaires[264].

Les ouvrages classiques en la matière donnent une description de ces pièces[265] qui comportent un module variant entre 15 et 19 mm. Leur poids va de 1,58 g à 3,35 g. Ce dernier chiffre ne se rencontre que pour un type de monnaie de Félix ; si l'on fait abstraction de deux séries de monnaies frappées par Félix en 54, le poids de ces monnaies varie entre 1,58 et 2,57 g[266]. Les monnaies réalisées sous

260. Les pièces, trouvées dans ce trésor, constituent trois groupes : 47 pièces de la 6e année d'Agrippa I (42/43 ap. J.-C.) ; 20 pièces de Félix (14e année de Claude, 54 ap. J.-C.) ; 72 pièces de Félix de la 5e année de Néron (59 ap. J.-C.) ; cf. B. MAZAR and I. DUNAYEVSKY, En-Gedi, Fourth and Fifth Seasons of Excavations, Preliminary Report, dans *IEJ*, IX, 1967, p. 141.

261. Nous utilisons l'appellation courante bien qu'elle soit inexacte, cf. *supra*, pp. 43-58.

262. Nous reviendrons ci-dessous sur la description de ces pièces.

263. A Doura-Europos, quinze pièces des gouverneurs de Judée ont été trouvées, cf. *The Excavations at Dura-Europos, Final Report*, VI, A. R. BELLINGER, *The Coins*, New-Haven, 1949, p. 89, mais aucune de ces pièces ne date de l'époque de Pilate.

264. Mt., XXII, 15-22 //.

265. Cf. HILL, REIFENBERG cités *supra*, n. 259. On trouve également une présentation des différentes catégories des pièces des gouverneurs dans Y. MESHORER, *Jewish Coins of the Second Temple Period*, Tel-Aviv, 1967, pp. 102-106 ; pp. 170-175, plate XXIX et XXX, et dans A. KINDLER, *Coins of the Land of Israel*, Jérusalem, 1974, pp. 94-106.

266. Nous n'avons pas à nous arrêter au cas exceptionnel de la monnaie frappée sous Ponce Pilate, et connue à un seul exemplaire. Cet exemplaire unique fait partie de la collection de l'Institut d'archéologie de l'Université hébraïque, le module est de 38 mm et le poids de 9,045 g. La pièce est encore entourée des attaches qui la liaient au bord du moule.

Ponce Pilate ne sont pas toutes de taille et de poids identiques. La dernière série de 31 est la plus petite : 15 mm et 1,72 g. Une série qui date de 30 est composée des pièces matériellement les plus importantes parmi celles frappées à l'époque de ce gouverneur (17 mm et 2,55 g). Toutes ces pièces des gouverneurs de Judée représentent donc une valeur minime dans le système des monnaies romaines, on peut penser à la valeur du *quadrans* romain ou même à la moitié de celui-ci [267] selon que l'on estime que cette pièce dite « des procurateurs » prenait place dans le système romain officiel des monnaies ou figurait à un niveau moindre.

Les symboles et les inscriptions des monnaies de Ponce Pilate méritent de retenir l'attention ; la comparaison entre ces monnaies et celles qui ont été frappées par les autres gouverneurs permettra de faire quelques remarques sur Pilate.

En tenant compte des dates de monnayage, trois séries se rencontrent : Une frappe en 29 (*LIS* année 16 du règne de Tibère), une deuxième en 30 (*LIZ* année 17), une troisième en 31 (*LIH*, année 18). Les dates sont gravées au verso. Du point de vue des inscriptions, la série de l'an 29 comporte au recto *Ioulia Kaisaros*, au verso *Tiberiou Kaisaros* [268]. Les deux autres séries ne comportent pas la 1re inscription. Au recto, elles ont l'inscription placée sur le verso dans la 1re série. Pour les symboles gravés, deux catégories sont à distinguer : l'une avec *simpulum*, l'autre avec *lituus*.

— 1re série, avec *simpulum*.

Au recto : trois épis d'orge, l'épi central est droit, les deux autres retombent. Les épis de chaque côté ne sont pas tout à fait symétriques. Les trois épis sont liés ensemble au niveau des tiges par des liens horizontaux. Autour inscription, commençant à gauche : *Ioulia Kaisaros*.

Au verso : vase, sans doute un *simpulum* (petite coupe pour les libations) avec une anse dressée à droite ; autour, commençant à gauche : *Tiberiou Kaisaros* LIS [269].

---

267. A. Spijkerman, Coins mentionned in the N. T., dans *Liber Annuus*, VI, 1955 - 1956, p. 297, à partir de Mc, XII, 42, pense possible d'identifier la monnaie des procurateurs comme étant le *lepton*, la plus petite monnaie, ce qui revient à lui attribuer la valeur d'un demi-quadrans romain, c'est-à-dire un huitième de l'as ; ce serait l'équivalent de la *p°rûtah* dont M. *Kiddushim* I, 1 ; M. *Edduyoth* IV, 7 disent qu'elle vaut un huitième d'as. Cf. aussi A. Kindler, *op. cit.*, p. 94.

268. Les inscriptions des monnaies des « procurateurs » sont en langue grecque ; de plus, elles se réfèrent aux empereurs ou à des membres de la famille impériale, ce qui conduit les experts à ne classer ces pièces qu'avec grande hésitation parmi les monnaies juives ; aussi, les ouvrages qui s'intéressent à la numismatique juive les font généralement figurer en annexe.

269. Selon les pièces, les inscriptions sont plus ou moins bien conservées. Les pièces de cette série ont un module de 16 mm et pèsent 2,15 g, cf. Hill, *op. cit.*, pp. 257-258. Cette série comporte une annexe : le musée de la Flagellation, de Jérusalem, conserve une pièce identique à celles de cette série, à peine plus légère (2,12 g), mais le revers comporte une contre-marque.

(LIH, année 18)
Monnaie de l'année 31
avec *lituus*

Exemplaire unique
(cf. note 266)
module 38 mm
poids 9,045 gr

— 2ᵉ série, avec *lituus*.

Au recto, un *lituus* (bâton augural) avec la partie courbée, tournée vers la droite ; autour, commençant à gauche, l'inscription *Tiberiou Kaisaros.*

Au verso, la date est à l'intérieur d'une couronne : *LIZ* ou *LIH* [270]. A. Spijkerman a attiré l'attention sur quelques monnaies rares de cette époque [271].

Pilate a-t-il introduit le *simpulum* et le *lituus* sur les monnaies qui circulaient en Judée ou les a-t-il repris de son prédécesseur, Valérius Gratus ? Les monnaies des gouverneurs romains peuvent se dater sans difficulté, car l'indication de la date est donnée en lien avec l'empereur dont elles portent le nom. Pour Auguste, les années commencent avec Actium. A. Kindler [272] a proposé des dates nouvelles qui auraient conduit à placer au temps de Valerius Gratus la frappe de monnaies attribuées jadis à Pilate, et donc à reconnaître que l'introduction du *lituus* sur les monnaies ne revient pas à ce dernier gouverneur. En fait, les propositions de A. Kindler s'appuient sur de mauvaises lectures ou sur des pièces mal frappées. Or, on ne peut pas tirer de conclusions sûres de pièces dont la frappe est défectueuse. D'autre part, certaines inscriptions de dates, mises en avant par A. Kindler, ne trouvent aucun parallèle. Les sigles que ce numismate avance sont explicables comme des fautes, et Y. Meshorer a réfuté de façon convaincante les hypothèses de A. Kindler [273]. Les datations ordinairement proposées sont donc à maintenir, et Pilate est bien l'introducteur du *simpulum* et du *lituus* sur les monnaies des gouverneurs [274]. Les trois gouverneurs qui ont battu monnaie avant Pilate ont eu recours à des représentations différentes [275].

---

270. Les monnaies frappées en 30 comportent au moins trois types : 1 - module de 17 mm, 2,55 g ; 2 - module de 16 mm, 2,03 g avec la date LIZ ; 3 - module de 16 mm, 2,41 g mais avec une double frappe, de sorte que le lituus a une double crosse. Selon Y. MESHORER, *op. cit.*, p. 173 ce type de pièces de Ponce Pilate comporte souvent des fautes et des erreurs techniques. Les monnaies frappées en 31 comportent un module de 15 mm et pèsent 1,72 g.

271. Cf. A. SPIJKERMAN, Some Rare Jewish Coins, dans *Liber Annuus*, XIII, 1962-1963, pp. 298-318, aux pp. 311-312.

272. A. KINDLER, More dates on the Coins of the Procurators, dans *IEJ*, VI, 1956, pp. 54-57.

273. Par ex. le sigle HZ trouvé sur des monnaies émises sous Ponce Pilate est tout à fait compréhensible comme une gravure défectueuse de LIZ, cf. Y. MESHORER, *Jewish Coins of the Second Temple Period*, pp. 103-105 ; cf. également B. OESTREICHER, dans *IEJ*, IX, 1959, pp. 193-195. D'ailleurs A. KINDLER s'exprimait lui-même avec prudence.

274. A. KINDLER semble d'ailleurs avoir abandonné ses positions, cf. son ouvrage, *Coins of the Land of Israel*, Jérusalem, 1974, p. 94 : « Only Pontius Pilatus issued coins bearing pagan cultic ustensils, such as the lituus (augur's wand) and simpulum (libation ladle) ».

275. Coponius et Ambibulus : épi d'orge, dattier à huit branches avec deux régimes de dattes. Valerius Gratus : couronne, deux cornes d'abondance, branche avec neuf feuilles ; deux cornes d'abondance en sautoir avec un caducée entre elles, des lis. Les gravures de Félix représentent des palmes, palmiers avec six branches et deux régimes de dattes, deux boucliers et deux lances croisées.

Quelle valeur attribuer à cette différence entre les symboles du temps de Pilate et ceux des autres gouverneurs ? Le choix de ces symboles reflète-t-il une politique anti-juive de Pilate ? Les thèses les plus opposées ont été défendues. Certains ont vu dans l'ensemble du monnayage réalisé par les gouverneurs un témoignage de tolérance [276] ; d'autres auteurs n'ont pas manqué de relever l'opposition entre les représentations utilisées par les gouverneurs qui ont précédé Pilate et celles dont il s'est servi. Les premiers utiliseraient des éléments tout à fait innocents tandis que le second, en faisant figurer le *lituus* et le *simpulum*, aurait voulu heurter la conscience religieuse juive et manifesterait ainsi sa politique anti-juive [277]. *Lituus* et *simpulum* se rencontrent sur les monnaies romaines [278]. Le lituus, à l'époque d'Auguste, est l'héritier d'une longue histoire ; de simple instrument de l'augure il est devenu à la fin de la République « le symbole de la *felicitas* du chef, c'est le meilleur insigne possible du surhomme romain proche des dieux » et il figure alors sur les monnaies des « imperatores de la fin de la République ». Avec l'Empire, « il signifie qu'Auguste, comme son nouveau nom l'indiquait pour les Romains, a désormais le monopole des auspices victorieux [279] ». Il revêtait la fonction impériale d'un caractère sacré [280]. Le lien tissé entre le *lituus* et les institutions romaines empêche de considérer le bâton augural qui figure sur les monnaies romaines comme un simple élément décoratif.

Pilate recourt à ces symboles païens sur une face des monnaies ; sur l'autre, il emploie une décoration sans portée, déjà utilisée par ses prédécesseurs. Donc les monnaies de Pilate ont une face tout à fait acceptable pour des Juifs ; l'autre, beaucoup plus discutable. Ces monnaies revêtent une allure hybride : mi-juive, mi-romaine. Le recours à des symboles qui devaient apparaître typiquement païens

---

276. « Si les procurateurs avaient montré autant de tolérance dans le reste de leur administration que dans leur monnayage, la Judée se serait facilement résignée à la perte de son indépendance », T. REINACH, *Les monnaies juives*, Paris, 1887.

277. Cf. E. STAUFFER, Zur Münzprägung und Judenpolitik des Pontius Pilatus, dans *La Nouvelle Clio*, I et II, 1949-1950, pp. 495-514 ; E. Stauffer dresse un portrait exagérément sombre de Pilate. Y. MESHORER, *op. cit.*, pp. 105-106, insiste aussi sur l'aspect provocateur des monnaies de Pilate. A. KINDLER, *Coins of the Land of Israel*, p. 94, et E.M. SMALLWOOD, Some Notes on the Jews Under Tiberius, dans *Latomus*, XV, 1956, p. 328 soulignent l'aspect cultuel païen des symboles utilisés par Pilate.

278. Cf. *Coins of the Roman Empire in the British Museum*, I, *Augustus to Vitellius*, Londres, 1923, cf. Index IV et V, pp. 409-429.

279. Nous empruntons ces citations à F. RICHARD, Portus Augusti, dans *Cahiers d'histoire*, revue publiée par le Comité Historique du Centre-Est, XXII, 1977, pp. 295-311, à la p. 300. Sur le contexte religieux des monnaies, cf. D. MANNSPERGER, ROM. ET AUG. Die Selbstdarstellung des Kaisertums in der römischen Reichsprägung, dans *ANRW*, II, 1, 1974, pp. 919-996, aux pp. 940-949.

280. Sur les raisons de la disparition du *lituus* des images impériales, on lira les observations de F. RICHARD, *op. cit.*, p. 301.

aux yeux des juifs [281] ne permet pas de dire que Pilate les a introduits pour provoquer les habitants juifs de la province ; en effet, Pilate n'a pas fait frapper de monnaies avec le portrait de l'empereur, ce qui aurait été un geste provocateur intolérable pour des Juifs. En ce domaine, Pilate et les autres gouverneurs furent plus respectueux des sentiments juifs que certains Hérodes qui battirent monnaie en gravant des figures humaines, le plus souvent celle de l'empereur régnant [282]. Nous ne pourrons nous faire une idée exacte des intentions de Pilate qu'en replaçant le problème du monnayage dans l'ensemble de sa politique en Judée. Pour l'instant, relevons ces trois faits :

— Les gouverneurs qui ont précédé Pilate ont utilisé pour leurs monnaies des symboles très généraux qui ne prêtaient pas à contestation.

— Pilate a recours à des symboles utilisés pour les monnaies romaines et liés au culte impérial.

— Pilate n'a pas fait frapper de monnaies avec des représentations humaines.

Les procurateurs ont-ils utilisé les ateliers hérodiens de Jérusalem pour battre monnaie ou ont-ils frappé leurs pièces à Césarée, siège de l'administration romaine ? Il n'est pas possible de se prononcer avec certitude [283] sur le lieu de frappe des monnaies. A partir de 31, Ponce Pilate n'émet plus de monnaies [284].

---

281. Il pouvait d'ailleurs en être de même pour les boucliers figurant sur les monnaies de Félix.

282. Cf. G. F. HILL, *Catalogue of the Greek Coins of Palestine*, Londres, 1914, p. 228 (pour Hérode Philippe qui a l'excuse de ne pas avoir régné sur des Juifs) ; pp. 236 s (pour Agrippa I et Agrippa II).

283. L. Kadman a exclu les monnaies dites des procurateurs de la partie du Corpus Nummorum Palaestinensium, qui concerne Césarée, *The Coins of Caesarea Maritima*, Jérusalem, 1957.

284. E. BAMMEL, Syrian Coinage and Pilate, dans *JJS*, II, 1951, pp. 108-110, approuve la position de E. Stauffer dans l'article indiqué *supra*, p. 114, n. 277, il pense que cet arrêt des émissions de monnaies en Judée est dû à la disparition de Séjan. Celle-ci aurait placé Pilate dans une situation délicate ; il aurait été, dès lors, obligé de réviser sa politique vis-à-vis des Juifs. Sur ce rôle de Séjan, cf. *infra*, pp. 275-277.

CHAPITRE V

LA RÉSIDENCE DU GOUVERNEUR DE JUDÉE

1. UNE PROVINCE A DEUX CENTRES.

Cette province de Judée revêt un caractère très particulier quand on considère le problème de sa capitale. Dans les faits, la Judée a connu, de 6 à 66, deux capitales : Jérusalem et Césarée. Jérusalem demeure le cœur de la vie juive[1]. Les foules y montent en grand nombre pour les fêtes, la fête de Sûkkot étant vraisemblablement la plus fréquentée. La population de la ville est assez forte, peut-être de 30 à 35 000 habitants[2]. Mais face à Jérusalem se dresse Césarée, une ville qui revêt un caractère différent et dépouille l'antique cité de son rôle de capitale administrative[3] ; c'est à Césarée que réside

1. Le meilleur travail de synthèse sur cette question est l'ouvrage de J. JERE-MIAS, *Jérusalem au temps de Jésus*, pp. 89-124 : les mouvements d'étrangers.
2. Estimer la population de Jérusalem au temps des gouverneurs romains, et en particulier de 26 à 36, temps du gouvernement de Pilate, ne peut s'effectuer qu'approximativement. Parmi les essais tentés, nous en citerons trois :
— J. JEREMIAS, *op. cit.*, pp. 123-124 (épilogue 1966), part, comme dans ses études antérieures, de la superficie de la ville, mais tenant davantage compte du nombre restreint d'habitants hors les murs, il propose une population de 25 à 30 000 habitants.
— M. BROSHI, La population de l'ancienne Jérusalem, dans *RB*, LXXXII, 1975, pp. 5-14, suit un cheminement méthodologique assez semblable à celui de J. Jeremias. Ses résultats sont néanmoins quelque peu différents. Il propose 38.500 habitants au temps d'Hérode le Grand ; ce qui paraît aussi vraisemblable sous les premiers gouverneurs. Le chiffre qu'il avance pour la période qui précède la destruction du second Temple paraît forcé : 82.500 h. L'estimation qu'il donne est liée au problème si débattu du troisième mur ; de toute manière, cette période est postérieure à celle qui nous intéresse. Sur le troisième mur, cf. P. BENOIT, Où en est la question du « troisième mur » ?, dans *Studia Hierosolymitana in onore del P. Bellarmino Bagatti*, I, Jérusalem, 1976, pp. 111-126.
— J. WILKINSON, Ancient Jerusalem : Its Water Supply and Population, dans *PEQ*, CVI, 1974, pp. 33-51, donne un chiffre plus élevé pour la fin du règne d'Hérode : 70.398, mais il s'appuie sur l'évaluation des sources d'eau, ce qui est contestable.
3. Chiffrer la population de Césarée au temps des premiers gouverneurs est fort difficile.

désormais le gouverneur romain. Les premiers témoignages sur cette ville comme lieu habituel de résidence du gouverneur romain nous sont donnés à propos de Pilate[4], mais aucune raison sérieuse ne permet de penser que la situation fut différente au temps de Coponius.

A Césarée, selon la coutume romaine, les gouverneurs résidaient dans le palais des anciens souverains[5] ; tout comme les autres gouverneurs, Pilate habitait donc le palais construit par Hérode le Grand, devenu « prétoire » par le fait qu'il constituait désormais la demeure habituelle du gouverneur[6]. Quand il se déplaçait dans les villes de la province, le gouverneur romain occupait l'ancien palais royal, s'il en existait un. Ce lieu pouvait alors recevoir le nom de prétoire[7], à l'exclusion de tout autre édifice.

Le choix de Césarée comme lieu de résidence du gouverneur romain était judicieux[8]. Conçue par Hérode sur l'emplacement de la Tour de Straton, la ville était très grecque[9]. Même si des Juifs y vivaient en assez grand nombre, Césarée ne revêtait pas un caractère juif, aussi troupes d'origine païenne et gouverneur pouvaient y demeurer sans que cela soit provocant pour les Juifs. Ce choix respectait le caractère religieux de Jérusalem. Cet aspect psychologique se doublait d'un choix stratégique, car la ville était au bord de la mer ; en cas de soulèvement, le gouverneur risquait moins d'être pris dans un piège et les communications avec Rome étaient plus faciles. De plus, si cela s'avérait nécessaire, le gouverneur de Syrie pouvait atteindre Césarée plus aisément que Jérusalem.

Les fouilles réalisées à Césarée n'ont pas permis, pour l'instant, de mettre au jour quelque élément du palais d'Hérode dont nous ne connaissons l'existence que par le livre des Actes et les allusions de

---

4. *Ant.*, XVIII, 55-59 ; *BJ*, II, 169-174 ; II, 332 (pour Florus). Cf. également *Act.*, XXIII, 23-24 (pour Félix) ; XXV, 1, 13 (pour Festus).

5. Ce qui explique que l'on rencontre parfois pour désigner la résidence du gouverneur romain les termes : *ta basileia, hê aulê, hê aulê basilikê*. Sur cette pratique dans l'Empire, cf. P. Benoit, Prétoire, Lithostroton et Gabbatha, dans *RB*, LIX, 1952, pp. 531-550, à la p. 536.

6. *Act.*, XXIII, 35 ; pour les témoignages plus tardifs, cf. Lee I. Levine, *Roman Caesarea*, Jérusalem, 1975, p. 36, n. 256.

7. Sur cette question du prétoire, nous renvoyons au dossier constitué par P. Benoit, *op. cit.*, pp. 532-536.

8. Sur ce choix, cf. Lee I. Levine, *Caesarea Under Roman Rule*, Leyde, 1975, p. 19 ; Smallwood, *The Jews*, pp. 145-146.

9. Textes et fouilles montrent le caractère très païen de la ville. On connaît l'existence à Césarée du temple d'Auguste (*BJ*, I, 414 ; *Legatio*, 299-305). Les fouilles n'ont rien révélé de sa superstructure, mais elles laissent deviner son importance si l'on considère le podium créé à son intention, cf. A. Negev, dans *RB*, LXIX, 1962, p. 414. Les fouilles réalisées par le Joint Expedition to Caesarea Maritima en 1974 ont fait apparaître l'existence d'un *Mithraeum* dans une salle voûtée datant du Ier siècle de notre ère, cf. R. J. Bull, dans *RB*, LXXXII, 1975, p. 279, cependant cette salle n'a été utilisée comme *Mithraeum* que vers la fin du IIIe - début du IVe siècle.

Josèphe[10]. Si, à Césarée, la situation du palais d'Hérode demeure obscure, le problème est différent en ce qui concerne le palais royal à Jérusalem.

2. SITUATION DU PALAIS D'HÉRODE A JÉRUSALEM. DÉCOUVERTES ARCHÉOLOGIQUES.

Le palais d'Hérode à Jérusalem nous est connu, entre autres, par les textes de Josèphe. Ce palais, d'après l'historien juif, était si merveilleux qu'il est impossible de le décrire dignement ; et « d'ailleurs », poursuit-il, « le souvenir en est pénible quand on se rappelle les désastres causés par le feu qu'y allumèrent les brigands[11] ». Quand on se souvient du goût d'Hérode pour les constructions, ce témoignage de Josèphe ne surprend pas. La situation de ce palais ne fait aucun doute. Après avoir décrit les trois tours, Hippicos, Phasaël et Mariammé[12], Josèphe en vient au palais d'Hérode et le situe en ces termes : « Ces tours regardaient vers le nord, et le palais du roi était contigu à leur face intérieure, défiant toute description ; car il n'y manquait rien de ce qui pouvait rehausser la magnificence et la perfection de l'édifice. Il était tout entier ceint de murs dressés à une hauteur de trente coudées ; à la même distance s'élevaient des tours, de vastes corps de logis, pouvant recevoir même des appartements de cent lits, destinés aux hôtes[13]. » Dans le chapitre suivant de ce même livre V, Josèphe nous rappelle la situation exceptionnelle de ce palais, véritable défense de la ville haute : « Si le Temple dominait la ville comme une forteresse, l'Antonia dominait à son tour le Temple ; ceux qui gardaient ce poste gardaient aussi la ville et le Temple ; quant à la ville haute, elle avait pour défense particulière le palais d'Hérode[14]. » Le palais était donc construit sur la colline occidentale de la ville et dominait ainsi l'ensemble de Jérusalem[15]. Il est à situer sur l'emplacement de l'actuelle Citadelle, près de la porte de Jaffa, et dans le jardin arménien. Il s'étendait le long de l'actuel mur occidental, surplombant la vallée de l'Hinnom.

Pour définir la superficie exacte de cette construction et de ses

---

10. Par Josèphe, nous savons qu'Hérode fit construire des palais magnifiques à Césarée, cf. *Ant.*, XV, 331-332 ; *BJ*, I, 408, mais sur ces derniers nous ne disposons d'aucune indication plus précise.

11. *BJ*, V, 182. Josèphe, quoique émerveillé par les constructions réalisées à propos du Temple, écrit encore en parlant des constructions d'Hérode : « Son propre palais qu'il fit construire dans la partie haute de la ville, comprenait deux appartements très vastes et magnifiques, avec lesquels le Temple même ne pouvait soutenir la comparaison ; il les appela du nom de ses amis, l'un Céséréum l'autre Agrippium » (*BJ*, I, 402) ; cf. *Ant.*, XV, 318.

12. *BJ*, V, 163-176.

13. *Op. cit.*, V, 176-177.

14. *Op. cit.*, V, 245.

15. La localisation de ce palais sur la colline occidentale, véritable défense de la ville haute, ne fait aujourd'hui aucun doute. Tous les textes de Josèphe vont en ce sens, par ex. *BJ*, II, 429, 530.

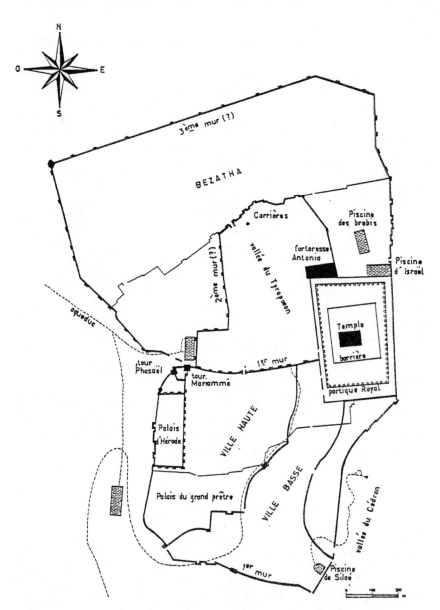

Jérusalem avant 70, d'après « Encyclopedia of Archaelogical Excavations in the *Holy Land* », II, Londres, 1976

dépendances, nous ne disposons que de peu d'indications archéologiques précises. Tentons de dresser un bilan des fouilles dans la cour de la Citadelle et dans le jardin arménien. Les fouilles dans la cour de la Citadelle ont été conduites en deux temps :
— de 1934 à 1947 par C. N. Johns [16] ;
— en 1968-1969, R. Amiran et A. Eitan réalisèrent deux campagnes de fouilles [17]. Les fouilles effectuées au jardin arménien présentent aussi de l'intérêt [18] pour le problème du palais d'Hérode, vaste ensemble de bâtiments et de jardins.

Depuis le Moyen Age, on appelle « Tour de David » la tour située à proximité de la porte de Jaffa et qui conserve encore grande allure. Les travaux et les expertises, menés par C. N. Johns, permettent d'identifier avec une grande probabilité la base de la soi-disant tour de David avec la tour Phasaël. A la suite de ses travaux archéologiques, Johns donne les chiffres suivants : pour les côtés 44 1/4 coudées, ou 41 3/4 coudées, la hauteur 42,9 coudées [19], ce qui est assez proche de la description faite par Josèphe qui parle de 40 coudées [20]. Vouloir préciser l'emplacement des autres tours est plus hypothétique ; d'après C. N. Johns, la tour Mariammé serait à situer assez près à l'est. Pour la tour Hippicos, Johns pense qu'il n'y a aucun reste qui permette d'émettre la moindre hypothèse [21].

Les deux campagnes réalisées en 1968-1969 dans la cour de la Citadelle ont apporté un élément très intéressant. Par rapport à la période hellénistique (dénommée niveau VI par les fouilleurs), la période hérodienne (niveau V-IV) est caractérisée par « l'érection d'une plate-forme (ou podium) massive qui hausse la surface totale de 3 à 4 m, au-dessus du niveau VI [22] ». Le rapport poursuit : « la plate-forme est faite principalement d'un quadrillage de hauts et forts murs ou bien plutôt de fondations, hautes de 3 à 4 m, épaisses d'un mètre et formant l'ossature... Le quadrillage des fondations servait d'un côté à tenir et à renforcer le remplissage de la plate-forme, de l'autre côté comme assise des murs des nouveaux bâtiments. Le remplissage contient une grande quantité de tessons de Fer II C jus-

---

16. On trouve une présentation des résultats de ces travaux dans *PEQ*, LXXII, 1940, pp. 36-58, et dans *QDAP*, XIV, 1950, pp. 121-190.

17. R. AMIRAN et A. EITAN, dans *IEJ*, XX, 1970, pp. 9-17 ; dans *RB*, LXXVII, 1970, pp. 564-570 (le texte est presque identique à celui de *IEJ*, 1970) ; et dans *IEJ*, XXII, 1972, pp. 50-51.

18. Les travaux ont été dirigés par D. BAHAT et M. BROSHI, cf. *RB*, LXXVIII, 1971, pp. 598-599 ; *RB*, LXXIX, 1972, pp. 578-581 ; *IEJ*, XXII, 1972, pp. 171-172.

19. *QDAP*, XIV, 1950, pp, 140-141.

20. La coudée donnée par Josèphe serait l'équivalent de la coudée attique, soit 46 cm.

21. L. H. VINCENT, *Jérusalem de l'A. T. Recherches d'archéologie et d'histoire*, Paris, 1954, 1ʳᵉ partie, p. 231, approuve les conclusions de C. N. Johns en ce qui concerne Phasaël et Mariammé, mais croit pouvoir rassembler quelques données qui permettraient de situer Hippicos.

22. R. AMIRAN et A. EITAN, dans *RB*, LXXVII, 1970, p. 567.

qu'à la période hérodienne[23]. » Ce niveau a été détruit par un incendie. Monnaies et autres trouvailles permettent de rattacher cet incendie à la chute de Jérusalem en 70[24]. A peu près à la même époque, fouillant dans la partie sud du jardin arménien, A. D. Tushingham avait noté les problèmes soulevés par la présence de murs en pierre dont la hauteur était encore assez remarquable. R. Amiran et A. Eitan[25] se sont demandé s'il ne fallait pas rapprocher les deux plates-formes mises au jour, elles seraient des éléments de la plate-forme réalisée en vue de l'édification du palais d'Hérode. Dan Baḥat, à la suite de la fouille de sauvetage qu'il accomplit dans le jardin arménien, et après avoir découvert des murs semblables à ceux trouvés dans le secteur sud du même jardin et à la Citadelle, écrit : « Tous ces murs doivent sans doute être mis en relation avec un vaste bâtiment public dont le podium (ou l'assise) était construit sur le lit de roc avec un soubassement de murs entrecroisés et un remblai de terre dans les interstices... Ces vestiges de soubassement du podium pourraient appartenir au palais d'Hérode que d'anciens textes situent en cet endroit[26]. » M. Broshi s'oriente aussi dans ce sens là[27]. D'ailleurs, deux données extérieures aux fouilles soutiennent l'hypothèse de la mise au jour d'éléments qui constituaient la plate-forme aménagée en vue de l'édification du palais d'Hérode[28]. En effet, les textes si précieux de Flavius Josèphe situent l'édifice dans cette région ; de plus, nous retrouvons là une technique employée par Hérode pour ses constructions. Dans leur ensemble, ces fouilles rejoignent les indications de Josèphe, elles permettent aussi de mieux comprendre l'émerveillement de l'historien juif quand il parle du palais d'Hérode à Jérusalem.

3. Palais d'Hérode et résidence des gouverneurs a Jérusalem.

Le palais d'Hérode était-il le lieu de résidence des gouverneurs quand ils séjournaient à Jérusalem ? Cette question présente un intérêt d'autant plus grand pour notre étude que plusieurs épisodes du gouvernement de Pilate sont liés à son lieu de résidence à Jérusalem : l'affaire des boucliers dorés, l'épisode de l'aqueduc et aussi le procès de Jésus de Nazareth.

---

23. R. Amiran et A. Eitan, op. cit., 567.
24. Le niveau V n'intéresse pas notre propos, il concerne un sol situé dans la partie sud-ouest du champ de fouilles.
25. IEJ, XXII, 1972, pp. 50-51.
26. D. Baḥat, dans RB, LXXVIII, 1971, p. 599.
27. RB, LXXIX, 1972, pp. 578 s.
28. M. Broshi donne les indications suivantes pour les dimensions de la plate-forme « qui soutient le palais », elle « a 200 m de long et au moins 60 m de large. Elle est constituée par d'énormes murs de soubassement, larges de 2 m et conservés jusqu'à une hauteur de 3,50 m », dans RB, LXXIX, 1972, pp. 578-579. Depuis, M. Broshi a trouvé à l'extérieur de l'enceinte actuelle, au pied du mur turc, un mur de renforcement qu'il attribue à Hérode.

Ce palais d'Hérode, depuis 6 ap. J.-C., n'était plus utilisé par les souverains locaux, et le lieu de résidence ordinaire des gouverneurs était Césarée. Mais, au moins à l'occasion des grandes fêtes, le gouverneur était appelé à monter à Jérusalem. Son déplacement était nécessité par les problèmes urgents posés par l'arrivée de nombreuses foules juives à ces occasions. La localisation du lieu de résidence du gouverneur à Jérusalem a donné lieu à de vives discussions parmi les exégètes du Nouveau Testament, car à la solution de ce problème est liée la localisation du lieu d'où Jésus de Nazareth partit vers le Calvaire, à la suite de sa condamnation par Pilate[29]. Nous disposons de plusieurs textes qui disent explicitement ou suggèrent que la résidence du gouverneur ne pouvait être que le palais d'Hérode.

Avant même d'examiner les différents textes, nous devons remarquer à la suite de P. Benoit que la topographie même des lieux invitait le gouverneur à résider avec sa garde personnelle, au palais d'Hérode. Ce palais, comme le signale Josèphe et le confirment les fouilles effectuées, était situé sur un lieu qui domine l'ensemble de la cité. Pour celui qui avait la responsabilité dernière du maintien de l'ordre, aucune situation ne pouvait mieux convenir ; de plus, ce palais, jadis occupé par les souverains locaux, convenait bien pour accueillir celui qui aujourd'hui représentait le pouvoir[30].

Un des textes les plus clairs est la lettre d'Agrippa que nous trouvons dans la *Legatio ad Caium*. Quand Agrippa aborde le parallèle entre l'affaire des boucliers et celle de la statue que Caius veut ériger, il écrit : « *Kai tote men hê anathesis en oikiai tôn epitropôn ên.* » « Alors, l'installation avait eu lieu dans la résidence des gouverneurs[31]. » Or, précédemment[32] Agrippa dit que la dédicace s'est déroulée dans le palais d'Hérode ; on ne peut pas être plus ferme pour identifier le palais d'Hérode et la résidence des gouverneurs. Un texte de Josèphe est aussi très net[33]. L'événement, raconté en ce texte, se situe au moment où la révolte juive prend naissance : « ce fut alors que la guerre prit naissance, la douzième année du principat de Néron, la dix-septième du règne d'Agrippa, au mois d'Artémisios[34] », donc en avril-mai 66. Le gouverneur est Gessius Florus. Josèphe fait un portrait peu flatteur de cet homme, il voit dans les exactions commises par Florus la cause directe de la guerre. Non content d'avoir allumé l'incendie à Césarée, en laissant s'opposer Grecs et Juifs, il « envoya prendre dans le trésor sacré dix-sept talents, prétextant le service de

---

29. P. BENOIT, Prétoire, Lithostrôton et Gabbatha, dans *RB*, LIX, 1952, pp. 531-550, a constitué sur cette question de la résidence du gouverneur à Jérusalem un dossier décisif ; cf. également A. VANEL, Prétoire, dans *DBS*, VIII, 1969, col. 513-554.

30. Cf. *supra*, pp. 117-118.

31. A. PELLETIER, *Legatio*, 306, p. 279.

32. *Legatio*, 299.

33. *BJ*, II, 301.

34. *BJ*, II, 284.

l'empereur [35] ». Ce geste eut pour conséquence de provoquer une véritable agitation dont profitèrent quelques factieux. Inquiets, les habitants de Jérusalem partirent à la rencontre de Florus pour lui manifester leur soumission. Ce dernier, selon son habitude, fut menaçant à l'égard de ces gens qui venaient à sa rencontre, il leur fit transmettre un message violent et les fit charger par les cavaliers. Ayant raconté ces différentes péripéties, Josèphe poursuit : « Florus prit son quartier au palais royal ; le lendemain, il fit dresser devant cet édifice un tribunal où il prit place [36]. » Deux termes présentent de l'intérêt pour notre recherche : le lieu où s'arrête Florus à Jérusalem est le palais royal, *en tois basileiois* ; et il fait dresser un *bêma* devant l'édifice. Cet incident nous assure qu'une place s'étendait devant le palais, car Florus « osa ce que nul avant lui n'avait fait : il fit fouetter devant son tribunal et clouer sur la croix des hommes de rang équestre qui, fussent-ils Juifs de naissance, étaient revêtus d'une dignité romaine [37]. » P. Benoit a d'ailleurs remarqué que, même sans ces témoignages, il est difficile de supposer le palais pris immédiatement dans les maisons et les ruelles [38].

Ce récit, portant sur l'activité de Gessius Florus, éclaire un texte qui ne dit rien d'explicite sur le lieu de résidence de Pilate. Ce texte rapporte un événement qui se situe fort bien dans un cadre semblable à celui qui est décrit par Josèphe lors du séjour à Jérusalem de Gessius Florus. Au moment de l'affaire de l'aqueduc [39], Pilate est juché sur l'estrade de son tribunal ; autour de lui, une foule menaçante s'est rassemblée, Pilate, alors, prend soin de mêler ses propres soldats à la foule. Les lieux, décrits à l'occasion de la flagellation et de la crucifixion des hommes de rang équestre par Florus, conviennent bien pour une telle scène. Le dernier texte qui permet d'identifier avec certitude résidence des gouverneurs et palais d'Hérode, rapporte un événement bien antérieur. En 4 av. J.-C., lors de la révolte contre le procurateur Sabinus, il ne fait aucun doute que le lieu de résidence de ce dernier est bien le palais d'Hérode [40] où il fut assiégé [41].

Ces textes, joints aux données d'ordre stratégique, situent avec précision le lieu de résidence des gouverneurs à Jérusalem [42]. Quand les circonstances les amenaient à monter à Jérusalem, les gouverneurs résidaient au palais d'Hérode ; Pilate fit de même.

---

35. *BJ*, II, 293.
36. *BJ*, II, 301.
37. *BJ*, II, 308.
38. P. Benoit, *op. cit.*, dans *RB*, LIX, 1952, p. 542.
39. Nous reviendrons sur cet incident, cf. *BJ*, II, 175-177 ; *Ant.*, XVIII, 60-62.
40. *Ant.*, XVII, 222.
41. *Op. cit.*, 257.
42. On a parfois voulu opposer à ces textes, un autre texte de Josèphe qui relate un incident survenu sous le procurateur Ventidius Cumanus (48-52). P. Benoit a montré que ce texte ne pouvait pas être invoqué comme un témoignage favorable à un autre lieu de résidence, cf. P. Benoit, *op. cit.*, dans *RB*, LIX, 1952, pp. 539-540.

CHAPITRE VI

L'ACTIVITÉ DE PILATE
AVANT SON ARRIVÉE EN JUDÉE

Pilate fut envoyé par Tibère pour succéder à Valerius Gratus, mais les textes ne nous donnent aucun renseignement sur son activité antérieure. Ce gouverneur était de l'ordre équestre[1]. Avec le principat, l'influence de l'ordre équestre s'accroît. Au début du principat, les membres de cet ordre pouvaient suivre deux carrières distinctes :

— la carrière procuratorienne où ils s'occupaient de questions financières ;

— la carrière militaire qui pouvait les conduire à une charge administrative[2]. Parler de carrière est quelque peu anachronique. En effet les membres de l'ordre équestre ne suivaient pas au temps de Tibère un cursus systématique où mérites et compétences dans des postes antérieurs conduisaient à un avancement. Notre conception de l'organisation administrative de l'Empire risque toujours d'être faussée, soit par les idées modernes, soit par l'image d'une organisation plus tardive, déjà perceptible sous Claude, mais qui n'atteindra son épanouissement qu'avec Hadrien. Les carrières dépendent plus du bon vouloir du prince et des influences que d'un cursus bien établi.

La mise en place de préfets sous Auguste est liée à des besoins militaires. En un premier temps, le préfet de cités ou de région est d'abord un chef militaire qui, en plus de cette activité, a reçu la charge d'une région à gouverner. Un lien étroit est donc mis, tout d'abord, entre le commandement militaire et l'administration d'une région ; la seconde est dans la droite ligne du premier. Sous Tibère, la situation se modifie quelque peu. Après avoir effectué une carrière militaire, un membre de l'ordre équestre peut recevoir en charge

1. Cf. *supra*, pp. 35-36.
2. Nous laissons de côté la question des grandes préfectures, confiées à des membres de l'ordre équestre : dès le début de l'Empire, préfecture d'Égypte ; plus tard, préfecture du prétoire (2 av. J.-C.), préfecture des vigiles (6 ap. J.-C.), préfecture de l'annone (après 7 ap. J.-C.).

l'administration d'une région particulière, tel est sans doute le cas de Pilate ; en effet, pour les hommes dont on a pu tracer la carrière sous Auguste et Tibère, il semble qu'un même homme a, en général, été maintenu dans la même ligne d'activité[3]. Donc Pilate exerça probablement une activité d'ordre militaire avant de recevoir le gouvernement de la Judée. Cette manière de procéder, qui apparaît la plus courante, n'a certes pas été absolue. L'absence de données directes sur la carrière de Pilate ne peut pas être suppléée par des parallèles, car « nous ne possédons aucun cursus d'un des titulaires » du poste[4] de gouverneur de Judée ; le cas de Tiberius Alexander[5] est trop particulier pour être exemplaire. Aussi pouvons-nous tout au plus prêter à Pilate un cursus du genre de celui de L. Vibrius Punicus[6], « praefectus equitum, primipile, tribun militaire et enfin préfet de Corse[7] », mais cela reste hypothétique.

Pilate arriva en Judée en 26[8]. Ignorant les dates exactes du temps de gouvernement du prédécesseur de Pilate[9], le plus sûr pour fixer l'arrivée de Pilate en Judée est de préciser celle-ci en tenant compte de l'année où il quitte la province. Pilate part de Judée à la fin de 36 ou au début de 37[10] ; selon Josèphe, Pilate avait alors effectué un séjour de 10 ans[11]. Ce chiffre donné par l'historien juif paraît

3. Sur l'aspect parallèle de ces carrières, cf. PFLAUM, *Procurateurs*, p. 28. Cet auteur reprend une observation de A. N. Sherwin-White : « Passant en revue tous les cursus équestres des règnes d'Auguste et de Tibère, le savant anglais a en effet constaté que les carrières des *praefecti ciuitatium*, des procurateurs financiers et des fonctionnaires d'Égypte étaient distinctes entre elles. Chacun de ces hommes reste, autant que nous le sachions, confiné dans sa spécialité. »

4. PFLAUM, *Procurateurs*, p. 150. Dans le domaine prosopographique, nous sommes assez pauvres en ce qui concerne la Judée, cf. la brève mise au point de H. G. PFLAUM, dans *ANRW*, II, 1, 1974, p. 127.

5. PFLAUM, *Carrières*, pp. 46-49.

6. *CIL*, XII, 2455.

7. PFLAUM, *Carrières*, p. 27.

8. A propos de l'arrivée de Pilate, Eusèbe nous indique deux dates différentes. Dans son *Histoire Ecclésiastique*, I, IX, 2, il parle de la 12e année de Tibère (25-26 ap. J.-C.) ; dans sa *Chronique*, de la 13e année, cf. EUSÈBE, *Chronique*, éd. R. HELM, *Eusebius Werke*, VII, GCS XLVII, Berlin, ²1956, p. 173.

9. U. HOLZMEISTER, Wann war Pilatus Prokurator von Judaea ?, dans *Bib.*, XIII, 1932, pp. 228-232, a cru pouvoir situer, d'une manière sûre, le gouvernement de Valerius Gratus entre 15 et 26. Selon cet auteur, les gouverneurs, nommés par Auguste, perdirent leur fonction à sa mort. Mais Tibère a pris ses fonctions trop tard pour pouvoir nommer en l'an 14, le successeur d'Annius Rufus, il ne le fit qu'en 15. Faisant alors appel au témoignage de JOSÈPHE (*Ant.*, XVIII, 35), on arrive en l'an 26 comme terme du gouvernement de Valerius Gratus. E. M. SMALLWOOD, The Dismissal of Pontius Pilatus, dans *JJS*, V, 1954, p. 12, n. 5, a fait une critique précise de cette position qui suppose comme sûres plusieurs données hypothétiques : — les gouverneurs perdaient-ils leur poste à la mort de l'empereur ? — De plus, Annius Rufus a pu être confirmé dans sa charge par le nouvel empereur, comme cela est arrivé dans des cas semblables.

10. Cf. *infra*, pp. 241-245.

11. *Ant.*, XVIII, 89.

précis [12]. P. L. Maier a voulu voir dans l'envoi de Pilate en Judée un acte de Séjan qui aurait cherché à implanter sa politique anti-juive dans ce pays [13]. L'hypothèse est ingénieuse, mais fragile, car elle ne s'appuie sur aucun témoignage [14].

12. Pour Valerius Gratus, prédécesseur immédiat de Ponce Pilate, Josèphe ne donne pas un chiffre global, cf. *Ant.*, XVIII, 35. On peut donc supposer que les 10 ans, rapportés comme temps de séjour de Pilate, ne sont pas une indication arrondie.

13. P. L. MAIER, Sejanus, Pilate and the Date of the Crucifixion, dans *Church History*, XXXVII, 1968, p. 9 ; P. L. MAIER, The Episode of the Golden Roman Shields at Jerusalem, dans *HThR*, LXII, 1969, pp. 114-115 ; cette vue repose sur un a priori : Pilate a mené une politique volontairement vexatoire à l'égard des Juifs, or cette affirmation devrait d'abord être démontrée.

14. Sur les liens Pilate-Séjan, cf. *infra*, pp. 275-276.

PILATE D'APRÈS LES TEXTES LITTÉRAIRES DU Ier SIÈCLE ET DU DÉBUT DU IIe SIÈCLE

L'étude réalisée dans la première partie de notre travail a été l'occasion de situer Ponce Pilate dans le cadre général de l'histoire de la province romaine de Judée de 6 à 66 de notre ère. Quelques textes littéraires du Ier siècle et du début du IIe siècle nous permettent cependant de mieux connaître ce personnage, et de montrer comment certaines de ses actions sont conditionnées par les devoirs même de sa charge. En effet Philon et Flavius Josèphe nous rapportent quelques épisodes de son gouvernement. A ces deux témoignages, nous ajouterons ceux de l'historien romain Tacite et des textes évangéliques. Cet ensemble de textes littéraires nous fait connaître en tout six épisodes de l'activité de Pilate en Judée.

Philon d'Alexandrie (environ 13 av. J.-C. - environ 54 ap. J.-C.) a été d'abord un exégète et un apologiste du judaïsme ; dans son œuvre, importante et vaste, se trouvent deux ouvrages historiques et souvent rapprochés, l'*In Flaccum* et la *Legatio ad Caium*[1]. L'unité de ce second ouvrage provient du personnage central du récit, *Caius Caesar Germanicus* dit « Caligula » ; or ce texte contient un témoignage important sur l'activité de Pilate en Judée (299-305). Il s'agit d'un incident couramment appelé « l'affaire des boucliers dorés »[2].

L'œuvre de Flavius Josèphe (37 ap. J.-C. - ap. 100) constitue notre source fondamentale pour l'histoire de la Judée au Ier siècle de notre ère, comme l'a prouvé la première partie de notre travail. « Si l'on mesure la valeur d'un historien au nombre et à l'importance des informations dont on lui est redevable, il est peu d'historiens qui puissent être comparés à Flavius Josèphe[3] », cette remar-

---

1. Sur le rapport entre ces deux ouvrages, cf. PELLETIER, *Legatio*, pp. 18-21.
2. Pour étudier ce texte, nous disposons de l'édition critique donnée par S. Reiter, dans l'édition des œuvres complètes de Philon par L. Cohn et P. Wendland, *Philonis Alexandrini Opera quae supersunt ediderunt* L. COHN et P. WENDLAND, édition publiée à Berlin entre 1896 et 1915. S. Reiter a donné l'édition de la *Legatio ad Caium* dans le VIe volume, publié en 1915. L'édition a été complétée en 1926 et 1930 par des *Indices* qui constituent le vol. VII. Cette édition est le texte de base retenu par deux traducteurs-commentateurs récents de cette œuvre, E. M. Smallwood et A. Pelletier : — *Philonis Alexandrini Legatio ad Gaium*, edited with an Introduction, Translation and Commentary by E. Mary SMALLWOOD, Leyde, 1961, ²1970. Nous utilisons la seconde édition. — *Legatio ad Caium*, Introduction, traduction et notes par A. PELLETIER, Paris, 1972, dans la collection *Les œuvres de Philon d'Alexandrie publiées sous le patronage de l'Université de Lyon*, Paris, 1961 ss. Sauf indication contraire, nous citons la traduction de A. Pelletier dont nous utilisons largement les travaux.
3. Th. REINACH, *Avant-propos, Œuvres complètes de Flavius Josèphe*, Paris, 1900, p. I.

que de Théodore Reinach qui vise l'ensemble de l'œuvre de Josèphe demeure vraie pour l'histoire de Pilate auquel il consacre quelques passages de la Guerre des Juifs et des Antiquités Judaïques [4]. Après avoir mentionné l'arrivée de Pilate en Judée comme successeur de Valerius Gratus [5], Josèphe décrit avec une assez grande précision trois épisodes de son gouvernement : l'introduction des effigies de César à Jérusalem [6], la construction d'un aqueduc pour approvisionner Jérusalem en eau [7], le massacre des Samaritains [8]. A la suite des plaintes des Samaritains, provoquées par ce massacre, Pilate est obligé d'aller s'expliquer à Rome devant l'empereur [9]. Enfin, Josèphe fait une dernière allusion à Pilate, à propos de la politique de Tibère à l'égard des gouverneurs de province [10].

Si pour les divers épisodes de l'activité de Pilate, mentionnés jusqu'ici, nous ne disposons dans chaque cas que d'un seul témoignage, il n'en va pas de même en ce qui concerne la participation de ce gouverneur à la Passion et à la mort de Jésus de Nazareth, attestée par des textes de nature et d'importance très diverses. Tandis que la tradition évangélique [11] décrit l'événement avec complaisance et trace à cette occasion un portrait de Pilate, c'est incidemment que Tacite (vers 55 ap. J.-C. - vers 120 ap. J.-C.) y fait référence [12]. Le témoignage de Josèphe sur ce même épisode est appelé aujourd'hui « *Testimonium Flavianum* » [13] ; mais l'authenticité de ce texte a été très discutée : interpolation, modification d'un texte primitif [14]...

Dans notre recherche, nous tenterons de suivre l'ordre chrono-

---

4. Cf. A. SCHALIT, *A Complete Concordance to Flavius Josephus*, suppl. I, *Namenwörterbuch zu Flavius Josephus*, Leyde, 1968, p. 98. *BJ*, II, 169. 171. 171. 172. 173. 174. 175.
Ant., XVIII, 35. 55. 56. 59. 62. [64]. 87. 87. 88. 88. 89. 89. 177. A. Schalit, avec raison, met entre parenthèses la référence d'*Ant.*, XVIII, 64 qui est un renvoi au « *Testimonium Flavianum* ». Sur l'utilisation possible de ce texte cf. *infra*, pp. 174-177. Pour l'étude des textes de Josèphe, nous suivons le texte grec donné par B. Niese, en indiquant quelques variantes possibles quand cela s'avère utile pour une exacte compréhension des textes : *Flavii Josephi Opera* edidit et apparatu critico instruxit B. NIESE, Berlin 1887 ss. La *Guerre des Juifs* constitue le vol. VI, 1894 ; le livre XVIII dans *Antiquités Judaïques* a été édité dans le vol. IV, 1890. Nous utilisons aussi l'édition de la Loeb Classical Library, *The Jewish War, books I-III*, Londres, 1927, ⁴1967 ; cet ouvrage est le volume II de la collection. Pour le livre XVIII des *Antiquités*, cf. le vol. IX de la même collection, avec une traduction anglaise de L. H. FELDMAN, Londres, 1965. L'édition allemande d'O. MICHEL et O. BAUERNFEIND nous a été parfois utile en raison de ses notes : *Flavius Josephus, De bello Judaico*, Griechisch und Deutsch, Band I, Buch I-III, Munich, 1959, ²1962.
5. *Ant.*, XVIII, 35.
6. *BJ*, II, 169-174 ; *Ant.*, XVIII, 55-59.
7. *BJ*, II, 175-177 ; *Ant.*, XVIII, 60-62.
8. *Ant.*, XVIII, 85-89.
9. *Ant.*, XVIII, 89.
10. *Ant.*, XVIII, 177.
11. *Mt.*, XXVII, 1 ss //.
12. *Ann.*, XV, 44 ; texte et traduction de H. GOELZER, dans TACITE, *Annales*, livres XIII-XVI, Paris, 1925.
13. *Ant.*, XVIII, 64.
14. Cf. *infra*, pp. 174-177.

logique de ces épisodes. Les Antiquités Judaïques nous offrent un point de départ possible pour une telle organisation des trois incidents rapportés ; le dernier, le massacre des Samaritains, se situe vers la fin du séjour de Pilate en Judée ; si, faute d'autres témoignages, il est préférable de laisser liés les deux premiers épisodes [15], les points de repère chronologique ne manquent pas pour l'exécution de Jésus de Nazareth et la dédicace des boucliers dorés.

Pour situer la date de la mort de Jésus de Nazareth, les textes évangéliques constituent notre principale source, mais ils posent de nombreux problèmes. Plusieurs hypothèses ont été proposées [16] par suite de la discordance entre les Synoptiques et Jean. Cependant, la chronologie johannique semble préférable. Le témoignage de Jean XVIII, 28 et plusieurs éléments du récit de la passion conduisent à penser que, l'année de la mort de Jésus, le repas pascal a été célébré le vendredi puisque, selon *Jn*, XIX, 31 ss, Jésus meurt le jour de la Préparation, une année où la Pâque coïncide avec le sabbat. Cette coïncidence s'est produite deux fois à cette époque, le 8 avril 30 et le 4 avril 33. La seconde date est sans doute trop tardive [17], et il est donc vraisemblable que Jésus est mort le vendredi 7 avril 30. Si l'on suit la chronologie des Synoptiques, Jésus serait mort plutôt le 27 avril 31. Pour notre recherche, ces différences ne jouent pas un rôle capital et nous nous contentons de situer ce fait en 30 ou 31. Quant au *Testimonium Flavianum*, il situe cette crucifixion après l'affaire de l'aqueduc, mais sans aucun lien chronologique strict (*kata touton ton chronon*).

Quand se produit l'affaire des boucliers dorés, Pilate a déjà séjourné un certain temps en Judée, puisqu'il redoute qu'une ambassade des Juifs à Tibère soit l'occasion de fournir « les preuves de sa culpabilité pour tout le reste de son administration [18] ». Un autre indice invite à situer cet épisode assez tard dans la carrière de Pilate en Judée, au moins après 31. Lors de cet incident, les Juifs proposent d'envoyer une ambassade à Tibère. Or un tel projet eût été inconcevable, de leur part, du vivant de Séjan que Tibère fit mettre à mort

15. *BJ* et *Ant.*, les rapportent l'un à la suite de l'autre. En *BJ*, II, 175, Josèphe lie les deux épisodes par *meta de tauta*. P. L. MAIER, The Episode of the Golden Roman Shields at Jerusalem, dans *HThR*, LXII, 1969, p. 109, situe l'incident des effigies peu de temps après l'arrivée de Pilate en Judée en 26 ; il accepte la date proposée par C. H. KRAELING, The Episode of the Roman Standards at Jerusalem, dans *HThR*, XXXV, 1942, p. 283.

16. Cf. un status quaestionis sur ce débat dans J. BLINZLER, *Le procès de Jésus*, pp. 97-112 : la date du procès de Jésus.

17. Cf. Jn, II, 20. P. L. MAIER, Sejanus, Pilate and the Date of the Crucifixion, dans *Church History*, XXXVII, 1968, pp. 3-13, a tenté de défendre cette seconde date, mais son utilisation du repère chronologique donné par Jn, II, 20 n'est pas satisfaisante. La reconstruction du Temple a commencé en 20-19 av. J.-C., cf. *Ant.*, XV, 380 ; les 46 ans donnés par Jean nous conduisent à la Pâque de 28, et non pas vers 29-30, cf. R. E. BROWN, *The Gospel according to John I-XII*, New York, 1966, p. 116 ; R. SCHNACKENBURG, *Das Johannesevangelium*, Fribourg-Bâle-Vienne, 1965, p. 366.

18. « kai tês allês... epitropês » *Legatio*, 302.

en 31 alors qu'il avait acquis une grande puissance [19], car il eut une politique hostile aux Juifs [20].

Ces différentes observations permettent de proposer comme vraisemblable la succession suivante :

1. les effigies de César ;
2. la construction de l'aqueduc ;
3. l'exécution de Jésus de Nazareth ;
4. les boucliers dorés ;
5. le massacre des Samaritains ;
6. l'envoi de Pilate à Rome pour s'expliquer devant l'empereur.

Dans notre étude nous suivrons cette succession chronologique.

Nous laissons de côté un épisode auquel Luc fait allusion dans son Évangile [21]. Selon lui, Pilate fit périr des Galiléens en mêlant leur sang à celui de leurs victimes. Nous ne faisons pas d'étude particulière de cet épisode, car le laconisme dont fait preuve Luc en ce passage ne nous permet pas de porter un jugement sur les motifs de l'intervention du gouverneur. Ce texte vient cependant confirmer que le temps de gouvernement de Pilate ne manqua pas de trouble, quoi qu'en dise Tacite [22].

Les deux premiers épisodes nous obligent à comparer systématiquement des passages de deux œuvres de Josèphe, la Guerre des Juifs et les Antiquités Judaïques. Avant d'entreprendre une analyse détaillée de ces textes, il est utile de rappeler dans quelles circons-

---

19. Cf. H. W. HOEHNER, *Herod Antipas*, Cambridge, 1972, pp. 179-180.

20. Cf. PHILON, *Legatio*, 160. E. SMALLWOOD, *Legatio ad Gaium*, p. 245, voit dans la finale de l'épisode des boucliers dorés un indice du changement de la politique de Tibère vis-à-vis des Juifs après la mort de Séjan. La suggestion de A. D. Doyle de situer cet événement à la Pâque 32 et de reconnaître dans cet incident la cause de l'inimitié entre Hérode Antipas et Pilate à laquelle fait allusion Lc, XXIII, 12 est sans fondement. Il faudrait d'abord montrer que la mort de Jésus s'est située après Pâque 32, cf. A. D. DOYLE, Pilate's Career and the Date of the Crucifixion, dans *JThS*, XLII, 1941, pp. 190-193. Avec plus de nuances, H. W. HOEHNER, *Herod Antipas*, Cambridge, 1972, pp. 180-181, défend une position assez semblable à celle de A. D. Doyle sur le rôle de l'épisode des boucliers dans l'inimitié de Pilate et d'Hérode Antipas. Sur la politique de Tibère vis-à-vis des Juifs et le rôle de Séjan, cf. *infra*, pp. 221-225.

21. Lc, XIII, 1-2. Les divers essais tentés pour rapprocher l'événement auquel Luc fait allusion et un des faits, connus par la littérature profane, ne peuvent donner lieu qu'à de libres fantaisies, cf. par ex. A. H. M. JONES, *The Herods of Judaea*, Oxford, 1938, p. 173, qui rapproche Luc, XIII, 1-2 et le massacre qui suivit les protestations contre l'édification de l'aqueduc ; A. T. OLMSTEAD, *Jesus in the Light of History*, New York, 1942, pp. 147-149, fait le même rapprochement, et, de plus, voit dans cet épisode l'origine de l'inimitié entre Pilate et Hérode Antipas, mentionnée en Lc, XXIII, 12. SMALLWOOD, *The Jews*, p. 163, ne rapproche qu'avec grande prudence Lc, XIII, 1-2 et l'épisode de l'aqueduc, mais elle suggère que ce massacre des Galiléens peut expliquer l'inimitié de Pilate et d'Antipas, ce dernier aurait été blessé par le fait que Pilate ait fait massacrer quelques-uns de ses sujets. Ces suggestions sont en fait invérifiables. J. Blinzler a longuement analysé ce texte de Luc, cf. J. BLINZLER, Die Niedermetzelung von Galiläern durch Pilatus, dans *NT*, II, 1957-1958, pp. 24-49.

22. « Sub Tiberio quies », TACITE, *Hist.*, V, 9.

tances et dans quel esprit Josèphe les a écrites[23]. Après l'écrasement de la révolte juive, Josèphe s'installe à Rome ; il y est considéré comme un personnage officiel, honoré du droit de cité, recevant une pension de l'empereur, logé par ce dernier[24], si bien que la « Guerre des Juifs » peut être considérée comme l'œuvre d'un historiographe au service de Vespasien. L'ouvrage parut sans doute entre 75 et 79, c'était la reprise en grec d'un essai plus bref, rédigé primitivement dans la langue maternelle de Josèphe « à l'usage des Barbares de l'intérieur », c'est-à-dire « les Parthes, les Babyloniens, les Arabes les plus éloignés », ses « propres compatriotes habitant au-delà de l'Euphrate, les Adiabéniens[25] ». Pour la rédaction en grec de l'ouvrage actuel, Josèphe se fit « aider par quelques personnes[26] ».

La Guerre des Juifs comprend deux parties assez distinctes : un panorama de l'histoire juive des Maccabées à la révolte, la description détaillée de la révolte et de la lutte contre les Romains. Pour cette seconde partie, Josèphe utilise ses notes et souvenirs en les complétant à l'aide de sources qui proviennent des Romains. Dans le préambule, Josèphe insiste sur la valeur historique de son œuvre, car il a été contemporain des événements rapportés et mêlé à cette histoire[27]. De plus, Josèphe a offert à Vespasien, à Titus et à d'autres acteurs de la guerre juive un exemplaire de l'ouvrage que plusieurs Juifs, initiés aux lettres grecques, ont acheté. Selon Josèphe, ces faits garantissent la valeur historique de la « Guerre des Juifs », car il n'a pas craint la critique des témoins, tant son œuvre est véridique[28]. Cependant, ces déclarations de principe ne doivent pas nous induire en erreur, nous sommes en présence d'une chronique au service des bienfaiteurs de Josèphe, Vespasien et Titus, à qui l'œuvre donne un beau rôle ; de plus, elle doit aussi servir, dit-il, à maintenir le calme dans l'Empire[29]. Voulant atteindre un public romain et susciter sa bienveillance, Josèphe prend toujours position contre ce qu'il estime être excès des nationalistes ; il passe sous silence le rôle important que joua à cette époque l'espérance messianique. Josèphe est au service des empereurs, mais il n'en oublie pas pour autant ses origines, il est aussi l'apologiste des Juifs et du judaïsme. Les « Antiquités Judaïques » le prouvent.

Ce second ouvrage doit montrer l'antiquité de la nation juive et couvre les temps qui vont de la création du monde à l'éclatement de

---

23. Pour une vue d'ensemble sur l'œuvre et la personnalité de Josèphe, cf. H. S. J. THACKERAY, *Josephus, the Man and the Historian*, 1929, rééd, New York, 1967 ; R. H. J. SHUTT, *Studies in Josephus*, Londres, 1961 ; A. SCHALIT, Josephus Flavius, dans *Encyclopaedia Judaica*, X, 1971, col. 251-263 ; *Zur Josephus-Forschung*, hgb von A. SCHALIT, Darmstadt, 1973 ; P. VIDAL-NAQUET, Du bon usage de la trahison dans *Flavius* JOSÈPHE, *La Guerre des Juifs*, Paris, 1977, pp. 7-115.
24. *Autobiographie*, 423.
25. Cf. *BJ*, Préambule, 3 et 6. Ce premier essai était donc écrit en araméen.
26. *Contre Apion*, I, 50.
27. Cf. *BJ*, Préambule, 15-16.
28. *Contre Apion*, I, 50-52.
29. *BJ*, Préambule, 3.

la révolte en 66, mais la période des Maccabées à la révolte juive est présentée avec plus de détails que dans la partie correspondante de la Guerre des Juifs. Josèphe a recours à trois sources principales : l'Ancien Testament pour la période primitive, le premier livre des Maccabées et les écrits de Nicolas de Damas pour la période allant de 175 av. J.-C. à la mort d'Hérode. Cet ouvrage a été publié en 93/94 à une époque où Josèphe ne bénéficie plus de la protection impériale, il est alors l'obligé d'un certain Epaphrodite [30]. Josèphe a donné deux éditions de cet ouvrage, la date de la première a été indiquée ci-dessus ; la seconde, au début du second siècle, comprenait en outre l'Autobiographie [31]. La première édition des Antiquités se terminait par les §§ 258, 267-268 du livre XX, alors que la seconde ne comportait pas le § 258 et s'achevait par les §§ 259-266 qui introduisaient l'Auto-biographie qui prenait fin avec la première partie du § 430. La deu-xième partie du même paragraphe constituait la conclusion finale de l'ensemble de l'ouvrage. L'enchevêtrement des deux conclusions des Antiquités est dû sans doute à un copiste, ce qui a conduit à une séparation des Antiquités et de l'Autobiographie.

Pour l'histoire des premiers gouverneurs, Josèphe ne bénéficie plus de cette source importante que fut pour lui Nicolas de Damas et il n'est pas encore un témoin, aussi ne faut-il pas s'étonner du peu de développement qu'il leur accorde. Il ne commence à parler des gouverneurs, de façon quelque peu détaillée, qu'avec Pilate.

En raison de l'antériorité chronologique de la Guerre des Juifs, nous étudierons les textes relatifs à l'épisode des effigies et à celui de l'aqueduc en commençant dans chaque cas par le récit de la Guerre des Juifs.

---

30. *Autobiographie*, 430 ; *Ant.*, Préambule, 8.
31. Cf. *Autobiographie*, 430. Dans cette œuvre, Josèphe répond aux accusa-tions de Juste de Tibériade qui avait mis en cause son comportement pendant la guerre juive. L'ouvrage de Juste de Tibériade a été publié après la mort d'Agrippa II, en 100. Sur le lien des Antiquités judaïques et de l'Autobiographie, cf. A. PELLETIER, *Flavius* JOSÈPHE, *Autobiographie*, Paris, 1959, pp. XII-XIV. Nous adoptons sa solution pour le problème de la double conclusion des Anti-quités judaïques.

CHAPITRE VII

L'ÉPISODE DES EFFIGIES DE CÉSAR
(*BJ*, II, 169-174 ; *Ant.*, XVIII, 55-59)

La Guerre des Juifs et les Antiquités Judaïques comportent des récits parallèles qui présentent deux épisodes de l'activité de Pilate en Judée[1]. Selon le premier récit, Pilate imposa aux Juifs la présence à Jérusalem, de médaillons qui représentaient l'empereur ; une telle démarche suscita de vives réactions parmi le peuple qui n'hésita pas à se rendre à Césarée auprès du gouverneur pour exprimer son mécontentement. Mais, contrairement à ce qu'on aurait pu supposer, Pilate revint sur sa décision, non sans avoir, d'ailleurs, menacé les protestataires. Le second épisode, situé à Jérusalem, met aux prises Pilate et ses administrés à propos de la construction d'un aqueduc, destiné à améliorer l'approvisionnement en eau de Jérusalem. Les Juifs, émus par cette entreprise, protestèrent avec véhémence. Dans cette affaire, Pilate n'hésita pas à réprimer la sédition.

Ces deux épisodes sont rapprochés dans l'œuvre de Josèphe, nous présentons donc en un même temps leur contexte littéraire. Pour l'étude de chacun de ces épisodes nous analyserons d'abord avec soin les textes de Josèphe tels qu'ils se présentent, puis nous en ferons une critique historique.

1. LES TEXTES.

A. Le contexte.

Le contexte des épisodes concernant Pilate dans la Guerre des Juifs.

Les deux épisodes de la Guerre des Juifs relatifs à Pilate prennent place dans la partie de l'ouvrage qui constitue une introduction au récit de la guerre juive[2]. Josèphe interrompt son récit sur la situation des territoires issus du domaine d'Hérode pour nous faire péné-

---

1. *BJ*, II, 169-174 ; *Ant.*, XVIII, 55-59 ; *BJ*, II, 175-177 ; *Ant.*, XVIII, 60-62.
2. Cf. *supra*, p. 135.

trer dans l'esprit des écoles philosophiques qui se partagent le monde juif[3] ; le texte dans son état actuel présente cette description comme un excursus par rapport à la série des événements mentionnés. En effet, deux expressions, presque semblables, introduisent la description du début de la province romaine de Judée et celle des tétrarchies de Philippe et d'Hérode Antipas[4] ; par ce phénomène littéraire de « reprise », Josèphe, au § 167, renoue le fil de son récit. Aussitôt après avoir décrit les fondations d'Antipas et de Philippe[5], l'historien aborde le premier épisode passant ainsi directement de Coponius à Pilate[6]. Le récit sur l'aqueduc suit immédiatement, puis, après le gouvernement de Pilate, nous découvrons les mésaventures d'Agrippa, fils d'Aristobule, et l'arrivée de Caius au pouvoir, accession qui eut des conséquences heureuses pour Agrippa[7]. Si l'on met entre parenthèses le passage sur les trois écoles philosophiques, description de mentalités que Josèphe a connues, nous franchissons en quelques pages trente ans d'histoire de la Judée, signe probable du peu de documentation de Josèphe sur cette période[8].

Le contexte des deux premiers épisodes dans les Antiquités Judaïques.

Dans les Antiquités Judaïques, le contexte des épisodes des effigies de César et de l'aqueduc est un peu différent. Josèphe commence par mentionner les gouvernements des trois successeurs de Coponius, puis il s'étend sur la création de Tibériade par Hérode Antipas[9] et surtout, comme il lui arrive souvent dans les Antiquités, il élargit son horizon et s'intéresse aux événements du royaume des Parthes, de la Commagène et à la mort de Germanicus[10]. Les premiers textes sur Pilate sont séparés de ceux que nous venons de citer, par les récits du scandale du temple d'Isis à Rome et l'expulsion des Juifs de la capitale[11]. Le cadre du récit est donc beaucoup moins étroitement judéen que dans la guerre des Juifs, mais il n'y a pas pour autant de différences significatives quant à l'histoire de Pilate. Quand Josèphe aborde le récit des effigies, il a déjà mentionné Pilate comme successeur de Valerius Gratus[12], le lecteur est donc en présence d'un personnage connu. Mais par rapport à la Guerre, les Antiquités présentent davantage d'épisodes du gouvernement de Pilate[13] et donnent quelques renseignements succincts sur les prédécesseurs immédiats de Pilate et son remplaçant provisoire[14], personnages sur lesquels la Guerre fait silence.

---

3. *BJ*, II, 119-166.
4. *BJ*, II, 117 ; 167.
5. *BJ*, II, 167-168.
6. *BJ*, II, 117 et 169.
7. *BJ*, II, 178-183.
8. Cf. *supra*, pp. 135-136.
9. *Ant.*, XVIII, 36-38.
10. *Ant.*, XVIII, 39-54.
11. *Ant.*, XVIII, 65-84.
12. *Ant.*, XVIII, 35.
13. Cf. *supra*, pp. 131-133.
14. Cf. *supra*, p. 21.

B. Synopse et traduction des récits de l'épisode des effigies de César.

Nous donnons une synopse du récit des effigies de César en comparant les textes de la « Guerre des Juifs » et des « Antiquités Judaïques [15] ». Nous nous attachons à mettre en évidence la teneur de chaque texte [16].

15. Pour l'établissement du texte, nous n'indiquons que les variantes susceptibles de modifier sensiblement le sens. Pour la désignation des manuscrits, nous utilisons les sigles en usage depuis Niese.
16. A la suite de la synopse, nous donnons la traduction des textes.

BJ, II, 169-174

I. Le geste de Pilate et ses conséquences

1. Introduction du personnage central.

Πεμφθεὶς δὲ εἰς 'Ιουδαίαν ἐπίτροπος ὑπὸ Τιβερίου Πιλᾶτος

3. L'action accomplie par Pilate.

νύκτωρ κεκαλυμμένας εἰς 'Ιεροσόλυμα εἰσκομίζει[17] τὰς Καίσαρος εἰκόνας, αἳ σημαῖαι καλοῦνται.

4. Le comportement de Pilate provoque de l'agitation.

τοῦτο μεθ' ἡμέραν μεγίστην ταραχὴν ἤγειρεν 'Ιουδαίοις ·

4 a. agitation des habitants de la ville.

οἵ τε γὰρ ἐγγὺς πρὸς τὴν ὄψιν ἐξεπλάγησαν

5. Raisons de l'agitation.

ὡς πεπατημένων αὐτοῖς τῶν νόμων, οὐδὲν γὰρ ἀξιοῦσιν ἐν τῇ πόλει δείκηλον τίθεσθαι,

4 b. agitation des habitants de la campagne.

καὶ πρὸς τὴν ἀγανάκτησιν τῶν κατὰ τὴν πόλιν ἄθρους ὁ ἐκ τῆς χώρας λαὸς συνέρρευσεν.

II. Démarche des Juifs et réaction de Pilate

1. La démarche des Juifs auprès de Pilate

a. La démarche

ὁρμήσαντες δὲ πρὸς Πιλᾶτον εἰς Καισάρειαν ἱκέτευον

---

17. *Pareiskomizei* en LVRC Euseb, au lieu de *eiskomizei*; *pareiskomizei* a été retenu par Niese, éditio minor, suivi par Thackeray; en fait, cette variante s'explique bien par le désir d'insister sur l'aspect furtif de la démarche de Pilate, il faut donc plutôt conserver la lecture *eiskomizei*.

Ant., XVIII, 55-59

I. Le geste de Pilate et ses conséquences

1. Introduction du personnage central.

Πιλᾶτος δὲ ὁ τῆς Ἰουδαίας ἡγεμὼν στρατιὰν ἐκ Καισαρείας ἀγαγὼν καὶ μεθιδρύσας χειμαδιοῦσαν ἐν Ἱεροσολύμοις

2. Mobile de Pilate.

ἐπὶ καταλύσει τῶν νομίμων[18] τῶν Ἰουδαϊκῶν

3. L'action accomplie par Pilate.

   3 a. Le projet de Pilate.

ἐφρόνησε, προτομὰς Καίσαρος, αἳ ταῖς σημαίαις προσῆσαν, εἰσαγόμενος εἰς τὴν πόλιν,

5. Raisons de l'agitation.

εἰκόνων ποίησιν ἀπαγορεύοντος ἡμῖν τοῦ νόμου.

6. Comportement des gouverneurs précédents.

καὶ διὰ τοῦτο οἱ πρότερον ἡγεμόνες ταῖς μὴ μετὰ τοιῶνδε κόσμων σημαίαις ἐποιοῦντο εἴσοδον τῇ πόλει. πρῶτος δὲ Πιλᾶτος

   3 b. L'accomplissement du projet

ἀγνοίᾳ τῶν ἀνθρώπων διὰ τὸ νύκτωρ γενέσθαι τὴν εἴσοδον ἱδρύεται τὰς εἰκόνας φέρων εἰς τὰ Ἱεροσόλυμα.

II. Démarche des Juifs et réaction de Pilate

1. La démarche des Juifs auprès de Pilate.

   a. La démarche.

οἱ δ' ἐπεὶ ἔγνωσαν κατὰ πληθὺν παρῆσαν εἰς Καισάρειαν ἱκετείαν ποιούμενοι ἐπὶ πολλὰς ἡμέρας

---

18. *Nomôn* MWE au lieu de *nomimôn*. *Nomôn* est une correction ; dans le contexte du judaïsme, ce terme paraît plus normal que *nomimôn*, donc un copiste y a eu facilement recours, d'autant plus que *nomôn* se retrouve au § 59.

b. La demande des Juifs

ἐξενεγκεῖν ἐξ Ἱεροσολύμων τὰς σημαίας

c. Le motif de cette demande

καὶ τηρεῖν αὐτοῖς τὰ πάτρια.

2. Le refus de Pilate

   a. Le fait

Πιλάτου δ' ἀρνουμένου

3. La protestation silencieuse des Juifs

περὶ τὴν οἰκίαν πρηνεῖς καταπεσόντες ἐπὶ πέντε ἡμέρας καὶ νύκτας ἴσας ἀκίνητοι διεκαρτέρουν.

III. Les événements du 6e jour

Τῇ δ' ἐξῆς

1. Initiative de Pilate

   a. Installation de Pilate dans le stade

ὁ Πιλᾶτος καθίσας ἐπὶ βήματος ἐν τῷ μεγάλῳ σταδίῳ

   b. Sa ruse

καὶ προσκαλεσάμενος τὸ πλῆθος ὡς ἀποκρίνασθαι δῆθεν αὐτοῖς θέλων,

   d. Ordre donné aux soldats de cerner les Juifs

δίδωσιν τοῖς στρατιώταις σημεῖον ἐκ συντάγματος κυκλώσασθαι τοὺς Ἰουδαίους ἐν τοῖς ὅπλοις.

2. Stupeur des Juifs devant un spectacle inattendu

περιστάσης δὲ τριστιχεὶ τῆς φάλαγγος Ἰουδαῖοι μὲν ἀχανεῖς ἦσαν πρὸς τὸ ἀδόκητον τῆς ὄψεως,

b. La demande des Juifs.

ἐπὶ μεταθέσει τῶν εἰκόνων.

2. Le refus de Pilate.

   a. Le fait.

καὶ μὴ συγχωροῦντος

   b. Le motif du refus.

διὰ τὸ εἰς ὕβριν Καίσαρι φέρειν,

4. Persistance des Juifs dans leur supplication.

ἐπείπερ οὐκ ἐξανεχώρουν λιπαρεῖν

III. Les événements du 6ᵉ jour

κατὰ ἕκτην ἡμέραν

1. Initiative de Pilate.

   a. Installation de Pilate dans le stade.

ἐν ὅπλοις ἀφανῶς ἐπικαθίσας τὸ στρατιωτικὸν αὐτὸς ἐπὶ τὸ βῆμα ἧκεν.
τὸ δ' ἐν τῷ σταδίῳ κατεσκεύαστο,

   b. Sa ruse.

ὅπερ[19] ἀπέκρυπτε τὸν ἐφεδρεύοντα στρατόν.

   c. Persistance des Juifs.

πάλιν δὲ τῶν 'Ιουδαίων ἱκετείᾳ χρωμένων

   d. Ordre donné aux soldats de cerner les Juifs.

ἀπὸ συνθήματος περιστήσας τοὺς στρατιώτας

---

19. *Hoper* doit être maintenu, car le sens est parfaitement compréhensible ;
la correction proposée par Niese : *hopou* ou *houper* n'est pas nécessaire.

3. Déclaration menaçante de Pilate aux Juifs

 a. La menace

Πιλᾶτος δὲ κατακόψειν εἰπὼν αὐτούς,

 b. La volonté de Pilate

εἰ μὴ προσδέξαιντο τὰς Καίσαροςεἰκόνας,

 c. L'ordre donné aux soldats

γυμνοῦν τὰ ξίφη τοῖς στρατιώταις ἔνευσεν.

4. La réaction des Juifs à la déclaration de Pilate

οἱ δὲ ᾿Ιουδαῖοι καθάπερ ἐκ συνθήματος ἀθρόοι καταπεσόντες καὶ τοὺς αὐχένας παρακλίναντες ἑτοίμους ἀναιρεῖν[20] σφᾶς ἐβόων μᾶλλον ἢ τὸν νόμον παραβῆναι.

IV. La décision de Pilate

 a. Son étonnement

ὑπερθαυμάσας δὲ ὁ Πιλᾶτος τὸ τῆς δεισιδαιμονίας ἄκρατον

 b. Sa décision

ἐκκομίσαι μὲν αὐτίκα τὰς σημαίας ῾Ιεροσολύμων κελεύει.

B.J. II, 169-174[21].

169. Envoyé en Judée comme procurateur par Tibère, Pilate introduit à Jérusalem, de nuit et voilées, les effigies de César appelées enseignes. 170. Ce fait, le jour venu, causait parmi les Juifs une très grande agitation : en le constatant, ceux qui étaient à proximité furent frappés de stupeur à la pensée que leurs lois étaient bafouées, car elles ne permettent pas qu'on expose aucune figure dans la ville ; puis, à l'indignation des gens de la ville s'ajouta l'arrivée en foule du peuple de la campagne. 171. S'étant précipités auprès de Pilate à

20. *Eis anairesin* MLVRC, au lieu de *anairein*. La variante n'apporte pas de modification sensible.
21. Pour la traduction des différents textes de Flavius Josèphe, qui ont trait à l'activité de Pilate en Judée, nous avons pensé qu'il était utile d'offrir au lecteur une traduction personnelle de ces textes. Le Père C. Mondésert a bien voulu nous faire maintes suggestions qui nous ont permis d'améliorer notre traduction.

3. Déclaration menaçante de Pilate aux Juifs.

　a. La menace.

ἠπείλει θάνατον ἐπιθήσειν ζημίαν ἐκ τοῦ ὀξέος,

　b. La volonté de Pilate.

εἰ μὴ παυσάμενοι θορυβεῖν ἐπὶ τὰ οἰκεῖα ἀπίοιεν.

4. La réaction des Juifs à la déclaration de Pilate.

οἱ δὲ πρηνεῖς ῥίψαντες ἑαυτοὺς καὶ γυμνοῦντες τὰς σφαγὰς ἡδονῇ δέξασθαι τὸν θάνατον ἔλεγον ἢ τολμήσειν τὴν σοφίαν παραβήσεσθαι τῶν νόμων.

IV. La décision de Pilate

　a. Son étonnement.

καὶ Πιλᾶτος θαυμάσας τὸ ἐχυρὸν αὐτῶν ἐπὶ φυλακῇ τῶν νόμων

　b. Sa décision.

παραχρῆμα τὰς εἰκόνας ἐκ τῶν Ἱεροσολύμων ἐπανεκόμισεν εἰς Καισάρειαν.

Césarée (les Juifs) le suppliaient de retirer de Jérusalem les enseignes et de respecter leurs traditions. Sur le refus de Pilate, ils se jetèrent face contre terre autour de sa résidence et, cinq jours durant et autant de nuits, ils persistaient dans cette immobilité.

172. Le jour suivant, Pilate, ayant pris place à son tribunal dans le grand stade et ayant convoqué la foule, apparemment comme s'il voulait lui répondre, donne aux soldats le signal convenu pour encercler les Juifs, leurs armes à la main. 173. Quand les trois rangs de la troupe les eurent entourés, les Juifs restaient bouche bée en face de ce spectacle inattendu. Pilate leur dit qu'il allait les faire massacrer s'ils ne recevaient pas les effigies de César et il fit signe aux soldats de tirer leurs épées. 174. Mais les Juifs, comme s'ils s'étaient donné le mot, se jetèrent par terre tous ensemble et tendirent la nuque, en criant qu'ils étaient prêts à perdre la vie plutôt qu'à transgresser la Loi. Alors Pilate, frappé d'étonnement devant l'intransigeance de leur foi, ordonne d'emporter sur-le-champ les enseignes hors de Jérusalem.

Ant., XVIII, 55-59.

55. Pilate, le gouverneur de la Judée, ayant amené de Césarée une troupe et l'ayant installée à Jérusalem pour qu'elle y prît ses quartiers d'hiver, se proposa de faire disparaître les traditions juives en introduisant dans la ville les portraits de César qui étaient fixés sur les enseignes, alors que la Loi nous interdit la confection des images. 56. Et c'est pourquoi les gouverneurs qui l'avaient précédé faisaient leur entrée dans la ville avec des enseignes dépourvues de ces ornements. Or Pilate, le premier, à l'insu des gens, parce que son entrée s'était faite la nuit, apporte à Jérusalem ces images et les y installe. 57. Lorsque (les Juifs) s'en aperçurent, ils allèrent en masse à Césarée et se mirent à supplier (Pilate) durant plusieurs jours de déplacer les images. Comme celui-ci n'y consentait pas (prétextant que) ce serait porter atteinte à l'honneur de César, et parce que (les Juifs) ne cessaient pas de l'importuner, le sixième jour, ayant sans qu'on s'en aperçut posté sa troupe en armes, il vint lui-même à son tribunal. Ce dernier avait été aménagé dans le stade où précisément se cachaient les soldats en embuscade. 58. Et, comme les Juifs reprenaient leurs supplications, il les fit, sur un signal convenu, entourer par les soldats, en menaçant de les punir immédiatement par la mort, s'ils ne cessaient pas de le déranger et ne s'en retournaient pas chez eux. 59. Mais eux, s'étant jetés à terre et découvrant leurs gorges, disaient accueillir la mort avec plaisir plutôt que risquer de voir transgresser la sagesse de leurs lois. Alors Pilate, étonné de leur fermeté dans l'observation de leurs lois, fit reporter sur le champ les images de Jérusalem à Césarée.

C. Observations sur la construction de chaque récit.

Ressemblances et différences.

Le récit de BJ.

Dès l'introduction, Pilate est présenté littérairement d'une façon double. En effet, sa fonction n'a de sens qu'en raison de celui qui l'a envoyé, son lien à Tibère est exprimé par un passif *(pemphtheis)* en opposition avec l'actif *(eiskomizei)* qui situe son action en Judée.

Deux éléments, importants pour la compréhension de la suite du récit et de l'attitude de Pilate *(nuktôr, kekalummenas)*, sont mis en valeur. L'ensemble du comportement de Pilate *(eiskomizei, nuktôr, kekalummenas)* résumé par le pronom *touto*, est présenté comme la cause directe de la *tarachê*. Le récit de la Guerre, à cette étape, offre un enchaînement rigoureux de cause à effet, sans doute significatif d'une idée chère à Josèphe : l'action des gouverneurs suscite l'agitation parmi les Juifs. Ce thème est développé tout au long des épisodes qui précèdent le déclenchement de la révolte de 66. L'attitude de Pilate devait conduire à l'agitation que Josèphe décrit en deux temps : agitation de ceux de la ville, agitation de ceux de la campagne. Entre ces deux éléments, l'historien introduit le motif de l'émotion des milieux juifs *(hôs pepatêmenôn ... tithesthai)*.

La seconde partie met en valeur le motif de la demande des Juifs *(kai têrein autois ta patria)*. Le refus de Pilate d'enlever de Jérusalem les enseignes provoque la protestation silencieuse des Juifs. Dans la troisième partie, Pilate a l'initiative de la démarche qui fait progresser l'épisode, les verbes sont alors à l'actif ou au moyen, à l'aoriste ou au présent. La réaction de la foule est décrite sous forme passive et à l'imparfait *(achaneis êsan)*, ce qui contraste avec les formes et les temps des verbes utilisés pour présenter les décisions de Pilate.

Récapitulons quelques données, mises en évidence par le découpage de la Synopse et par les remarques sur l'organisation du texte. Le début du récit présente Pilate avec une grande finesse, car il traduit la contradiction de sa situation. Il a reçu d'un autre, Tibère, sa fonction d'*epitropos*, mais investi de cette charge, dans son opposition aux Juifs, il est le maître. Les Juifs, tout au long du récit, subissent. Leur initiative d'aller à Césarée est le signe même de leur sujétion puisque c'est du gouverneur qu'ils attendent un changement. Ils n'agissent que dans la mesure où Pilate crée une situation qu'ils ne peuvent pas accepter. La progression du récit est rigoureuse et toujours orientée dans le même sens : Pilate, seul, dispose du pouvoir qui permet de dénouer le drame (l'initiative de Pilate produit un grand désordre § 170 ; la scène du stade et la décision finale sont entre les mains de Pilate § 172 ; 174).

A chaque étape du récit, les Juifs agissent avec franchise et leur comportement est expliqué par l'absolu de leur zèle religieux *(hôs pepatêmenôn ... tithesthai* 170 ; *têrein autois ta patria* 171 ; *hetoimous anairein ... parabênai* 174)*. Pilate, au contraire, se complaît dans la dissimulation. En effet, l'introduction dans Jérusalem des « effigies de César appelées enseignes », n'est pas une œuvre réalisée au grand jour *(nuktôr, kekalummenas* 169) ; de même, la mise en scène très solennelle, accomplie dans le stade de Césarée, n'a pour but que d'égarer la méfiance des Juifs (§ 172) ; mais bien loin de les décourager, le refus et les menaces de Pilate suscitent chez le peuple fermeté et calme (§ 171, 174).

Le récit des Antiquités Judaïques.

Nous formulons nos observations sur ce récit en tenant compte de ce que nous avons remarqué à propos de la Guerre des Juifs.

I. *Le geste de Pilate et ses conséquences.*

La *tarachê* est passée sous silence. Le lien entre l'action de Pilate et la démarche juive est situé dans la deuxième partie *(epei egnôsan)* et, comme Josèphe a déjà parlé de l'arrivée de Pilate[22], il

---

22. *Ant.*, XVIII, 35.

ne mentionne pas son lien à Tibère. La Guerre des Juifs ne donnait pas d'indication sur l'occasion qui avait provoqué l'introduction des effigies de César à Jérusalem ; dans ce récit, cette précision nous est donnée *(cheimadiousan)*. Dans le récit des Antiquités, deux éléments nouveaux sont indiqués.

— Pilate introduit à Jérusalem les figures peintes de César afin de « faire disparaître les traditions juives » *(epi katalusei ... Ioudaïkôn)*.

— La différence entre le comportement de Pilate et celui de ses prédécesseurs est bien marquée.

Quand il indique les raisons de l'agitation, Josèphe se reconnaît comme membre du peuple juif *(hêmin)*, ce qui est différent de *BJ*, et de la formule impersonnelle rencontrée au § 55 : *epi katalusei tôn nomimôn tôn Ioudaïkôn*. Cette opposition, à l'intérieur même du récit des Antiquités, entre les « lois des Juifs » et « notre loi », peut être un indice intéressant pour le problème des « aides » de Josèphe.

L'historien formule en termes différents le motif de la réaction juive :

— « A la pensée que leurs lois étaient bafouées, car elles ne permettent pas qu'on expose aucune figure dans la ville » *BJ* ;

— « alors que la Loi nous interdit la confection des images » *(Ant.)*,

Comme le premier récit, mais avec des expressions nouvelles, le texte des Antiquités souligne la dissimulation de Pilate (la nuit — à l'insu des gens)[23], mais il n'insiste pas sur l'enchaînement rigoureux de l'action, bien marqué dans le premier récit.

En cette première partie, les deux récits, assez proches au niveau de l'information, comportent de nombreuses différences de vocabulaire, et leur construction n'est pas sur le même modèle.

II. *Démarche des Juifs et réaction de Pilate.*

Le refus de Pilate de changer quoi que ce soit aux dispositions qu'il a prises est accompagné d'une explication qui justifie son refus : « ce serait porter atteinte à l'honneur de César ». Josèphe rapporte cette motivation en se gardant bien de la reprendre à son compte. Les Antiquités insistent plus sur la supplication que sur la prosternation et la résistance immobile. Entre les deux récits, pour l'explication des comportements, une sorte de permutation s'opère ; en *Ant.*, il s'agit du motif donné par Pilate pour ne pas modifier sa décision ; en *BJ*, le motif (respecter leurs traditions) expliquait la supplication juive.

III. *Pilate et les Juifs face à face.*

La persistance des Juifs dans leur supplication suscite la machination de Pilate (II, 4 ; III, 1 a et b). Deux fois, l'événement progresse

---

23. Ce récit ignore la précision donnée dans le récit de BJ : *kekalummenas*.

en raison de ces supplications : l'apparition des soldats et les menaces finales de Pilate en sont la conséquence directe. La menace finale, présente dans l'un et l'autre récit, est au service d'une fin différente. En *BJ*, Pilate veut imposer aux Juifs les images de César ; dans le second récit, ce motif, bien sûr, n'est pas absent, mais la menace de mort est liée d'abord à la volonté de tranquillité de Pilate. Le gouverneur, dans toute la scène du stade, procède avec dissimulation. Josèphe, tout au long du récit des Antiquités, insiste moins que dans la Guerre des Juifs sur l'attachement aux lois.

La quatrième partie ne suscite pas de problème particulier, mais montre, une fois de plus, des formulations et un vocabulaire assez différents, de part et d'autre.

Ces deux récits présentent donc des différences stylistiques et de construction assez marquées ; cependant, au niveau des « sources », il est difficile de penser que les modifications du récit des Antiquités soient le reflet d'un apport nouveau.

D. Accord fondamental des récits au niveau du contenu.

Tenant compte des remarques que nous venons de faire, nous pouvons présenter ainsi l'accord fondamental des récits : Pilate, subrepticement, introduit dans Jérusalem les effigies de César, ce qui est contraire aux convictions religieuses juives. Les Juifs se rendent alors à Césarée pour supplier le gouverneur d'enlever les effigies de Jérusalem. Le refus du gouverneur conduit les Juifs à demeurer là pendant cinq jours. Le sixième jour, Pilate, avec la complicité des soldats, imagine un stratagème : installé sur le tribunal dans le stade, il fait entourer les Juifs par les soldats et les menace de mort s'ils ne se retirent pas. Les Juifs affirment qu'ils préfèrent la mort plutôt que d'accepter que leurs lois soient bafouées. Cet attachement sacré surprend tellement Pilate qu'il revient sur son refus.

2. CRITIQUE HISTORIQUE DES TEXTES.

Les deux textes donnent à Pilate un titre différent ; l'un et l'autre d'ailleurs sont inexacts, ils reflètent une manière imprécise de s'exprimer [24]. Tout cet épisode du gouvernement de Pilate est provoqué, selon Josèphe, par l'opposition entre l'introduction des effigies de César à Jérusalem et les lois juives. Pour comprendre l'attitude de Pilate, il n'est pas inutile de définir avec précision la nature des objets incriminés, le sens de la loi juive et le comportement habituel des gouverneurs en ce domaine.

Plusieurs formules sont employées pour désigner la nature des objets incriminés :

en *BJ*, : *tas Kaisaros eikonas, hai sêmaiai kalountai- tas sêmaias- tas Kaisaros eikonas- tas sêmaias* ;

____
24. Cf. *supra*, pp. 45-48 ; 54-58.

en *Ant.*, : *protomas Kaisaros, hai tais sêmaiais prosêsan- tais mê meta toiônde kosmôn sêmaiais- tas eikonas- epi metathesei tôn eikonôn- tas eikonas.*

Les expressions des Antiquités sont plus exactes[25], car il n'y a jamais eu équivalence entre les effigies de César et les enseignes[26] : les effigies accompagnaient les enseignes selon l'expression exacte des Antiquités. D'ailleurs, dans le récit de la Guerre des Juifs, ce que Pilate veut faire accepter ce sont les effigies de César, et les précisions données en Antiquités ne laissent aucun doute à ce sujet[27]. Sous l'Empire, aux enseignes[28], emblèmes traditionnels des corps militaires, on adjoignit des médaillons qui représentaient l'empereur régnant[29], ce sont ces médaillons qui sont en cause[30]. Évidemment, ces troupes sont des corps auxiliaires d'infanterie[31].

Pour expliquer l'émotion suscitée par l'introduction des effigies de César, Josèphe emploie deux formules quelque peu différentes :

BJ : *hôs pepatêmenôn autois tôn nomôn ... tithesthai.*
« A la pensée que leurs lois étaient bafouées, car elles ne permettent pas qu'on expose aucune figure dans la ville. »
Ant. : *eikonôn poiêsin apagoreuontos hêmin tou nomou.*
« Alors que la loi nous interdit la confection des images. »

La formulation des Antiquités est très générale et quelque peu ambiguë, elle pourrait laisser entendre que l'interdiction s'adresse aux seuls Juifs, ce qui serait hors de propos ici. Au contraire, le texte de la Guerre des Juifs correspond bien à la situation décrite par

---

25. Cf. O. MICHEL - O. BAUERNFEIND, *Flavius Josephus, De bello judaico*, I, Munich, ²1962, p. 440, n. 96.
26. Ce que supposerait l'expression rencontrée en BJ. L'expression de BJ est une expression militaire vulgaire qui n'a aucune prétention à la précision.
27. Les prédécesseurs de Pilate ont fait entrer des enseignes à Jérusalem, mais, « dépourvues de ces ornements » que sont « les portraits de César ».
28. Cf. A. von DOMASZEWSKI, *Die Fahnen im römischen Heere*, (1885), réimprimé dans A. von DOMASZEWSKI, *Aufsätze zur römischen Heeresgeschichte*, Darmstadt, 1972, pp. 1-80, aux pp. 69-75 ; A.J. REINACH, Signa Militaria, dans *Dictionnaire des Antiquités grecques et romaines*, sous la direction de DAREMBERG-SAGLIO, IV, pp. 1307-1325 ; KUBITSCHEK, Signa, dans *PW*, II, A, 1921, col. 2326-2347, en particulier col. 2332-2347.
29. « L'image de l'empereur n'était pas seulement exposée dans les camps sous forme de statue ; elle était encore suspendue à la hampe des enseignes », E. COURBAUD, dans Imago, dans *Dictionnaire des Antiquités grecques et romaines*, sous la direction de DAREMBERG-SAGLIO, III, 1, Paris, 1899, pp. 389-415, à la p. 411 ; cf. également A.J. REINACH. *op. cit.*, pp. 1315-1316 ; H.M.D. PARKER - G.R. WATSON, Signa Militaria, dans *Oxf. Cl. Dict.*, p. 988.
30. Exprimés par *eikôn* ou par *protomê*. « *Hai Kaisaros eikones* » rend bien l'expression technique. *Protomê* désigne le buste peint de l'empereur. C.H. KRAELING, The Episode of the Roman Standards at Jerusalem, dans *HThR*, XXXV, 1942, pp. 263-289, à la p. 270, donne des renseignements intéressants sur les signa, mais son interprétation nous paraît faussée par le fait qu'il ne prend pas en considération les effigies comme telles
31. Cf. *supra*, pp. 100-103.

Josèphe, mais y a-t-il eu une loi juive qui interdisait de placer à Jérusalem une image ou une devise sur un bouclier (deikêlon) ?

La remarque de Flavius Josèphe, à propos des images, trouve son fondement dans le Décalogue [32] :

« Tu ne te feras pas d'image (päsäl) et aucune représentation (t*e*mûnah) de ce qui est dans les cieux en haut, ou de ce qui est sur la terre ici-bas, ou de ce qui est dans les eaux, au-dessous de la terre. »

Ce commandement est formulé de manière assez semblable en Deut., V, 8. Selon l'avis de la majorité des commentateurs [33], ce texte suppose d'un point de vue littéraire deux niveaux. A un élément ancien limité qui interdit de confectionner une image (päsäl), est ajoutée plus tard une formule qui empêche toute représentation (t*e*munah), ce qui élargit considérablement sa portée. Le päsäl concerne les représentations de Yahvé et non pas celle des dieux étrangers ; pour reconnaître, en ce terme, l'interdiction de la représentation des dieux étrangers, on fait remarquer que la « jalousie » de Yahvé, évoquée au v. 5, ne peut pas se rapporter à ses propres représentations. Cet argument est inacceptable, car il suppose une unité littéraire, en fait, absente des v. 4-5.

L'interdiction de la représentation de Yahvé repose sans doute sur la nature même de l'événement du Sinaï, Dieu s'est fait connaître par sa parole et non pas par sa forme [34]. Il faut peut-être y ajouter la volonté de manifester la façon dont Dieu se révèle dans l'histoire des hommes. Cette réalité se vit d'une manière ambiguë, et non pas avec la certitude que peut procurer l'image [35]. L'ajout plus tardif qui ne vise plus l' « image », mais toute « représentation » est davantage lié au danger d'une « création » de quelque ordre qu'elle soit. L'interdiction a été élargie sans doute lors de la rencontre d'Israël avec d'autres peuples, car celui-ci est alors tenté de reprendre les « figures » d'adoration des peuples avec lesquels il se trouve en contact.

Ex., XX, 5 précise les limites de cette interdiction : « Tu ne te prosterneras pas devant elles et tu ne leur rendras pas de culte. » Il est difficile de déterminer avec exactitude les antécédents des pronoms (devant elles - leur) [36]. Dans l'état actuel du texte, ce v. 5 se

32. Ex., XX, 4.
33. Cf. par ex. B. S. CHILDS, The Book of Exodus, Philadelphie, 1974, p. 405.
34. Deut., IV, 9 ss.
35. Cf. J. GUTMANN, The « Second Commandment » and the Image in Judaïsm, dans HUCA, XXXII, 1961, pp. 161-174. Nous empruntons à cet article de nombreuses indications sur la façon dont le second commandement a été compris et vécu en Israël. J. Gutmann insiste, avec raison, sur la nécessité de replacer les différents textes juifs bibliques et extra-bibliques touchant les images et l'expression artistique en Israël dans leur contexte historique. Sur le lien entre la partie la plus ancienne du commandement et l'expérience de la présence de Dieu au désert, cf. pp. 162-163.
36. Cf. F. MICHAÉLI, Le livre de l'Exode, Neuchâtel-Paris, 1974, p. 178 ; B. S. CHILDS, op. cit., in loco.

rapporte à l'ensemble de ce qui précède, c'est-à-dire au v. 3, les autres dieux, tout comme au v. 4, l'image ou la représentation [37]. Pour notre propos, remarquons que la représentation est interdite dans la mesure où elle est liée au culte. Cette précision permet de mieux comprendre un certain nombre de témoignages sur l'activité artistique en Israël. J. Ouellette, à la suite d'autres auteurs, remarque avec raison qu'il n'est pas possible de parler d'une attitude constante d'Israël par rapport à l'expression artistique [38], en effet le second commandement a été compris et vécu de façon variée selon les époques. Chaque prise de position par rapport aux images, entre autres à l'époque prophétique, est à replacer dans son contexte historique précis [39].

Quelques remarques nous aideront à situer avec exactitude la position de l'Israël religieux :

— jamais la tradition biblique ne critique Salomon pour les chérubins et les douze taureaux qui supportent la mer d'airain ;
— la protestation contre les créations de Jéroboam à Dan et Béthel est faite en fonction d'une théologie unitaire, centrée sur Jérusalem ;
— les prophètes s'élèvent contre les images dans la mesure où elles sont le résultat d'une pratique idolâtrique.

Dans sa visée originelle, Israël n'applique pas à la lettre le second commandement, ce qui conduirait à ne tolérer aucune représentation. D'ailleurs, il y a eu une relecture de la tradition biblique pour manifester qu'une certaine forme artistique est ancienne en Israël et, par là-même, respectable.

Pour connaître la pratique au Ier siècle de notre ère, on avance des textes de Josèphe et de Philon, mais en les déracinant de leur cadre original [40]. Dans les textes de la Guerre qui nous occupent, l'attitude des Juifs n'est dictée que par le désir de voir respecter leur tradition. Mais cette tradition, telle que nous l'avons esquissée, ne révèle pas une application radicale du second commandement, comme le laisserait supposer Josèphe ; de plus, cette tradition s'adresse d'abord à Israël. En fait, cette insistance sur l'attachement aux traditions des pères supprime le caractère anti-romain de la démonstration juive. Ce fait n'est pas étonnant quand on connaît les

---

37. Cf. F. MICHAÉLI, op. cit., p. 178.
38. J. OUELLETTE, Le deuxième commandement et le rôle de l'image dans la symbolique religieuse de l'A. T. Essai d'interprétation, dans RB, LXXIV, 1967, pp. 504-516.
39. Cf. J. GUTMANN, op. cit., p. 167.
40. Les textes de Philon, souvent invoqués à ce propos (De Gigantibus, 59 ; PHILON, De Gigantibus, Quod Deus sit immutabilis, tr. A. MOSÈS, Paris, 1963, p. 49 ; De Decalogo, 66-67 ; De Decalogo, tr. V. NIKIPROWETZKY, Paris, 1965, p. 77 ; De Ebrietate, 109 ; De Ebrietate, De Sobrietate, tr. J. GOREZ, Paris, 1962, p. 69) sont en fait inspirés, sur ce point, par la tradition platonicienne, cf. J. GUTMANN, op. cit., pp. 172-173

orientations profondes de Josèphe, apologiste du judaïsme et ami des Romains.

Dans les Antiquités, Pilate, pour justifier son refus de faire enlever les portraits de Jérusalem, invoque l'honneur de César [41] mais, avec habileté, Josèphe ne s'étend pas sur cet aspect qu'il passe sous silence dans la Guerre pour ne retenir de la démarche juive que l'attachement aux traditions. Il veut montrer, en effet, que ce refus n'est pas entaché de la moindre marque d'hostilité à l'égard de César ou de Rome, mais qu'il est provoqué par les convictions religieuses des Juifs ; aussi force-t-il la pratique réelle des Juifs en renvoyant ses lecteurs au second commandement de la Loi d'Israël dont il modifie la portée. Dans son sens courant, ce commandement concerne l'activité d'Israël qui ne doit confectionner ni image ni représentation ; dans la Guerre, l'interdiction est étendue à toute érection d'images à Jérusalem. Cette manière de relire la Loi lave les Juifs de tout soupçon d'hostilité à l'égard de Rome ou de refus des honneurs dus à l'empereur.

Dans deux autres épisodes qui pourraient avoir une portée anti-romaine, Josèphe insiste aussi sur la volonté de respecter les lois des pères. Quand Apion accuse les Juifs de refuser les statues ou images des empereurs, l'historien juif souligne avec vigueur qu'ils honorent les empereurs, mais qu'il le font en restant fidèles à leurs lois [42]. De même, les jeunes gens qui abattent l'aigle placé sur le Temple par Hérode le Grand, n'ont en vue, selon Josèphe, que la fidélité aux lois des pères [43].

Josèphe, à l'encontre de la tradition biblique, critique Salomon pour les bœufs d'airain qui supportaient le monument appelé Mer et pour les lions [44], ce qu'il ne fait pas pour les chérubins [45] dont il trouve déjà la mention dans le Pentateuque. Les bœufs d'airain et les lions touchent au problème du Temple. Josèphe modifie la position biblique par rapport à ces éléments afin de montrer que les oppositions à l'égard des symboles romains relèvent bien de l'attitude traditionnelle d'Israël et non pas d'une hostilité anti-romaine [46]. Par contre, à Tibériade, Josèphe exprime son désir de détruire le palais d'Hérode Antipas en raison « des représentations de formes vivantes », contraires aux lois juives. Mais en ce cas, son attitude

---

41. *Ant.*, XVIII, 57.

42. *Contre Apion*, II, 73-77 ; cf. également *infra*, pp. 213-214 à propos de la *Legatio ad Caium*.

43. *Ant.*, XVII, 158-159 ; *BJ*, I, 648-655.

44. *Ant.*, VIII, 195.

45. *Ant.*, III, 137.

46. Pour des décorations qui n'ont pas de lien avec le culte, Josèphe n'émet aucune critique contre le fait des images, cf. *BJ*, V, 181 ; *Ant.*, XV, 26 ; XIX, 357 ; de plus, les personnages concernés dans ces derniers textes sont des amis des Romains. Nous reprenons ces indications de l'article de J. Gutmann.

comporte une autre signification [47], elle exprime son nationalisme [48].

Le recours de Josèphe aux traditions ancestrales peut être résumé ainsi. Nous sommes en présence de textes où Josèphe accentue l'interdiction de la confection des images, portée par la loi juive. Cette insistance lui permet d'enlever à la démonstration populaire tout caractère d'opposition à l'effigie de l'empereur. Au point de vue de la réaction même de la foule, il est difficile de ne pas penser que l'attachement aux lois se doublait aussi d'une aversion très vive à l'égard des portraits de l'empereur. La conscience religieuse juive n'était pas seulement choquée par le fait de ces représentations ; elle savait qu'en outre, elles comportaient une valeur religieuse, puisque ces effigies étaient liées au culte impérial. Même si Tibère n'a rien fait pour promouvoir son propre culte, il l'a toléré, et nous savons que ce culte a été pratiqué. Les Juifs ne sont pas en présence de représentations quelconques qui, déjà, pourraient susciter une opposition, ils sont placés en face d'images de l'empereur, homme à qui l'on rend un culte dans certaines régions de l'Empire [49]. De plus, les enseignes elles-mêmes, n'étaient pas dépourvues de valeur religieuse. En effet, comme le note A. S. Hoey : « le culte des *signa* était une partie ancienne et fondamentale de la religion des armées, et au moins, une fête, la *natalis signorum*, était entièrement consacrée à les honorer [50] » ; on les apportait près de l'autel pour les sacrifices et, parfois même, ils étaient les destinataires des sacrifices [51]. Cette organisation des pratiques religieuses de la vie militaire remonte sans doute à Auguste qui leur reconnaissait un rôle important pour soutenir sa conception de l'Empire [52]. En effet, à Doura-Europos, on a retrouvé des fragments importants d'un calendrier des fêtes célébrées par la garnison militaire locale, la XXᵉ cohorte des Palmyréniens. Dans ce

---

47. *Autobiographie*, 65.
48. C. ROTH, An Ordinance Against Images In Jerusalem AD 66, dans *HThR*, XLIX, 1956, pp. 169-177, a cherché à expliquer le comportement de Josèphe à Tibériade par un décret de type nationaliste, porté à Jérusalem en 66. Les témoignages sûrs faisant défaut, on ne peut pas suivre C. Roth dans sa démonstration, mais l'élément de surenchère nationaliste qu'il met en avant, doit être conservé.
49. Cf. *supra*, pp. 30-31.
50. A. S. HOEY, dans R. O. FINK, A. S. HOEY and W. F. SNYDER, The Feriale Duranum, dans *Yale Classical Studies*, VII, 1940, pp. 1-222, à la p. 115.
51. A. S. HOEY, Rosaliae Signorum, dans *HThR*, XXX, 1937, pp. 15-35, aux pp. 16-17. Josèphe nous rapporte, d'ailleurs, un exemple de sacrifices faits en l'honneur des enseignes par les Romains après la prise de Jérusalem, cf. *BJ*, VI, 361 ; cf. A. D. NOCK, The Roman Army and the Roman Religious Year, dans *HThR*, XLV, 1952, pp. 187-242, aux pp. 239-240. Un texte de Qumran (1 Q p Hab VI, 3) est peut-être le témoin d'un culte des enseignes pratiqué par les Romains à une époque antérieure à Auguste. Certains chercheurs refusent d'identifier les Kittim, dont il est question dans ce texte, et les Romains, bien que de nombreux arguments soient en faveur d'une identification, cf. J. CARMIGNAC, Interprétation de prophètes et de psaumes, dans J. CARMIGNAC, É. COTHENET et H. LIGNÉE, *Les textes de Qumran*, traduits et annotés, II, Paris, 1963, pp. 49 et 102-103.
52. A. D. NOCK, *op. cit.*, p. 195.

texte, daté d'entre 225 et 235, donc tardif, les chercheurs voient un document dont les traits fondamentaux remontent à Auguste[53], ce qui met en évidence le souci religieux qui a présidé à l'organisation de la vie militaire. Certes, ces fêtes ne semblent pas avoir été célébrées obligatoirement par tous les soldats[54]. De plus, il est vrai, ces fêtes étaient d'abord des fêtes des légions, bien qu'à Doura-Europos nous soyons en présence d'une troupe auxiliaire, et que *signa* soit à prendre en un sens large.

Cet ensemble de remarques explique pourquoi les Juifs se méfiaient de tout ce qui avait quelque rapport avec la vie militaire. Tel que se présente le récit de Josèphe, les *signa* ne sont pas en cause, mais ce contexte semble important pour comprendre la méfiance juive en ce domaine ; celle-ci devenait hostilité quand aux enseignes étaient jointes des effigies de César et que l'ensemble était introduit à Jérusalem ou promené en terre juive. On ne peut pas minimiser cet arrière-plan en faisant remarquer que les témoignages précis sur ce rôle des enseignes sont tardifs, car nous sommes dans un domaine où l'aspect traditionnel est très net.

En outre, les Juifs ressentaient cette introduction des effigies comme un empiètement sur les droits qui leur avaient été concédés en pratique par les gouverneurs qui avaient précédé Pilate, car bien que nous ne disposions pas de témoignages précis sur le comportement de ses prédécesseurs, nous pouvons cependant faire confiance à l'affirmation de Josèphe qui n'a aucune raison de vouloir les disculper. En n'introduisant pas les effigies de César à Jérusalem, ils se conformaient à la politique romaine traditionnelle de respect des coutumes locales. Dans une situation analogue, Vitellius, gouverneur de Syrie, fait droit à la demande des chefs juifs qui souhaitaient que les troupes ne traversent pas le territoire juif en portant de telles images[55].

53. Cf. R. O. Fink, dans *The Excavations at Dura-Europos,* final report V, part I, New Haven, 1959, p. 192, citant en ce sens Hoey, Nock, Gilliam. Il ne semble pas qu'on puisse parler des Rosaliae Signorum comme d'une fête honorant les enseignes, d'ailleurs elle est d'introduction probablement tardive, cf. A. S. Hoey, *The Feriale Duranum, op. cit.,* p. 172, note 797.

54. Cf. A. D. Nock, *op. cit.,* p. 195.

55. *Ant.,* XVIII, 120-122. Dans la *Legatio ad Caium,* Philon rappelle que les Juifs ne pourraient pas supporter qu'on érigeât des images ou des statues en quelque lieu du pays que ce soit : « Les autres (les Juifs) voyant de leurs propres yeux la ruine de leurs usages ancestraux, bien qu'ils fussent les plus accommodants des hommes ne le supporteraient pas », (335) ; or, cette ruine des usages ancestraux proviendrait de l'érection d'images ou de statues dans le reste du pays, en dehors de Jérusalem (334). Donc, selon Philon, pour les images et statues, il n'existe pas de différence fondamentale entre Jérusalem et le reste du pays. Son point de vue rejoint celui de Josèphe. Selon C. H. Kraeling, The Episode of the Roman Standards at Jerusalem, dans *HThR,* XXXV, 1942, aux pp. 280 ss, l'émotion des Juifs aurait été causée par l'introduction à l'Antonia des étandards incriminés, car cette présence contaminait le vêtement du grand prêtre, conservé dans cette forteresse. De plus, l'Antonia était située sur le Mont du Temple, lieu saint par excellence. Aucun élément du texte de Josèphe ne soutient une telle interprétation. Le fait que l'événement se déroule à Jérusalem, constitue seulement une circonstance aggravante.

A la suite d'un certain nombre de chercheurs [56], H. Lichtenstein a pensé qu'il était possible que la fête mentionnée le 3 Kislev dans *Megillat Taanit* [57] soit une commémoration du jour où Pilate fit retirer de Jérusalem les effigies de l'empereur : « le 3 Kislev, les images furent éloignées du parvis du Temple [58] ». Si cette interprétation du texte de *Megillat Taanit* était exacte, l'existence de cette fête montrerait combien cet épisode a impressionné les Juifs [59].

Les récits de Josèphe permettent de rassembler quelques traits du caractère de Pilate, dont la valeur ne pourra être reconnue que par la confrontation avec l'apport des autres textes. Tout le récit est dominé par la dissimulation du personnage. L'entrée des effigies se fait à la dérobée, la scène du stade s'appuie sur une succession d'actions, faites elles aussi subrepticement. Ce gouverneur parle haut quand il s'est assuré l'appui des soldats qu'il utilise pour faire pression sur la foule juive et impressionner les requérants. Pilate sait que l'entrée des étendards, accompagnés des effigies, provoquera de l'agitation [60], les dispositions qu'il prend en témoignent. Il ne manifeste en cette circonstance aucune sensibilité à l'égard de l'âme et des coutumes juives.

C'est visible, le gouverneur est agacé par la foule, il n'a aucune envie de discuter avec elle, il l'ignore, mais face à sa persévérance il a recours à des arguments forts. Il désire se débarrasser de cette masse suppliante. Dans un premier temps, il semble espérer que ses adversaires se lasseront d'eux-mêmes, sinon comment expliquer le fait qu'il laisse écouler cinq jours et cinq nuits avant de recourir à une mise en scène qui lui permette de se défaire des Juifs ? Il est d'autant plus ferme dans ses menaces qu'il a la force avec lui, car cet homme apparaît prudent. En effet, il revient à Césarée dès qu'il a fait rentrer les troupes à Jérusalem et n'affronte la foule dans le stade qu'en position de force.

Le retournement final de Pilate étonne : a-t-il été en vérité impressionné par la ferme résolution des Juifs ou a-t-il craint une aventure dangereuse pour lui-même ? Ce point ne pourra être précisé que si nous tenons compte de l'ensemble de son comportement. Pour l'instant, relevons l'explication proposée par Josèphe. Enfin, si l'on en croit le récit des Antiquités, Pilate ne se conforme pas aux pratiques de ses prédécesseurs. Faut-il voir dans cette introduction des effigies une démarche qui cherche à bafouer et abolir les lois juives [61]

---

56. Frankel, Dalman, S. Zeitlin et Schlatter.
57. Sur ce texte rabbinique, cf. *supra*, pp. 81-82.
58. *Meg. Taanit* 22, éd. LICHTENSTEIN, dans *HUCA*, VIII-IX, 1931-1932, p. 320, cf. également pp. 299-300 et 339.
59. Nous devons cette observation à SMALLWOOD, *The Jews*, pp. 161-162, n. 62.
60. Prétendre que Pilate fut probablement surpris par la violence des réactions juives, comme l'écrit C. H. KRAELING, The Episode of the Roman Standards at Jérusalem, dans *HThR*, XXXV, 1942, p. 274, est en contradiction radicale avec les affirmations de Josèphe.
61. C'est l'explication donnée par Josèphe dans les Antiquités.

ou le simple désir d'agir en Judée comme cela se passe dans tout l'Empire ? Là encore, la question demeure ouverte [62].

Les deux récits situent la scène du sixième jour dans le stade [63] dont les fouilles jusqu'ici ne nous ont livré aucun vestige. Faut-il mettre en doute le renseignement donné par Josèphe qui aurait, comme le pensait J. Ringel [64], fait une confusion et dénommé stade l'hippodrome que R. J. Bull a commencé à dégager [65] ? Mais celui-ci en fait n'a été érigé qu'entre 150 et 250 ap. J.-C., la confusion entre ces deux lieux était donc impossible. De plus, Josèphe, parmi les édifices érigés à Césarée, ne mentionne dans sa description ni stade ni hippodrome ; cependant, il est impensable que cette ville n'ait pas eu un tel lieu au Ier siècle. A défaut de plus amples renseignements archéologiques, il semble que le mieux soit de supposer que sur l'emplacement de l'hippodrome, connu aujourd'hui, existait un hippodrome plus ancien qui, parfois, pouvait être utilisé comme stade [66].

---

62. Aucune indication du récit de Josèphe ne laisse supposer, comme le fait M. GRANT, *The Jews in the Roman World*, Londres, 1973, p. 100, que Séjan, voire Tibère, aurait été à l'origine de ce changement de pratique. D'ailleurs, c'est une tendance continuelle de M. Grant, de laisser entendre que « Rome » est derrière les actions de Pilate. S'il en avait été ainsi, sans aucun doute, Pilate n'aurait pas fait retirer les images de Jérusalem. Cette suggestion vise à accréditer la thèse : Pilate, créature de Séjan. Nous reviendrons sur le problème des liens entre ces deux personnages.

63. Le « stade », dans l'Antiquité, est normalement un lieu réservé aux courses à pied, il a une surface de 200-230 m × 30-45 m, cf. Lee I. LEVINE, *Roman Caesarea*, Jérusalem, 1975, p. 29, n. 214.

64. J. RINGEL, *Césarée de Palestine*, Paris, 1975, p. 53. Cet auteur n'a probablement pas eu connaissance des rapports de fouilles des dernières campagnes de la Joint Expedition to Caesarea Maritima.

65. Cf. dans *RB*, LXXXII, 1975, pp. 279-280. J. H. Humphrey, dans un rapport détaillé, propose même une date un peu plus tardive, aux limites des périodes romaine et byzantine, cf. Prolegomena to the Study of the Hippodrome at Caesarea Maritima, dans *BASOR*, fév. 1974, pp. 2-45. La « longueur présumée de l'ouvrage » est d'environ 460 m et « sa largeur d'environ 95 m », R. J. BULL, *op. cit.*, p. 280.

66. *Ant.*, XVI, 136-140, la mention de courses de chevaux, au moment de l'inauguration de la nouvelle ville, suppose l'existence d'un lieu adéquat. Nous n'avons pas à nous étonner du silence de Josèphe sur ce lieu dans sa description des bâtiments de Césarée, car sa liste des bâtiments de la ville nouvelle ne prétend pas être exhaustive. Lee I. LEVINE, *Roman Caesarea*, Jérusalem, 1975, pp. 27-29, a donné une présentation des aires de sport à Césarée, qui tient compte de l'état actuel des fouilles archéologiques.

CHAPITRE VIII

L'INCIDENT PROVOQUÉ PAR LA CONSTRUCTION D'UN AQUEDUC
(*BJ*, II, 175-177 ; *Ant.*, XVIII, 60-62)

1. LES TEXTES.

A. Le contexte.

Le contexte a été indiqué à propos de l'épisode précédent[1]. La Guerre des Juifs établit un lien assez vague entre l'incident des effigies de César et le récit que nous étudions maintenant : « Après cela, il (Pilate) suscitait une autre agitation », tandis que le texte des Antiquités se contente de juxtaposer les deux récits.

B. Synopse et traduction des récits de l'incident provoqué par la construction d'un aqueduc.

_____

1. Cf. *supra,* pp. 137-138.

BJ, II, 175-177

Μετὰ δὲ ταῦτα

I. L'événement
ταραχὴν ἑτέραν ἐκίνει

a. La cause de l'agitation
τὸν ἱερὸν θησαυρὸν, καλεῖται δὲ κορβωνᾶς,

b. La réalisation
εἰς καταγωγὴν ὑδάτων

a.
ἐξαναλίσκων ·

b.
κατῆγεν δὲ ἀπὸ τετρακοσίων² σταδίων.

c. La réaction des Juifs
πρὸς τοῦτο τοῦ πλήθους ἀγανάκτησις ἦν,

II. Pilate et les Juifs face à face
καὶ τοῦ Πιλάτου παρόντος εἰς Ἱεροσόλυμα

a. La démarche des Juifs
περιστάντες τὸ βῆμα κατεβόων.

b. La réaction de Pilate
ὁ δέ,

. sa prévoyance
προῄδει γὰρ αὐτῶν τὴν ταραχήν,

. sa ruse
τῷ πλήθει τοὺς στρατιώτας ἐνόπλους³ ἐσθῆσιν ἰδιωτικαῖς κεκαλυμμένους ἐγκαταμίξας

. ses ordres
καὶ ξίφει μὲν χρήσασθαι κωλύσας, ξύλοις δὲ παίειν τοὺς κεκραγότας ἐγκελευσάμενος, σύνθημα δίδωσιν ἀπὸ τοῦ βήματος.

---

2. Les Éditions donnent comme texte courant *tetrakosiôn* (B. Niese, Thackeray, O. Michel - O. Bauernfield), mais on trouve aussi *triakosiôn* dans la version latine et dans Eusèbe. En *Ant.* nous avons *diakosiôn* bien attesté. En *BJ*, *triakosion* est mal attesté. Nous gardons donc la lecture habituellement retenue par les éditions : *tetrakosiôn*.

3. *En* est attesté avant *esthêsin* par *PAM*, mais omis par les autres manuscrits.

Ant., XVIII, 60-62

I. L'événement

b. La réalisation

Ὑδάτων δὲ ἐπαγωγὴν εἰς τὰ Ἱεροσόλυμα ἔπραξεν

a. La cause de l'agitation

δαπάνῃ τῶν ἱερῶν χρημάτων

b.

ἐκλαβὼν τὴν ἀρχὴν τοῦ ῥεύματος ὅσον ἀπὸ σταδίων διακοσίων,

c. La réaction des Juifs

οἱ δ' οὐκ ἠγάπων τοῖς ἀμφὶ τὸ ὕδωρ δρωμένοις

II. Pilate et les Juifs face à face

a. La démarche des Juifs

πολλαί τε μυριάδες ἀνθρώπων συνελθόντες κατεβόων αὐτοῦ παύσασθαι τοῦ ἐπὶ τοιούτοις προθυμουμένου, τινὲς δὲ καὶ λοιδορίᾳ χρώμενοι ὕβριζον εἰς τὸν ἄνδρα, οἷα δὴ φιλεῖ πράσσειν ὅμιλος.

b. La réaction de Pilate

ὁ δὲ

. sa ruse

στολῇ τῇ ἐκείνων πολὺ πλῆθος στρατιωτῶν ἀμπεχόμενον, οἳ ἐφέροντο σκυτάλας ὑπὸ ταῖς στολαῖς, διαπέμψας εἰς ὃ περιέλθοιεν αὐτούς,

. ses ordres

αὐτὸς ἐκέλευσεν ἀναχωρεῖν. τῶν δὲ ὡρμηκότων εἰς τὸ λοιδορεῖν ἀποδίδωσι τοῖς στρατιώταις ὃ προσυνέκειτο σημεῖον.

III. Le comportement des soldats

IV. Le comportement des Juifs

τυπτόμενοι δὲ οἱ Ἰουδαῖοι πολλοὶ μὲν ὑπὸ τῶν πληγῶν, πολλοὶ δὲ ὑπὸ σφῶν αὐτῶν ἐν τῇ φυγῇ καταπατηθέντες ἀπώλοντο. πρὸς δὲ τὴν συμφορὰν τῶν ἀνῃρημένων καταπλαγὲν τὸ πλῆθος ἐσιώπησεν.

III. Le comportement des soldats

οἱ δὲ καὶ πολὺ μειζόνως ἤπερ ἐπέταξεν Πιλᾶτος ἐχρῶντο πληγαῖς τούς τε θορυβοῦντας ἐν ἴσῳ καὶ μὴ κολάζοντες

IV. Le comportement des Juifs

οἱ δ'[4] εἰσεφέροντο μαλακὸν οὐδέν, ὥστε ἄοπλοι ληφθέντες ὑπ' ἀνδρῶν ἐκ παρασκευῆς ἐπιφερομένων πολλοὶ μὲν αὐτῶν ταύτῃ καὶ ἀπέθνησκον, οἱ δὲ καὶ τραυματίαι ἀνεχώρησαν. καὶ οὕτω παύεται ἡ στάσις.

B.J., II, 175-177.

175. Après cela (Pilate) suscitait une autre agitation en épuisant, pour l'adduction des eaux, le trésor sacré qu'on appelle Corbonas ; il faisait amener (l'eau) d'une distance de 400 stades. C'est à cause de cela que le peuple était indigné et que (les Juifs), au moment où Pilate se trouvait à Jérusalem, entourèrent le tribunal et se mirent à crier contre lui. 176. Celui-ci, car il avait prévu leur agitation, avait mêlé à la foule ses soldats armés, mais déguisés avec des vêtements civils, toutefois il leur avait interdit d'utiliser l'épée ; il leur enjoignit de frapper avec des bâtons ceux qui avaient poussé des cris, et il donne depuis le tribunal le signal convenu. 177. Beaucoup de Juifs périrent, les uns atteints par les coups de bâton, les autres foulés aux pieds par ceux d'entre eux qui fuyaient. Devant le malheur de ceux qui avaient péri, la foule terrifiée se tut.

Ant., XVIII, 60-62.

60. (Pilate) fit faire une adduction d'eau jusqu'à Jérusalem aux frais du trésor sacré, le départ de la conduite ayant été fixé à environ 200 stades. (Les Juifs) n'étaient pas satisfaits de ces travaux concernant l'eau ; plusieurs dizaines de milliers d'hommes se réunirent et se mirent à réclamer à grands cris à Pilate, le promoteur de cette entreprise, qu'il arrêtât (les travaux) ; certains même, recourant à l'insulte, injuriaient sa personne, comme la populace aime le faire. 61. Mais lui, ayant fait venir un grand nombre de soldats habillés du même vêtement que celui des Juifs et portant sous ce vêtement des matraques, leur prescrivit d'entourer les Juifs et luimême les invita à se retirer. Mais ceux-ci, s'étant précipités vers lui pour l'insulter, il donne aux soldats le signal qui avait été convenu. 62. Ces derniers usèrent des coups beaucoup plus que Pilate ne l'avait prescrit, châtiant également les fauteurs de trouble et ceux

---

4. La correction de Niese qui propose d'omettre *hoi d'* ou de le remplacer par *oud'* est inutile.

qui ne l'étaient pas. (Les Juifs) ne manifestaient aucune faiblesse, en sorte que, surpris sans armes par des hommes qui les attaquaient avec préméditation, beaucoup d'entre eux moururent sur place et les autres s'en allèrent avec des blessures. Ainsi prend fin la sédition.

C. Observations sur la construction des récits.
Ressemblances et différences.

I. *L'événement.*

En utilisant des procédés différents, ce récit de la Guerre des Juifs comporte une orientation semblable à celle du récit des effigies de César, en effet, la construction du texte met en valeur la responsabilité de Pilate. D'emblée, son action est qualifiée *(tarachên heteran ekinei)* et la réaction des Juifs n'est que la conséquence logique du comportement du gouverneur *(pros touto)* qui, selon ce récit, ne s'est pas contenté de construire l'aqueduc aux frais du Trésor, mais l'a épuisé. La construction des Antiquités est plus neutre : l'action de Pilate n'est pas d'emblée qualifiée, et l'insistance ne porte pas sur l'épuisement du trésor ; le lien de cause à effet, entre l'action de Pilate et la réaction des Juifs, n'est pas marqué avec la même rigueur. Le texte des Antiquités présente plutôt une série de faits qui se juxtaposent.

II. *Pilate et les Juifs face à face.*

La démarche des Juifs est plus brièvement décrite dans la Guerre des Juifs que dans les Antiquités. Le récit du premier ouvrage situe la scène lors d'une montée de Pilate à Jérusalem, celui des Antiquités le suppose [5]. Dans cette dernière œuvre, deux caractéristiques du récit des effigies se retrouvent dans celui de l'aqueduc : — l'insistance sur le nombre important de personnes qui se rassemblent, — la foule est plus agitée dans les Antiquités que dans la Guerre puisque certains vont même jusqu'à injurier le gouverneur.

La ruse de Pilate est décrite avec un vocabulaire assez différent dans l'un et l'autre récit. Là encore, la construction du récit des Antiquités est semblable à celle de l'épisode des effigies de César : 1) mise en place des soldats ; 2) ordre de Pilate à la foule ; 3) protestation des Juifs ; 4) ordre aux soldats. Dans le récit des effigies, 2) est en dernier lieu. Dans la Guerre, les Juifs, après s'être rassemblés, n'ont plus aucun rôle actif ; ils ne réapparaissent qu'en finale dans une situation passive.

---

5. Sur les montées du gouverneur à Jérusalem, cf. *supra*, pp. 117-118, 123.

III. *Le comportement des soldats.*

Le comportement des soldats, supposé violent dans la Guerre, mais non décrit, est mentionné avec insistance dans les Antiquités. Dans la Guerre, nous passons des recommandations de Pilate au résultat, considéré du point de vue des pertes juives. En Antiquités, Josèphe insiste à la fois sur la brutalité des soldats et l'absence de discernement dans leur répression. Les recommandations de Pilate aux soldats, passées sous silence en Antiquités, sont introduites, sous mode allusif, dans la partie où est décrit le comportement des soldats (*polu meizonôs êper epetaxen Pilatos*).

IV. *Le comportement des Juifs.*

La finale des deux récits constate le résultat de l'œuvre, dirigée par Pilate et réalisée par les soldats ; dans les deux, les Juifs subissent les coups des soldats, mais dans la Guerre, ils cherchent le salut dans la fuite, alors qu'en Antiquités ils affrontent l'épreuve.

Les deux textes, proches sur les faits, diffèrent par la présentation et la succession des épisodes ainsi que par le vocabulaire. Le récit de la Guerre des Juifs est plus simple, les enchaînements sont moins complexes bien qu'ils soient très rigoureux pour la progression des événements. Le texte des Antiquités Judaïques, à plusieurs reprises, contient des données qui, au niveau de la construction et des orientations, rapprochent le récit de l'aqueduc et celui des effigies de César.

D. Accord fondamental des récits.

En réalisant, aux frais du Trésor du Temple, un aqueduc pour amener l'eau à Jérusalem, Pilate provoque la colère des Juifs. Se précipitant auprès de Pilate lors d'une venue de celui-ci à Jérusalem, les Juifs lui manifestent leur mécontentement. Ayant donné aux soldats l'ordre de ne frapper la foule qu'avec des bâtons, le gouverneur les fait se mélanger à celle-ci. Au signal donné par le gouverneur, les soldats frappent la foule avec beaucoup plus de violence qu'ils n'en ont reçu l'ordre. De nombreux Juifs succombent sous les coups ou sont piétinés dans l'affolement qui s'en suit. Toute protestation alors cesse.

2. CRITIQUE HISTORIQUE DES TEXTES.

Nous voudrions, à ce niveau, répondre à trois questions : 1) dans l'action de Pilate, qu'est-ce qui mécontenta les Juifs : la construction elle-même, l'utilisation du Trésor, son épuisement ? 2) Que savons-nous sur l'aqueduc construit par Pilate ? 3) Que nous apporte ce texte sur la personnalité de Pilate ?

1) *Recours au Trésor sacré pour l'approvisionnement en eau de Jérusalem.*

A l'époque royale, plusieurs textes font une distinction entre les trésors du Temple et ceux du palais royal[6], trésor sacré et trésor public. Mais cette distinction, bien marquée par les textes, n'était en fait pas respectée dès que des besoins impérieux surgissaient[7]. Les rois consacraient à Yahvé leurs richesses personnelles qui provenaient de dons ou de butin[8]. Les dons faits par des personnes privées[9] furent, à partir de Joas, utilisés pour réparer le Temple[10].

Après l'Exil, cette importance du trésor sacré trouve un écho dans Esdras[11], et Aggée rêve des trésors des nations qui afflueront au Temple réédifié[12]. Au comportement d'Antiochus qui saisit les trésors[13], on peut opposer « une centaine d'années plus tard » celui de Pompée qui « prit Jérusalem, (il) pénétra dans le Temple mais (il) respecta le sanctuaire et ne toucha pas au trésor qui était estimé à 2000 talents[14] ». Les fidèles devaient porter « dîmes et oblations au trésor du Temple[15] ». Celui-ci apparaît donc d'abord comme consacré à Yahvé, mais, à l'occasion, il peut servir à d'autres fins : réparations, versement du tribut. Il tient une place importante dans la vie du peuple. Quand les soldats romains incendient le Temple, Josèphe remarque : « Ils brûlèrent également les chambres des Trésors où étaient entassés des richesses immenses, d'innombrables vêtements et toutes sortes d'ornements, en un mot toute l'opulence de la nation juive, car les riches y avaient transporté les objets précieux de leurs maisons[16]. » Les circonstances exceptionnelles ne font qu'amplifier les richesses amassées en ce lieu, mais de tout temps, il contint des trésors importants.

Le trésor du Temple était alimenté de plusieurs façons : dons spontanés en argent, vente de biens immobiliers reçus en dons[17], mais

---

6. Par ex., I, Rois, XV, 18.

7. Cf. R. de VAUX, *Les Institutions de l'Ancien Testament*, Paris, I, ²1961, p. 215. Pour acheter l'alliance de Ben-Hadad, roi d'Aram, Asa, roi de Juda, n'hésite pas à puiser dans le trésor sacré et le trésor royal (I Rois, XV, 18) ; Joas, roi de Juda, vide les trésors pour acheter Hazaël, roi d'Aram (II Rois, XII, 19). De même, quand un roi étranger se fait livrer les trésors de Jérusalem, il exige ce qui provient de l'un et l'autre lieu (I Rois, XIV, 25-26).

8. II Sam., VIII, 11 ; I Rois, VII, 51.

9. II Rois, XII, 5.

10. II Rois, XII, 10.

11. Esdr. VIII, 24 ss.

12. Ag., II, 7-9.

13. I Mac., I, 21-24 ; II Mac., V, 15-16.

14. Cf. R. de VAUX, *op. cit.*, II, ²1967, p. 166. Cf. CICÉRON, *Pour L. Flaccus*, 67.

15. Mal., III, 7-10.

16. *BJ*, VI, 282. Le Temple fut toujours considéré comme un lieu où l'argent des individus pouvait être mis en sécurité, cf. JEREMIAS, *Jérusalem*, p. 166. Souvent, dans l'Antiquité, les temples ont servi de banque, entre autres, le temple de Saturne à Rome, où était entreposé *l'aerarium Saturni*.

17. *Tos. Shekalim* II, 15 ; *M. Arakhim* VIII. Nous utilisons largement les données rassemblées par S. Safrai dans l'article qu'il consacre au trésor à

la source la plus importante pour approvisionner le trésor était le demi-shekel, la taxe versée chaque année par tout Juif mâle depuis l'âge de vingt ans[18]. César permit aux Juifs de Rome de réunir cet argent[19], et Auguste veilla, d'une manière toute particulière, à ce que l'argent récolté dans la diaspora puisse être acheminé sans encombre jusqu'à Jérusalem[20].

Ce trésor du Temple comprenait comme bien le plus précieux le vêtement du grand prêtre[21], or nous savons que ce vêtement fut aux mains des premiers gouverneurs[22]. Ce fait n'est pas sans importance. Par ce droit, les gouverneurs empiétaient déjà sur les coutumes juives.

Les revenus du Temple étaient gérés par des trésoriers pris parmi les prêtres[23], ils s'occupaient des revenus et « administraient les dépenses ». Cet argent avait pour première fin de pourvoir au financement des sacrifices publics, mais il pouvait être aussi employé pour d'autres buts, et notamment pour les besoins de Jérusalem[24]. Il servit non seulement à des travaux nécessaires à la vie de la ville, mais il fut aussi utilisé pour des buts sociaux[25]. L'argent pour les dépenses autres que les besoins cultuels était prélevé sur les fonds en surplus, une fois que la contribution à la chambre du trésor avait été versée[26].

Ces quelques observations sur le trésor du Temple permettent de mieux définir l'attitude de Pilate et les raisons de la colère juive. Utiliser de l'argent du trésor pour la construction d'un aqueduc ne représentait pas une innovation spectaculaire, susceptible de provoquer de l'agitation parmi les Juifs ; de plus, l'eau était fort utile pour l'activité sacrificielle au Temple. Pilate ne réalise donc pas une action scandaleuse en elle-même ou inhabituelle. Dans la pratique, le processus suivi pour disposer de cet argent pour la construction de l'aqueduc a dû être très semblable à celui que nous devinons pour la garde du vêtement du grand prêtre ; dans cette affaire, les autorités sacerdotales acceptèrent un compromis que le peuple ne reconnut jamais[27]. Pour obtenir cet argent, Pilate a été obligé de passer par

l'époque du second Temple, dans *Encyclopaedia Judaica*, XV, 1971, pp. 979-982. Pour se convaincre de l'origine diverse de l'argent qui alimentait le Trésor du Temple, on peut se rappeler l'histoire d'Abba Shaul, rapportée par JEREMIAS, *op. cit.*, p. 166.

18. *Ex.*, XXX, 14-15.
19. *Ant.*, XIV, 215.
20. *Ant.*, XVI, 163 ss, cf. également *Legatio*, 156. Sur les difficultés rencontrées parfois lors du transport de cette taxe, cf. par ex. *Ant.*, XVIII, 310-313.
21. Cf. JEREMIAS, *op. cit.*, p. 234.
22. Cf. *supra*, p. 98.
23. JEREMIAS, *op. cit.*, pp. 233 ss.
24. Cf. *M. Shekalim* IV, 2 ; *J. Shekalim* IV, 3, 48 a ; *Ketuboth* 106 b ; cf. JEREMIAS, *op. cit.*, pp. 32-33.
25. Agrippa II, poussé par la population, « fit aux frais du trésor du Temple, paver Jérusalem de pierres blanches » (JEREMIAS, *op. cit.*, p. 28 ; cf. aussi p. 45).
26. Cf. les textes rabbiniques rassemblés par S. SAFRAI, dans *Encyclopaedia Judaica*, XV, 1971, col. 981.
27. Cf. les remarques de P. L. MAIER, The Fate of Pontius Pilate, dans HERMÈS, XCIX, 1971, pp. 362-371, à la p. 364 ; P. L. MAIER, *Pontius Pilate*, New York, 1968, p. 359.

l'intermédiaire des prêtres. S'il avait pénétré lui-même dans la salle du trésor, Josèphe raconterait l'épisode en des termes très différents, car le scandale serait tout autre. Mais, du côté populaire, l'émotion provient, sans aucun doute, du fait que Pilate a dirigé l'affaire : il n'a pas suivi les règles ordinaires en la matière et a pris une décision que les responsables ont dû accepter avec plus ou moins de plaisir. En agissant ainsi, Pilate prolongeait un droit que s'étaient octroyé les gouverneurs romains lorsqu'ils assurèrent la garde du vêtement du grand prêtre.

Le texte de la Guerre des Juifs ajoute une nuance. Pilate a épuisé le trésor sacré. Sans doute, la ponction qu'il a effectuée, dépassait-elle les sommes prévues pour de tels travaux. L'empiètement sur cette partie du trésor, réservée aux sacrifices, conduit Josèphe à insister sur le caractère sacré du trésor *(ton hieron thêsauron, kaleitai de korbônas — dapanei tôn hierôn chrêmatôn)*. Pilate n'a donc pas accompli une action illégitime, mais il s'est octroyé un droit qui n'était pas le sien : décider de l'utilisation du trésor comme s'il s'agissait de revenus à la disposition du gouverneur ; de plus, pour mener à bien son entreprise, il a sans doute puisé dans la partie du trésor réservée aux dépenses cultuelles [28].

2) *Que savons-nous de l'aqueduc construit par Pilate ?*

La difficulté fondamentale concerne l'identification de cet aqueduc qui doit être recherché en direction du sud [29]. Aucun reste archéologique n'est de nature à permettre des jugements sûrs. Wilson, en 1864, découvrit deux canalisations entre Étam (près des Vasques de Salomon au sud de Bethléem) et Jérusalem. On prit l'habitude d'appeler ces canalisations l'aqueduc supérieur et l'aqueduc inférieur, en les situant l'une par rapport à l'autre. En 1878, Schick, dans une exploration systématique du réseau sud, remarqua deux autres parcours, l'un allait d'Ain Wadi Biyar à Étam, l'autre d'Ain Arrub et Ain Kuweiziba à Étam [30]. Les archéologues ont proposé des dates diverses pour la construction de ces canaux.

L. H. Vincent a identifié l'aqueduc construit par Pilate avec l'aqueduc supérieur, à partir d'Ain Wadi Biyar [31] ; et les inscriptions

---

28. Cf. *supra*, n. 26.

29. La situation même de Jérusalem empêche de penser à un approvisionnement en eau qui proviendrait de l'est ou de l'ouest. Aux temps anciens, comme à une époque récente, la ville a été alimentée en eau depuis le sud. Trois faits en témoignent : — le nombre des sources, au sud ; — les restes archéologiques très nets et anciens ; — au nord, la première source abondante est à 14 km, et à proximité d'une agglomération importante, cf. L. H. VINCENT, *Jérusalem de l'Ancien Testament*, Paris 1954, pp. 303-304.

30. A. MAZAR décrit ces aqueducs dans « The Aqueducts of Jerusalem », dans *Jerusalem Revealed*, Jérusalem, 1975, pp. 79-84 ; cf. aussi L. H. VINCENT, *op. cit.*, pp. 303-312. Voir notre carte des différents trajets.

31. Cf. L. H. VINCENT, *op. cit.*, pp. 305 ss. Cette hypothèse a été reprise avec

1. construction turque
2. aqueduc romain
3. aqueducs de la période du second Temple
4. tunnel

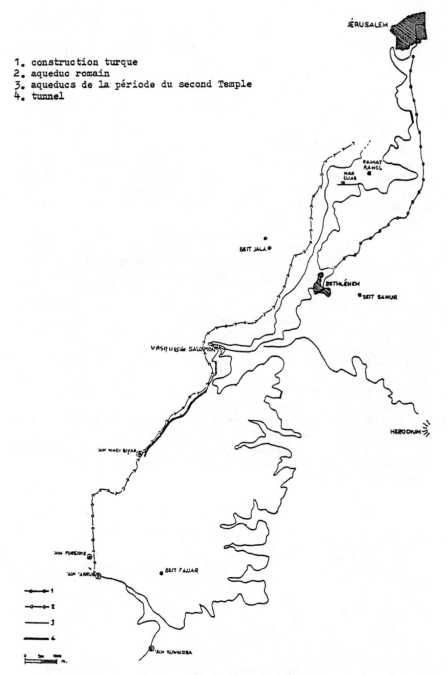

Aqueducs pour l'alimentation en eau de la ville de Jérusalem,
d'après *Jerusalem Revealed*, p. 83.

qui mentionnent les noms de commandants de la Xe Légion et datent presque de la fin du IIe siècle, auraient été posées à l'occasion de réparations. Cet ouvrage serait la dernière réalisation importante accomplie pour approvisionner Jérusalem en eau à l'époque ancienne.

A. Mazar qui reprit l'examen des restes archéologiques propose une autre solution[32]. Il attribue l'aqueduc supérieur à la Xe Légion, ce serait un ouvrage destiné à satisfaire les besoins en eau de cette légion, établie après 70 sur l'aire de la Citadelle actuelle. L'aqueduc inférieur, en raison de son point d'aboutissement au Temple et des besoins en eau de ce dernier, daterait d'Hérode, peut-être même des Hasmonéens. La seule possibilité qui reste pour l'aqueduc de Pilate serait d'identifier celui-ci avec l'aqueduc qui amène l'eau d'Ain Arrub à Étam[33]. Selon cette hypothèse, Pilate n'aurait pas créé une nouvelle source d'eau pour Jérusalem, mais aurait amélioré le système déjà en place.

Identifier avec sûreté l'aqueduc de Pilate est difficile. L'argumentation de A. Mazar qui s'appuie sur des remarques archéologiques présente l'avantage de rendre compte des données différentes des deux ouvrages de l'historien juif en ce qui concerne la longueur de l'aqueduc[34]. L'opposition entre les deux textes de Josèphe serait le signe que le travail accompli par Pilate pouvait se comprendre de deux façons : soit considérer ce qu'il avait accompli, — soit s'intéresser à la longueur totale de l'ouvrage depuis l'origine (Ain Arrub) jusqu'à son point d'aboutissement, le Temple, bien que la partie du trajet de l'aqueduc d'Étam au Temple ne fût pas son œuvre. Cette proposition de A. Mazar explique peut-être aussi pourquoi rien n'est dit sur une opposition directe de la foule aux travaux, en fait, ils se seraient passés assez loin de Jérusalem.

Malgré tout, nous demeurons dans l'ordre de l'hypothèse. Qu'un gouverneur se soit préoccupé du problème de l'eau n'a rien de surprenant, il est même possible que Pilate y ait vu une possibilité d'amélioration pour Jérusalem et une occasion de manifester son intérêt pour la ville.

---

prudence par J. WILKINSON, Ancient Jerusalem: Its Water Supply and Population, dans *PEQ*, CVI, 1974, pp. 45-46.

32. Cf. A. MAZAR, *op. cit.*, pp. 79-84.

33. Déjà Vincent avait signalé une différence très nette entre la construction qui va des « Vasques de Salomon » à Jérusalem, et celle qui s'étire d'Arrub aux Vasques. Le travail effectué sur la seconde partie lui paraissait plus raffiné, *op. cit.*, p. 307. De cette distinction, il tirait des conclusions différentes de celles de A. Mazar ; selon lui, la première partie était salomonienne, (cf. pp. 308-309) ; la seconde, hérodienne (cf. p. 310).

34. *BJ* : *apo tetrakosiôn stadiôn* ; *Ant.* : *apo stadiôn diakosiôn*. Le parcours, d'Ain Arrub à Etam, est de 40 km ; la distance donnée par Josèphe *(Ant.)* équivaut à 37 km ; le parcours total d'Ain Arrub au Temple comporte une longueur de 61 km, Josèphe indiquerait 74 km. L'historien juif a fort bien pu arrondir les chiffres. Vincent, reprenant les mesures des ingénieurs anglais, estimait le parcours d'Ain Arrub à Jérusalem à 65 km.

3) *Les récits sur l'affaire de l'aqueduc et la personnalité de Pilate.*

Nous retrouvons un trait bien mis en valeur dans le premier épisode. Pilate ne se laisse pas surprendre par la foule juive[35]. Cette prévoyance s'accompagne d'une dissimulation[36]. Là encore, le gouverneur n'intervient que dans la mesure où il se trouve en situation de force et protégé par la présence des soldats mélangés à la foule. Pilate prend l'initiative d'une réalisation qui aurait pu plaire aux Juifs, mais il le fait avec maladresse, car il place les Juifs devant un fait accompli. Il ne semble avoir pris aucune précaution dans sa manière d'utiliser l'argent du trésor. Pilate apparaît comme le gouverneur romain, sûr de son bon droit, menant l'affaire de son point de vue sans se soucier des répercussions possibles de son action sur les masses juives. Dans ce texte, Pilate n'est donc pas un homme assoiffé de sang, mais un gouverneur qui n'hésite pas à recourir à la manière forte pour rétablir l'ordre compromis par ses initiatives. L'attitude des soldats ne surprend pas quand on se souvient de leurs origines et de leur animosité à l'égard de la population juive[37]. Cet épisode laisse pressentir une certaine entente entre le gouverneur et les autorités sacerdotales. Sans un minimum d'accord entre ces personnalités, il est difficile d'imaginer comment Pilate aurait pu disposer du trésor.

Dans sa construction d'ensemble, le récit de la Guerre insiste davantage sur la responsabilité de Pilate dans l'enchaînement des événements, celui des Antiquités met en évidence l'agitation de la foule, la ruse de Pilate et la violence des soldats. L'un et l'autre récit abrègent l'événement ; car c'est lors d'une visite de Pilate à Jérusalem qu'éclate une colère mûrie depuis un certain temps.

---

35. Il avait prévu la sédition (*BJ*, II, 176) ; il donne le signal convenu (*Ant.*, XVIII, 62).

36. « (II) avait mêlé à la foule ses soldats armés, mais déguisés avec des vêtements civils » (*BJ*, II, 176) — « Ayant fait venir un grand nombre de soldats habillés du même vêtement que celui des Juifs, et portant sous ce vêtement des matraques » (*Ant.*, XVIII, 61). Ce recours aux habits civils est à comprendre comme une ruse de Pilate qui évite d'éveiller les soupçons des Juifs ; le texte d'*Ant.*, XVIII le laisse clairement entendre.

37. Cf. *supra*, pp. 103-105.

CHAPITRE IX

L'EXÉCUTION DE JÉSUS DE NAZARETH
PAR PONCE PILATE

En dehors des récits évangéliques, deux textes profanes font allusion à l'exécution de Jésus de Nazareth par Ponce Pilate, nous les étudierons tout d'abord. Dans un second temps, nous analyserons les récits évangéliques de la Passion de Jésus afin de préciser le portrait qu'ils donnent de Pilate et la réalité historique qui les sous-tend.

Première Partie

(Tacite, *Ann.*, XV, 44 ; Josèphe, *Ant.*, XVIII, 64)

Ces deux textes présentent des difficultés : si l'auhenticité du premier texte n'est plus discutée aujourd'hui grâce aux études stylistiques réalisées à son propos [1], sa place actuelle dans l'œuvre de Tacite est refusée par nombre de critiques [2] ; par contre, l'authenticité du second texte est discutée.

Récemment, J. Rougé a fait remarquer que le texte de Tacite était le « seul témoin d'un lien existant » [3] entre la persécution des chré-

---

1. Cf. H. Fuchs, Tacitus über die Christen, dans *Vig Chr*, IV, 1950, pp. 65-93. L. A. Yelnitsky, L'inscription de Ponce Pilate à Césarée et sa signification historique, dans *Vestnik drevnei istorii*, XCIII, 1965, pp. 142-146, utilise l'inscription de Césarée pour affirmer que le texte de Tacite en *Ann.*, XV, 44 est une interpolation chrétienne. Il ne tient aucun compte des analyses stylistiques et ne semble pas soupçonner la complexité de ce texte. Selon Yelnitsky, Tacite n'aurait pas pu ignorer le véritable titre de Pilate. Pour émettre un tel point de vue, il faudrait d'abord montrer que Tacite avait une connaissance très précise de la situation en Judée à cette époque, et qu'il était impossible qu'il commette un anachronisme, cf. *supra*, pp. 48-49. Nous avons pu prendre connaissance de cet article, rédigé en russe, grâce à l'amabilité de J. M. Rousée, de l'École biblique et archéologique française de Jérusalem, qui nous en a fait une traduction.

2. Cf. Ch. Saumagne, Tacite et Saint Paul, dans *Revue Historique*, CCXXXII, 1964, pp. 67-110 ; J. Rougé, L'incendie de Rome en 64 et l'incendie de Nicomédie en 303, dans *Mélanges d'histoire ancienne, offerts à W. Seston*, Paris, 1974, pp. 433-441.

3. J. Rougé, *op. cit.*, p. 440.

tiens par Néron et l'incendie de Rome en 64, or plusieurs auteurs anciens avaient l'occasion d'y faire allusion. Ce silence surprenant conduit J. Rougé à se rallier à l'hypothèse de Ch. Saumagne qu'il résume ainsi : « Les Annales ne contenaient aucune allusion aux Chrétiens, mais se référaient uniquement aux poursuites intentées, suivant la procédure normale, aux incendiaires (vrais ou faux). Ce serait dans les Histoires que Tacite, d'après Pline l'Ancien qui avait fait partie de l'état-major de Titus sous Jérusalem, aurait introduit une notice sur les Chrétiens à propos des Juifs, lors du récit du conseil de guerre tenu par Titus devant la ville. » Ce remaniement aurait été effectué au IVe siècle et serait « l'œuvre d'un païen désireux de susciter un esprit de tolérance en montrant que Néron avait été l'initiateur des persécutions[4] ».

Dans le texte qui nous retient[5], Tacite, après avoir nommé les chrétiens, explique l'origine de ce nom, c'est alors qu'il est appelé à mentionner l'activité de Pilate : « Ce nom leur vient de Christ, que, sous le principat de Tibère, le procurateur Ponce Pilate avait livré au supplice[6]. » Cette remarque de Tacite n'apporte de renseignements ni sur les mobiles de l'intervention de Pilate ni sur sa personnalité. Nous pouvons penser que, pour Tacite, l'intervention de Pilate avait pour but de mettre un terme à une superstition, source de troubles.

Le texte de Josèphe, appelé couramment le *Testimonium Flavianum*[7], a suscité de nombreuses discussions depuis le XVIe siècle. En effet, dans son état actuel, le texte est une véritable confession de foi chrétienne. Si nous l'admettons tel qu'il se trouve dans les manuscrits, nous sommes conduits à faire de Flavius Josèphe un chrétien, ce que contredisent l'ensemble de son œuvre et Origène selon qui Josèphe n'a pas reconnu en Jésus, le Christ[8]. Les critiques ont pris à l'égard de ce passage des positions variées : certains l'ont rejeté en totalité et affirment qu'il s'agit d'une interpollation chrétienne ; d'autres l'ont accepté tel quel au nom du respect de la tradition manuscrite ; enfin, et en particulier dans les études récentes, de plus en plus souvent, les chercheurs opèrent une critique du texte[9].

---

4. J. Rougé, *op. cit.*, pp. 440-441.

5. Pour notre propos, la situation exacte du passage ne revêt pas une grande importance ; seule, son authenticité importe. Au début de l'article cité, *supra*, note 2, Ch. Saumagne propose un rétablissement du texte des *Histoires* qui serait le lieu originel du texte que nous lisons aujourd'hui dans les *Annales* XV, on se reportera à cet article.

6. Tacite, Annales, XIII-XVI, tr. H. Goelzer, Paris, 1925, p. 491. Aucune précision n'est donnée sur la peine infligée, indiquée par le mot très vague de *supplicium*.

7. *Ant.*, XVIII, 63-64.

8. *Contre Celse*, I, 47 cf. Origène, *Contre Celse*, éd. tr. M. Borret, I, SC 132, Paris, 1967, p. 199.

9. Cf. P. Winter, Josephus on Jesus and James, *Ant.*, XVIII, 3, 3 (63-64) and XX, 9, 1 (200-203), dans *HJP*, pp. 428-441. On trouve en introduction au travail

Rappelons les données du problème. En faveur de l'authenticité du texte on invoque le témoignage unanime des manuscrits et les citations du *Testimonium Flavianum*, faites par Eusèbe [10]. De plus, le vocabulaire ne comporte aucun terme étranger à Josèphe [11], et nombre d'expressions relèvent des habitudes de l'historien juif [12]. Cependant, au niveau des idées, trois affirmations font difficulté : Josèphe ne considère pas Jésus simplement comme un homme *(eige andra auton legein chrê)*, mais il affirme sa messianité *(ho Christos houtos ên)* et semble présenter les apparitions comme une réalité *(ephanê gar autois tritên echôn hêmeran palin zôn)*. En tenant compte de toutes ces données, A. Pelletier a repris, de façon très précise, l'examen du texte [13]. Selon cet auteur, il n'est pas possible de l'attribuer dans sa totalité à un faussaire tant il convient bien à l'œuvre de Josèphe lorsqu'on a fait abstraction des points litigieux indiqués ci-dessus. Deux des mentions qui font difficulté : (« *eige andra auton legein chrê* » et « *ho Christos houtos ên* ») sont à considérer, en fait, comme une glose marginale due à un chrétien ; puis, selon un accident textuel qui n'a rien d'inhabituel [14], un copiste, par inadvertance ou dans une volonté apologétique, a introduit les deux gloses dans le texte lui-même. Cette modification s'est opérée assez tôt puisque Origène et Eusèbe connaissent deux textes différents. Mais A. Pelletier conserverait volontiers « la phrase relative aux apparitions et aux prophéties, sous sa main (de Josèphe) cette phrase montre seulement qu'il avait pris la peine de consulter les écrits de la propagande chré-

de P. Winter, une abondante bibliographie classée selon les positions des auteurs. A la bibliographie donnée par P. Winter, il convient d'ajouter :

L. PRÉCHAC, Réflexions sur le « Testimonium Flavianum », dans *Bulletin de l'Association Guillaume Budé*, 1969, pp. 101-111.

A.-M. DUBARLE, le témoignage de Josèphe sur Jésus d'après la tradition indirecte, dans *RB*, LXXX, 1973, pp. 481-513.

P. GEOLTRAIN, Débat récent autour du « Testimonium Flavianum », dans *RHR*, CLXXXV, 1974, pp. 112-114.

E. BAMMEL, Zum Testimonium Flavianum, dans *Josephus-Studien*, Göttingen, 1974, pp. 9-22.

A. A. BELL, Josephus the Satirist ? A Clue to the Original Form of the Testimonium Flavianum, dans *JQR*, LXVII, 1976, pp. 16-22.

A. M. DUBARLE, Le témoignage de Josèphe sur Jésus d'après des publications récentes, dans *RB*, LXXXIV, 1977, pp. 38-58.

P. PRIGENT, Thallos, Phlégon et le Testimonium Flavianum témoins de Jésus, dans *Paganisme, Judaïsme, Christianisme. Mélanges offerts à M. Simon*, Paris, 1978, pp. 329-334.

10. *H. E.*, I, XI, 7 (EUSÈBE DE CÉSARÉE, *Histoire Ecclésiastique*, tr. G. BARDY, Paris, 1952, p. 38) ; *Demonstr. Evangel.* III, V, 105-106 (EUSÈBE, Werke, VI, éd. I. A. HEIKEL, GCS XXIII, Leipzig, 1913, pp. 130-131).

11. L. van LIEMPT, *De Testimonio Flaviano*, dans *Mnemosyne*, N.S. LV, 1927, pp. 109-116, cité par A. PELLETIER, L'originalité du témoignage de Flavius Josèphe sur Jésus, dans *RSR*, LII, 1964, pp. 177-203, à la p. 188, n. 42.

12. Cf. des idiotismes comme *hedonei dechesthai* et *tritên echôn hêmeran*, cités par L. H. FELDMAN, *Josephus, Jewish Antiquities, Books XVIII-XX*, Londres, 1965, p. 63 n. b.

13. Cf. l'article cité ci-dessus n. 11, en particulier pp. 188-199.

14. A PELLETIER, *op. cit.*, p. 192.

tienne et d'en résumer l'argumentation, parce qu'elle lui semblait compléter son analyse psychologique de la fidélité des disciples [15] ». Cette critique interne du texte de Josèphe est en grande partie d'ailleurs confirmée par un témoin du texte du *Testimonium Flavianum* généralement négligé. En effet, une citation de Josèphe [16] se trouve dans l'Histoire universelle de l'historien arabe chrétien, Agapius de Membidj, datant de 942, or les données contestées du *Testimonium Flavianum* ne figurent pas dans la citation rapportée par l'historien arabe. L. H. Feldman [17] a une position assez semblable à celle de A. Pelletier ; cependant il rappelle, ce qui n'est pas sans importance pour notre étude, que l'expression « *tôn prôtôn andrôn par' hêmin* » n'est pas utilisée d'ordinaire par Josèphe pour désigner les chefs juifs [18]. Il n'en demeure pas moins qu'il conclut ses observations en acceptant le texte dans ses grandes lignes : « La vue la plus probable semble être que notre texte représente substantiellement ce que Josèphe écrivit, mais que quelques modifications y ont été apportées par un interpolateur chrétien [19]. » Voici le texte, tel que A. Pelletier le propose [20]. Nous nous permettons de rappeler que

15. A. Pelletier, *op. cit.*, p. 200.
16. Ce texte est d'un grand intérêt, car les restitutions du texte primitif de Josèphe ne s'appuyaient jusqu'à ce jour que sur des arguments de critique interne. S. Pines, *An Arabic Version of the Testimonium Flavianum and its Implications*, Jérusalem, 1971, a attiré l'attention sur ce texte. Voici la traduction anglaise du texte d'Agapius, telle qu'elle est proposée par S. Pines : « At this time there was a wise man who was called Jesus. His conduct was good and [he] was known to be virtuous. And many people from among the Jews and the other nations became his disciples. Pilate condemned him to be crucified and to die. But those who had become his disciples did not abandon his discipleship. They reported that he had appeared to them three days after his crucifixion, and that he was alive; accordingly he was perhaps the Messiah, concerning whom the prophets have recounted wonders » pp. 9-10 ; cf. pp. 14 et 16 le parallèle entre le texte arabe d'Agapius et le textus receptus. Une telle recension mérite d'autant plus de considération qu'il est difficile d'imaginer des milieux chrétiens qui retoucheraient le texte de Josèphe dans un sens minimisant par rapport à la personne de Jésus. Cependant, la valeur d'un tel témoignage ne pourra être appréciée définitivement que dans la mesure où sera établie avec certitude l'origine de cette citation. Par rapport au textus receptus la précision apportée dans ce texte pour l'activité de Pilate, lors de la mort de Jésus de Nazareth, est double : « to die » est ajouté à la mention de la crucifixion, et aucune allusion n'est faite au rôle des chefs Juifs.
17. L. H. Feldman, *op. cit.*, pp. 48-51, en particulier n. b., p. 49.
18. L. H. Feldman, *op. cit.*, p. 49, n. b. Cette expression n'est pas très courante dans l'œuvre de Josèphe, nous trouvons cependant *prôtoi* pour désigner les chefs juifs dans *l'Autobiographie* § 217 ; 310. Cette expression ne figure pas dans la citation donnée par Agapius de Membidj, cf. *supra*, n. 16.
19. L. H. Feldman, *op. cit.*, p. 49 n. b.
20. A. Pelletier, *op. cit.*, p. 191. La traduction est donnée à la p. 199. On trouve une autre proposition récente de reconstitution du texte dans A. M. Dubarle, Le témoignage de Josèphe sur Jésus d'après la tradition indirecte, dans *RB*, LXXX, 1973, pp. 481-513. Selon cette proposition, Pilate n'aurait pas agi à partir de la dénonciation des chefs juifs, mais à cause de l'avis de ces derniers pensant que Jésus n'était pas le Christ.

deux points restent sujets à discussion, la mention de la résurrection
et la référence aux chefs juifs.

[Εἴγει ἄνδρα αὐτὸν λέγειν χρή · ὁ χς οὗτος ἦν.]
Γίνεται δὲ κατὰ τοῦτον τὸν χρόνον Ἰησοῦς, σοφὸς ἀνήρ · ἦν γὰρ παρα-
δόξων ἔργων ποιητής, διδάσκαλος ἀνθρώπων τῶν ἡδονῇ τἀληθῆ δεχομένων.
Καὶ πολλοὺς μὲν Ἰουδαίους, πολλοὺς δὲ καὶ τοῦ Ἑλληνικοῦ ἐπηγάγετο.
Καὶ αὐτὸν ἐνδείξει τῶν πρώτων ἀνδρῶν παρ' ἡμῖν σταυρῷ ἐπιτετιμηκότος
Πιλάτου οὐκ ἐπαύσαντο οἱ τὸ πρῶτον ἀγαπήσαντες · ἐφάνη γὰρ αὐτοῖς
τρίτην ἔχων ἡμέραν πάλιν ζῶν, τῶν θείων προφητῶν ταῦτά τε καὶ ἄλλα
μυρία περὶ αὐτοῦ θαυμάσια εἰρηκότων. Εἰς ἔτι τε νῦν τῶν χριστιανῶν ἀπὸ
τοῦδε ὠνομασμένων οὐκ ἐπέλιπε τὸ φῦλον.

« A cette époque vécut Jésus, un homme exceptionnel, car il
accomplissait des choses prodigieuses. Maître de gens qui étaient tout
disposés à faire bon accueil aux doctrines de bon aloi, il se gagna
beaucoup de monde parmi les Juifs et jusque parmi les Hellènes.
Lorsque, sur la dénonciation de nos notables, Pilate l'eut condamné
à la croix, ceux qui lui avaient donné leur affection au début ne cessèrent pas de l'aimer, parce qu'il leur était apparu le troisième jour,
de nouveau vivant, comme les divins prophètes l'avaient déclaré, ainsi
que mille autres merveilles à son sujet. De nos jours encore ne s'est
pas tarie la lignée de ceux qu'à cause de lui on appelle chrétiens. »

Dans sa mention très brève de Pilate, ce texte apporte donc sur
le gouverneur de Judée un témoignage du même type que celui de
Tacite, mais avec deux précisions : — Pilate a condamné Jésus à un
supplice précis : la crucifixion ; — il l'a fait « sur la dénonciation de
nos premiers citoyens », ce qui manifesterait dans ce cas, de la part
de Pilate, une oreille favorable aux propos des chefs juifs. Cette
dernière mention est cependant, comme nous l'avons noté, moins
assurée.

Seconde Partie

**Pilate dans les récits de la Passion de Jésus de Nazareth
(Mt., XXVII et paral.)**

Les Évangiles constituent notre principale documentation pour
connaître le rôle et le comportement de Pilate pendant la passion de
Jésus de Nazareth. Nous ne faisons pas une étude littéraire de ces
textes pour elle-même, mais nous proposons quelques remarques qui
nous permettront ensuite de les utiliser avec plus de précision d'un
point de vue historique. Nous nous efforcerons de démêler les textes
qui s'appuient sur une tradition antérieure et ceux qui relèvent de la

composition de l'un ou l'autre évangéliste [21]. Après avoir analysé ces textes, nous nous demanderons ce qu'ils apportent à la connaissance de Pilate.

A la suite de l'interrogatoire de Jésus de Nazareth par les autorités juives [22], les quatre Évangiles présentent une comparution devant le gouverneur romain. Cet épisode se compose de trois scènes : un interrogatoire de Jésus par le gouverneur romain, un intermède où est introduite la figure de Barabbas et enfin la décision du gouverneur. Chaque Évangile fait accompagner ces différentes phases d'autres données. Nous nous intéressons d'abord aux scènes qui conduisent à la décision du gouverneur ; dans une seconde partie, nous étudions quelques épisodes complémentaires. Nous serons alors en mesure de tracer un portrait de Pilate au cours du procès de Jésus de Nazareth.

1. De l'arrivée de Jésus chez le gouverneur a sa condamnation.

Les quatre récits évangéliques peuvent être regroupés deux par deux : *Mt.-Mc* d'une part ; *Lc-Jn*, de l'autre. Nos remarques ultérieures justifieront cette affirmation.

I. *Tradition Matthieu-Marc.*

A. Remarques d'ordre littéraire.

Ces deux évangiles comportent trois scènes assez semblables dans l'un et l'autre texte :
1) Pilate et Jésus face à face ;
2) la mise en œuvre du « privilège » pascal [23] : Barabbas ou Jésus ?
3) la décision de Pilate.

Nous étudions successivement chacune des scènes de ce récit afin de préciser l'organisation originelle de cette tradition.

1) Pilate et Jésus face à face (*Mt.*, XXVII, 11-14 ; *Mc*, XV, 2-5).

---

21. On reconnaîtra aisément dans cette partie tout ce que nous devons aux travaux de M. E. Boismard, publiés dans P. Benoit - M. E. Boismard, *Synopse des quatre Évangiles*, II, Paris, 1972, et dans M. E. Boismard - A. Lamouille, *L'Évangile de Jean*, Paris, 1977.

22. Sur la restriction des pouvoirs du Sanhédrin en matière pénale, cf. *supra*, pp. 79-96. L'étude des récits évangéliques permet de penser qu'il n'y eut pas procès, au sens technique du terme. Ce point de vue, partagé aujourd'hui par la plupart des exégètes, est résumé ainsi dans la *TOB*, p. 117 : « La comparution devant le Sanhédrin, ignorée de Jean, n'a probablement pas un caractère juridique. A la différence de Mc XIV, 64, Matthieu ne reproduit pas une vraie sentence de condamnation, sentence que Luc ignore. En prenant l'allure d'un simulacre de procès, la comparution exprime la vérité profonde du rejet de Jésus par ses contemporains, en raison de sa prétention à être le Christ et le Fils de Dieu. »

23. Sur cette expression cf. *infra*, p. 191, n. 80.

Nous suivons le texte de Marc. La scène se divise en deux temps :

1. A Pilate qui l'interroge sur sa royauté, Jésus répond énigmatiquement [24].

2. Pilate interpelle Jésus qui reste silencieux face aux accusations portées contre lui ; cette attitude suscite l'étonnement du gouverneur [25]. La mention des accusations formulées à l'égard de Jésus par les grands prêtres relie ces deux moments du « face à face » [26].

Cette organisation du récit n'est pas sans difficulté. En effet, en *Mc*, XV, 2, Pilate pose une question précise à Jésus alors que les accusations ne viendront qu'ensuite. Situées au v. 3, ces accusations constituent une introduction à la seconde phase de la scène : le temps du silence de Jésus. Le « silence de Jésus », en réponse aux accusations, est proche de celui qu'il oppose aux témoins devant le Sanhédrin [27]. Ces difficultés permettent de penser que les deux éléments du récit : — une réponse — un silence, proviennent de deux traditions [28]. Ce silence de Jésus trouve un écho en *Jn*, XIX, 9 où il sert d'introduction à un développement johannique, et en *Lc*, XXIII, 9 b, au moment de la comparution devant Hérode.

Comme nous l'avons remarqué, la scène du silence est proche de celle de l'interrogatoire devant le Sanhédrin [29], mais avec une inversion par rapport à celle-ci. Devant le Sanhédrin, les différentes phases du texte se suivent ainsi : — accusations — silence — question fondementale ; dans la scène devant Pilate : — question fondamentale — accusations — silence. La ressemblance entre ces deux scènes, devant le Sanhédrin et devant Pilate, invite à voir dans la seconde scène, un doublet inspiré par la première où le silence est mieux en situation. Cependant, l'organisation différente de la scène et les difficultés d'enchaînement de ses différentes parties empêchent de concevoir la scène devant Pilate comme une simple construction littéraire effectuée à partir du texte qui narre la séance du Sanhédrin. *Mc*, XV, 2 // constitue donc un texte ancien auquel les v. 3-5 ont été ajoutés pour donner davantage de consistance à la rencontre Jésus-Pilate.

Entre les récits de *Mc* et de *Mt.*, quelques différences sont à relever ; elles sont d'intérêt inégal pour notre propos. Après avoir inséré dans son récit une tradition sur « la fin de Judas » [30], Matthieu revient aux rapports de Jésus et de Pilate à l'aide du v. 11 a qui lui

24. Mc, XV, 2.
25. Mc, XV, 4-5.
26. Mc, XV, 3.
27. Mc, XIV, 60.
28. Cf. une vue semblable en X. Léon-Dufour, Passion, dans *DBS*, VI, 1960, col. 1467.
29. Mc, XIV, 60-61.
30. Mt., XXVII, 3-10.

permet de reprendre le fil de son récit. *Ho hêgemôn* est un terme introduit dans le texte matthéen. En effet, en *Mt.*, XXVII, 2, le rapprochement entre *Pilatos* et *hêgemôn* permet ensuite à l'évangéliste d'utiliser à plusieurs reprises ce qualificatif. Il est pratiquement [31] le seul des quatre évangélistes, qui recoure à ce terme pour désigner Pilate. En *Mc*, les accusations sont formulées à l'actif ; en *Mt.*, à la forme passive. Mais une question plus fondamentale pour notre recherche est posée par la divergence sur l'identité des accusateurs : aux grands prêtres, uniques accusateurs de Jésus dans la version marcienne, correspondent en *Mt.* deux groupes, grands prêtres et anciens. P. Winter a établi le tableau de la liste des adversaires de Jésus [32]. Dans les récits de la Passion, mis à part quelques cas très rares [33], les grands prêtres sont toujours nommés explicitement, seuls ou avec d'autres, parmi les adversaires de Jésus et ils figurent en tête. Tandis que Marc n'élimine pas la mention des « anciens » quand il la rencontre dans ses sources, Matthieu leur porte un intérêt spécifique, nous avons donc là un ajout matthéen [34].

De ce premier texte, nous retenons donc comme un élément ancien *Mc*, XV, 2 qui rassemble une question et une réponse sur la royauté. L'accusation fondamentale portée contre Jésus par les chefs juifs est si bien assurée que cette tradition n'éprouve même pas le besoin de préciser le motif d'accusation. La scène s'ouvre par la question de Pilate sur la royauté de Jésus, qui, comprise en un sens politique ou messianique, constituait un motif susceptible de retenir l'attention de Pilate et de le placer dans une situation délicate. Dans le silence qui suit, inspiré sans doute de la scène du Sanhédrin, tout comme dans les accusations portées contre Jésus, les grands prêtres sont au premier plan comme ils le sont d'ailleurs tout au long des récits de la Passion.

2) La mise en œuvre du « privilège » pascal : Barabbas ou Jésus ? (*Mc*, XV, 6-14 ; *Mt.*, XXVII, 15-23).

Le récit de *Mt.* et celui de *Mc*, tels que nous les connaissons aujourd'hui, présentent de nombreuses différences, mais leur structure est semblable. En *Mc*, la logique du récit suppose l'organisation suivante : en réponse à la démarche de la foule (v. 6-7-8), Pilate lui

---

31. Cf. *supra*, p. 43, n. 6 ; en dehors de Mt., seul Lc, XX, 20 l'applique à Pilate.
32. P. WINTER, *On the Trial of Jesus*, Berlin, 1961, pp. 121-123 ; pour la Passion p. 123.
33. Les seules exceptions sont, selon P. WINTER, *op. cit.*, p. 123 : Mt., XXVI, 57 (scribes et anciens) ; Lc, XXIII, 35 (les chefs).
34. Deux autres différences entre les récits sont moins importantes pour notre recherche : — Marc met l'accent sur la multitude des accusations *(polla)* ; — « *Ouden apekrinato* » s'explique bien comme un ajout matthéen pour un meilleur équilibre du récit, car ce silence de Jésus provoque la seconde question de Pilate. En Mc, au contraire, le silence est inclus dans la question même de Pilate.

propose la libération de Jésus (v. 9), mais l'action des grands prêtres introduit la personne de Barabbas (v. 11). Puis nous trouvons la réplique de la foule qui tient compte de la manœuvre des grands prêtres (v. 13 abstraction faite de *palin*), et, en finale, la question de Pilate à la foule, ce qui provoque de nouveaux cris (v. 14). Le récit est centré sur Jésus. Mais ce récit primitif a été surchargé, heurts et parallèles le montrent. En effet, le v. 12 a été ajouté à ce récit ancien, il propose une nouvelle question à la foule alors qu'elle n'a pas encore répondu à la précédente. Son introduction est une formule reprise du v. 9. Les *palin* (v. 12 et 13) constituent une surcharge qui facilite le raccord de ces éléments tandis que l'introduction du v. 10 a fait placer deux fois côte à côte : *hoi archiereis* (finale du v. 10 - début du v. 11). Certains copistes ont ressenti cette difficulté et l'ont résolue par l'élimination de l'une ou l'autre de ces mentions.

Le texte de *Mt.* offre une organisation assez semblable, mais il est encore plus surchargé [35]. Dans l'un et l'autre Évangile, les éléments qui constituent une surcharge insistent sur la volonté de Pilate de libérer Jésus [36].

Mais tout en suivant une même tradition représentée par les v. 6, 7, 8, 9, 11, 13, 14 du *Mc* actuel, les deux évangélistes l'utilisent différemment :

1. La présentation plus détaillée de Barabbas en *Mc*, XV, 7 rejoint-elle un élément originel du récit, abrégé par Matthieu, ou, au contraire, Marc présente-t-il des données empruntées à une autre tradition ou créées par lui ? Assez souvent, le premier évangile abrège des détails recueillis par la tradition qu'il utilise. Ici, nous sommes sans doute en présence d'un tel cas.

2. Qui, selon la source première, a introduit la question du « privilège » pascal : Pilate ou la foule (*Mt.*, XXVII, 17 ; *Mc*, XV, 8) ? En *Mc*, la foule monte chez le gouverneur dans un but précis, elle veut obtenir la mise en œuvre de la coutume de libération ; l'intermède Barabbas est suscité par cette démarche. La version matthéenne paraît secondaire. En effet, à plusieurs reprises, Matthieu emploie *sunagô* pour désigner le rassemblement des chefs juifs au cours de la Passion [37] ; d'autre part, l'expression matthéenne est assez vague, et ce n'est qu'au v. 20 que le lecteur apprend que le *autôn* de Matthieu recouvre les grands prêtres, les anciens et les foules. De plus, donner l'initiative de l'épisode à Pilate va dans le sens d'une tendance que nous trouvons dans l'ensemble des récits de la Passion : manifester l'attitude bienveillante de Pilate à l'égard de Jésus. Si les foules sont

---

35. Le v. 21 de Mt., XXVII est une reprise du v. 17 b.
36. Cf. la répétition de la question qui invite à la libération (Mt., XXVII, 21 b // 17 b) ; le gouverneur demande à la foule ce qu'il doit faire (Mc, XV, 12 ; Mt., XXVII, 22 a) et connaît la jalousie des grands prêtres (Mc, XV, 10 ; Mt., XXVII, 18).
37. Mt., XXVI, 3, 57 ; XXVII, 62 ; XXVIII, 12.

présentes, d'où viennent-elles ? L'introduction de l'épisode est, sans aucun doute, abrégée par Matthieu.

3. L'introduction de Barabbas dans la question posée par Pilate en *Mt.*, XXVII, 17 est une création matthéenne. Ce parallélisme, voulu par Matthieu, entre Barabbas et Jésus explique le changement de « roi des Juifs » en « Jésus appelé Christ ». Le thème de la royauté est bien attesté dans tout l'épisode devant Pilate. Le changement de « roi des Juifs » en « Jésus appelé Christ » manifeste le double sens possible du titre de Christ, sens politique ou sens proprement messianique. Le parallèle a pu être suggéré à Matthieu par le nom même de Barabbas, indiqué par certains manuscrits : Jésus appelé Barabbas opposé à Jésus appelé Christ [38]. D'un point de vue psychologique, l'introduction de Barabbas dans la question posée par Pilate trahirait de la part du gouverneur une grande maladresse, si, voulant libérer Jésus, il proposait le choix entre un prisonnier célèbre et Jésus de Nazareth conduit devant lui pour jugement par ceux à qui il s'adresse. *Mc*, XV, 8 représente donc une donnée meilleure.

4. Enfin le v. 19 est l'œuvre de Matthieu ; qu'il emprunte des éléments à une légende ou qu'il le crée lui-même, peu importe pour notre recherche [39].

Ces différentes remarques sur le travail de Mt. nous invitent à conserver les éléments rassemblés à la suite de l'analyse de la structure des récits en *Mc* et *Mt.* : *Mc*, XV, 6-9, 11, 13, 14. La foule vient réclamer au gouverneur la libération d'un prisonnier, comme il a

---

38. Que retenir des traditions manuscrites sur le nom de Barabbas — *Iêsoun Barabban* ou *Barabban* (Mt., XXVII, 16) ? Les opinions divergent. Pour nous en convaincre, il suffit de citer deux traductions récentes. La TOB, p. 119, retient l'expression : « Jésus Barabbas », et commente ainsi son choix : « De nombreux manuscrits omettent le mot Jésus devant Barabbas. Cette tradition semble dériver à la suite d'Origène, d'un souci de refuser à Barabbas le nom de Jésus, nom pourtant fréquent à cette époque ». En sens inverse, P. BENOIT, *L'Évangile selon saint Matthieu*, Paris, ⁴1972, p. 169, retient Barabbas, il donne une indication sur la tradition manuscrite : « Barabbas » la masse ; « Jésus Barabbas » T. Cés. (*th* fam. 1) Syrsin Arm Géo, mais cette précision semble venir d'une tradition apocryphe ». Après avoir, à la suite de Deissmann et Moffatt, défendu la lecture « Jésus Barabbas », R. DUNKERLEY pense devoir y renoncer, Was Barabbas Also Called Jesus ? dans *ET*, LXXIV, 1962/1963, pp. 126-127). Son argumentation est loin d'être convaincante, cf. la réponse de R. C. NEVIUS, A Reply to Dr Dunkerley, dans *ET*, LXXIV, 1962/1963, p. 255. R. C. Nevius fait remarquer que R. Dunkerley n'explique pas comment cette insertion de Jésus devant Barabbas aurait pu se faire si elle n'était point originale. R. C. Nevius reprend l'argumentation de L. VAGANAY, *Initiation à la critique textuelle néotestamentaire*, Paris, 1934, pp. 162-166 : « La suppression de « Jésus » devant « Barabbas » serait due à une correction exégétique par motif de piété. C'est la conjecture qui nous paraît la mieux fondée. On ne comprend pas pour quelle raison un scribe ou un recenseur aurait transformé la leçon courte en leçon longue. Au rebours, on saisit très bien le motif de l'opération inverse », p. 165. De plus, il faut remarquer qu'il n'a pas été prouvé que nous sommes en présence d'une tradition apocryphe.

39. Cf. l'analyse détaillée de ce v. dans D. P. SENIOR, *The Passion Narrative according to Matthew*, Louvain, 1975, pp. 242-246.

coutume de le faire pour la fête. Pilate propose de libérer « le roi des Juifs ». En réponse, la foule, excitée par les grands prêtres, demande au gouverneur de le crucifier. Barabbas est simplement en arrière-plan du récit. Enfin, c'est par des cris que la foule répond à Pilate qui l'invite à dénoncer le mal commis par l'accusé. Cette tradition ancienne est développée pour bien montrer que Pilate cherche à utiliser le « privilège » pascal en faveur de Jésus.

3) La décision de Pilate (*Mt.*, XXVII, 24-26 // *Mc*, XV, 15).

Les v. 24-25 de *Mt.* constituent une introduction matthéenne qui peut être rapprochée de l'insertion relative à la mort de Judas[40]. Le thème de l'innocence de Jésus et celui du sang sont développés de part et d'autre ; littérairement, les introductions à ces versets sont semblables[41]. Les deux sections mettent en valeur la responsabilité des milieux juifs : ils sont conscients de la portée de leurs actes ; dans les deux textes, l'Écriture s'accomplit. Judas et Pilate reconnaissent l'innocence de Jésus tandis que les Juifs ne manifestent même pas la moindre hésitation. Cette section rejoint d'ailleurs une perspective proche de celle exprimée au v. 19, ajouté au récit primitif. Les v. 19 et 24-25 de *Mt.*, XXVII constituent un témoignage en faveur de l'innocence de Jésus, le juste condamné, et mettent au premier plan l'acharnement des chefs juifs.

Mc, XV, 15 a (voulant contenter la foule) est un ajout qui provient d'une autre source qui a aussi inspiré *Lc*, XXIII, 24. Ce verset insiste sur la faute des milieux juifs : Pilate n'a livré Jésus que pour satisfaire les Juifs[42]. L'élément primitif commun à la source de *Mt.-Mc* se limite donc à cette phrase : « Il leur relâcha Barabbas et il livra Jésus, après l'avoir fait flageller, pour qu'il soit crucifié[43] ». Selon cette finale du v. 15, suivie du v. 16, pour la crucifixion Jésus est livré aux soldats.

En suivant *Mc*, XV nous retenons donc les versets suivants comme témoins du récit le plus primitif : 2, 6-9, 11, 13-14, 15 b et c. Il y aurait d'ailleurs lieu de se demander si le récit de Barabbas n'a pas, dans un premier temps, eu une existence autonome, et s'il n'y aurait pas lieu de joindre à l'intérieur de cet ensemble la séquence des moqueries dont Jésus est l'objet de la part des soldats[44]. Nous ne pensons pas cependant que la solution de ce problème soit capitale pour notre recherche.

Nous pouvons donc reconstituer ainsi la trame qui sous-tend le récit le plus ancien de la tradition *Mt.-Mc* : à l'instigation des

---

40. Mt., XXVII, 3-10.
41. *Idôn Ioudas ... hoti* — *idôn de ho Pilatos hoti*.
42. Cf. M. E. Boismard, dans P. BENOIT - M. E. BOISMARD, *Synopse des Quatre Évangiles*, II, Paris, 1972, pp. 413 et 416, sur l'ajout tardif de ce v. de Marc et de Lc, XXIII, 24.
43. Mc, XV, 15 b et c. Traduction de la TOB.
44. Mc, XV, 16-20 a.

grands prêtres, Jésus est conduit devant Pilate. L'accusation portée par les adversaires de Jésus concerne sa royauté, et l'interrogatoire de Pilate porte sur celle-ci. A la foule qui réclame la mise en œuvre du « privilège » pascal, Pilate propose de libérer le roi des Juifs. La foule, excitée par les grands prêtres, demande le crucifiement de Jésus, alors Pilate l'invite à préciser ce qui est condamnable en Jésus. En raison des cris redoublés de la foule, le gouverneur, après avoir fait flageller Jésus, le livre aux soldats pour qu'il soit crucifié.

A ce récit primitif, s'ajoutent des éléments communs à *Mt.* et *Mc* : le silence de Jésus devant les accusations portées contre lui [45], ce qui provoque l'étonnement de Pilate ; la reconnaissance par Pilate de la jalousie des milieux juifs [46] ; la volonté de Pilate de libérer Jésus, ce qui se traduit par un rejet sur les Juifs de la décision dernière à prendre [47].

Matthieu apporte encore d'autres indications, soit sous la forme d'ajouts, soit comme retouches qui modifient quelque peu l'orientation du texte. Deux insertions non négligeables (v. 19 et 24-25) recoupent sur certains points des thèmes déjà abordés dans la séquence qui traite la mort de Judas [48], avec pour les v. 24-25, référence à l'Écriture. Avant toute demande de la foule, Pilate propose de libérer Jésus ; l'insistance sur cette volonté de libérer Jésus amène à faire poser à nouveau par Pilate au v. 21, une question semblable à celle du v. 17. La transformation de roi des Juifs en Jésus, appelé Christ, permet un parallèle frappant : Jésus Barabbas — Jésus, appelé Christ. Les additions propres à Mc sont beaucoup plus modestes [49].

B. Pilate dans cette tradition.

Dans cette tradition, au niveau primitif, Pilate apparaît comme un gouverneur devant qui les autorités juives traduisent Jésus de Nazareth. Dans l'esprit des accusateurs de Jésus [50], la décision est prise, il faut obliger Pilate à livrer Jésus pour la crucifixion. Le gouverneur centre l'interrogatoire sur la royauté de Jésus, seul sujet qui, pour lui, présente de l'intérêt. Il reconnaît l'innocence de Jésus et invite ses opposants à préciser leur accusation. Cependant, après avoir proposé à la foule de libérer Jésus, le gouverneur cède à la pression populaire et livre alors Jésus aux soldats.

II. *Tradition Luc-Jean.*

A. Remarques d'ordre littéraire.

Les deux textes de Luc et de Jean comportent de nombreux

45. Mc, XV, 3-5.
46. Mc, XV, 10.
47. Mc., XV, 12.
48. Mt., XXVII, 3-10.
49. Insistance sur l'abondance des accusations (v. 3) ; Pilate, en condamnant Jésus, veut satisfaire le peuple (v. 15 a).
50. Cf. récit de la comparution devant le Sanhédrin, ce que Mt., XXVII, 1, dans sa forme actuelle, accentue.

points communs, nous en relevons quelques-uns afin de justifier le regroupement que nous proposons. Dans ces Évangiles, les accusations des grands prêtres précèdent la question de Pilate sur la royauté de Jésus. Trois fois, Pilate affirme l'innocence de Jésus ; la scène des moqueries n'est pas rejetée après la décision de Pilate mais se trouve insérée à l'intérieur des débats avec Pilate [51]. Ces textes explicitent le désir de Pilate de relâcher Jésus. La structure de Luc et Jean, très différente de celle de Matthieu et Marc, suppose une source commune, l'un et l'autre l'aménagent en fonction de leurs perspectives.

Relevons sous forme de tableau les données qui se correspondent dans les deux Évangiles :

Lc, XXIII, 2	Accusations portées contre Jésus	*Jn*, XVIII, 29-32
Lc, v. 3	Interrogatoire de Jésus par Pilate et réponse de Jésus	v. 33 et 37 b
v. 4 b	Première affirmation de l'innocence de Jésus	v. 38 c
v. 11	Moqueries	
v. 14 b-15 b	Deuxième affirmation d'innocence	
v. 18 a	Insistance des Juifs	*Jn*, XIX, 6 a
v. 18 b-19	Barabbas	*Jn*, XVIII, 39
	Moqueries	*Jn*, XIX, 1-3
	Deuxième affirmation d'innocence	v. 4
v. 22	Troisième affirmation d'innocence	v. 6 b
v. 23	Nouvelle insistance des Juifs	v. 12 b
v. 25 b	Pilate livre Jésus aux Juifs	v. 16 a

1) Luc (XXIII, 1-25).

Le parallèle des récits Luc-Jean est encore plus parfait quand on a reconnu en Luc, XXIII, 5-16, une insertion qui a conduit Luc à bouleverser le schéma primitif. En effet, le v. 5 est rédactionnel [52], il permet l'introduction de la scène devant Hérode tandis que les v. 6-12 (la comparution de Jésus devant Hérode) constituent une construction typiquement lucanienne [53], et que nombre d'indices permettent de voir dans les v. 13-16 l'œuvre de Luc [54]. D'ailleurs, l'insertion de

---

51. En totalité, en Jean ; au moins en partie, en Luc, mais insérée dans l'épisode où Hérode intervient (Lc. XXIII, 11 cf. aussi v. 36-37).

52. Le v. 5 a est une reprise du v. 2 ; 5 b correspond à un fragment de Act. X, 37, cf. M. E. BOISMARD, *op. cit.*, p. 412.

53. M. E. BOISMARD, *op. cit.*, p. 418, relève les expressions lucaniennes et les rapprochements avec d'autres passages de Luc ou des Actes. Pour construire cette scène, Luc fait appel à divers éléments, cf. silence de Jésus et accusations des grands prêtres ; scène de moqueries. H. W. HOEHNER, *Herod Antipas*, Cambridge, 1972, pp. 224-227, à la p. 226, a essayé de montrer que ce passage rejoignait une des sources utilisées par Luc dans les récits de la Passion. Il est cependant obligé de reconnaître en ces v., une très forte concentration de mots et d'expressions lucaniennes.

54. Au v. 13, *Sugkalesamenos* est un thème lucanien 0/1/4/0/3 ; de même, *archontas*, au sens où il est employé ici, serait plutôt lucanien ; le v. 14 a

Barabbas est si abrupte que plusieurs manuscrits ont éprouvé le besoin de créer le v. 17. Le v. 20 de Luc, sans correspondant en Jean, est mal en situation. Il passe sous silence le contenu des paroles de Pilate et il insiste sur la volonté du gouverneur de libérer Jésus. Il a sans doute été inséré par Luc à partir de *Mc*, XV, 12 b qui manifestait, à un niveau second, la bonne volonté de Pilate. Donc, afin de construire cette scène devant Hérode[55], Luc a bouleversé la structure primitive, mieux conservée en Jean.

Les éléments propres à Luc, qu'il s'agisse de modifications de la formulation ou d'ajouts, méritent d'être relevés. La scène des v. 2-4 du ch. XXIII est organisée selon un schéma très logique. Les accusations portées contre Jésus figurent au début, ainsi elles rendent compréhensible la question de Pilate au v. 3. Les accusations montrent en Jésus celui qui cherche à détourner le peuple de sa soumission à Rome. La scène s'achève sur une affirmation d'innocence de Jésus de la part de Pilate. Ces versets, dans les parties qui n'ont pas de correspondant dans les autres évangiles, contiennent des traces nettes de rédaction lucanienne[56].

L'affirmation d'innocence de Jésus fait partie d'un ensemble. A trois reprises, comme nous l'avons signalé, Pilate proclame l'innocence de Jésus en des termes d'ailleurs assez proches :

— v.4   Je ne trouve aucun motif (de condamnation) en cet homme.

— v. 14 c Je n'ai trouvé en cet homme aucun motif (de condamnation).

(15 b) (pour ce) dont vous l'accusez... Et voici, rien de digne de mort n'a été fait par lui.

— v. 22   Qu'a donc fait de mal cet (homme) ? Je n'ai trouvé en lui aucun motif de mort[56 bis].

La structure identique de Jean nous invite à ne pas considérer cette triple répétition lucanienne comme une œuvre de l'évangéliste. Ce dernier la trouve dans la source qui lui est commune avec Jean, mais la reformule en des termes qui lui sont propres. Cependant, le parallélisme des affirmations amène à penser que la source elle-même est déjà le résultat d'une construction.

Les versets 21-23 contiennent la troisième proclamation de l'innocence de Jésus, de la part de Pilate ; ils ont un certain nombre de

reprend le motif d'accusation du v. 2 a, tandis que le v. 14 b a un parallèle au v. 4 a ; et 15 b et 16 au v. 22 b et c ; mais 14 b a également un parallèle en Jn, XIX, 4. Enfin, le v. 15 a contribue à l'insertion de l'épisode d'Hérode.

55. Sur le problème de la valeur historique de cette scène, cf. *infra*, p. 190.

56. *Touton, erôtaô, pros, aition* ; « *aition = aitia* is peculiar to Lk. and is always combined with a negative : vv. 14, 22 ; Acts, XIX, 40 », A. PLUMMER, *A Critical and Exegetical Commentary on the Gospel according to S. Luke*, Edimbourg, ⁴1910, p. 521.

56 bis. Nous reproduisons ici les traductions de P. BENOIT - M. E. BOISMARD, *Synopse des quatre Évangiles*, I, ²1973, in loco.

parallèles. Un rapprochement avec Marc se fait au niveau de l'orientation et des expressions. Nous l'avons déjà remarqué à propos du v. 20 [57] mal inséré en Luc où l'expression « *thelôn apolusai ton Iêsoun* » explicite ce que laisse entendre en *Mc*, XV, 12 b l'interrogation sur « l'avenir » de Jésus. Le v. 21 est très proche de *Mc*, XV, 13 (une introduction + un cri). Le v. 22 insiste sur l'innocence de Jésus (*triton*) et reprend de *Mc* la question de Pilate : « Qu'a donc fait de mal cet (homme) ? » La troisième affirmation d'innocence est proche de celle du v. 14 tandis que le v. 22 c forme doublet avec le v. 16. Enfin, le v. 23 réaffirme l'hostilité des adversaires de Jésus.

Dans le texte de Luc, tout comme en Jean, les proclamations d'innocence de Jésus par Pilate provoquent l'acharnement des adversaires de Jésus dans leur opposition à sa personne [58].

Dans la scène de la condamnation de Jésus [59], d'un point de vue littéraire, se rencontrent un accord fondamental avec Jean (Jésus est livré à ses adversaires exprimé de manière ambiguë : *tôi thelêmati autôn*), un élément commun avec *Mc* (v. 24 cf. *Mc* XV, 15) et un doublet (cf. v. 25 a et 19). Luc insiste sur l'attitude des Juifs.

2) Jean, XVIII, 28-XIX, 16.

A partir d'une source qui lui est commune avec Luc, Jean présente une organisation et des développements qui lui sont propres. Il construit cette partie de son évangile en une série de scènes : extérieur - intérieur. Dans les scènes à l'extérieur, Pilate est aux prises avec les Juifs ; dans les scènes à l'intérieur, Pilate et Jésus sont confrontés. Les moments les plus dramatiques de cette construction sont les scènes où les trois groupes, les Juifs, Pilate et Jésus, se rencontrent, c'est alors que se décide l' « avenir » de Jésus tandis que celui-ci demeure silencieux [61]. Jean développe ses orientations à l'aide de discours qui lui permettent une réflexion sur la royauté de Jésus et le véritable pouvoir.

L'évangéliste traite quelques données à sa manière ; il accentue la distance entre Pilate et les Juifs [62]. A plusieurs reprises, le gouverneur invite les Juifs à se saisir eux-mêmes de cette affaire [63], ce qu'ils ne peuvent faire étant donné qu'ils ont décidé de conduire Jésus à la mort [64]. Les réticences de Pilate et son peu d'empressement à « entrer » dans les vues des Juifs sont vaincus par la mise en avant de « César » : « Si tu relâches cet (homme), tu n'es pas ami de

---

57. Cf. *supra*, p. 186.
58. Cf. Lc, XXIII, 5, 18, 21, 23.
59. Lc, XXIII, 24-25.
60. *Hon êitounto* — *tôi thelêmati autôn.*
61. Jn, XIX, 5-6, 13.
62. Jn, XVIII, 35.
63. Jn, XVIII, 31 ; Jn, XIX, 6, 7.
64. Cf. *supra*, pp. 91-92.

César. Quiconque se fait roi, s'oppose à César[65] ». L'opposition entre deux rois possibles et l'affirmation de l'attachement des Juifs à César expliquent le retournement de Pilate. La « crainte » de Pilate devant tout ce qui touche au « sacré » est très développée[66], et le désir de Pilate de relâcher Jésus est accentué à partir de l'échange entre Jésus et Pilate sur l'*exousia*[67].

B. Pilate dans la tradition Luc-Jean.

Dans cette tradition, le comportement de Pilate n'est pas très différent de celui de la tradition *Mt.-Mc.* L'épisode de Barabbas, très mal inséré en Luc, et d'une façon particulière en Jean, ne joue plus un rôle central. Ce n'est plus par le « recours au privilège pascal » que s'exprime la volonté de Pilate de libérer Jésus, mais par un affrontement plus marqué entre Pilate et les Juifs : trois affirmations explicites d'innocence amplifient l'opposition des Juifs ; leur pression à l'égard du gouverneur est si forte que Pilate livre Jésus aux Juifs, « à leur volonté », et non plus aux soldats. Les accusations sont plus précises, et formulées en des termes nouveaux qui accentuent l' « opposition » de Jésus au pouvoir romain[68]. Pilate non seulement proclame l'innocence de Jésus, mais veut le faire relâcher.

III. *Pilate dans la tradition évangélique.*

Les éléments semblables de ces différents récits se résument ainsi : les Juifs, avec un rôle tout spécial attribué aux milieux sacerdotaux, livrent Jésus à Pilate ; quand les Juifs font appel au gouverneur, leur décision est déjà prise, ils veulent obtenir la mort de Jésus. L'accusation formulée par les chefs juifs porte sur la royauté de Jésus avec l'ambiguïté même du terme : sens politique - sens messianique ; elle est d'une extrême habileté. Pilate interroge l'accusé, manifeste son désir de le libérer et invite ses adversaires à dire en quoi Jésus est fautif. Enfin, jouet des Juifs, Pilate livre Jésus pour qu'il soit crucifié. Le gouverneur n'a pas ratifié une décision juive, mais il n'a pas pu ou su échapper à la pression des milieux juifs. La tradition Luc-Jean insiste avec force sur la conviction de Pilate : Jésus est innocent, ce que Marc et surtout Matthieu manifestent à leur manière en retravaillant leur propre tradition. Tous ces récits accentuent la responsabilité des Juifs et minimisent la part prise par Pilate dans la mort de Jésus. L'imprécision des formules de *Lc*, XXIII, 25 et *Jn*, XIX, 16 souligne de façon dramatique le rôle des Juifs. Ce dernier trait, si net dans cet ensemble des récits de la comparution

---

65. Jn, XIX, 12. Traduction de P. BENOIT - M. E. BOISMARD, *op. cit.*, p. 320.
66. « Qu'est-ce que la vérité ? » Jn, XVIII, 38 ; « Pilate... eut davantage peur », Jn, XIX, 8.
67. Jn, XIX, 10 ss.
68. Cf. Lc, XXIII, 2, 5 a ; Jn, XIX, 12 b, 15 c.

de Jésus devant Pilate, est développé dans le livre des Actes des Apôtres [69] et dans l'Évangile de Pierre [70].

IV. *Comportement de Pilate et histoire.*

Les Juifs portent contre Jésus une accusation habile, car le motif invoqué, la revendication de la royauté [71], empêche Pilate de relâcher Jésus ou alors le gouverneur doit faire la preuve de la parfaite innocence de Jésus. La plus ancienne tradition ne présente pas un gouverneur qui cède à la peur ou qui défend scrupuleusement l'accusé, mais un homme qui ne veut pas être manœuvré par les Juifs. En effet, Pilate conduit pour son propre compte un interrogatoire qui le convainc de l'innocence de Jésus et il ne cède à la foule que dans la mesure où le motif d'accusation invoqué le place dans une situation impossible.

Cette affaire laisse apercevoir une certaine complicité entre le gouverneur et les milieux sacerdotaux. Ces derniers n'hésitent pas à recourir à Pilate pour parvenir à leur fin, tandis que les Pharisiens sont absents de cette phase finale du procès de Jésus. Les v. 12 b-15 de *Jn*, XIX, même s'ils sont de rédaction johannique, rendent bien compte du motif qui a obligé Pilate à céder : s'il ne condamnait pas Jésus, il risquait d'être dénoncé comme un gouverneur qui laisse se dresser des opposants à César.

Pilate a conduit le procès de Jésus en respectant les règles de la procédure de la *cognitio extra ordinem* alors en usage pour la justice capitale dans les provinces du même type que la Judée [72]. Comme il se devait, Pilate a présidé le procès [73]. La conclusion du procès de Jésus devant Pilate, telle qu'elle est rapportée en *Mc*, XV, 15, correspond bien à une sentence qui résulte d'une telle procédure « où le juge devait établir tout à la fois, la punissabilité, la culpabilité et la

---

69. Act., II, 23, 36 ; III, 13 ; XIII, 28... la responsabilité de la mort de Jésus est rejetée sur les seuls Juifs.

70. Cf. *Évangile de Pierre*, éd. tr. M. G. MARA, SC, 201, Paris ,1973, p. 72.

71. J. BLINZLER, *Le procès de Jésus*, p. 341, explique ainsi la raison légale de la condamnation de Jésus : « Le fait de haute trahison fut selon toute apparence surtout reconnu dans la prétention de Jésus à la dignité de roi. Parmi les nombreux délits qui sont comptés dans les digestes de Justinien comme *crimen laesae majestatis*, aucun ne correspond exactement à celui que l'on reproche à Jésus, Mais il y a trois dispositions qui permettent de transformer aisément la revendication du titre de roi en un crime de lèse-majesté : se rend coupable d'un tel forfait, en général celui dont l'action est dirigée contre le peuple romain et sa sûreté, en particulier un simple citoyen qui exerce de propos délibéré et avec une intention maligne la fonction d'un employé ; en outre, celui qui, par malice, tourne les amis du peuple romain contre ce même peuple. »

72. F. BOVON, *Les derniers jours de Jésus*, Paris-Neuchâtel, 1974, a rassemblé, aux pp. 60-69, les informations qui permettent de comprendre comment Pilate, dans le procès de Jésus, a bien respecté la procédure romaine. Sur la *cognitio extra ordinem*, cf. J. GAUDEMET, *Institutions de l'Antiquité*, Paris, 1967, pp. 780-781.

73. Cf. F. BOVON, *op. cit.*, p. 62.

fixation de la peine. *Mc*, XV, 15 évoque le jugement qui, en fixant la peine, indiquait en même temps la punissabilité et la culpabilité [74]. »

V. *Remarques sur la comparution de Jésus devant Hérode* (Lc, *XXIII*, *6-12*) *et son rapport à l'histoire*.

Cette scène, œuvre de Luc [75], fait-elle écho à un événement, raconté à sa manière par Luc, ou est-elle une création lucanienne ? M. Dibelius avait cru pouvoir discerner en ce texte une volonté d'historicisation du *Ps.*, II, 1-2, cité en *Act.*, IV, 25-26 [76]. Cette thèse se heurte à de graves difficultés dont l'une est fondamentale. En effet dans l'interprétation du Psaume en *Act.*, IV, Pilate et Hérode se liguent contre Jésus, or, en Luc, XXIII, nous avons une perspective inverse, ce qui amènerait donc plutôt à reconnaître là un indice d'historicité [77]. Cette scène de l'Évangile de Luc va à l'encontre du développement explicite d'Act., IV qui, en fait, est une interprétation généralisante [78]. La scène n'a rien d'invraisemblable. Luc peut faire écho à une tradition orale qui conservait le souvenir d'une participation d'Hérode à la Passion de Jésus. Par ce renvoi, Pilate se tirait d'une situation difficile qui le contraignait ou à céder à la foule ou à paraître favoriser un candidat à la royauté juive. C'était aussi une occasion de se concilier les bonnes grâces d'un prince indépendant bien vu de la cour impériale, et, peut-être même, la possibilité de le mettre en difficulté. D'un point de vue légal, Pilate n'avait aucune obligation d'envoyer Jésus à Hérode ; en effet, selon A. N. Sherwin-White, dès le début de l'Empire, un criminel était jugé là où il avait commis les crimes qui lui étaient reprochés, et non pas dans sa province d'origine [79]. De cette scène nous retiendrons surtout le v. 12, écho des rapports difficiles entre gouverneur romain et princes locaux.

74. F. Bovon, *op. cit.*, p. 69.

75. Cf. *supra*, pp. 185-186.

76. M. Dibelius, Herodes und Pilatus, dans ZNW, XVI, 1915, pp. 113-126. Il résume ce point de vue dans *Die Formgeschichte des Evangeliums*, ²1933, p. 200 : « der Einfluss des Alten Testaments greift weiter um sich : die Verspottung ist Lk, XXIII, 35 nach Ps., XXII, 8 dargestellt..., und die für den Gang der Handlung ganz unwesentliche Herodesszene ist eingeschoben, weil man aus Ps., II, 1 f die Freundschaft zwischen Pilatus und Herodes (Lk, XXIII, 12) herauslas... »

77. Cf. les remarques rassemblées par H. W. Hoehner, *Herod Antipas*, Cambridge, 1972, pp. 228-230.

78. Si on voulait chercher un modèle à la rédaction lucanienne de Lc, XXIII, 6 ss, il faudrait plutôt s'intéresser au parallèle : procès de Paul — procès de Jésus, imitation par le disciple du sort du maître, cf. M. E. Boismard, dans P. Benoit - M. E. Boismard, *Synopse des quatre Évangiles*, II, Paris, 1972, pp. 418-419.

79. Cf. A. N. Sherwin-White, *Roman Society and Roman Law in the N. T.*, Oxford, 1963, pp. 28-31 cf. également H. W. Hoehner, Why did Pilate Hand Jesus over to Antipas ?, dans *The Trial of Jesus*, ed. by E. Bammel, Cambridge, ²1971, pp. 84-90. D'ailleurs, dans les Actes des Apôtres, quand Paul doit être jugé, il n'est jamais question de le faire comparaître devant le gouverneur de sa province d'origine, la Syrie-Cilicie.

VI. Barabbas et le privilège pascal.

La valeur historique du « privilège pascal »[80] a été très discutée. Sa réalité a été mise en doute pour trois motifs : il n'est pas ou mal attesté en dehors des Évangiles ; il contribue à innocenter Pilate ; présente dans les quatre Évangiles, la séquence qui évoque le privilège pascal y est littérairement mal insérée[81], ne serait-ce pas l'indice d'un ajout tardif ?

A. Le privilège pascal dans les Évangiles et les parallèles invoqués.

« Le droit romain connaît deux formes d'amnistie, l'*abolitio*, c'est-à-dire la mise en liberté d'un prisonnier non encore jugé et l'*indulgentia*, la grâce d'un condamné[82]. » Selon le texte évangélique, Pilate n'a pas encore porté de sentence, le cas de Jésus relèverait donc de l'*abolitio*, et celui de Barabbas serait à situer sans doute dans la même ligne, car il n'a pas encore été jugé.

Cependant, le texte évangélique n'évoque pas simplement une possibilité d'amnistie, mais il lie la libération éventuelle de Jésus à un privilège, c'est l'existence de ce dernier qui est contestée. Trois parallèles ont été invoqués en faveur de ce privilège, nous les examinons afin de juger de la pertinence des rapprochements.

I. Parallèle rabbinique : M. Pesaḥim, VIII, 6.

« On abat le sacrifice pascal pour celui qui pleure un proche, pour celui qui déblaie la ruine, de même aussi pour celui à qui on a promis de le faire sortir de prison, et pour le malade et le vieillard qui peuvent manger l'équivalent d'une olive. Mais pour aucun d'entre eux on abat pour lui-même de peur qu'il ne rende le sacrifice pascal invalide. C'est pourquoi si ces personnes sont frappées d'une incapacité (pour consommer le sacrifice pascal), elles sont dispensées d'offrir la seconde Pâque, à l'exception de celle qui déblaie une ruine, car dès le début elle était impure. »

En ce texte, la tradition rabbinique se demande à quelle condition peut-on immoler la Pâque pour des personnes susceptibles de connaître un accident qui les rendrait impropres à la consommer. Les auteurs qui invoquent ce texte comme un parallèle possible de la coutume évangélique, sont obligés de faire un certain nombre de

---

80. Nous conservons cette expression pour faire bref et parce qu'elle est couramment employée, bien qu'à vrai dire, elle ne s'applique qu'au texte johannique. Dans ce dernier (Jn, XVIII, 39), le rappel de la coutume est placé sur les lèvres de Pilate et lié à la fête de Pâque ; dans les autres textes, le lien est fait simplement à la fête et sous la forme d'une description. J. Blinzler a rassemblé une documentation importante sur cette question, dans *Le procès de Jésus*, pp. 333-350.

81. Cf. X. Léon-Dufour, Passion, dans *DBS*, VI, 1960, col. 1467.

82. J. Blinzler, *Le procès de Jésus*, p. 336.

suppositions pour qu'un tel rapprochement ait du sens [83]. Depuis long-temps [84], divers auteurs ont critiqué la validité du parallèle, car ce texte de la Mishna ne comporte aucun indice qui permette de le mettre en rapport avec une situation d'amnistie ; mais il fait allusion à la situation du prisonnier à qui l'on a promis la libération pour le temps de Pâques ; or tant que la promesse n'est pas passée dans les faits, une incertitude demeure sur sa capacité à manger la Pâque. Le texte évangélique et celui de la Mishna diffèrent fondamentalement ; d'un côté, il y a libération effective ; de l'autre, promesse.

Le texte de la Mishna ne dit rien non plus sur la qualité des autorités responsables de l'incarcération : juives ou païennes. Le commentaire, donné par le Talmud de Jérusalem [85], favorise la première hypothèse. Éclairant le texte de la Mishna par le Talmud de Jérusalem, J. Jeremias écrit : « il est probable que Pesaḥim, VIII, 6 envisage le cas d'un prisonnier, retenu par les autorités juives, et qui reçoit la promesse d'être libéré provisoirement pour lui permettre de participer à la célébration pascale [86]. » Une dernière incertitude met en question le rapprochement entre le texte rabbinique et celui de l'Évangile : le prisonnier dont il est question de part et d'autre appartient-il à une même catégorie ? Dans l'Évangile les faits reprochés à Barabbas sont graves [87] ; or le texte rabbinique nous laisse dans l'ignorance de la nature des délits commis.

Les imprécisions du texte rabbinique et les différences entre les deux textes nous amènent à refuser une valeur quelconque à un tel parallèle.

II. Le rapprochement opéré avec la situation décrite par un papyrus [88] qui rapporte le procès verbal d'une audience tenue entre 86

---

83. Ce parallèle a été invoqué entre autres par J. BLINZLER, La mise en liberté d'un prisonnier au moment de la Pâque, dans Le Procès de Jésus, pp. 351-357 ; cet auteur est pour l'essentiel d'accord avec les développements de C. B. CHAVEL, The Releasing of a Prisoner on the Eve of Passover in Ancient Jerusalem, dans JBL, LX, 1941, pp. 273-278. Selon ces auteurs, le passage de la Mishna confirmerait l'existence de la coutume d'amnistie ; C. B. Chavel, utilisant Pesaḥim 91 a, affirme même que la coutume remontait à une période pré-romaine et ne concernait que les prisonniers politiques.

84. Cf. J. MERKEL, Die Begnadigung am Passahfeste, dans ZNW, VI, 1905, pp. 293-316, à la p. 306 ; H. A. RIGG, Barabbas, dans JBL, LXIV, 1945, pp. 417-456, à la p. 422, n. 17, et plus récemment J. JEREMIAS, Abendmahlsworte Jesu, Göttingen, ⁴1967, tr. fr. La Dernière Cène. Les Paroles de Jésus, Paris, 1972, pp. 79-80.

85. J. Pesaḥim, VIII, 6, 36 a, 45 s. L'interprétation est différente dans « le Talmud de Babylone (Pesaḥ. 91 a), qui, cependant, en ces questions est moins à même d'apprécier les conditions de la Palestine », J. JEREMIAS, op. cit., p. 79, n. 359.

86. J. JEREMIAS, op. cit., pp. 79-80.

87. Cf. Mc, XV, 7 ; Lc, XXIII, 19 ; Jn, XVIII, 39.

88. Papiri Fiorentini LXI, 59 s, dans Papiri Greco-Egizii, Milan, 1906, pp. 113-116. La finale de ce papyrus intéresse directement notre recherche.

Σεπτίμιος Οὐέγετος τῶι Φιβίωνι : Ἄξιος μ[ὲ]ν ἧς μαστι-
γωθῆναι, διὰ σεαυτοῦ [κ]ατασχὼν ἄνθρωπον

et 88 par C. Septimius Vegetus, préfet d'Égypte, mériterait à première vue davantage de considération, car la décision de faire grâce au coupable est prise par une autorité romaine qui veut satisfaire les foules [89]. Cependant des divergences demeurent. Le texte du Papyrus présente cette libération comme un événement occasionnel, et non pas comme un fait lié à une coutume. De plus, la nature de la faute est sans rapport dans les deux situations. Phibion, l'accusé du payrus égyptien, n'a pas participé à une sédition, mais il mérite la flagellation parce qu'il s'est fait justice lui-même en saisissant son adversaire et les femmes de sa maison. La divergence de ces éléments essentiels donne une portée différente aux textes et aux événements qu'ils rapportent. La situation égyptienne est proche d'autres cas d'amnistie occasionnelle.

III. L'appui [90] recherché du côté du lectisterne décrit par Tite-Live [91] et qui eut lieu pour la première fois en 399, est aussi tout à fait artificiel, si ce n'est que de part et d'autre figure un lien avec une fête religieuse.

Jusqu'à présent, il ne semble pas qu'on ait apporté des parallèles valables à la coutume évangélique [92]. Le monde romain connaît certes des amnisties occasionnelles, individuelles ou collectives, à l'occasion d'événements importants [93], mais rien ne permet d'y voir une coutume. L'absence de parallèles ne conduit pas à un jugement

εὐσχήμονα καὶ γυν[αῖ]κας · χαρίζομαι δέ σε τοῖς ὄ-
χλοις καὶ φιλανθρωπ[ότ]ερ[ό]ς σοι ἔσομαι. διὰ τεσ[σ]ε-
ράκοντα ἐτῶν ἐπιφέ[ρε]ις ἐπίσταλ[μ]α · τὸ ἥμισ[ύ] σοι
τοῦ χρόνου χαρίζομαι · [μ]ετὰ εἴκοσι ἔτη ἐπανε-
λεύσῃ πρὸς ἐμέ. Καὶ ἐκ[έ]λευσε τό χειρ[ό]γραφον χια-
σθῆναι.

« C. Septimius Vegetus dit à Phibion : « Tu aurais mérité d'être fouetté, puisque tu as détenu de ton propre chef un homme honorable et des femmes ; cependant, j'accorderai ton pardon aux foules et je serai plus humain à ton égard. Ayant infligé une peine de 40 ans, je te fais grâce de la moitié du temps ; dans 20 ans tu reviendras vers moi. Et il ordonna que la note manuscrite soit annulée. »

89. L'éditeur, G. VITELLI, a suggéré le rapprochement avec la situation évangélique : « Involontariamente si pensa a Pilato e Barabba », op. cit., p. 116.

90. Cf. par ex. M. J. LAGRANGE, Évangile selon saint Marc, Paris, 1947, p. 413 ; E. LOHMEYER, Das Evangelium des Markus, Göttingen, 1951, p. 336.

91. TITE-LIVE, Hist. Rom., V, XIII, 4-8, éd. tr. J. BAYET - G. BAILLET, Paris, 1954, p. 24.

92. Cf. par ex. M. HERRANZ MARCO, Un problema de crítica histórica en el relato de la Pasión : la liberación de Barrabás, dans Estudios Biblicos, XXX, 1971, pp. 137-160, spécialement pp. 143-146, qui a recours aux parallèles invoqués depuis longtemps. Le jugement de C. E. B. CRANFIELD demeure vrai : « There is no evidence of this custom outside the Gospels », The Gospel according to Mark, Cambridge, 1959, p. 449.

93. Par ex. à l'occasion de l'avènement d'un nouvel empereur, cf. SUÉTONE, Vies, Caligula, XV ; DION CASSIUS, Hist. Rom., LIX, 6, 2.

négatif sur la valeur historique des textes évangéliques, mais il oblige à s'interroger avec plus de rigueur sur l'origine et la valeur de ces textes.

B. La valeur historique des textes évangéliques.

Cette absence de parallèles a conduit quelques auteurs à nier la réalité historique de l'épisode de Barabbas, certains se sont contentés de parler à ce propos de création, mais d'autres ont voulu lui donner des motifs qui, parfois, sont assez curieux. Selon P. Winter [94], le point de départ de l'affaire serait une hésitation de Pilate à propos de l'identité de deux prisonniers qui portaient le même nom [95], Pilate se serait enquis de savoir duquel on débattait. De ce fait banal, les évangélistes auraient tiré l'histoire que nous connaissons. Après beaucoup d'autres, H. Z. Maccoby [96] a souligné l'attitude différente des foules pendant le ministère public de Jésus et durant la Passion. A l'intérieur même du récit de la Passion se trouvent des contradictions. Selon lui, le texte primitif opposait les grands prêtres qui invitaient Pilate à crucifier Jésus et la foule qui demandait sa libération en l'appelant par son surnom Barabbas [97]. Il n'y aurait donc au départ qu'une seule personne, Jésus dit Barabbas. Grands prêtres et foule auraient pris une attitude différente par rapport à son arrestation, mais les évangélistes auraient créé deux personnages dans cette histoire qui servait dès lors à manifester l'hostilité de l'ensemble des Juifs à Jésus.

Ces explications ne prennent pas les textes au sérieux, car les contradictions ou les développements apologétiques ne disqualifient pas a priori un texte sur le plan de l'histoire [98], mais ils obligent à en faire la critique.

Quelques remarques méritent d'être faites :

1) L'épisode de Barabbas se trouve attesté dans les quatre Évangiles, et le « privilège pascal » est mentionné chez Mathieu, Marc et Jean.
2) Des traditions qui ont eu une vie indépendante le connaissent.
3) Si l'on en croit l'analyse littéraire effectuée par M. E. Boismard [99],

---

94. P. WINTER, *On the Trial of Jesus*, p. 99 ; il fait sa proposition avec quelque réserve.

95. P. WINTER s'appuie sur la variante manuscrite qui paraît être la meilleure : le nom de Barabbas était bien « Jésus Barabbas », cf. *supra*, p. 182.

96. H. Z. MACCOBY, Jesus and Barabbas, dans *NTS*, XVI, 1969-70, pp. 55-60.

97. Ce surnom, selon l'étymologie acceptée, signifierait « fils du Père » ou « le maître ». Déjà H. A. RIGG, Barabbas, dans *JBL*, LXIV, 1945, à la p. 435, avait proposé de voir en Jésus Barabbas, Jésus lui-même.

98. Cf. les sévères critiques adressées à P. Winter sur cette question du « *privilegium paschale* » par P. BENOIT, Le Procès de Jésus selon P. Winter, dans *RB*, LXVIII, 1961, pp. 593-599 (réimprimé dans *Exégèse et Théologie*, III, Paris, 1968, pp. 243-250, à la p. 245).

99. M. E. Boismard, dans P. BENOIT - M. E. BOISMARD, *Synopse des Quatre Évangiles*, II, 1972, pp. 416-417.

ce texte fait partie d'une tradition ancienne des récits de la Passion.

4) Quel pouvait être l'intérêt de la communauté primitive à créer un récit qui allait contre les faits connus et rapportait un « privilège » qui n'aurait pas existé ?

5) Le fait de Barabbas explique bien le « pourquoi » de la foule à ce moment-là.

Compte tenu de ces remarques, nous souscrivons volontiers à l'affirmation de R. E. Brown : « nous pensons que la critique invite, au moins, à reconnaître l'historicité de la libération d'un partisan armé nommé Barabbas à l'époque où Jésus fut condamné [100] ». Cette donnée semble être le minimum historique nécessaire pour que le récit tel que nous le connaissons aujourd'hui ait pu se développer. A partir de là a pu se dessiner une tendance à accentuer le parallèle entre les deux personnages. Il semble difficile de refuser tout aspect de vraisemblance historique au « privilège » évoqué ; car il a pu y avoir en Judée des libérations réalisées à l'occasion de fêtes, c'était alors l'occasion de manifester à la fois la réalité du pouvoir romain et sa mansuétude.

Si la réalité évoquée par les évangélistes pouvait être mieux fondée, elle manifesterait de la part de Pilate le respect d'une coutume favorable aux Juifs.

2. PILATE DANS LES ÉVÉNEMENTS DE LA PASSION DE JÉSUS EN DEHORS DE LA SCÈNE DE L'INTERROGATOIRE DE JÉSUS : PILATE ET LES GRANDS PRÊTRES.

A. La démarche des chefs juifs cherchant à obtenir une modification du libellé de l'écriteau de la croix (*Jn*, XIX, 19-22).

Ce développement est l'œuvre de Jean. En effet, en *Jn*, XIX, 16 b-24 et Luc, XXIII, 26, 33-38, les épisodes se succèdent dans un même ordre [101], différent de celui de Matthieu-Marc ; ce parallèle n'est rompu que par l'épisode de l'écriteau, qui sans doute était absent de la source commune à Luc et à Jean, car les caractéristiques johanniques y sont nombreuses [102], et le passage a une orientation symbolique ; en ce texte, Pilate est le maître d'œuvre de l'inscription et devient prophète d'une réalité qui le dépasse : « par la croix... Jésus devient le roi messianique et cet événement doit être annoncé

---

100. R. E. BROWN, *The Gospel according to John XIII-XXI*, New York, 1970, p. 871. Déjà M. Dibelius remarquait : « Wenn wir auch von einer solchen Amnistie als Brauch nichts wissen, so liegt kein Grund vor, die Szene zu bezweifeln, die Annahme einer Erfindung würde den allerersten Berichterstattern einen Gestaltungswillen und eine poetische Kraft zutrauen, wie sie sonst nicht zu bemerken sind », *Jesus*, Berlin, ²1949, p. 122.

101. Cf. P. BENOIT - M. E. BOISMARD, *Synopse des quatre Évangiles*, I, Paris, ²1973, pp. 322-324.

102. Cf. M. E. BOISMARD - A. LAMOUILLE, *L'Évangile de Jean*, Paris, 1977, p. 438.

dans toutes les langues du monde[103] ». En *Jn*, XI, 50-52, nous avons une prophétie du même type ; en XII, 32 la prophétie est semblable non plus pour celui qui la prononce, mais pour ceux qui l'entendent. Enfin, on a remarqué que cette scène prolonge l'opposition entre Pilate et les grands prêtres sur la royauté de Jésus, bien soulignée par Jean.

Ces différents motifs nous poussent donc à reconnaître en ces versets une construction johannique développée en vue de manifester, une fois encore, l'hostilité des Juifs à la royauté de Jésus et le rôle « prophétique » de Pilate, favorable à Jésus. S'il y avait un élément historique dans ce passage johannique, il mettrait en scène un gouverneur romain qui refuse de revenir sur ce qu'il a écrit, malgré la forte pression de ses administrés.

    B. La descente du corps de Jésus de la croix : œuvre des Juifs ou d'amis ? (*Jn*, XIX, 31-42 ; *Mt.*, XXVII, 57-61 ; *Mc*, XV, 42-47 ; *Luc*, XXIII, 50-56).

Le récit de la descente du corps de Jésus de la croix met en présence Pilate et des Juifs. Il est particulièrement complexe dans l'évangile de Jean, nous devons tout d'abord essayer de reconnaître les traditions qui ont donné forme au récit actuel. Une lecture superficielle pourrait regrouper les traditions sous-jacentes au texte johannique en fonction des acteurs de la descente de la croix : d'un côté, des Juifs qui, au cours du procès devant Pilate, ont été les adversaires de Jésus ; de l'autre, des sympathisants de Jésus, Joseph d'Arimathie et Nicodème. Mais une lecture plus attentive et la comparaison avec les récits synoptiques invitent à ne pas lier trop vite les personnages de Joseph d'Arimathie et de Nicodème.

Relevons quelques phénomènes littéraires caractéristiques du récit johannique. Celui-ci pose d'abord un problème d'établissement du texte, très significatif de la complexité du récit. En *Jn*, XIX, 38 d, on trouve : « *êlthen oun kai êren to sôma autou* », mais aussi, en quelques manuscrits, des pluriels. Le choix du pluriel nous paraît meilleur[104], car le singulier évite une incohérence du récit ; de plus, le pluriel, quoique difficile, s'explique bien, comme nous le constaterons ci-dessous.

Le récit johannique est composé d'une succession de scènes qui apparemment sont placées les unes à côté des autres :

1) Un récit (v. 31-37) sans parallèle dans les Synoptiques semble inachevé. Les chefs juifs demandent qu'on brise les corps et

---

103. *TOB*, p. 345, n. c.
104. Cf. R. BULTMANN, *Das Evangelium des Johannes*, Berlin, 1950, p. 527 ; D. MOLLAT, *L'Évangile selon saint Jean*, Paris, ³1973, p. 217 Les explications données pour justifier une introduction tardive du pluriel et donc une lecture primitive au singulier, ne sont pas satisfaisantes. R. E. BROWN, *The Gospel according to John XIII-XXI*, New York, 1970, pp. 939-940 a rassemblé quelques interprétations favorables au singulier ; lui-même opte pour cette solution.

qu'on les descende. Les soldats accomplissent la première demande, mais la seconde n'est réalisée qu'au v. 38 d, et la mention de Joseph d'Arimathie coupe ce récit dont l'achèvement normal est au v. 38 d.

2) Les interventions de Nicodème et de Joseph d'Arimathie sont juxtaposées (cf. v. 38 a-b-c et v. 39 - verbes au singulier), puis au v. 40, leurs actions se conjuguent, la démarche de Joseph d'Arimathie rejoint alors celle de Nicodème.

3) Deux permissions sont demandées à Pilate : Joseph demande d'enlever le corps de Jésus, ce qui a déjà été l'objet de la démarche des Juifs. La même remarque peut être faite aussi pour l'action accomplie au v. 40 par Josèphe et Nicodème, cette action répète ce qui a déjà été accompli, et le recours à un nouveau verbe n'atténue pas l'incohérence.

Le texte johannique actuel comporte au moins trois couches [105] :
— Une tradition sur la démarche des Juifs [106] et un développement johannique sur l'eau et le sang [107], qui serait à décomposer lui-même en plusieurs éléments. Ces deux parties constituent dans le texte johannique un tout bien unifié, ce qui conduit nombre de commentateurs à les considérer comme un ensemble, même s'ils en reconnaissent l'aspect complexe.
— Une mention de Joseph d'Arimathie [108].
— Une tradition sur Nicodème et les soins apportés à l'ensevelissement de Jésus [109].

Pour préciser les origines des textes utilisés en Jean, XIX, 31-42, une comparaison avec *Jn*, XX, 1-18 et les passages synoptiques correspondants est éclairante. Les ensembles *Jn*, XIX, 31-42 et *Jn*, XX, 1-18 sont construits d'une façon semblable. Nous trouvons dans chacun d'eux « trois étapes distinctes [110] » :
— « deux récits spécifiquement johanniques, sans aucun rapport avec la tradition synoptique, sinon dans les notations chronologiques initiales [111] » ;
— « deux autres récits johanniques, encore bien originaux mais présentant plus de contacts avec la tradition synoptique [112] » ;
— enfin, deux insertions cherchent à relier les récits précédents entre eux et à les harmoniser avec les récits synoptiques [113].

105. Nous reprenons les remarques de P. BENOIT, Marie-Madeleine et les disciples au tombeau, dans *Judentum, Urchristentum, Kirche, Festschrift für Joachim Jeremias*, Berlin, 1960, pp. 141-152, (réimprimé dans *Exégèse et Théologie*, III, Paris, 1968, pp. 270-282, spécialement pp. 276-277).
106. Jn, XIX, 31-32 a et 38 d.
107. Jn, XIX, 32 b-37.
108. Jn, XIX, 38 a b c.
109. Jn, XIX, 39-42. Dans l'Évangile de Jean, Nicodème est mentionné à plusieurs reprises, cf. Jn, III, 1,4,9 ; Jn, VII, 50 ; XIX, 39 ; il ne figure pas dans les Synoptiques.
110. Cf. P. BENOIT, *op. cit.*, p. 277.
111. Jn, XIX, 31-37 et XX, 1-10.
112. Jn, XIX, 39-42 et XX, 11 a, 14 b-18.
113. Jn, XIX, 38 et XX, 11 b-14 a.

Jean, XIX, 38 abc est une insertion tardive qui, littérairement, coupe le récit de la descente de la croix à l'initiative des Juifs ; et la volonté d'harmoniser avec le récit synoptique est évidente. Une fois mise entre parenthèses cette mention tardive de Joseph d'Arimathie, nous avons deux traditions différentes en Jean :

1) une descente de la croix, à l'initiative des chefs juifs ;

2) la démarche d'un sympathisant de Jésus qui veut donner au crucifié une sépulture convenable.

Les Synoptiques ignorent la première tradition. Ils expriment le souci d'une sépulture convenable pour Jésus à l'aide d'une tradition qui accorde un rôle central à Joseph d'Arimathie. Marc et Luc complètent ce souci d'une sépulture convenable en attribuant le soin d'apporter des aromates à des femmes, le sabbat achevé [114].

La première tradition johannique donne un rôle central aux Juifs dont la démarche n'est pas liée au sabbat, mais au désir de ne pas laisser les corps en croix la nuit selon la prescription de *Deut.*, XXI, 22-23. Cette tradition se préoccupe des corps suspendus, la seconde n'est centrée que sur le problème de Jésus et la volonté de ne pas laisser Jésus sans une sépulture convenable. Cette seconde tradition présente deux variantes : chez les Synoptiques, Joseph d'Arimathie est au centre ; chez Jean, Nicodème. Dans l'un et l'autre cas, on a souci de manifester chez ces hommes leur qualité de disciple ou au moins une sympathie pour Jésus [115], tout en sachant qu'ils sont des notables juifs [116].

L'ensemble de ces observations conduit à se demander laquelle des deux traditions est primitive, descente du corps de Jésus à l'initiative des Juifs ou œuvre d'amis ? La tradition où les chefs juifs ont un rôle actif, apparaît une excellente donnée historique qui trouve un écho en *Act.*, XIII, 27-29, bien que Luc ne la mentionne pas au moment du récit d'ensevelissement. Mais surtout, on comprend très bien que l'on soit passé d'une tradition où l'action principale était conduite par les Juifs, à une autre qui a confié le soin de la descente de la croix à un notable juif, disciple en secret de Jésus. En même temps que ce glissement s'effectue, un autre mouvement se réalise : ce n'est plus le problème des corps en croix qui est en jeu, mais celui de la sépulture du maître. Les Synoptiques ont rassemblé les deux démarches en une seule qui devient l'œuvre des sympathisants de Jésus. Il est clair, d'après les Évangiles, que ce problème de la sépulture de Jésus a préoccupé la première communauté chrétienne.

Si notre analyse est valide, l'initiative de descendre les corps serait donc le fait des Juifs. De toute façon, pour notre recherche le point important est de reconnaître en ce texte un témoignage sur le

114. Mc, XVI, 1 ; Lc, XXIII, 56.
115. Cf. Mt., XXVII, 57 ; Mc, XV, 43 ; Lc, XXIII, 51 ; Jn, XIX, 39.
116. Cf. Jn, III, 1 pour Nicodème ; Mc, XV, 43 ; Lc, XXIII, 50 pour Joseph d'Arimathie.

comportement de Pilate. Cet homme ne s'oppose pas par plaisir aux coutumes juives si celles-ci ne gênent point sa conception des droits du gouverneur. Autant, au cours de l'interrogatoire de Jésus, Pilate n'accepte pas d'être un simple exécutant des décisions juives, autant il satisfait la demande des Juifs en ce qui concerne leur Loi. Bien qu'elle élimine le rôle actif des autorités juives, la tradition de l'ensevelissement par des amis conserve ce trait : Pilate répond favorablement à une demande qui émane de notables juifs, Joseph d'Arimathie ou Nicodème. Les « Juifs » du récit johannique sont sans doute ceux qui ont protesté à propos de l'intitulé de la croix, c'est-à-dire les grands prêtres des Juifs.

C. Les grands prêtres et Pilate dans la tradition de la garde du tombeau (*Mt.*, XXVII, 62-66 ; *Mt.*, XXVIII, 11-15).

a. Critique littéraire.

Ces deux scènes, liées entre elles, ont pour fonction essentielle dans l'évangile matthéen, de répondre à une légende juive qui affirme que le corps de Jésus a été volé par ses disciples [117]. Nous retrouvons ces perspectives dans l'évangile de Pierre, avec cependant des modifications assez nettes [118]. Dans ces récits propres au premier évangile, quelques faits méritent d'être relevés : — Les Pharisiens réapparaissent en Matthieu [119], alors qu'ils ont été absents de tout le récit de la Passion [120] et n'ont plus aucune place dans les versets 11-15 de *Mt.* XXVIII. — Dans ces deux récits, surtout le second, on a remarqué nombre d'éléments assez rares chez Matthieu, mais proches par contre d'expressions lucaniennes [121]. — Enfin, aux v. 62-66, Jésus « imposteur » est un thème qui ne se rencontre dans les Évangiles en dehors de ce cas qu'en Jean [122]. Les Pharisiens réapparaissent, car

---

117. Cette légende trouve encore écho au temps de saint Justin qui fait dire aux Juifs : « nous l'avions crucifié, mais ses disciples pendant la nuit, l'ont dérobé au tombeau dans lequel on l'avait déposé après sa déposition de la croix », *Dialogue avec Tryphon*, CVIII, 2 (JUSTIN, *Dialogue avec Tryphon*, tr. G. ARCHAMBAULT, Paris, 1909, p. 161).

118. Entre autres : les grands prêtres n'ont aucune place dans la démarche auprès de Pilate (29) ; Pilate donne une garde, et le centurion qui la commande reçoit le nom de Pétronius ; la précision est toujours plus grande : non seulement la pierre est scellée, mais sept sceaux sont apposés (33). Les chefs juifs craignent un enlèvement du corps, ce qui aurait de grandes conséquences, car le peuple a été impressionné par les signes qui accompagnèrent la mort de Jésus. Pilate est prévenu par les soldats et il confesse l'innocence de Jésus. Les chefs juifs demandent à Pilate d'ordonner le silence au centurion et aux soldats, car ils craignent la réaction du peuple, cf. *Évangile de Pierre*, 28-34 ; 45-49 (*Évangile de Pierre*, éd. tr. M. G. MARA, Paris, 1973, pp. 54-57, 60-61).

119. Mt., XXVII, 62.

120. Seul Jean les mentionne, et ce, une seule fois Jn, XVIII, 3.

121. Voir l'ensemble des expressions relevées par M. E. Boismard, dans P. BENOIT - M. E. BOISMARD, *Synopse des Quatre Évangiles*, II, Paris, 1973, pp. 438 et 447.

122. Jn, VII, 12, 47.

ils ont été, selon Matthieu, les principaux opposants de Jésus pendant
son ministère ; de plus, ils sont les adversaires de ceux à qui cet
Évangile est destiné. M. E. Boismard a rapproché *Mt.*, XII, 39-40 et
cette scène [123]. Selon cet auteur, la citation de Jonas, II, 1 et les expressions « dans le sein de la terre trois jours et trois nuits » sont à
situer au même niveau de rédaction que les v. 62-66, car le thème
« après trois jours » ne se rencontre en *Mt.* qu'en ces deux textes [124].
D'ailleurs, ces versets, au niveau de ce thème « après trois jours -
3e jour » manquent d'homogénéité. Au v. 63, en effet, les Pharisiens
prêtent à Jésus une annonce de résurrection après trois jours, alors
qu'au v. 64, il s'agit de garder le tombeau jusqu'au 3e jour. Aux v. 62-
66, les caractéristiques lucaniennes sont moins nombreuses que pour
le second passage ; l'opposition entre les deux thèmes — après trois
jours — le 3e jour — est évidente, n'y aurait-il pas lieu de reconnaître
sous les v. 62-66 l'utilisation d'un élément plus ancien ?

Avant de nous interroger sur la portée historique de ces textes,
précisons le portrait qu'ils donnent de Pilate.

L'ensemble des versets manifeste de relativement bons rapports
entre les grands prêtres et le gouverneur. Nous insistons sur les
« grands prêtres », car, comme nous l'avons indiqué ci-dessus, la
mention des Pharisiens est tout à fait déplacée ; de plus en XXVIII,
11-15, il n'est plus question que des autorités sacerdotales. Nous qua-
lifions de « relativement » bons ces rapports, car d'une part, Pilate ne
s'intéresse pas outre mesure à la demande des milieux sacerdotaux,
même s'il n'y oppose pas une fin de non-recevoir [125], mais d'autre part,
les grands prêtres s'affirment capables d'éviter tout ennui aux gardes
si l'affaire parvient aux oreilles du gouverneur.

Il nous faut préciser le sens de la réponse de Pilate au v. 65. La
finale est claire : « Allez ! Assurez-vous du sépulcre comme vous
l'entendez ». Pilate ne s'oppose pas au désir des grands prêtres, mais
il ne veut en aucune manière être mêlé à cette affaire. Cette querelle
entre Juifs l'a déjà assez retenu ! La difficulté du verset est due aux
premiers mots de la réponse de Pilate : « *echete koustôdian* ». Faut-il
comprendre ce verbe comme un impératif ou comme un indicatif ?
Si l'on opte pour l'indicatif, quelle valeur doit-on lui donner ? La
difficulté de sens est bien exprimée par P. Benoît qui traduit ces deux
mots par : « vous avez une garde », mais ajoute aussitôt en note :
« ou bien « utilisez vos gardes » (cf. *Lc*, XXII, 4 ; *Act.*, V, 26), ou
bien « je mets une garde à votre disposition » (cf. *Jn*, XVIII, 3) [126]. »
Les deux termes font difficulté. Le contexte inviterait plutôt à traduire
par « vous avez une garde », au sens de « utilisez vos gardes », ce

123. M. E. Boismard, *op. cit.*, p. 438.
124. Cf. les modifications matthéennes par rapport à Mc, VIII, 31 ; IX,
31 ; X, 34.
125. Cf. Mt., XXVII, 65. Les chefs juifs insistent sur le danger encouru si
une telle supercherie réussissait.
126. P. Benoît, *L'Évangile selon saint Matthieu*, Paris, ⁴1972, p. 175.

serait à entendre de la garde du Temple [127], et Pilate manifesterait alors qu'il n'a plus rien à faire avec cette histoire. Cette interprétation serait confirmée par le fait que les gardes rapportent l'événement aux grands prêtres (v. 11). Le risque de mécontentement du gouverneur invoqué au v. 14 ne pourrait provenir alors que de la crainte d'éventuels tumultes parmi le peuple. Toutefois, il est préférable de comprendre le texte au sens de « je vous donne une garde » [128], en particulier à cause de l'emploi au v. 12 de *stratiôtai* ; on saisit alors mieux pourquoi les soldats risquent d'avoir des ennuis avec le gouverneur [129]. Mais le gouverneur n'en manifeste pas moins la volonté bien arrêtée de ne pas s'occuper de cette affaire, alors que la demande était un appel pour qu'il s'occupe lui-même de faire garder le tombeau (v. 64).

b. Critique historique des textes matthéens.

Depuis longtemps, les commentateurs ont signalé un ensemble de difficultés qui font douter d'un arrière-fond historique en ces textes. Les difficultés invoquées sont bien réelles, et ces textes sont de rédaction assez tardive. Il n'en demeure pas moins vrai que le fait de la garde au tombeau dont les textes se font l'écho est sans doute une bonne donnée historique. En effet, ces textes constituent une apologie contre une rumeur qui a cours chez les Juifs : les disciples ont enlevé le corps. Pour expliquer comment cette rumeur est née, Matthieu construit le récit des gardes soudoyés, auteurs de cette « farce ». La circulation de cette rumeur semble bien avoir été une réalité dont saint Justin contient encore l'écho [130]. Peut-on supposer en ce récit de *Mt.* une réponse adéquate à la rumeur s'il n'y a pas eu du côté des Juifs au moins un projet de garde au tombeau ?

3. PILATE DANS LES RÉCITS DE LA PASSION.

Au terme de l'étude de ces différents textes évangéliques, nous pouvons rassembler quelques remarques sur l'attitude de Pilate au cours de la Passion de Jésus de Nazareth. Deux traditions se sont conservées : l'une est utilisée par Matthieu et Marc, l'autre est sous-jacente aux récits de Luc et de Jean. Cette seconde tradition développe davantage la scène entre Pilate et les Juifs. Au centre du procès conduit par Pilate, se trouve la question de la royauté de Jésus. Pilate ne s'est pas contenté de ratifier une demande ou une décision juive, mais il a mené son propre interrogatoire, même si celui-ci a été bref. Le gouverneur, au départ, paraît ne pas vouloir céder aux exigences

---

127. JEREMIAS, *Jérusalem*, p. 249, n. 234.
128. Cf. A. PLUMMER, *An Exegetical Commentary on the Gospel according to S. Matthew*, Londres, 1915, p. 410 ; W. GRUNDMANN, *Das Evangelium nach Matthäus*, Berlin, ²1971, p. 566.
129. En Mt., les deux autres emplois de *stratiôtai* s'appliquent à des soldats qui dépendent du gouverneur, cf. Mt., VIII, 9 ; XXVII, 27.
130. Cf. *supra*, n. 117.

juives, or, finalement, il change de position. Ce retournement est-il surprenant et traduit-il une crainte de Pilate ? En fait, il s'explique bien. Le motif avancé contre Jésus est fort adroit : Jésus est présenté comme un candidat à la royauté, et l'interrogatoire que Pilate lui fait subir porte sur cette accusation. Or, il est du devoir de Pilate, en tant que gouverneur romain, de mettre fin à une telle prétention, susceptible de provoquer du trouble, surtout en cette période de la Pâque. Pilate n'a que deux solutions face au motif invoqué : prouver l'innocence de Jésus, et non pas seulement l'affirmer, ou céder si les adversaires de Jésus ne renoncent pas d'eux-mêmes à leurs accusations. Pilate ne se laisse pas « faire » par la foule, mais il n'a pas d'autre issue possible que condamner Jésus. En fait, pour Pilate, c'est une affaire entre Juifs qui ne peut l'intéresser que dans la mesure où elle risque de susciter des troubles en ce temps de fête. Matthieu et Jean expriment bien ce trait [131].

Quand elle se développe, la tradition évangélique insiste sur la responsabilité juive et diminue celle de Pilate. Cette orientation n'est pas illégitime, car déjà les traditions les plus anciennes connaissent une tension entre Pilate et les Juifs. L'évangile de Pierre et les Actes des Apôtres poussent à l'extrême cette opposition. La tradition Luc-Jean introduit une ambiguïté : à qui Pilate a-t-il livré Jésus pour qu'il soit crucifié ?

L'affaire est menée par les grands prêtres. Leur rôle est évident. La réussite de l'accusation n'est-elle pas due à la fois à leur habileté et à leurs assez bons rapports avec le gouverneur [132] ? Même si la condamnation de Jésus a été voulue et obtenue par les Juifs, Pilate a joué un rôle actif. Selon le témoignage des textes, les Juifs ont eu besoin de sa décision. Pilate n'apparaît pas comme un gouverneur qui cherche à enfreindre les coutumes juives, car il accepte que les corps soient descendus de la croix comme l'exige la Loi et il invite les Juifs à se saisir eux-mêmes de cette affaire.

Quelques traits secondaires méritent d'être relevés, même si, d'un point de vue littéraire, ils portent les traces d'une insertion tardive : l'étonnement de Pilate devant le silence de Jésus [133], son inquiétude devant tout ce qui touche au sacré [134].

D'après ces textes, nous sommes en une période agitée, et Pilate recourt aux exécutions [135]. Le gouverneur a eu à faire face à des trou-

---

131. Cf. en Jn, l'invitation faite aux Juifs de juger eux-mêmes Jésus ; en Mt., quand les grands prêtres demandent à Pilate de faire surveiller le tombeau, il les renvoie à eux-mêmes.
132. Cf. Mt., XXVIII, 11-15, *supra*, pp. 199-201.
133. Cf. Mt., XXVII, 14 ; Mc, XV, 5.
134. Cf. Mt., XXVII, 19, 24 ss et les réactions de Pilate en Jean. Même si le thème de l'intervention de la femme d'un juge en faveur d'un prisonnier est courant, ne faudrait-il pas aller plus loin dans la recherche des raisons de cette insertion matthéenne et se demander pourquoi ce choix parmi d'autres possibles ?
135. Jésus, les deux hommes exécutés avec lui.

bles [136]. Luc, XIII, 1-2 confirme cette donnée [137]. D'ailleurs, selon les Évangiles, un climat d'insécurité n'épargnait pas la Judée. Les études sur les paraboles ont montré, depuis longtemps déjà, que Jésus prenait ses exemples dans la vie courante, or des paraboles mettent en scène des brigands *(lêistês)* [138]. Jésus lui-même compare son arrestation à celle d'un brigand [139]. Enfin, quand Jésus chasse les vendeurs du Temple, en recourant à Jér., VII, 11, il fait allusion à un envahissement de brigands [140].

136. Cf. Barabbas.
137. Cf. sur ce texte, *supra*, p. 134.
138. Lc, X, 30, 36 ; Jn, X, 1.
139. Mt., XXVI, 55//.
140. Mt., XXI, 13//.

CHAPITRE X

L'ÉPISODE DES BOUCLIERS DORÉS
(*Legatio ad Caium*, 299-305)

Le quatrième épisode connu de la carrière de Pilate nous place dans un contexte littéraire différent de celui que nous avons rencontré jusqu'ici en étudiant les premiers incidents. Notre guide n'est plus l'historien Flavius Josèphe ou les Évangiles, mais Philon d'Alexandrie. Le texte qui retient notre attention se trouve dans la *Legatio ad Caium* (299-305). Philon le présente comme un passage de la lettre écrite par Agrippa, alors « roi de Trachonitide et de Galilée »[1], à l'empereur « Caius Caesar Germanicus » dit « Caligula »[2]. Dans cette lettre, le roi presse l'empereur de respecter la foi juive et de renoncer au projet d'installer sa statue au Temple de Jérusalem.

L'étude de l'incident, dit des « boucliers dorés », ne peut être réalisée avec fruit que dans la mesure où trois questions préalables auront été éclairées :

1. Est-il possible de préciser la date de l'ambassade des Juifs d'Alexandrie auprès de Caius, à laquelle Philon lui-même participa ?

2. Peut-on déterminer la date de publication de la *Legatio ad Caium*[3] qui est le rapport écrit par Philon à la suite de cette ambassade ?

3. Le texte qui nous retient est présenté comme un passage d'une lettre adressée par le roi Agrippa à Caius. Quelle est la nature de ce document : œuvre d'Agrippa, écho d'une lettre ou libre composition de Philon lui-même ?

---

1. Nous reprenons les termes mêmes de la lettre (*Legatio*, 326), ces termes recouvrent des réalités plus vastes que leur sens géographique ; Agrippa a alors pour territoire la tétrarchie de Philippe et celle de Lysanias, reçues en 37, la Galilée et la Pérée, données par Caius en 39 à la suite de l'exil d'Hérode d'Antipas, cf. *BJ*, II, 181-183 ; *Ant.*, XVIII, 237, 245-256.
2. *Legatio ad Caium* (276-329).
3. Nous prenons le texte de la *Legatio ad Caium* comme un tout, tel qu'il figure aujourd'hui dans les éditions, cf. PELLETIER, *Legatio*, pp. 18-21.

Nous ne nous proposons pas de reprendre à nouveaux frais l'étude de ces différents points[4], nous nous contentons de rassembler les éléments nécessaires à notre recherche et utiles pour une juste compréhension du texte.

1. LES CIRCONSTANCES QUI EXPLIQUENT LA LEGATIO AD CAIUM.

A. L'ambassade des Juifs d'Alexandrie auprès de Caius. Sa date.

Au cours de l'été 38, lors du passage d'Agrippa à Alexandrie où les Juifs étaient organisés en *politeuma*[5], les Grecs ridiculisèrent le roi[6] et développèrent les manifestations anti-juives commencées depuis quelque temps déjà. A la suite de ces troubles, « trois délégués choisis par chacun des deux partis allèrent trouver Caius[7] ». Tandis qu'ils attendaient d'être reçus par l'empereur pour défendre les intérêts des Juifs d'Alexandrie, victimes des violences des Grecs et de la haine du préfet Flaccus, les ambassadeurs juifs eurent connaissance de la volonté de Caius d'ériger « au plus profond de l'adyton une statue de lui aux dimensions plus qu'humaines sous le vocable de Zeus[8] ». A cette nouvelle, les ambassadeurs juifs se lamentent et en viennent à comparer leur situation actuelle et celle qu'ils ont connue dans leur traversée : « C'est en plein hiver que nous avons fait la traversée, sans nous douter combien une tempête à terre est un adversaire de beaucoup plus terrible qu'une tempête en mer[9]. » Comme le remarque avec raison E. M. Smallwood, l'hiver dont il est fait mention est celui de 39-40[10]. Il ne peut pas s'agir de l'hiver précédent, car, en ce cas, l'attente des ambassadeurs à Rome aurait été très longue, ce que Philon ne manquerait pas de signaler. Sans doute

---

4. La mise au point la plus récente et la mieux étayée se trouve en SMALLWOOD, *Legatio*, pp. 24-27 et 47-50. On ne peut pas utiliser le témoignage de Philon sur Pilate sans le situer de façon précise. Affirmer que Philon est contemporain des événements rapportés ne dispense pas de faire une critique historique des textes ; malheureusement nombre d'études l'évitent, cf. par ex., P. WINTER, Pilate in History and in Christian Tradition, dans Marginal Notes on the Trial of Jesus, dans *ZNW*, L, 1959, pp. 234-249, spécialement pp. 237-238.

5. « Les Juifs, en devenant nombreux, étaient autorisés ou astreints à former un *politeuma* qui faisait d'eux des « colons » quasi autonomes, (quasi-autonomous « settlers ») jouissant de droits supérieurs à ceux des métèques. Les *politeumata* juifs, comme les autres, géraient leurs affaires intérieures et religieuses, mais à certain point de vue, ils étaient plus privilégiés que d'autres ; ils finirent par acquérir (...) le droit d'être jugés par leurs magistrats propres suivant leur droit... » W. W. TARN, *Hellenistic Civilisation*, Londres, ²1930, p. 111, tr. fr. *La civilisation hellénistique*, Paris, 1936, p. 200. Sur le statut des Juifs à Alexandrie, cf. A. PELLETIER, Le sens des revendications politiques de Philon et de Josèphe, dans PHILON D'ALEXANDRIE, *In Flaccum*, Paris, 1967, pp. 172-181.

6. PHILON, *In Flaccum*, 36-39.

7. *Ant.*, XVIII, 257.

8. PELLETIER, *Legatio*, 188. Pour la *Legatio ad Caium* et l'*In Flaccum* nous utilisons les traductions de A. PELLETIER.

9. *Legatio*, 190.

10. SMALLWOOD, *Legatio*, pp. 47-50.

pour s'embarquer, les envoyés juifs, tout comme les représentants des Grecs, attendirent l'autorisation du nouveau préfet d'Égypte, ce qui explique le temps qui s'est écoulé entre les événements de l'été 38, cause directe de l'ambassade, et le départ des délégués.

De son côté, Caius conduisit une expédition en Gaule et Germanie de septembre 39 à mai 40, les ambassadeurs eurent audience auprès de l'empereur après cette expédition puisqu'ils font allusion à celle-ci et à l'espérance de victoire qui a poussé les Juifs d'Alexandrie à sacrifier des hécatombes [11]. Les ambassadeurs rencontrèrent Caius à deux reprises, une première fois pour leur visite d'arrivée [12], une seconde fois pour l'ambassade qui eut lieu après le triomphe de Caius à Rome le 31 août 40 ; l'empereur les reçut alors sur l'Esquilin.

B. Occasion de la publication de la Legatio ad Caium.

Cette ambassade fut un échec, Philon lui-même ne s'en cache point. Pour préciser la date de ce rapport sur son ambassade, il est bon de se demander quel but poursuivait Philon quand il entreprit la publication de la *Legatio* [13]. En 41, au moment de l'avènement de Claude, parvenu au pouvoir dans des conditions assez curieuses [14], les Juifs sortaient d'un véritable cauchemar. Caius, par sa volonté de divinisation, les avait placés dans une situation dramatique. Philon publie ce rapport à l'intention du nouvel empereur afin d'obtenir de ce dernier la confirmation des privilèges juifs. Il lui montre comment les Juifs ont été victimes de machinations, favorisées par la folie de Caius dont, d'ailleurs, Claude lui-même eut à souffrir. Malgré les persécutions dont ils ont été les victimes, les Juifs sont toujours demeurés loyaux à Rome. Philon, tout comme Josèphe, a le souci de montrer la fidélité des Juifs à l'Empire ; selon lui, seules des attitudes mal comprises donnent parfois une impression contraire. Il faut donc lier ce rapport à l'arrivée de Claude au pouvoir [15] qui eut lieu vers la fin janvier 41. Selon le témoignage de Flavius Josèphe, Agrippa joua un rôle important lors de l'avènement de Claude [16] ; pour Philon, il s'agissait de ne pas perdre un instant au moment où un nouvel empe-

---

11. *Legatio*, 356.
12. *Legatio*, 181.
13. Avec raison A. Pelletier commence son introduction en recherchant le but et la raison d'être de cet ouvrage, cf. *Legatio*, p. 17. Seule cette perspective permet d'établir la date qui nous préoccupe.
14. Cf. le récit donné par SUÉTONE, *Vies*, Claude, X.
15. Déjà en 1938, E. R. GOODENOUGH, *The Politics of Philo Judaeus*, New Haven, 1938, aux pp. 19-20, avait suggéré de voir dans la *Legatio*, un traité écrit à l'intention de Claude pour rappeler à ce dernier que l'échec ou la réussite de son règne dépendrait de son attitude à l'égard des Juifs. Ce but ne fut pas parfaitement atteint, car selon DION CASSIUS, *Hist. Rom.*, LX, 6, 6, dès 41, Claude interdit aux Juifs de tenir des réunions, cependant il ne les empêcha pas de mener leur mode de vie traditionnel. Plus tard, vers 49 ou 50, les Juifs furent chassés de Rome, cf. SUÉTONE, *Vies*, Claude, XXV ; Act., XVIII, 2 ; néanmoins ces mesures n'ont pas été appliquées avec une grande rigueur.
16. *BJ*, II, 206-217.

reur accédait à la magistrature suprême grâce à l'aide d'un prince juif. Cette date de 41 est importante pour la suite de notre recherche.

C. Activité rédactionnelle de Philon et authenticité des grandes orientations de la lettre d'Agrippa.

La lettre d'Agrippa à Caius est-elle une œuvre de Philon ou représente-t-elle un document qui émanerait d'Agrippa lui-même ? Poser la question en ces termes relève d'une optique moderne, des nuances importantes doivent être apportées, car les historiens antiques n'ont pas notre conception de l'utilisation d'un document. La littérature profane et la littérature sacrée anciennes offrent de nombreux exemples de discours qui n'ont pas été prononcés tels quels par ceux à qui ils sont attribués, mais sont littérairement l'œuvre de l'historiographe [17]. Cette remarque générale nous conduit d'emblée à émettre quelques réserves sur la littéralité de la lettre d'Agrippa. De plus, d'un point de vue stylistique, il n'y a aucune raison de considérer la lettre comme un corps étranger au texte de la *Legatio ad Caium*.

Ces réserves étant faites, on ne peut pas refuser l'existence d'une lettre du roi Agrippa à Caius dans les circonstances dramatiques narrées par Philon. Mettre en doute l'existence de cette lettre rendrait incompréhensible le changement d'attitude de Caius qui, « adouci en apparence, (il) jugea Agrippa digne d'une réponse favorable et lui accorda la principale et la plus importante faveur : il ne serait plus question de l'érection. Il ordonne à Publius Pétronius, gouverneur de Syrie, de ne procéder désormais à aucune innovation dans le sanctuaire des Juifs [18]. » Caius n'avait aucun motif d'accorder satisfaction aux Juifs, si ce n'est pour répondre à une démarche très personnelle du roi Agrippa, son ami [19]. Nous devons donc reconnaître dans la lettre telle que Philon la donne une inspiration et des perspectives qui remontent à Agrippa lui-même. Trois faits soutiennent ce point de vue :

1. Le roi Agrippa et les ambassadeurs juifs, venus d'Alexandrie, n'ont pas pu s'ignorer. Le premier a ses entrées au palais impérial en raison de ses titres et de ses liens d'amitié avec l'empereur, les autres cherchent à être reçus ; de plus, tous s'emploient à persuader Caius

---

17. Cf. M. Dibelius, *Die Reden der Apostelgeschichte und die antike Geschichtsschreibung*, Heidelberg, 1949 (réimprimé dans M. Dibelius, *Aufsätze zur Apostelgeschichte*, Göttingen, 1951, pp. 120-162). J. Dupont a fait une présentation importante de ce travail qui, à l'origine, fut une communication donnée à l'Académie de Heidelberg, en 1944, cf. J. Dupont, Les problèmes du livre des Actes entre 1940 et 1950, dans *Études sur les Actes des Apôtres*, Paris 1967, pp. 11-124, aux pp. 47-50. Un exemple célèbre de la liberté dont fait preuve l'historien antique quand il livre le discours d'un de ses héros est donné par Tacite, quand il rapporte le discours prononcé par Claude devant le Sénat, au début de l'année 48, « comme il était question de compléter le Sénat ». Le discours tel que l'a façonné Tacite se trouve en *Ann.*, XI, 24 ; le véritable discours est conservé en grande partie par la « Table Claudienne » de Lyon (*CIL* XIII, 1668).
18. *Legatio*, 333.
19. *Ant.*, XVIII, 168-169, 236-237.

de respecter les sentiments des Juifs et de leur conserver les avantages dont ils ont toujours joui. Agrippa était sans doute venu flatter Caius et participer à son triomphe. « Il ne savait absolument rien de la lettre de Pétronius ni de celles de Caius, aussi bien la première que la seconde. Toutefois il voyait dans ses gesticulations désordonnées et le trouble de son regard l'indice d'une colère bouillonnante, il réfléchissait et se posait toutes sortes de questions, en appliquant son attention sur les faits importants et jusque sur les moindres, crainte d'avoir dit ou fait quelque chose qu'il n'aurait pas fallu [20] ». Agrippa se retrouve presque dans une situation d'accusé, car ses coreligionnaires refusent de regarder Caius comme un dieu [21] ; et le roi, dans ces circonstances pénibles, a le courage de se conduire comme un véritable Juif.

2. Philon et Agrippa ne sont pas sans se connaître, car Philon est un homme en vue dans la prestigieuse communauté juive d'Alexandrie et il dirige l'ambassade de ses coreligionnaires auprès de Caius. De plus, quand il parle des événements d'Alexandrie et de la démarche de Philon, Flavius Josèphe écrit : « Philon, chef de la délégation juive, homme illustre en tout, frère de l'alabarque Alexandre et très versé dans la philosophie était en mesure de réfuter ces accusations [22]. » Or l'alabarque [23] Alexandre fut mêlé de près aux aventures d'Hérode Agrippa qui passa plusieurs fois à Alexandrie : « Là (à Alexandrie), il (Agrippa) demanda à Alexandre l'alabarque de lui consentir un prêt de deux cent mille drachmes. Celui-ci refusa de les lui prêter, mais ne les refusa pas à Cypros dont l'amour conjugal et les autres vertus l'avaient frappé d'admiration [24]. »

3. Philon publie la *Legatio ad Caium* en 41 [25], il ne peut pas introduire dans son texte un document qui risquerait d'être contredit par Agrippa encore en vie, en effet celui-ci ne meurt qu'en 44.

Cet ensemble de remarques montrent que les orientations de la lettre ne sont pas étrangères aux perspectives d'Agrippa, même s'il faut accorder une grande activité rédactionnelle à Philon. Nous aurons à tenir compte de cette conclusion quand nous apprécierons la valeur des propos tenus sur Pilate.

---

20. *Legatio*, 261.
21. *Legatio*, 265.
22. *Ant.*, XVIII, 259. Les accusations auxquelles Josèphe fait allusion sont celles que les délégués grecs alexandrins, et en particulier Apion, portèrent contre les Juifs devant César.
23. Sur l'alabarque, cf. A. SCHALIT, Alabarch, dans *Encyclopaedia Judaica*, Jérusalem, II, 1971, col. 507. Il est difficile de définir avec précision la fonction de l'alabarque. Selon certains, ce titre aurait désigné le chef de la communauté juive d'Alexandrie ; d'autres lui ont attribué une charge fiscale, l'alabarque aurait été chargé de percevoir les droits imposés aux navires qui partaient pour la rive orientale du Nil, ou en provenaient.
24. *Ant.*, XVIII, 159.
25. Cf. *supra*, pp. 207-208.

2. LA LETTRE D'AGRIPPA. CAIUS et AGRIPPA. CONTEXTE DES § 299-305.

La lettre qui occupe les paragraphes 276-329 de la *Legatio ad Caium*, nous met en présence de deux personnages importants pour l'histoire juive du Iᵉʳ siècle, le roi Agrippa, « auteur » de la lettre [26], et le destinataire de celle-ci, l'empereur Caius.

Josèphe situe bien les relations entre ces deux personnages avant que l'un et l'autre n'accèdent au pouvoir : « Agrippa faisait donc de très grands progrès dans l'amitié de Caius [27] », et il fut au nombre des personnes qui durent leur fortune à l'arrivée au pouvoir de Caius. Sa situation se trouva alors transformée, car il passa en quelques jours de la situation de prisonnier [28] à celle de roi, car « peu de jours après, il (Caius) le manda près de lui, le fit tondre et lui fit changer de vêtements ; puis il lui mit le diadème sur la tête et le nomma roi de la tétrarchie de Philippe en lui faisant cadeau de celle de Lysanias ; en échange de sa chaîne de fer, il lui en donna une d'or de poids égal [29]. » Ces quelques remarques de Josèphe nous font mieux comprendre les liens qui pouvaient unir les deux personnages.

Avant de connaître les honneurs, Agrippa se rendit célèbre par ses besoins d'argent, il était « fils de cet Aristobule que son père Hérode avait mis à mort [30] », il était donc le petit-fils d'Hérode le Grand. D'ailleurs, un double lien l'unissait à cet aïeul, car sa mère, Bérénice, était fille de Salomé, propre sœur d'Hérode, et d'un certain Iduméen Costobaros. Même si le judaïsme [31] d'Agrippa peut prêter à discussion, il se présente ici parfaitement assimilé au peuple juif qu'il va défendre.

Caius Caesar Germanicus dit « Caligula » se retrouva en 33, après la mort de Drusus, comme le seul fils survivant de Germanicus. Étant donné que Claude n'était pas considéré comme un candidat sérieux

---

26. Les explications données *supra*, pp. 208-209, permettent de comprendre ce que nous entendons par cette expression.

27. *Ant.*, XVIII, 168.

28. Josèphe a raconté comment Agrippa, par ses paroles imprudentes, s'était attiré la colère de Tibère, *Ant.*, XVIII, 168 ss ; cf. aussi la version sensiblement différente donnée par le même JOSÈPHE en *BJ*, II, 178-180.

29. *Ant.*, XVIII, 237. F. M. ABEL, *Histoire de la Palestine*, Paris, 1952, I, p. 443 a cette belle formule : « Tel qui avait goûté la faveur sous Tibère fut disgracié sous Caius, tel qui avait traîné une jeunesse misérable au temps de Tibère, reçut de son successeur la dignité royale. Ce dernier cas fut celui d'Agrippa I, né d'Aristobule, fils d'Hérode le Grand, et de Bérénice, fille de Salomé, sœur du même Hérode ».

30. *BJ*, II, 178.

31. Comme le relève PELLETIER, *Legatio*, pp. 259-260, n. 4 : « L'ascendance juive d'Agrippa I se réduisait au fait que son père Aristobule était fils de la juive Mariammé (I), elle-même petite-fille, par sa mère, Alexandra, d'Hyrcan II, le dernier des Hasmonéens (*BJ*, I, 241). » Sur la descendance d'Hérode le Grand, cf. le tableau synoptique réalisé par A. SCHALIT, en annexe de son ouvrage, *Koenig Herodes. Der Mann und Sein Werk*, Berlin, 1969. Aristobule fut une des nombreuses victimes de son père qui le fit étrangler, ainsi que son frère Alexandre, en 7 av. J.-C., à Sébaste, cf. *BJ*, I, 550 s.

au pouvoir, les chances de Caius de parvenir au principat étaient grandes, ce qui se réalisa en 37. Afin d'exercer, seul, le pouvoir, Caius sut très vite se débarrasser de Gémellus, descendant direct de Tibère. Le nouvel empereur n'était « petit-fils de Tibère qu'en vertu de l'adoption de Germanicus son père par Tibère [32] » qui ne parvint lui-même à la tête de l'Empire qu'en tant que fils adoptif d'Auguste, après nombre de vicissitudes et d'hésitations de la part de ce dernier [33]. Parvenu au pouvoir grâce à plusieurs adoptions, Caius n'en était pas moins considéré comme petit-fils de Tibère et arrière-petit-fils d'Auguste, ses prédécesseurs.

Dans la supplique adressée à Caius, Agrippa résume bien l'argument fondamental qui doit amener l'empereur à renoncer à son projet d'introduire sa propre statue dans le Temple de Jérusalem : « Ayant donc, maître, de tels exemples d'une politique plus bienveillante, tous si caractéristiques et bien dans la manière des personnages dont tu es la semence, le germe et le si grand rejeton, conserve ce que chacun d'eux a conservé. Des empereurs se font les intercesseurs de nos lois auprès d'un empereur, des aïeux et des ancêtres auprès de leur descendant, à plusieurs auprès d'un seul [34]. » Avec une grande adresse, Agrippa rappelle à Caius la grandeur de ses ancêtres [35] qui témoignèrent respect et honneur au Temple de Jérusalem. Tibère et Auguste figurent en bonne place dans cette évocation. Agrippa présente avec un enthousiasme tout particulier le rappel de l'attitude d'Auguste, « le meilleur des empereurs qu'il y eut jamais [36] ». Sa présentation de Tibère est plus réservée, sans doute pour deux raisons : Caius a connu quelques difficultés avec Tibère, et surtout, la politique juive de Tibère n'a peut-être pas été tout à fait celle que présente [37] Agrippa.

Dans le passage de la lettre qui s'intéresse à l'attitude de Tibère vis-à-vis du Temple, le roi juif rappelle un épisode du gouvernement de la Judée, à l'époque de Pilate. A propos d'un événement bien moins grave que l'érection d'une statue, Tibère a violemment désavoué Pilate qui voulait introduire dans le palais des gouverneurs des boucliers dorés ; il n'est donc pas possible que Caius réalise son projet sans renier la mémoire de Tibère et sans provoquer chez les Juifs une véritable émeute [38].

---

32. PELLETIER, *Legatio*, p. 80, n. 2.
33. Cf. A. GARZETTI, *From Tiberius to the Antonines. A History of the Roman Empire AD 14-192*, (1960), Londres, 1974, pp. 7 ss.
34. *Legatio*, 321-322.
35. Agrippa a présenté auparavant le comportement des ancêtres de Caius : Marcus Agrippa, son grand-père maternel (*Legatio*, 294-297) ; Tibère, son autre grand-père (*Legatio*, 298-309) ; Auguste, l'arrière grand-père de Caius (*Legatio*, 309-318) ; Julia Augusta (*Legatio*, 319-320), mère de Tibère et épouse d'Auguste qui l'introduisit dans la gens Julia, ce qui provoqua son changement de nom, primitivement elle s'appelait Livia Drusilla.
36. *Legatio*, 309.
37. Même si Séjan fut le responsable direct de la politique anti-juive à cette époque, Tibère a laissé faire, cf. *infra*, pp. 221-225.
38. *Legatio*, 308.

3. L'INCIDENT DES BOUCLIERS DORÉS. ANALYSE DES § 299-305 DE LA LEGATIO
AD CAIUM.

Pilate a exercé son commandement en Judée depuis un certain
temps [39] quand, à l'occasion d'une des grandes fêtes juives [40], se
produit l'incident que rapporte Philon.

A. Les éléments du récit.

Une brève introduction situe le personnage et sa fonction [41].

I. L'affaire des boucliers dorés [42].

1. Le jugement d'Agrippa sur le but poursuivi par Pilate.
2. L'action menée par Pilate.
3. La démarche auprès de Pilate : — Les porte-parole du peuple,
— le but de la démarche.
4. Première réaction de Pilate et jugement sur son caractère.
5. Rappel du comportement de Tibère et volonté de lui faire appel.
6. La crainte de Pilate devant la possibilité d'une ambassade
auprès de Tibère.

II. A l'intérieur de ce récit, à propos du projet d'ambassade des Juifs à Rome, rappel de ce que fut l'administration de Pilate [43].

Crainte due plus encore à son comportement passé
qu'à l'affaire des boucliers dorés.

7. Pilate devant la menace d'une ambassade portant sur l'affaire
des boucliers dorés.
8. Lettre des notables à Tibère.

III. La réaction de Tibère [44].

Sous mode de conclusion sur l'affaire : le jugement d'Agrippa qui
met en valeur la sagesse de la décision de Tibère.

Pour bien comprendre l'affaire des boucliers dorés, sa portée, sa
valeur historique, il est nécessaire de distinguer dans l'analyse ce qui
concerne les faits rapportés par Agrippa et les propos sur le caractère de Pilate.

B. Le geste de Pilate était-il offensant pour les Juifs ? Agrippa
décrit l'action de Pilate en ces termes :

οὗτος - - - - - - - - - - - - - - - ἀνατίθησιν ἐν τοῖς κατὰ τὴν ἱερόπολιν Ἡρώδου
βασιλείοις ἐπιχρύσους ἀσπίδας μήτε | μορφὴν ἐχούσας μήτε ἄλλο τι τῶν
ἀπηγορευμένων, ἔξω τινὸς ἐπιγραφῆς ἀναγκαίας, ἣ δύο ταῦτα ἐμήνυε,
τόν τε ἀναθέντα καὶ ὑπὲρ οὗ ἡ ἀνάθεσις.

39. Cf. supra, p. 133.
40. Seule une fête peut expliquer la présence à Jérusalem de tant de personnages importants : les quatre fils du roi, les notables de leur cour et Pilate
lui-même, cf. Legatio, 300.
41. Legatio, 299, 1re partie. Sur le titre de Pilate, cf. supra, pp. 43-58.
42. Legatio, 299, 2nde partie (houtos ouk epi timêi Tiberiou) — 303.
43. Legatio, 302, 2nde partie.
44. Legatio, 304-305.

« Ce personnage (Pilate)... dédie, dans le palais d'Hérode, situé dans la Ville Sainte, des boucliers dorés qui ne portaient ni figure ni rien d'autre d'interdit, mais seulement une inscription indispensable mentionnant ces deux choses : l'auteur de la dédicace et à l'intention de qui elle avait été faite [45]. »

Ce geste de Pilate était-il insupportable pour des Juifs, ou sommes-nous simplement en présence d'une réaction qui traduit l'hypersensibilité juive ? E. M. Smallwood se demande en quoi ce geste pouvait être ressenti par les Juifs comme une violation de leurs traditions [46]. Selon cet auteur, les Juifs reconnaîtraient l'aspect inoffensif de tels boucliers, mais ils craindraient, s'ils ne réagissaient pas, d'ouvrir la porte à de véritables profanations. En fait plusieurs éléments du récit montrent que le geste de Pilate n'était pas dépourvu de portée religieuse.

Anatithêsin revêt ici un sens technique lié au rite religieux, nous devons le traduire non pas par le sens premier de *anatithêmi, enlever et poser sur, suspendre*, mais bien par le sens technique *dédier, consacrer*. Quatre faits appuient ce choix : — L'épisode deviendrait incompréhensible s'il s'agissait de simples décorations. — *Anathenta, anathesis* sont pris au sens religieux de *dédicace*. — Quand Caius renonce à son projet d'érection de statue dans le Temple, Philon écrit : « *to mêketi genesthai tên anathesin* » « il ne serait plus question de l'érection [47] » ; or cette érection concerne manifestement le rite de dédicace. — Enfin, *aspis* recouvre une réalité bien spécifique. P. L. Maier [48] prend prétexte d'un texte de Philon pour souligner que, même pour les Juifs, ces boucliers étaient tout à fait inoffensifs puisqu'ils les admettaient pour décorer les murs de leurs synagogues : « Et je ne dis rien des monuments à la gloire des empereurs qui furent abattus ou brûlés du même coup : boucliers *(aspidôn)*, couronnes dorées, stèles et inscriptions, rien qu'à cause de ces monuments, on n'aurait pas dû toucher au reste [49]. » En fait, la situation est tout autre en raison de l'intention sous-jacente. Les Juifs offrent même des sacrifices en faveur *(hyper)* de l'empereur, et cela ne les trouble point, mais jamais ils ne les offrent à l'empereur [50]. Tout le rapport de la

45. *Legatio*, 299.
46. SMALLWOOD, *Legatio*, p. 304.
47. *Legatio*, 333.
48. P. L. MAIER, The Episode of the Golden Roman Shields at Jerusalem, dans *HThR*, LXII, 1969, pp. 109-121, à la p. 118. Cet auteur soutient donc une vue assez proche de celle de E. M. Smallwood. Selon lui, il n'y avait rien d'irritant pour les Juifs dans cette affaire, le geste serait neutre, d'autant plus que l'incident se passe à la résidence de Pilate. Philon rapporterait cet incident pour insister sur la sensibilité juive. Les Juifs se seraient agités en se souvenant de l'épisode des enseignes.
49. *Legatio*, 133.
50. A plusieurs reprises, les textes bibliques recommandent la prière et les sacrifices pour les souverains païens (Esdr., VI, 10 ; Bar., I, 10-11 ; I, Mac., VII, 33) ou pour leur ville (Jér., XXIX, 7). La tradition rabbinique (*M. Aboth* III, 2) et la tradition chrétienne (Rom., XIII, 1-7 ; I Pi., II, 13-17) se situent dans la même perspective.

Legatio ad Caium est construit sur cette différence[51]. De plus, à Alexandrie, les objets dédiés à la gloire de l'empereur l'ont été par des Juifs ; à Jérusalem, Pilate a agi de sa propre autorité.

Selon nous, le sens religieux de l'épisode doit être approfondi. Les Juifs, en effet, redoutent que Pilate ait dédié ces boucliers à l'empereur et qu'ainsi il ait accompli un véritable acte religieux[52]. En effet, si l'on considère la nature de l'*aspis*, on comprend que le geste par lui-même n'était pas neutre. L'*aspis*[53] ne représente pas un bouclier quelconque, c'est le bouclier qui honore quelqu'un et sur lequel ordinairement un portrait est peint ; ce sens précis, ignoré par Liddell-Scott-Jones, est pourtant parfaitement attesté selon L. et J. Robert : « On connaît l'*aspis* honorifique, peint et doré, par exemple à Iasos, à Stratonicée, à Pergame[54] ». Il est vrai que les attestations de ce sens d'*aspis* sont relativement tardives. Cependant une inscription de 5 av. J.-C. nous fait connaître le décret que prit une association en l'honneur de son président et bienfaiteur, Apollônios, pour le remercier des fonctions qu'il avait bien voulu assumer, notamment d'être *archiiereus* à vie. Au nombre des honneurs décernés se trouvent des aspideia[55]. D'autre part, une inscription de la Chypre romaine, datée des années 50 de notre ère, comportait sans aucun doute le diminutif *aspideion* en ce sens honorifique. La

---

51. Cf. *Legatio*. 355-357, et les remarques de PELLETIER, *Legatio*, p. 312, n. 1.

52. S. G. F. BRANDON, *Jesus and the Zealots*, Manchester, 1967, p. 74, suggère que l'inscription sur les boucliers pouvait contenir une allusion à la divinité de l'empereur, ce qui était intolérable à Jérusalem (cf. également S. G. F. BRANDON, Pontius Pilate in History and Legend, dans *History Today*, XVIII, 1968, pp. 523-530, à la p. 524). C'est tout à fait possible, mais il nous semble préférable de considérer d'abord la nature même de l'*aspis*. Le fait de n'avoir pas étudié la nature de l'*aspis* conduit nombre d'auteurs à ne pas comprendre les raisons de l'émotion juive et à réduire l'incident à une simple manifestation de la sensibilité juive.

53. Cf. *Index du Bulletin épigraphique de J. et L. ROBERT, 1938-1965*, Paris, 1972, *aspis*, avec renvoi à *REG*, LXIV, 1951, Bulletin épigraphique, 236 ; *aspideion*, *op. cit.*, 236 ; *REG*, LII, 1939, 543.

54. Bulletin épigraphique, *REG*, LXIV, 1951, p. 205. *Aspideion* est un diminutif bien attesté, contrairement à ce qu'indique Liddell-Scott-Jones... Un rectificatif a d'ailleurs été donné dans *A Supplement*, 1968.

55. Ce décret, signalé en *REG*, LII, 1939, 543, a été publié par O. GUÉRAUD, *Bulletin de la société royale d'archéologie*, Alexandrie, 1938, pp. 21-40 qui a fait des remarques intéressantes sur le sens de cet *aspideion* décerné comme honneur, il donne en outre des références à P. Oxy. 473 (« un gymnasiarque d'Oxyrhynchos se voit honorer, par ses concitoyens reconnaissants, d'une statue, d'un portrait en pied et de trois *aspideia* ») et à B.G.U. 362 (à propos des comptes du temple de Jupiter Capitolin à Arsinoé). O. Guéraud fait le rapprochement entre *aspideion* et *clipeus*, cf. *op. cit.*, p. 37. Quand *aspideion* est mentionné en lien à une association, nous sommes en présence de portraits dédiés comme une marque d'honneur pour des services rendus. Les dernières lignes du commentaire de O. Guéraud sont très suggestives pour le texte étudié en Philon : « Cette coutume de suspendre des clipei-images dans les temples, tant comme ex-voto que comme décoration, était très répandue à l'époque romaine. Voir DAREMBERG-SAGLIO, Dict. des Ant-clipeus. Elle dérive de l'ancien usage de vouer aux dieux une partie des boucliers pris à l'ennemi dans un combat. »

partie de l'inscription qui nous intéresse a été restituée ainsi par
T. B. Mitford[56] :

[homoiôs de a]natheinai kai eikona graptên en [aspidiôi e] pichrysôi
« de même aussi dédier une image peinte sur un bouclier doré ».

Cette inscription rapporte les décisions prises afin d'honorer un
personnage important, Hellophilos, et ses fils. Parmi les distinctions
accordées à cet homme, on trouve cette décision : dédier une image
peinte sur un bouclier doré. Cette inscription montre qu'en principe
le bouclier doré comportait une image, ce qui explique l'insistance
d'Agrippa ; dans ce cas précis, il n'y avait que le nom du dédicant et
de celui que la dédicace voulait honorer. Ce parallèle nous permet de
mieux comprendre combien un tel geste pouvait être chargé de sous-
entendus pour les Juifs.

Nous avons un autre témoignage très clair, mais beaucoup plus
tardif[57]. Cette inscription se trouve aujourd'hui au musée de Chypre,

---

56. *Opuscula Archaeologica*, VI, Lund, 1950, p. 66, n° 36.

['Aγαθ]ῆι Τύχηι .
["Εδοξεν τῶι κ]ολληγίωι τῶν ἀπὸ γυμνασίο[υ]
[ἐφήβων? πρώ]του? ἐπαινέσαι τε τὸν προ —
[στάτην αὐτῶ]ν 'Ελλόφιλον καὶ στεφανῶσα[ι]
5 [αὐτὸν καὶ τ]οὺς υἱοὺς αὐτοῦ 'Ασκληπιάδην
. . . . 'Ονησικλῆν τῶι τῆς ἀρετῆς
[ἀξίωι στεφ]άνωι · αὐτοῦ δὲ 'Ελλοφίλου
[ἀναστῆσαι] ἀνδριάντα χαλκοῦν ἐν τῶι
[ἐπισημοτά]τωι τοῦ γυμνασίου τόπωι ·
10 [ὁμοίως δὲ ἀ]ναθεῖναι καὶ εἰκόνα γραπτὴν ἐν
[ἀσπιδίωι ἐ]πιχρύσωι καὶ τὰ δεδογμένα
[ταῦτα ἀναγρ]άψαντας εἰς στήλην ἀναθεῖναι
[πρὸς τῶι ἀνδ]ριάντι ὅπως ἡ τ' ἀνδ<ρ>ὸς ἀρετὴ
[φανερὰ ἄπασ]ιν καθεστήκηι.

« A la Bonne Fortune
Il a plu au collège des éphèbes du premier gymnase d'accorder l'éloge à
leur président Hellophilos et de le ceindre ainsi que ses fils Asklépiadès...
Onésiklès de la couronne méritée par leur valeur et d'ériger une statue de
bronze d'Hellophilos lui-même dans le lieu le plus en vue du gymnase ; de
même aussi dédier une image peinte sur un bouclier doré, et ces décisions gravées
sur une stèle dressée devant la statue, afin que la valeur de cet homme soit
manifestée aux yeux de tous. »

57. *Opuscula Archaeologica*, VI, Lund, 1950, pp. 93-94, n° 50.

. . . . ΤΙΓΝΗ εἰ τὸν
. . . τειμῆς χάριν χρυ[σοῦς στεφάνους τοῖς ἐπιφαν] —
[ε]στάτοις τῆς πόλεω[ς πολίταις
ἀνδριάντας χαλκοῦς τ[ε καὶ λιθίνους καὶ εἰκόνας]
5 [γ]ραπτὰς ἐν ἀσπιδείοις [ἐπιχρύσοις

[κ]αὶ τεύχειν οὐ τοῖς ἰδ[
ρου ἐπὶ ΣΕΑΡΔΕΙ καὶ περὶ τ[
ἀποδέξασθαι δὲ καὶ τ[ὴν
οντηχου καὶ? Κρατεχ[
10 ἐν τῶ ἐπισημοτάτω τ[όπω
[κ]αὶ χαλκοῦν ἕνα ἀνασ[τῆσαι
[ἐν] ἀσπιδείω ἐπιχρύ[σω

son lieu d'origine est inconnu. Relevons les expressions intéressantes pour notre recherche :

lignes 4 et 5 *kai eikonas*] [*g*]*raptas en aspideiois* [*epichrysois* ligne 12 [*en*] *aspideiô epichry*[*sô*]

Selon Mitford, cette inscription date de la fin du IIe siècle ou du début du IIIe siècle.

Ce sens de *aspis* et de son diminutif *aspideion* convient bien au contexte de notre passage, il est sans doute très proche du latin *clipeus*, « disque en métal ou en marbre sur lequel étaient représentées des images de dieux, de héros ou de grands hommes [58] ». Mais, même si le bouclier ne comportait pas de représentation, la coloration religieuse n'en était pas absente, surtout quand ce bouclier concernait l'empereur. En effet, en même temps qu'ils attribuaient à Octave le titre d'Auguste, en janvier 26 av. J.-C. ou même un peu plus tard, le Sénat et le peuple romain lui accordaient d'autres honneurs qu'Auguste présente en ces termes : « les piédroits de ma maison furent officiellement ornés de lauriers, une couronne civique fut fixée sur son linteau, et un bouclier d'or fut déposé dans la Curie, avec une inscription attestant que le Sénat et le peuple romain me l'offraient en raison de mes vertus militaires, de ma clémence, de ma justice et de ma piété » [59]. Ce bouclier d'or ou *clipeus virtutis* fait donc partie de cet ensemble d'honneurs accordés à Octave, parmi lesquels figurait le titre d'Auguste, terme qui, aux temps républicains, était employé à Rome uniquement dans un contexte religieux et qui vite fut opposé à humain. D'ailleurs, les quatre vertus cardinales que l'inscription attribue à Auguste « le qualifient pour l'immortalité dans le monde des dieux [60] ». Une réplique en marbre de ce clipeus a été retrouvée à Arles [61].

       [τῶ]ν τειμίω[ς γ]εγρα[μμένων
       [γρά]φειν ? ἀ[πο]δόσεω[ς ?
15 . . . . Ω

L'état déplorable de l'inscription ne permet pas d'en donner une traduction globale.

58. M. ALBERT, Clipeus, dans *Dictionnaire des Antiquités grecques et romaines,* sous la direction de DAREMBERG - SAGLIO, I, p. 1258. De nombreux exemples sont donnés en *Thesaurus Linguae Latinae,* 1906-1912, III, col. 1352, cf. entre autres, TITE-LIVE, *Hist. Rom.,* XXV, XXXIX, 13, 17 ; TACITE, *Ann.* II, 83 ; SUÉTONE, *Vies,* Caligula, XVI, 4. Comme arme, le *clipeus* avait été supplanté par un bouclier rectangulaire, le *scutum,* cela se passa dès 406 si l'on se fie au témoignage de Tite-Live, *Hist. Rom.,* VIII, VIII, 3 ; cf. G. WEBSTER, *The Roman Imperial Army of the First and Second Centuries* A. D., Londres, (1969), 1974, p. 22 ; P. COUISSIN, *Les Armes romaines,* Paris, 1926, pp. 237 ss.

59. *Res Gestae Diui Augusti,* 34, 2, éd. J. GAGÉ, Paris, 1935, pp. 144-145 ; tr. de R. ÉTIENNE, *Le siècle d'Auguste,* Paris, 1970, p. 115 ; cf. W. SESTON, Le Clipeus Virtutis d'Arles et la composition des Res Gestae Diui Augusti, dans *CRAI,* 1954, pp. 286-297.

60. W. SESTON, *op. cit.,* pp. 292-293.

61. W. SESTON, *op. cit.,* p. 286. A partir des indications du clipeus d'Arles, W. Seston propose 26 av. J.-C. et non 27, comme date de dédicace de ce bouclier. On trouvera une reproduction du clipeus d'Arles dans F. BENOIT, Le sanctuaire d'Auguste et les cryptoportiques d'Arles, dans *RAr,* XXXIX, 1952, pp. 31-67, à la p. 50.

Dans l'épisode, raconté par Philon, Pilate introduit des boucliers sans image, mais pleins de sous-entendus ; le philosophe alexandrin reconnaît l'aspect assez inoffensif de ces boucliers. Mais pour les Juifs, ils évoquaient tout un contexte païen et la mise en honneur, sur une terre juive[62], d'objets qui d'ordinaire comportaient des images de dieux ou d'hommes divinisés. Les boucliers ne fournissaient pas tels quels matière à protestation, mais le cadre païen[63] dans lequel se déroulait une telle action était irritant pour les Juifs.

D'ailleurs, si ces boucliers avaient été tout à fait inoffensifs, la démonstration d'Agrippa aurait perdu tout sens, car, en ce cas, il aurait rapporté un comportement juif, véritable révolte contre un gouverneur romain. Tibère lui-même reconnaît le bien-fondé de la protestation juive. Mais, avec habileté, Philon minimise les motifs de cet incident pour mieux mettre en valeur le scandale provoqué par l'érection de la statue de Caligula dans l'adyton, véritable provocation à l'égard des Juifs, car « il s'agissait alors de boucliers sur lesquels n'était peinte aucune figure, mais maintenant, il s'agit d'une statue colossale d'être humain. Alors, l'installation avait eu lieu dans la résidence des gouverneurs[64] tandis que celle qu'on prépare se ferait, dit-on, dans la partie la plus intérieure du sanctuaire, dans l'adyton même[65]. » Nous sommes en présence de deux événements qui vont à l'encontre des usages ancestraux des Juifs, mais le second dépasse tout ce que l'on peut imaginer en raison de l'objet même du délit et du lieu où il est commis.

C. Protestation juive et politique des empereurs à l'égard des Juifs.

a. Le récit d'Agrippa.

L'incident des boucliers dorés ne suscita pas une démonstration populaire semblable à celle qui avait eu lieu lors des épisodes décrits par Flavius Josèphe. Les Juifs ne protestèrent pas directement auprès de Pilate, mais ils chargèrent une ambassade, composée de personnages éminents, de porter leurs doléances au gouverneur[66]. Toute

---

62. Sur n'importe quelle terre juive, cette action aurait été irritante, mais le choix de Jérusalem constitue une circonstance aggravante. Par contre, l'événement n'aurait pas provoqué la même émotion s'il s'était déroulé à Césarée, ville du gouverneur. PELLETIER, *Legatio*, p. 276 oppose seulement Jérusalem et Césarée ; en fait, les Juifs refusent qu'une terre juive soit souillée par la présence d'effigies ou d'autres objets qui évoquent un culte païen, cf. *supra*, p. 155, n. 55.

63. Cf. *kathelein ta hapax anatethenta*, faire enlever ces objets, maintenant qu'ils avaient été dédiés (303). Cette expression « évoque la crainte religieuse du sacrilège de désécration », PELLETIER, *Legatio*, p. 278, n. 1. Selon Philon, il y a donc bien eu de la part de Pilate un geste religieux.

64. Cf. *supra*, pp. 119-124.

65. *Legatio*, 306.

66. « Les quatre fils du roi à qui ne manquait ni le rang ni la dignité de souverain » sont difficiles à identifier. Sans doute, étaient présents Hérode Antipas et Philippe. Pour les deux autres fils, nous ne pouvons faire que des

l'affaire se déroule entre les notables juifs, porte-parole du peuple, et Pilate[67]. L'attitude des rois et des empereurs, et en particulier celle de Tibère[68], constitue la toile de fond de l'affrontement.

La construction du passage[69] est très habile. Trois personnes ou groupes de personnes nous sont présentés, chaque groupe est mis en scène dans son rapport aux autres. Les deux premiers groupes, les notables juifs et Pilate, poursuivent des buts contradictoires. Tibère apparaît comme celui auquel on peut se référer et qui, seul, peut trancher le débat où s'affrontent les notables juifs et Pilate. Ces derniers, dans leur opposition même, résument l'enjeu de la *Legatio ad Caium* : peut-on honorer César sans vexer le peuple ? Honorer César et vexer le peuple constituent-ils deux réalités allant de pair ou peut-on trouver une solution qui permette d'honorer César et de respecter le peuple juif ? En effet, le récit commence par la présentation du projet de Pilate conçu « non pas tant pour honorer Tibère que pour vexer le peuple[70] », il s'achève par la décision de Tibère qui mérite ce commentaire d'Agrippa : « De la sorte on sauva deux choses à la fois : les honneurs à l'empereur et la tradition immémoriale de notre cité[71] ». Caius, dans la situation où il s'est placé, est invité à trouver une solution semblable à celle qu'utilisa Tibère pour régler l'incident provoqué par Pilate.

Dans l'esprit de Philon, la position des personnages rencontrés dans ce récit se définit ainsi :

—Le but fondamental du gouverneur est de vexer le peuple et non pas d'honorer l'empereur ; il réalise ce projet en dédiant des boucliers dorés. Pilate utilise Tibère afin de blesser les Juifs. En fait, le gouverneur ne respecte même pas les traditions établies par les empereurs, car il modifie ce qu'ils avaient maintenu ; il bafoue donc et le peuple et l'empereur. D'ailleurs il veut éviter un recours à celui-ci.

— Les Juifs refusent que des usages ancestraux soient modifiés, aussi veulent-ils faire rapporter « la mesure subversive » relative aux boucliers. Mais, à la différence de Pilate, ils ont souci de l'honneur

---

suppositions, cf. P. L. MAIER, The Episode of the Golden Roman Shields, dans *HThR*, LXII, 1969, p. 116 ; SMALLWOOD, *Legatio*, pp. 302-303. H. W. HOEHNER, *Herod Antipas*, Cambridge, 1972, pp. 178-179, pense qu'Antipas a pu être le porte-parole du groupe en raison de ses liens avec Tibère. Dans les pages qu'il consacre aux rapports d'Hérode Antipas et de Pilate (pp. 172-183), H. W. Hoehner accorde trop de vraisemblance à la crucifixion de Jésus en 33, ce qui l'amène, avec des réserves cependant, à majorer l'importance de l'incident des boucliers dans l'inimitié de Pilate et d'Hérode Antipas.

Sur *tous allous apogonous*, cf. SMALLWOOD, *Legatio*, p. 303 ; « *tous en telei* » est à identifier avec les membres du Sanhédrin, cf. E. M. SMALLWOOD, *op. cit.*, pp. 304 et 274.

67. *Legatio*, 300-303.
68. *Legatio*, 301.
69. *Legatio*, 300-305.
70. *Legatio*, 299.
71. *Legatio*, 305.

de Tibère et sont prêts à élire une ambassade [72] et à présenter une requête à celui qui est le maître ; la lettre à Tibère en est la preuve.

— Tibère confirme la valeur de la position juive, il n'y a aucune incompatibilité entre son honneur et le respect dû au peuple et à ses traditions immémoriales.

Ce tableau est esquissé à l'aide de la lettre d'Agrippa, il faut en effectuer la critique d'un point de vue historique, et se demander si Pilate a vraiment conçu cet incident comme une possibilité de vexer le peuple. Peut-on faire confiance à la description qu'Agrippa fait de l'attitude habituelle de Pilate ? Avant de répondre à ces questions, nous étudions la politique des empereurs à l'égard du peuple juif.

b. Critique des affirmations d'Agrippa. La politique des empereurs à l'égard du peuple juif.

Les affirmations d'Agrippa suscitent une double interrogation :

1. Les usages ancestraux des Juifs ont-ils été maintenus intacts tant par les rois que par les empereurs ou bien sommes-nous en présence d'une exagération de type oratoire ?

2. Quelle a été la politique de Tibère à l'égard des Juifs ?

1. La politique de César et d'Auguste

Pour obtenir de Pilate le retrait des boucliers dorés, les notables juifs ont recours à un argument qui constitue un des éléments-clés de la lettre d'Agrippa dans son ensemble [73] : souverains étrangers et empereurs romains ont respecté les coutumes ancestrales des Juifs. Tout au long de sa lettre, Agrippa développe cette thèse à l'intention de Caius ; face à Pilate, les délégués juifs procèdent de la même manière, ils insistent avec prédilection sur l'attitude de Tibère. Mais les mobiles des souverains étrangers et ceux des empereurs n'étaient pas du même ordre. Certes, Grecs et Barbares se sont abstenus d'innovation dans le Temple « comme celle d'y ériger une statue divine ou une statue de bois ou quelque chose de sculpté [74] ». Mais leur retenue, bien souvent, était inspirée non pas par leur sympathie pour le culte juif, mais par la crainte des châtiments divins [75]. Agrippa se laisse emporter à quelque exagération, il suffit de se souvenir d'Antiochus Epiphane pour penser qu'un Juif du Iᵉʳ siècle ne pouvait pas ignorer l'hostilité manifestée par certains rois. Sans doute pour Agrippa, les

---

72. Envoyer une délégation à Rome pour faire rapporter une décision d'un gouverneur ou se plaindre de son comportement était toujours une entreprise risquée, cf. *supra*, pp. 95-96. Pour proposer une telle démarche qui, en fait, se traduit par une lettre, les milieux juifs devaient être assez certains des bonnes dispositions de l'empereur à leur égard, sinon, la démarche risquait de se retourner contre eux.
73. *Legatio*, 292-293 ; 294 s.
74. *Legatio*, 292.
75. *Legatio*, 292-293.

exceptions confirmaient sa manière de voir ; d'ailleurs, les impies avaient fini misérablement [76].

Selon Agrippa, la situation des ancêtres de Caius est tout autre ; le respect qu'ils portaient aux traditions ancestrales, en raison même de leur piété [77], les a toujours poussés à s'abstenir de décisions qui auraient pu heurter le peuple. Les empereurs se sont situés dans la tradition de la République qui a respecté les traditions religieuses des peuples soumis. Relevons quelques faits qui intéressent la région qui nous retient et qui se sont déroulés depuis César, père adoptif d'Auguste, le premier qui tenta de se faire reconnaître *autokratôr*.

Au moment des funérailles de César, après avoir décrit l'expression de la douleur publique, Suétone note : « les colonies étrangères prirent le deuil séparément, chacune à sa manière, tout spécialement les Juifs, qui allèrent jusqu'à se réunir plusieurs nuits de suite autour de son tombeau [78]. » Certes, dans ce récit de Suétone, il s'agit des Juifs de Rome, mais l'ensemble des Juifs ne manquait pas de motifs de reconnaissance envers César [79]. Une fois de plus, Flavius Josèphe constitue notre principale source d'information. Même si la documentation rassemblée dans le livre XIV des Antiquités (190-267) demande une critique sérieuse du point de vue de l'enchaînement chronologique et présente quelques lacunes [80], il n'en demeure pas moins vrai que nous sommes en présence d'un ensemble de textes de valeur indiscutable, conformes à ce que nous savons par ailleurs de l'attitude romaine à l'égard des peuples alliés ou amis [81]. En effet, César pensait qu'une politique libérale était la meilleure manière de sauvegarder les territoires conquis. Il est hors de doute que César rétribua avec largesse les services que lui avaient rendus Antipater et Hyrcan. Même si l'on ne peut pas rassembler avec certitude ce qui relève du sénatus-consulte de 44 av. J.-C. dont la promulgation fut retardée par la mort de César, il est sûr que ce dernier accorda de nombreux avantages aux Juifs. Relevons les points suivants :

— Il rétablit Hyrcan comme ethnarque héréditaire et grand prêtre, avec tous les pouvoirs attachés à cette fonction en vertu des coutumes de la nation.
— Les Juifs virent leur juridiction rétablie sur leurs propres affaires.
— Interdiction fut faite aux troupes de prendre chez les Juifs leurs quartiers d'hiver ou d'exiger d'eux de l'argent.

---

76. PELLETIER, *Legatio*, p. 269, n. 6, fait des remarques suggestives sur ce dernier point : Cette perspective correspond bien à une orientation enracinée dans l'Ancien Testament et qui se retrouve d'ailleurs dans la tradition chrétienne, cf. *infra*, pp. 267-269.

77. *Legatio*, 294 s.

78. SUÉTONE, *Vies*, César, LXXXIV, tr. H. AILLOUD, Paris, 1931, p. 60.

79. JUSTER, *Juifs*, I, pp. 135 ss, a rassemblé un certain nombre de textes de Josèphe sur l'attitude de César vis-à-vis des Juifs.

80. Cf. *HJP*, pp .272-275.

81. Cf. *supra*, pp. 73-74.

— Des territoires leur furent rendus.

— Probablement, l'année sabbatique, les Juifs bénéficièrent d'une dispense de tribut.

— Les Juifs qui résidaient en dehors de la Palestine virent leurs droits confirmés et protégés.

D'un mot, la politique de César fut respectueuse de la Loi et des coutumes juives.

Lorsqu'il accède au pouvoir, Auguste a lui aussi une attitude libérale à l'égard des Juifs. Plusieurs de ses actes le montrent. Il garantit aux Juifs la liberté de culte et facilite l'envoi de l'impôt sacré à Jérusalem, ainsi que l'observation de l'ensemble des lois juives. Josèphe a rapporté des rescrits qui font ressortir la volonté de l'empereur de se situer dans la ligne de son père, César [82]. Les magistrats, grâce aux décisions d'Auguste, ne s'opposèrent pas aux Juifs en ce qui concerne leurs coutumes ancestrales, mais ils les aidèrent afin qu'ils puissent observer leur religion et honorer Dieu [83]. Le témoignage plus détaillé de Josèphe concorde avec les affirmations d'Agrippa dans la lettre de la *Legatio ad Caium*, et les notables juifs pouvaient, à bon droit, souligner que les usages ancestraux de leur peuple « avaient été maintenus intacts » [84] par les empereurs.

2. La politique de Tibère à l'égard des Juifs [85]

Le geste de Pilate se situe sous Tibère. Selon le témoignage d'Agrippa, Tibère n'apprécia en aucune façon le comportement de Pilate : « Quand il eût fini de la (la lettre écrite par les notables juifs) lire, de quel ton Tibère prononça le nom de Pilate ! Et avec quelles menaces ! A quel point il s'emporta, lui si peu porté à la colère, inutile de le dire : les faits parlent d'eux-mêmes [86]. » Mais ce jugement, si favorable à Tibère en ce qui concerne sa politique juive, est nuancé par deux faits qui obligent à préciser la politique religieuse de cet empereur : en 19, les Juifs sont chassés de Rome ; de plus, non seulement à Rome d'où ils ont été expulsés, mais dans différentes provinces les Juifs furent maltraités alors que Tibère régnait. Philon lui-même écrit à ce propos : « Tibère ordonnait aux gouverneurs nommés pour

---

82. *Ant.*, XVI, 162-165. Contrairement à ce qu'affirment p. 29, n. 2, les traducteurs du livre XVI des Antiquités Judaïques, dans l'éd. des Œuvres complètes de Flavius Josèphe sous la direction de Th. REINACH, Paris, 1929, « il n'y a pas lieu de rapporter » au temple de Rome et d'Auguste édifié à Ancyre, ce passage de Josèphe cf. J. Gagé dans *Res gestae Diui Augusti*, texte établi et commenté par J. GAGÉ, Paris, 1935, pp. 4 et 5, n. 2.

83. *Ant.*, XVI, 174.

84. *Legatio*, 300.

85. Cf. E. M. SMALLWOOD, Some Notes on the Jews Under Tiberius, dans *Latomus*, XV, 1956, pp. 314-329. Nous utilisons largement cet article dans notre travail. Cf. également SMALLWOOD, *The Jews*, pp. 201-210 ; M. RADIN, *The Jews Among the Greeks and Romans*, Philadelphie, 1915, pp. 304 s. ; M. STERN, dans The Jewish People in the First Century, I, pp. 163-164.

86. PELLETIER, *Legatio*, 304.

les diverses provinces, de rassurer les sujets appartenant à notre peuple qui se trouvaient dans ces cités [87]. » Tibère apparaît ici sous un jour favorable, néanmoins c'est sous son règne que les Juifs connurent des tracasseries.

Tacite, par un portrait impitoyable, décrit la duplicité de Tibère [88]. Mais ce témoignage n'est-il pas surtout l'expression de la haine de la classe sénatoriale à l'égard de l'empereur ? D'ailleurs, la personnalité de Tibère, difficile à cerner avec précision, ne suffit pas à expliquer l'apparent double visage de sa politique vis-à-vis des Juifs. Précisons tout d'abord les raisons qui conduisirent Tibère à prendre des mesures contre les Juifs en 19. Plusieurs textes font allusion à ces événements [89], relevons par exemple celui de Suétone : « Il (Tibère) interdit les religions étrangères, les cultes égyptien et juif, en obligeant les adeptes de cette première superstition à brûler tous les vêtements et objets sacrés. La jeunesse juive fut répartie, sous prétexte de service militaire, dans des provinces malsaines, et les autres membres de cette nation ou gens de culte analogue furent chassés de Rome, sous peine d'une servitude perpétuelle, en cas de désobéissance [90]. » Flavius Josèphe donne un rapport détaillé de l'événement et souligne la perversité des personnages qui causèrent la décision de Tibère [91]. Selon l'historien juif, cette mesure fut provoquée par un événement de peu d'importance : les malversations de quatre Juifs à l'égard de Fulvia, une femme de la noblesse, convertie au Judaïsme. En fait, l'histoire de Fulvia fut plutôt l'occasion qui provoqua une décision impériale dont Dion Cassius [92] donne le véritable motif : Tibère était inquiet des

---

87. *Legatio*, 161.

88. TACITE, *Ann.*, VI, 51.

89. *Ant.*, XVIII, 65, 81-85 ; TACITE, *Ann.*, II, 85 ; SUÉTONE, *Vies*, Tibère, XXXVI ; DION CASSIUS, *Hist. Rom.*, LVII, 18. Philon fait silence sur les événements de 19, car ils ne vont pas dans le sens de sa démonstration.

90. SUÉTONE, *Vies*, Tibère, XXXVI, tr. H. AILLOUD, Paris, 1931, p. 30. JOSÈPHE, *Ant.*, XVIII, 83-84 ; TACITE, *Ann.*, II, 85, 4 et SUÉTONE, *Vies*, Tibère, XXXVI, s'accordent sur les deux types de mesures prises à l'égard des Juifs : enrôlement et expulsion. DION CASSIUS, *Hist. Rom.*, LVII, 18 ne fait pas cette distinction, il parle simplement d'*exêlasen*. Sans aucun doute, les mesures varièrent en fonction du statut juridique des intéressés : les non-citoyens furent expulsés tandis que le Sénat prenait une mesure qui permettait l'envoi de 4 000 affranchis en Sardaigne. Vraisemblablement, le préfet de la ville, L. Calpurnius Piso fut chargé de l'expulsion, tandis que les consuls mettaient en œuvre le décret du Sénat, cf. D. HENNIG, Die « judenfeindliche » Politik Sejans, dans son ouvrage *L. Aelius Seianus*, Munich, 1975, pp. 160-179, aux pp. 162-164.

91. *Ant.*, XVIII, 81-84. Flavius Josèphe situe cet événement de façon défectueuse, car il le place après deux épisodes de Pilate alors que, chronologiquement, l'expulsion des Juifs de Rome est bien antérieure au gouvernement de Pilate.

92. DION CASSIUS, *Hist. Rom.*, LVII, 18. E. M. SMALLWOOD, Some Notes..., aux pp. 318-322, a bien montré comment Tibère redoutait le prosélytisme juif et ses succès. Les textes de Tacite et de Suétone soutiennent l'affirmation de Dion Cassius. La décision impériale ne s'en prend pas qu'aux Juifs d'origine, mais aussi aux gens acquis au Judaïsme (Suétone : *similia sectantes* ; Tacite : *ea superstitione infecta*). En renonçant au Judaïsme, les proscrits peuvent obtenir le pardon (TACITE, *Ann.*, II, 85). Une telle proposition s'adresse d'abord à des

succès du prosélytisme juif dans les milieux romains, ce prosélytisme atteignait alors la haute société romaine, comme le montre le cas de Fulvia. Cette décision d'expulsion et de déportation, prise par Tibère en 19, s'inscrit assez bien dans la politique traditionnelle de l'Empire : respect de la liberté religieuse pour les Juifs, mais grande vigilance dès qu'il s'agit de prosélytisme. Ces mesures de Tibère constituaient une réponse à une situation précise, elles ne sont pas le signe d'une hostilité fondamentale de Tibère à l'égard du Judaïsme.

Les événements de 19 ne furent pas les seuls ennuis que connurent les Juifs sous Tibère, car l'attaque de Séjan contre les milieux Juifs, rapportée par Philon[93], a eu lieu au moins une décennie plus tard. En effet, selon l'Alexandrin, c'est peu avant sa mort, survenue en 31, que Séjan projeta ses attaques radicales contre les Juifs, toutefois la mort l'empêcha de réaliser l'ensemble de ses projets[94]. De plus, Séjan ne rechercha pas une expulsion locale, mais une persécution à travers tout l'Empire[95]. On peut donc placer l'attaque de Séjan aux environs de 28-31[96].

Pour situer la responsabilité de Tibère par rapport aux activités anti-juives de Séjan, il nous faut partir, à nouveau, du but politique et apologétique, poursuivi par Agrippa[97], quand il évoque la politique de Tibère à l'égard des Juifs. D'une part, la réussite de la requête d'Agrippa auprès de Caius implique la nécessité de ne pas évoquer la moindre marque d'hostilité d'un des prédécesseur de Caius à l'égard des Juifs ; mais d'autre part, Agrippa ne peut pas présenter des données qui iraient à l'encontre des événements, sa démonstration perdrait alors toute force. Guidé par ces deux faits fondamentaux, efforçons-nous de mieux comprendre la valeur des textes de Philon sur Séjan et son rôle dans la politique anti-juive.

---

convertis qui sont invités à revenir au paganisme. SÉNÈQUE, (*Lettres à Lucilius*, IV, éd. tr. F. PRÉCHAC - H. NOBLOT, Paris, 1962, p. 184) rappelle que dans sa jeunesse, au début du règne de Tibère, il a risqué d'être assimilé aux sympathisants des « cultes étrangers », en raison de son régime végétarien, ce qui aurait pu lui valoir de connaître « les chicanes de police ». Donc en 19, des mesures ont été prises contre les prosélytes eux-mêmes, ce qui manifeste que les conversions au Judaïsme étaient assez nombreuses. Cf. également L. H. FELD-MAN, *Josephus, Jewish Antiquities, books XVIII-XX*, Londres, 1965, pp. 60-61, n. a et b ; D. HENNIG, *op. cit.*, pp. 161-164.

93. *Legatio*, 159-161 ; *In Flaccum 1*. Aucun document ne permet de soutenir, comme le fait M. GRANT, *The Jews in the Roman World*, Londres, 1973, pp. 93-94, que Séjan eut quelque responsabilité dans ces événements de 19.

94. *Legatio*, 159-161.

95. *In Flaccum*, 1.

96. Cf. E. M. SMALLWOOD, Some Notes..., pp. 322-329. On comprend mieux les raisons de l'erreur chronologique de Josèphe, cf. *supra*, n. 91. Quand il parle de l'expulsion de 19, l'historien juif la situe comme contemporaine du gouvernement de Pilate. En fait, Josèphe confond deux événements, il place vers les années 30, époque où Séjan développe sa politique anti-juive, ce qui s'est produit en 19, car il sait que vers 30 il y eut des mouvements anti-juifs.

97. Et dans l'ensemble de la *Legatio ad Caium* par Philon, cf. *supra*, pp. 208-209.

Philon présente Séjan [98] comme la cause des malheurs juifs sous Tibère, il le fait à deux reprises, dans la *Legatio ad Caium* (159-161) et dans l'*In Flaccum* où le plaidoyer s'ouvre par ces mots : « Après Séjan, Flaccus Avillius reprend *(diadechetai)* à son tour la politique de persécution contre les Juifs. N'ayant pu, comme lui, faire ouvertement du tort à tout leur peuple — car il avait moins de ressources à cet effet —, à ceux qu'il pouvait atteindre il s'efforçait d'infliger d'un seul coup, des peines irrémédiables [99]. » A. Pelletier [100] fait remarquer que *diadechetai*, en ce texte, manifeste un certain laps de temps entre la chute de Séjan et la reprise des persécutions contre les Juifs à Alexandrie durant la seconde année de Caius. Selon ce texte de l'*In Flaccum*, Séjan disposa d'une très grande puissance qu'il utilisa contre les Juifs.

Philon ne nie donc pas toute activité anti-juive sous Tibère, il reconnaît même que Tibère a laissé faire, mais le comportement de Tibère était dû à une mauvaise information, ce qui, selon lui, se manifesta tout de suite après la disparition de Séjan, le 18 octobre 31.

Le silence de Josèphe sur l'attitude haineuse de Séjan à l'égard des Juifs pourrait étonner, dans la mesure où il parle de ce personnage à propos de son complot contre Tibère.[101] Cependant ce silence s'explique par le peu d'informations précises dont dispose l'historien juif sur ce point ; d'ailleurs quel avantage aurait-il eu à rappeler des faits peu favorables au pouvoir impérial ?

Malgré l'absence de témoignages clairs en dehors de Philon, Séjan est très vraisemblablement un des principaux responsables des ennuis que connurent les Juifs sous Tibère aux environs de 28-31. L'empereur a eu la faiblesse de se laisser impressionner par ce personnage peu recommandable. Trois indices confirment le rôle de Séjan. Les Juifs ont commencé à revenir à Rome aussitôt après la mort de ce personnage, car, au début du règne de Caius, ils sont assez nombreux en cette ville. Les deux faux pas de la carrière de Pilate en Judée, l'affaire des boucliers dorés et le massacre des Samaritains, se situent après la chute de Séjan. Enfin, Tibère apparaît respectueux des coutumes nationales. Les textes de Philon ne semblent donc pas insoutenables. Séjan a bien joué un rôle contre les Juifs ; tout au plus, le philo-

98. Sur Séjan, cf. R. Syme, *Tacitus*, I, Oxford, 1958, pp. 254-255 ; 401-406 ; D. Hennig, *L. Aelius Seianus. Untersuchungen zur Regierung des Tiberius*, Munich, 1975 ; sur la chute de Séjan, cf. également A. Boddington, Sejanus. Whose conspiracy ? dans *American Journal of Philology*, LXXXIV, 1963, pp. 1-16 ; G. Downey, Tiberiana, dans *ANRW*, II, 2, 1975, pp. 95-130, aux pp. 112-114.

99. *In Flaccum*, 1, éd. tr. A. Pelletier, Paris, 1967, p. 45. Ce texte semble d'ailleurs exagérer l'étendue de la persécution de Séjan. Selon la *Legatio*, l'ère d'activité anti-juive de Séjan aurait été l'Italie. Et de plus, Philon « charge » Séjan.

100. A. Pelletier, *In Flaccum*, p. 45, n. 3.

101. *Ant.*, XVIII, 181-182, 186 ; 250.

sophe alexandrin accentue-t-il ses fautes pour enlever à Tibère toute responsabilité [102].

D. L'attitude de Pilate.

a. Dans l'affaire des boucliers dorés.

1. Le point de vue d'Agrippa

Selon Agrippa, Pilate a eu moins le souci de l'honneur de l'empereur que le désir de vexer le peuple juif [103]. En outre, sa description du caractère de Pilate est loin d'être flatteuse : *Sterrôs de antilegontos — ên gar tên physin akampês kai meta tou authadous ameiliktos* ; « Et comme il refusait avec dureté — car il avait un caractère inflexible et en plus de son impertinence, acariâtre [104] ». Agrippa trace le portrait moral de Pilate à l'aide de trois termes : *akampês - tou authadous - ameiliktos*. L'étymologie même de *akampês (a - kampô)* exprime bien l'image sous-jacente : celui qui ne plie pas, inflexible ; *authadês*, suffisant, sûr de lui-même, ce qui peut conduire jusqu'à l'arrogance ; *ameiliktos (a - meilissô)*, qu'on ne peut pas adoucir, dur. Agrippa complète ce portrait en décrivant Pilate comme un être rancunier et vindicatif [105].

2. La description d'Agrippa
confrontée à l'attitude de Pilate dans cet événement

Ce portrait de Pilate, dressé par Agrippa sous forme d'incises, est-il confirmé par l'attitude du gouverneur lors de l'incident rapporté par Philon ?

Les résultats de notre analyse du délit de Pilate à l'égard des traditions juives nous conduisent à douter de l'intention que lui prête Agrippa. En effet, Pilate n'effectue pas une action qui serait en opposition évidente aux lois juives, il ne bafoue pas celles-ci. Agrippa lui-même reconnaît que le geste de Pilate ne saurait se comparer à ce que Caius se propose d'accomplir. L'incident manifeste l'hypersensibilité juive et une indifférence du gouverneur à cette sensibilité, mais le geste ne peut pas être qualifié d'acte délibérément vexatoire. D'autre part, l'inscription de Césarée avec la mention du *Tibèriéum* montre la dévotion de Pilate à l'égard de Tibère [106], que

---

102. D. Hennig, *op. cit.*, pp. 164-174, montre combien Philon avait intérêt à mettre sur le compte de Séjan ce que Tibère avait pu entreprendre. Cependant nous ne pensons pas qu'il soit possible, comme le fait cet auteur, d'éliminer purement et simplement le témoignage de Philon en prétendant qu'il donne une autre signification aux événements de 19, afin de laver Tibère de toute accusation. Une telle interprétation ne tient pas compte de « la part de vérité » que devait contenir le rapport de Philon s'il voulait avoir quelques poids, cf. *supra*, p. 224.
103. *Legatio*, 299.
104. *Legatio*, 301.
105. *Legatio*, 303.
106. Cf. *supra*, p. 32.

cette dévotion soit sincère ou intéressée est un autre problème. Si Agrippa insiste sur l'aspect négatif de la démarche de Pilate, n'est-ce pas en partie parce que Pilate l'a invoquée comme signe d'attachement à la personne de l'empereur ?

Pour définir le caractère de Pilate, nous sommes aussi invités à émettre quelques réserves quand nous confrontons les traits sous lesquels le dépeint Agrippa et son comportement au cours de l'incident raconté. L'homme est en fait inquiet des conséquences d'un appel à Tibère, car il redoute que cet événement soit l'occasion de mettre en accusation l'ensemble de son gouvernement. Mais son inquiétude est aussi causée par l'incident des boucliers dorés ; il s'est placé dans une situation délicate en un domaine où Tibère se montrait intransigeant. Cependant cette crainte de la réaction de Tibère ne le conduit pas vers un retour en arrière ; Agrippa attribue à deux motifs l'impossibilité qu'a Pilate de revenir en arrière : d'une part, il redoute d'enlever des objets dédiés [107] ; d'autre part, il ne veut rien faire qui puisse être agréable à ses administrés. Nous avons là un des traits caractéristiques du personnage. Cet homme soi-disant inflexible, arrogant, dur, paraît en fait capable de regret en découvrant la conséquence de ses actes, mais sa charge même et le mépris qu'il éprouve pour ses administrés constituent un obstacle à un changement d'attitude. Pilate est pris entre la volonté de ne rien faire qui puisse plaire à ses administrés, et la crainte d'irriter Tibère. Cependant il préfère risquer un blâme de l'empereur plutôt que de s'incliner devant ses administrés. Cette crainte de l'empereur, d'ailleurs, n'était pas vaine ; pour s'en convaincre, il suffit de regarder la suite des événements et la réaction très vive du prince qui ne voit en ce comportement qu' « une téméraire extravagance ». Il faut cependant noter l'exagération manifeste dans la façon dont Agrippa présente la réaction de Tibère.

Cet épisode nous révèle, en fait, un personnage à plusieurs visages : insensible aux protestations de ceux qu'il est chargé d'administrer, l'homme est craintif devant celui qui est son maître et a tout pouvoir sur lui. Il exprime avec maladresse sa dévotion à l'empereur. Pilate est capable de s'enfermer dans des situations inextricables afin de ne pas céder devant les protestations juives. Il ne cherche pas systématiquement à blesser les Juifs, mais il ne se donne pas la peine de comprendre leur sensibilité et le sens profond de leur attachement aux traditions. L'homme n'apparaît pas impertinent ou acariâtre dans l'épisode même, mais, plutôt, embarrassé par la situation dans laquelle il s'est placé. Ce fonctionnaire impérial n'exerce pas la moindre menace à l'égard des Juifs, il refuse de les comprendre, et cet homme prétendu si dur n'est pas sans crainte devant le sacré.

---

107. Cf. *supra*, p. 217, n. 63.

b. Quelle valeur accorder au témoignage d'Agrippa sur le comportement de Pilate avant l'épisode des boucliers dorés ?

La plus grande partie du § 302 constitue comme une sorte de « rétrospective » des activités de Pilate. Les notables juifs menacent d'élire une ambassade pour amener Tibère à trancher le différend. Agrippa commente alors les réactions de Pilate : « Il trembla que si effectivement ils députaient une ambassade, ils n'allassent fournir des preuves de sa culpabilité pour tout le reste de son administration en donnant le détail de ses concussions, de ses violences, de ses rapines, de ses brutalités, de ses tortures, de la série de ses exécutions sans jugement, de sa cruauté épouvantable et sans fin. »

Ce texte présente une exagération évidente. La Judée n'aurait pas supporté dix ans un tel gouverneur, et les procurateurs dont les actions ont conduit à la révolte juive sont à peine accusés par Josèphe d'autant de méfaits [108]. Tibère, de son côté, malgré sa volonté de laisser le plus longtemps possible les gouverneurs en place, n'aurait pas supporté qu'une telle situation se prolongeât, ne serait-ce que pour le calme de l'Empire [109]. Le but même recherché par Philon dans l'ensemble de la *Legatio ad Caium* explique aussi fort bien l'exagération. F. H. Colson, à propos de cet écrit, parle de « philippique » [110]. N'y

---

108. Cf. *BJ*, II, 272, 277s.

109. Tibère, très critiqué pour sa politique à Rome même, a été un bon empereur pour l'ensemble de l'Empire. « For the provinces the Principate began under good auspices, promising at the least a firm order instead of anarchy, with a prudent and rational exploitation of the Empire. Tiberius Caesar declared that a good shepherd does not flay his flock (Suétone, Tib., XXXII). Nobody could deny the excellence of Tiberius' management-except senators who resented guidance and control. At the trial of a proconsul Tiberius ordered a document to be produced and read. It contained instructions from Augustus to the Senate, evoked by the notorious crimes perpetrated in Asia by Messalla Volesus. That prosecution took place a few years before the death of Augustus. The destined successor of Augustus was perhaps already insistent on justice; and so he continued in the sequel for most if not all of his long reign. Nothing indicates that metropolitan calamities affected the well-being of the provinces », R. SYME, *Tacitus*, I, Oxford, 1958, p. 439 ; cf. aussi F. B. MARSH, Tiberius and the Empire, dans son ouvrage *The Reign of Tiberius*, Cambridge, (1931), 1959, pp. 134-159, en particulier p. 150, « He (Tiberius) strove earnestly to secure good administration for the provinces », cité par W. WANSBROUGH, Suffered Under Pontius Pilate, dans *Scripture*, XVIII, 1966, pp. 84-93, à la p. 90, n. 7 ; A. GARZETTI, *From Tiberius to the Antonines. A History of the Roman Empire AD 14-192*, (1960), Londres, 1974, p. 77. En opposition à l'opinion générale, P. A. BRUNT, Charges of Provincial Maladministration Under the Early Principate, dans *Historia*, X, 1961, p. 210, critique la thèse qui met en valeur l'effort accompli par Tibère pour les provinciaux. G. ALFÖLDY, La politique provinciale de Tibère, dans *Latomus*, XXIV, 1965, pp. 824-844, avait déjà émis des réserves sur la qualité de la politique provinciale de Tibère. Mais ces critiques semblent demeurer isolées, cf. la mise au point de J. P. V. D. BALSDON, The Principates of Tiberius and Gaius, dans *ANRW*, II, 2, 1975, pp. 86-94, à la p. 91.

110. F. H. COLSON, *Philo, The Embassy to Gaius*, Londres, 1962, p. XXII. Cette « philippique » dirigée contre Caius l'est aussi contre tous ceux qui, selon Philon, ont fait une politique qui, par certains côtés, peut se comparer à la sienne, or Philon met dans cette lettre en parallèle Pilate et Caius.

a-t-il pas, chez Philon, le désir de persuader Claude, au moment où il accède au pouvoir, que tout irait mieux si la Judée échappait à l'administration des gouverneurs romains [111] ? De plus, aucun fait précis ne vient appuyer cette grandiloquente charge d'Agrippa contre Pilate [112].

Relativisant très fortement ces paroles d'Agrippa quand nous les confrontons aux événements et au caractère global de la *Legatio ad Caium*, nous sommes conduits à prendre la même position quand nous les situons dans la vie d'Agrippa. Le texte est extrait de la lettre d'Agrippa à Caius [113], or un roi juif a intérêt à insister sur les malheurs encourus par les Juifs sous un gouverneur romain alors qu'il est un éventuel candidat au trône. En outre, l'entente entre les rois juifs et les fonctionnaires romains a souvent été difficile. Relevons quelques faits qui montrent des heurts entre ces deux pouvoirs. Dans le texte de Philon [114], Pilate rejette une requête des fils d'Hérode. Dans son Évangile, à propos des renvois de Jésus de Pilate à Hérode et de Hérode à Pilate, Luc commente : « Et ce même jour, Hérode et Pilate devinrent amis d'ennemis qu'ils étaient auparavant [115] ». Cette remarque de l'évangéliste est certes pleine de sens théologique [116], nous ne la croyons pas cependant dépourvue de valeur historique en tant que trace d'une inimitié passée entre Hérode Antipas et Pilate. A la suite de la rencontre sur l'Euphrate entre Vitellius et Artabane [117], le même Hérode Antipas eut des rapports difficiles avec Vitellius. Dans cet épisode, on sent fort bien comment rois locaux et gouverneurs étaient en concurrence dès qu'ils cherchaient à se faire remarquer de l'empereur, là était la racine de leurs oppositions. Les faits cités ci-dessus concernent Hérode Antipas, mais Agrippa lui-même, au sommet de sa gloire, connut des démêlés avec Marsus, gouverneur de Syrie [118]. Ce contexte d'opposition entre dynastes locaux et fonctionnaires romains renforce notre réserve par rapport à la description qu'Agrippa fait de l'activité de Pilate dans la *Legatio ad Caium*.

Nous avons tenu tout d'abord à relativiser les propos d'Agrippa, tant ils apparaissent critiquables dans leur exagération ; cependant ils constituent un témoignage valable sur le mauvais souvenir laissé en Judée par Pilate lors de son gouvernement. Pilate a terminé sa carrière en Judée fin 36 ou début 37, après son intervention contre les

---

111. P. L. Maier, The Episode of the Golden Roman Shields at Jerusalem, dans *HThR*, LXII, 1969, p. 120.

112. Les identifications proposées par Smallwood, *Legatio*, p. 305 demeurent de l'ordre de l'hypothèse. D'autre part, chaque identification proposée devrait être replacée dans son contexte historique précis avant de témoigner nettement contre Pilate. On ne peut davantage invoquer le fait mentionné en Lc, XIII, 1-2, car il faudrait connaître les circonstances de ce massacre de Galiléens pour qu'il soit une pièce à charge contre Pilate.

113. Cf. *supra*, pp. 208-211.

114. *Legatio*, 300-301.

115. Lc, XXIII, 12.

116. Cf. Act., IV, 27. Luc donne une lecture théologique de ce rapprochement.

117. *Ant.*, XVIII, 101-105.

118. *Ant.*, XIX, 340-342 ; XIX, 326-327.

Samaritains ; la démarche d'Agrippa s'est effectuée en 40 ; Philon la rapporte en 41. Peu de temps s'est écoulé entre le moment où les faits se sont produits et l'époque où ils sont rapportés, il n'est pas possible que ces propos soient dénués de tout fondement. Les activités de Pilate, déformées par Agrippa et exagérées dans leur perversité, ont laissé un mauvais souvenir, Agrippa prend appui sur celui-ci. Il faut d'ailleurs distinguer avec soin entre ce que Pilate a fait, ses intentions profondes et la façon dont les Juifs ont ressenti son comportement.

Selon Josèphe, les gouverneurs n'avaient pas bonne réputation ; Tibère les maintenait longtemps au même poste par crainte que des hommes, nommés pour peu de temps, soient trop avides [119]. Cette donnée constitue le dernier élément de la toile de fond sur laquelle doivent être situés les propos d'Agrippa sur Pilate. Les gouverneurs, dans leur ensemble, passaient pour des gens soucieux d'obtenir le maximum de profits pendant qu'ils administraient une province. Or, les faits précis, rapportés au sujet de Pilate, ne mettent jamais en scène un gouverneur avide d'argent.

E. Effigies de César et boucliers dorés [120].

Le récit des Antiquités judaïques sur les effigies de César et celui de Philon sur les boucliers dorés constituent-ils les deux versions d'un même événement ou sont-ils des récits rédigés à partir d'événements différents ? Le problème est né des confusions d'Origène et d'Eusèbe [121], et de l'étonnement provoqué par le silence de Josèphe sur l'épisode des boucliers.

Le texte, le plus souvent invoqué pour affirmer qu'un seul événement est à l'origine des récits, est celui de la *Démonstration évangélique* : « Et le même (Josèphe) dit que Pilate, le même que celui du temps de notre Sauveur, introduisit, de nuit, dans le Temple les effigies de l'empereur, chose interdite, et qu'il provoqua ainsi chez les Juifs le plus grand désarroi, qui amena le soulèvement et la révolte. Philon témoigne des mêmes faits quand il assure que Pilate dédia, une

119. *Ant.*, XVIII, 172-178. Nombre de gouverneurs de provinces ou de procurateurs, chargés de l'administration des biens impériaux, ont su, pour s'enrichir, profiter des charges qu'ils avaient obtenues, malgré les précautions légales prises pour éviter de tels abus. Sur la législation, cf. P. A. BRUNT, *op. cit.*, aux pp. 189-206, mais ces précautions légales s'avéraient souvent peu efficaces en pratique, cf. *supra*, p. 110.
120. Cf. PELLETIER, *Legatio*, pp. 371-377. On consultera avec profit le tableau dressé pp. 372-373. Il montre bien les différences entre les récits de Philon, de Josèphe, d'Origène et d'Eusèbe.
121. ORIGÈNE, *In Matthaeum*, XXII, 15-22, t. XVII, 25 ; éd. E. KLOSTERMANN, Origenes Werke X, GCS XL, Leipzig, 1935, p. 653. Sur ce texte, cf. *infra*, p. 271. Le texte original et sa traduction sont donnés par PELLETIER, *Legatio*, pp. 402 et 374. Origène, en se référant « à des ouvrages d'histoire se rapportant à Tibère », affirme que « sous Ponce Pilate le peuple juif s'est trouvé en péril, Pilate voulant de force dédier une statue de l'empereur dans le Temple ». EUSÈBE, *Démonstation Évangélique*, VIII, II, 122, éd. I. A. HEIKEL, *Eusebius Werke* VI, GCS XXIII, Leipzig, 1931, p. 390.

nuit, les enseignes impériales dans le Temple, ce qui fut le commencement des désordres et des malheurs qui se succédèrent depuis pour les Juifs [122]. »

Le texte d'Eusèbe n'est pas sans contradictions ; de plus, rien dans les récits de Josèphe et de Philon ne permet une telle identification. Les objets incriminés ne sont pas semblables : effigies de l'empereur d'un côté, boucliers dorés de l'autre ; en Josèphe, la foule proteste contre l'introduction d'images à Jérusalem ; en Philon, l'émotion est venue de la dédicace de boucliers sans images, au palais des gouverneurs. L'historien juif décrit une protestation populaire qui se déroule pendant six jours à Césarée, l'Alexandrin ne connaît qu'une démarche des notables auprès de Pilate. A Césarée, les Juifs échappent à un véritable danger ; à Jérusalem, les menaces sont verbales. L'empereur est appelé à trancher pour le cas des boucliers dorés, rien de tel pour les effigies. Le dénouement de chaque incident est différent, leur place dans la carrière de Pilate également. La diversité des épisodes ne fait aucun doute dès que l'on opère une confrontation des textes [123].

Le silence de Josèphe n'est pas aussi surprenant qu'on a bien voulu le dire, car Josèphe est loin de rapporter tous les faits du gouvernement de Pilate. Il ne dit rien de l'épisode connu par Luc, XIII, 1-2 et dans la Guerre des Juifs, il ne rapporte pas le massacre des Samaritains. De plus, l'incident des boucliers dorés pouvait lui paraître ambigu pour la cause juive ; car les Romains risquaient de penser que les Juifs s'irritaient pour peu. Dans la lettre de Philon, au contraire, l'événement est bien en situation, il fait d'autant mieux ressortir la bienveillance de Tibère et le scandale que ne peut manquer de provoquer l'introduction de la statue de Caius dans le Temple [124].

---

122. PELLETIER, *Legatio*, pp. 375 et 404.
123. SMALLWOOD, *Legatio*, p. 302, parvient à la même conclusion (The *Jews*, p. 166) ; Cf. également P. L. MAIER, *op. cit.*, pp. 113-114 ; H. W. HOEHNER, *Herod Antipas*, Cambridge, 1972, p. 172.
124. Cf. P. L. MAIER, *op. cit.*, pp. 118 ss.

CHAPITRE XI

LE MASSACRE DES SAMARITAINS
(*Ant.*, XVIII, 85-89)

Les Juifs ne sont pas la seule communauté de la province romaine de Judée ; de temps à autre, les non-Juifs de Judée apparaissent dans l'œuvre de Josèphe. Le plus souvent, leur mention est liée à leurs démêlés avec l'élément juif de la population. Ce n'est pas le cas en *Ant.*, XVIII, 85-89. Josèphe introduit l'épisode du massacre des Samaritains[1], vraisemblablement, en raison de son lien avec l'activité de Pilate et celle de Vitellius. En effet, dans son œuvre, Josèphe n'accorde pas une attention particulière aux Samaritains. Par contre, après avoir noté le départ de Pilate de Judée[2], l'historien juif présente deux épisodes du gouvernement de Vitellius[3] dont l'un témoigne de l'attitude bienveillante de Vitellius à l'égard des Juifs[4]. Le récit du massacre des Samaritains s'étend du § 85 à la première partie du § 89 du livre XVIII des Antiquités.

85 Οὐκ ἀπήλλακτο δὲ θορύβου καὶ τὸ Σαμαρέων ἔθνος · συστρέφει γὰρ αὐτοὺς ἀνὴρ ἐν ὀλίγῳ τὸ ψεῦδος τιθέμενος κἀφ' ἡδονῇ τῆς πληθύος τεχνάζων τὰ πάντα, κελεύων ἐπὶ τὸ Γαριζεῖν ὄρος αὐτῷ συνελθεῖν, ὃ ἁγνότατον αὐτοῖς ὀρῶν ὑπείληπται, ἰσχυρίζετό τε παραγενομένοις δείξειν τὰ ἱερὰ σκεύη τῇδε κατορωρυγμένα Μωυσέως τῇδε αὐτῶν ποιησαμένου κατάθεσιν. 86 οἱ δὲ ἐν ὅπλοις τε ἦσαν πιθανὸν ἡγούμενοι τὸν λόγον, καὶ καθίσαντες ἔν τινι κώμῃ, Τιραθανὰ λέγεται, παρελάμβανον τοὺς ἐπισυλλεγομένους ὡς μεγάλῳ πλήθει τὴν ἀνάβασιν εἰς τὸ ὄρος ποιησόμενοι. 87 φθάνει δὲ Πιλᾶτος τὴν ἄνοδον αὐτῶν προκαταλαβόμενος ἱππέων τε πομπῇ καὶ ὁπλιτῶν, οἳ συμβαλόντες τοῖς ἐν τῇ κώμῃ προσυνηθροισμένοις παρατάξεως γενομένης τοὺς μὲν ἔκτειναν, τοὺς δ' εἰς φυγὴν τρέπονται

---

1. Sur les Samaritains, cf. R. J. Coggins, *Samaritans and Jews. The Origins of Samaritanism Reconsidered*, Oxford, 1975.
2. Pour le contexte antécédent, cf. *supra*, p. 138.
3. *Ant.*, XVIII, 90-105.
4. *Ant.*, XVIII, 90-95.

ζωγρίᾳ τε πολλοὺς ἦγον, ὧν τοὺς κορυφαιοτάτους καὶ τοὺς ἐν τοῖς φυγοῦσι δυνατωτάτους ἔκτεινε Πιλᾶτος.

88 Καταστάντος δὲ τοῦ θορύβου Σαμαρέων ἡ βουλὴ παρὰ Οὐιτέλλιον ὑπατικὸν ἴασιν ἄνδρα Συρίας τὴν ἡγεμονίαν ἔχοντα καὶ Πιλάτου κατηγόρουν ἐπὶ τῇ σφαγῇ τῶν ἀπολωλότων · οὐ γὰρ ἐπὶ ἀποστάσει τῶν Ῥωμαίων, ἀλλ' ἐπὶ διαφυγῇ τῆς Πιλάτου ὕβρεως εἰς τὴν Τιραθανὰ παραγενέσθαι. 89 καὶ Οὐιτέλλιος Μάρκελλον τῶν αὐτοῦ φίλων ἐκπέμψας ἐπιμελητὴν τοῖς Ἰουδαίοις γενησόμενον Πιλᾶτον ἐκέλευσεν ἐπὶ Ῥώμης ἀπιέναι πρὸς ἃ κατηγοροῖεν οἱ Σαμαρεῖται διδάξοντα τὸν αὐτοκράτορα.

Critique textuelle.

Le texte offre à plusieurs reprises des variantes. Une seule de ces variantes en modifie le sens. Au § 89, selon les manuscrits, Pilate est accusé par les Juifs ou par les Samaritains. L'édition de Niese reçoit comme texte *hoi Samareitai*, mais signale *Ioudaioi* pour MWE et la version latine. Au premier abord, *Ioudaioi* pourrait apparaître comme la mention originale, car ce terme est mal en situation dans le cadre du récit. En fait, nous conservons « *Samareitai* », terme qui correspond bien au récit. En effet, l'introduction de *Ioudaioi* s'explique par l'ensemble de l'œuvre de Josèphe, car c'est aux Juifs que cet auteur s'intéresse. Un scribe a remplacé la mention d'un groupe ethnique, peu intéressant à ses yeux, par celle des Juifs qui sont au centre de l'œuvre de Josèphe. De plus, celle-ci a été conservée par les milieux chrétiens qui ne s'intéressaient à Pilate que dans ses rapports avec les Juifs ; comme on lisait dans les Évangiles une opposition entre Pilate et les Juifs, un copiste a transféré cette opposition dans le texte du renvoi de Pilate à Rome par Vitellius. Enfin, quelques lignes plus haut, Marcellus est envoyé pour s'occuper des Juifs, le scribe a considéré clos l'épisode des Samaritains et est revenu aux Juifs en modifiant le texte[5].

Ant. XVIII, 85-89.

85.   Le peuple des Samaritains ne fut pas non plus exempt de trouble ; en effet, un homme se met à les rassembler, qui considérait le mensonge comme sans importance et usait de toutes sortes de manœuvres pour plaire au peuple ; il leur enjoint de se réunir avec

---

5. Le terme adopté dans *Œuvres Complètes de Flavius Josèphe*, traduites en français sous la direction de Théodore REINACH, IV, Paris, 1929, p. 150, est « Juifs ». S. G. F. BRANDON, *Jesus and the Zealots*, Manchester, 1967, p. 80 fait une option semblable (de même dans Pontius Pilate in History and Legend, dans *Church History*, XVIII, 1968, p. 528). En sens opposé, L. H. FELDMAN, *Josephus, Jewish Antiquities, books XVIII-XX*, Londres, 1965, p. 64, conserve le choix de Niese. A. SCHALIT, *A Complete Concordance to Flavius Josephus, Supp. I, Namenwörterbuch zu Flavius Josephus*, Leyde, 1968, donne la préférence à la lecture « Samaritains », cf. pp. 63 et 105 de la Concordance ; de même P. L. MAIER, The Fate of Pilate, dans HERMES, XCIX, 1971, p. 366 ; SMALLWOOD, *The Jews*, p. 171, n. 93.

lui sur le mont Garizim, ce lieu qui est considéré par eux comme la plus sainte des montagnes ; il soutenait qu'il leur montrerait, quand ils seraient là, les vases sacrés de Moïse, enfouis en cet endroit, car celui-ci en avait constitué là-même un dépôt. 86. Ceux qui tenaient cette parole pour plausible s'étaient armés et installés dans un certain village appelé Tirathana, y accueillaient ceux qu'on réunissait avec eux, afin de faire en grand nombre l'ascension de la montagne. 87. Mais Pilate les prévient en faisant occuper d'avance leur chemin d'accès (au Garizim) par un détachement de cavaliers et de fantassins ; ces derniers entourèrent les hommes entassés dans le village et, un combat s'étant engagé, tuèrent les uns, mirent en fuite les autres et en emmenèrent beaucoup prisonniers, parmi lesquels Pilate fit tuer les principaux chefs et les plus influents de ceux qui avaient fui. 88. Quand le trouble se fut apaisé, les membres du Conseil des Samaritains se rendirent auprès de Vitellius, consulaire qui détenait le gouvernement de la Syrie, et ils se mirent à accuser Pilate du massacre de ceux qui avaient péri, car, disaient-ils, ils étaient venus à Tirathana non pas pour abandonner le parti des Romains, mais pour échapper aux sévices de Pilate. 89. Alors, Vitellius, ayant envoyé Marcellus, un de ses amis, pour qu'il s'occupe des Juifs, donna l'ordre à Pilate de s'en aller à Rome afin de renseigner l'empereur sur ce dont l'accusaient les Samaritains.

1. A PROPOS DU TEXTE.

A la différence des premiers textes analysés, ce passage des Antiquités ne place pas au premier plan une action de Pilate, il décrit d'abord l'activité des Samaritains [6], et l'intervention de Pilate n'est qu'une réponse à leur mouvement [7]. A ce premier ensemble qui se présente comme une description de l'événement, Josèphe joint l'accusation portée contre Pilate par les Samaritains et la décision prise à l'égard de Pilate. Au moment où il rapporte la démarche des Samaritains auprès de Vitellius [8], Josèphe explicite les motifs que les Samaritains alléguèrent pour justifier leur rassemblement à Tirathana [9] : « Ils étaient venus à Tirathana non pas pour abandonner le parti des Romains, mais pour échapper aux sévices de Pilate [10]. » De ces propos, nous pouvons déduire que Pilate a justifié son intervention en affirmant que le rassemblement samaritain était un danger

---

6. *Ant.*, XVIII, 85-86.
7. *Ant.*, XVIII, 87.
8. Josèphe insiste sur le personnage de Vitellius, consulaire, qui détenait le gouvernement de la Syrie.
9. Tirathana a été situé en des lieux livers, cf. H. W. Hoehner, *Herod Antipas*, Cambridge, 1972, p. 174, n. 6. F. M. Abel, *Géographie de la Palestine*, Paris, ²1938, II, p. 484, sans s'engager très nettement, propose, à la suite de Haefeli, d'identifier Tirathana avec le Kh. ed-Duwara ou Dawerta, situé au pied du Garizim à l'est. Cette proposition paraît la plus plausible.
10. *Ant.*, XVIII, 88.

pour le pouvoir romain, qu'il s'agisse d'un mouvement de révolte déjà exprimé ou de son éventualité.

Le motif, allégué par les Samaritains, ne correspond pas à la situation. Rien, dans la description du rassemblement, ne laisse entendre une quelconque nécessité pour les Samaritains d'échapper à Pilate. La cause du rassemblement est tout autre : un homme invite les Samaritains à se regrouper pour leur montrer sur le Garizim les instruments sacrés enfouis par Moïse. Les § 85-87 ne laissent même pas supposer que les gens se soient réfugiés dans le village de Tirathana au moment de l'intervention de Pilate.

Le texte présente donc une différence très nette dans l'ensemble de l'épisode entre le motif du rassemblement selon les Samaritains et la description de l'attroupement lui-même. Vitellius ne prend pas une décision sur le fond, mais envoie Pilate s'expliquer auprès de Tibère après avoir pris des dispositions pour que le pays ne soit pas laissé sans fonctionnaire romain à sa tête [11].

2. Le rassemblement samaritain 85-86.

Josèphe décrit l'instigateur du rassemblement comme « un homme qui considérait le mensonge comme sans importance et usait de toutes sortes de manœuvres pour plaire au peuple ». Les Samaritains se sont rassemblés en nombre important à Tirathana, en réponse à l'injonction de cet homme qui promettait de leur montrer les vases sacrés que Moïse avait enfouis sur le Garizim. La proposition de l'homme reçut bon accueil parmi les Samaritains, car, sans doute, elle correspondait à une espérance de ces derniers. Nous précisons d'abord ce que représentait chez les Samaritains cette tradition des vases sacrés enfouis par Moïse, nous serons alors mieux à même de comprendre si l'intervention de Pilate se justifiait ou si, au contraire, elle révèle une volonté de provoquer des incidents.

Au Ier siècle de notre ère, sous des formes variées, la légende des vases sacrés enfouis est très répandue dans les milieux juifs et samaritains. Josèphe est, sur ce point, un témoin intéressant de traditions communes, assimilées et réorientées par les Samaritains [12]. Ces instruments sacrés dont parle le texte de Josèphe sont ceux qui permettent le vrai culte. Ils sont liés à l'idéal du désert. Selon les traditions

---

11. Cf. Première partie du § 89.
12. Cf. M. F. Collins, The Hidden Vessels in Samaritan Traditions, dans *Journal for the Study of Judaism*, III, 1972, pp. 97-116. Même si l'on peut critiquer cet article à propos de l'utilisation des sources et spécialement des éditions (cf. A. Zeron, Einige Bemerkungen zu M. F. Collins « The Hidden Vessels in Samaritan Traditions », dans *Journal for the Study of Judaism*, IV, 1973, pp. 165-168), ce travail rassemble néanmoins une abondante documentation et prend au sérieux le texte de Josèphe comme témoin de la foi samaritaine. Nous l'utilisons largement.

et les textes, cette expression recouvre un domaine plus ou moins vaste [13].

Dans la tradition vétéro-testamentaire, ces instruments prennent place devant le Témoignage [14]. Par le biais des instruments cachés, deux moments difficiles de la vie d'Israël, la mort de Moïse et la destruction du premier Temple, sont rapprochés [15]. Selon la tradition du second livre des Maccabées, Jérémie reçoit ce rôle de cacher les instruments du culte, probablement à cause de son annonce de la fin du premier Temple. Retrouver ces objets est un don de Dieu qui s'accompagnera de la manifestation de sa gloire et de la Nuée ; leur restauration revêt donc une portée eschatologique. A partir de ce modèle fondamental, des variations se rencontrent, avec, par exemple, une présence de Baruch aux côtés de Jérémie, ou des variations sur le mode d'enfouissement.

La tradition rabbinique connaît cette légende des instruments enfouis, mais elle ne la lie jamais à Jérémie ; sans ignorer le lien avec Moïse, elle développe une autre perspective ; l'initiative de cacher les objets sacrés revient à Josias qui enfouit l'arche, l'huile d'onction sainte, le vase de manne, le rameau d'Aaron [16]...

Par rapport à ces traditions, Josèphe témoigne de la place que la tradition samaritaine accorde à Moïse : c'est lui qui a enterré les instruments sacrés ; ce fait concorde avec l'ensemble de cette tradition qui s'attache à la figure de Moïse [17] et ne reconnaît comme livre saint que le Pentateuque. Au IVe siècle, pour expliquer cet enfouissement deux traditions sont rapportées : les Samaritains y voient une conséquence ou de la mort de Moïse, ou des péchés des fils d'Éli [18].

Dans toutes ces traditions, la découverte des instruments cachés est liée à un contexte eschatologique. Peut-on préciser à qui la tradition samaritaine attribue cette découverte qui a pour conséquence de permettre à nouveau le vrai culte et de redonner tout son sens au Garizim [19] ? Selon J. Bowman [20], cette tâche est une fonction du Taheb,

13. « The cult vessels and implements of the wilderness period include the anointing oil (Ex., XXX, 31), incense (Ex., XXX, 36), the ark (Ex., XXX, 6 ; I Sam. VI, 8 ; II Chron., XXXV, 3), the jar of manna (Ex., XVI, 33-34) and Aaron's staff (Nom., XVII, 23-25) » M. F. COLLINS, op. cit., p. 101.

14. Ex., XVI, 34. Au lieu de » Témoignage », certaines traductions utilisent le mot « charte » ; le terme hébraïque désigne les tables de la Loi, déposées dans l'Arche d'Alliance et données pour régler le vie d'Israël.

15. II Mac., II, 1-8.

16. Horayoth, 12 a ; Kerithoth, 5 b ; Yoma, 52 b... Ce rôle est donné à Josias à partir de II Chron., XXXV, 3. Le lieu de l'autel, au retour d'Exil, sera révélé par une vision, cf. Zebaḥim, 62 a.

17. Cf. J. Mac DONALD, The Theology of the Samaritans, Londres, 1964, pp. 145-222.

18. I Sam., II, 12 ss.

19. Sur l'importance du Garizim pour les Samaritains, cf. T. H. GASTER, dans The Interpreter's Dictionary of the Bible, New York-Nashville, 1962, IV, p. 194.

20. J. BOWMAN, Early Samaritan Eschatology, dans JJS, VI, 1955, pp. 63-72, à la p. 70 ; « Samaritan Studies » : I. The Fourth Gospel and the Samaritans, dans BJRL, XL, 1957-1958, pp. 298-308. Selon J. BOWMAN, la Samaritaine dans l'Évangile de Jean (IV, 7 ss) exprime son attente du Taheb.

le Restaurateur, qui viendra établir une nouvelle loi religieuse, il est le prophète annoncé en *Deut.*, XVIII, 18, qui restaurera le Temple sur le Garizim, rétablira le culte sacrificiel et obtiendra la reconnaissance des païens[21]. M. F. Collins a contesté l'identification du Restaurateur des vases sacrés avec le Taheb en soulignant que la figure du Taheb n'apparaît qu'au IVe siècle dans la littérature samaritaine[22]. A ce moment, celle-ci identifie le Taheb et Moïse, peut-être en réaction contre les figures messianiques du Christianisme et du Judaïsme. Le rôle de Moïse est alors exalté, car il ne peut pas y avoir d'autre prophète que lui. Même si ce rapprochement avec le Taheb n'est pas exact, il n'en demeure pas moins vrai que la restauration des vases sacrés apparaît comme une fonction du prophète eschatologique. Cette attribution a pu s'effectuer par le biais de la typologie d'Élie ou directement par celle de Moïse[23].

Ces quelques données nous permettent de comprendre la situation décrite par Josèphe. De même que les littératures apocryphe et rabbinique conféraient à la découverte des vases cachés une portée messianique, la tradition samaritaine y reconnaissait la manifestation du prophète eschatologique semblable à Moïse : le Temple était restauré, le vrai culte retrouvé, les rapports avec les païens renouvelés. Une telle perspective ne pouvait que provoquer de l'agitation parmi le peuple et en particulier des oppositions à l'égard des païens. Ce type de mouvement n'était pas sans répercussion au niveau politique. La fièvre messianique du Ier siècle, telle qu'elle se manifeste dans les milieux juifs ou, sous une forme différente, dans les milieux samaritains, était de nature à inquiéter un gouverneur romain. Que le gouverneur ait vu dans ce rassemblement une situation dangereuse pour Rome, et tout d'abord pour lui-même, n'a rien de surprenant. L'intervention du gouverneur est à situer dans ce contexte.

Pilate, en intervenant avec célérité, a voulu empêcher l'essor d'un mouvement qui, de son point de vue, pouvait avoir des conséquences graves. En présence de Vitellius, le conseil des Samaritains insista sur l'absence de toute velléité de révolte, de leur part ; en soulignant ainsi la fidélité de leurs compatriotes, le conseil répondait sans doute à l'accusation que Pilate avait portée contre eux. En dépit des déclarations samaritaines, ce rassemblement comportait un grand risque d'agitation et d'opposition aux Romains. Ces derniers n'étaient-ils pas

21. Cf. T. H. GASTER, *The Interpreter's Dictionary of the Bible*, New York - Nashville, 1962, IV, p. 194.

22. Cette remarque est exacte, mais elle ne tient pas compte de notre pauvreté en documents d'origine samaritaine pour la période qui précède le IVe siècle.

23. Cf. M. F. COLLINS, *op. cit.*, pp. 109-112. M. F. Collins penserait volontiers que la typologie d'Elie représente la couche ancienne, tandis que le rapprochement avec Moïse serait à situer à une phase ultérieure de développement ; puis cette fonction serait attribuée à Moïse redivivus, assimilé au Taheb. L'importance accordée à Elie viendrait à la fois des rapprochements que la tradition a opérés entre lui et Moïse, et du rôle sacerdotal qui lui est attribué.

les païens dont les rapports avec les Samaritains seraient transformés lors de la restauration des vases cachés ? De plus, selon le témoignage de Josèphe, les Samaritains ne firent pas l'ascension les mains nues, ils « prirent les armes ». Une telle démarche ne pouvait pas laisser Pilate sans réaction, il se devait de mettre fin à ce rassemblement.

3. LA RÉACTION DE PILATE AU RASSEMBLEMENT SAMARITAIN.

L'intervention de Pilate se décompose en trois phases distinctes : l'initiative du gouverneur — le comportement des soldats — les exécutions accomplies par Pilate pour sanctionner ce mouvement.

Les sous-entendus d'un tel rassemblement expliquent bien l'initiative de Pilate. Le gouverneur, sans se déplacer lui-même[24], envoie des cavaliers et des fantassins pour mettre fin à ce regroupement. Comme dans l'épisode de l'aqueduc, au cours de leur intervention, les soldats font preuve d'une grande brutalité au moment où ils obligent la foule à se disperser ; Pilate, pour sa part, prend des sanctions énergiques, il fait rechercher les plus influents d'entre les fuyards et les fait mettre à mort, ainsi que les principaux chefs de ceux qui avaient été faits prisonniers. A la suite de l'incident de l'aqueduc qui s'était achevé par des morts, Pilate n'avait pris aucune sanction. Ici, l'incident se termine non seulement par un massacre, mais aussi par des exécutions ordonnées par le gouverneur. En agissant ainsi, Pilate ne faisait rien d'autre que d'user d'un droit qui lui était reconnu[25].

4. LA DÉMARCHE DU CONSEIL DES SAMARITAINS. LA RESPONSABILITÉ DE PILATE.

La fin du récit décrit la démarche du conseil des Samaritains auprès de Vitellius. Le conseil expose au gouverneur de Syrie l'événement et lui explique les motifs du rassemblement samaritain. Nous avons déjà exposé nos réserves sur la valeur des motifs invoqués[26]. Après avoir chargé un de ses amis de l'administration provisoire des Juifs, Vitellius envoie Pilate à Rome. Cette démarche de Vitellius n'est point pour nous étonner, le personnage avait assez d'autorité et de prestige pour se permettre une telle action[27].

La décision de Vitellius laisserait penser que Pilate avait outrepassé ses droits, ce qui n'est point sûr. En effet, aux § 2 et 3 nous avons montré qu'il était du devoir de Pilate d'intervenir dans cette affaire. Les motifs qui ont alors pu amener Vitellius à un tel choix sont multiples :

---

24. C'est ainsi, nous semble-t-il, qu'il faut comprendre : « *phthanei de Pilatos tên anodon autôn prokatalabomenos hippeôn te pompêi kai hoplitôn* ».
25. Cf. *supra*, pp. 75 ss.
26. Cf. *supra*, p. 234.
27. Nous avons longuement traité du problème des rapports entre les provinces de Syrie et de Judée, cf. *supra*, pp. 60-71 ; sur Vitellius, et ses interventions en Judée aux pp. 65-66.

— Pour Vitellius, l'affaire était loin d'être claire, les mobiles, avancés par les parties en présence, étaient contradictoires. Accusés par Pilate, les Samaritains devenaient accusateurs devant Vitellius. Ce dernier n'avait, sans doute, aucun pouvoir pour décider en cette affaire ; c'était sagesse, et la coutume dans un tel cas [28], d'envoyer le gouverneur s'expliquer auprès de l'empereur.

— Les Samaritains pouvaient invoquer leurs traditions religieuses ; car la politique de Tibère respectait chaque groupe ethnique.

— Pilate était intervenu en vertu de sa charge, mais peut-être avait-il eu une politique de répression trop sévère. Les Samaritains n'étaient pas allés à Tirathana pour y trouver un refuge contre la violence de Pilate, mais ils pouvaient invoquer leur fuite comme une recherche de salut face à la brutalité de la répression.

— Les Samaritains semblent, au moins à cette époque, avoir entretenu d'assez bons rapports avec les Romains. Au moment de la mort d'Hérode, ils ne s'étaient point agités, et s'étaient vu ainsi octroyer la remise d'un quart du tribut [29]. La création de la province de Judée leur avait d'ailleurs permis de se soustraire à la tutelle juive ; et à l'époque de Coponius, les Samaritains avaient même célébré cette libération en souillant le Temple [30].

— Enfin, et cette raison nous semble très importante, Vitellius, selon le témoignage de Josèphe, fut un homme soucieux de respecter les sensibilités de chacun [31]. L'historien nous décrit son attitude vis-à-vis du judaïsme, mais nous avons sans doute là un trait caractéristique de son comportement.

Ces raisons expliquent la décision de Vitellius, mais elles n'infirment en aucune façon ce que nous avons dit précédemment. Pilate est intervenu en vertu de sa charge et dans la limite de ses droits. D'ailleurs, nous ne savons pas en quel sens Tibère aurait tranché si la mort ne l'avait pas empêché de connaître l'affaire. Certes, Caius donna un successeur à Pilate [32], mais ce fait ne prouve pas que le nouvel empereur condamna Pilate ou le désapprouva. Nous ne disposons d'aucun document qui permette de connaître la décision de Caius en cette affaire.

5. L'ATTITUDE DE PILATE.

Pilate se révèle dans l'affaire des Samaritains comme un gouverneur vigilant vis-à-vis des moindres mouvements de foules. Rusé

28. Cf. *BJ*, II, 236-244.
29. *BJ*, II, 96 ; *Ant.*, XVII, 319. La traduction de ce dernier texte en *Œuvres complètes de Flavius Josèphe*, sous la direction de Th. Reinach, comporte un contre-sens : *paralelunto* a pour sujet les Samaritains, et non pas les régions énumérées, ce qui serait dépourvu de sens dans le cas présent.
30. *Ant.*, XVIII, 29-30.
31. Cf. par ex. *Ant.*, XVIII, 90-95 ; 120-122.
32. Cf. *supra*, p. 21, n. 4.

dans la répression des troubles de l'aqueduc, Pilate sait aussi, dans cet incident, placer ses troupes au bon endroit et user de l'effet de surprise. Il croit plus aux vertus de la force armée qu'à la persuasion. Le rassemblement des Samaritains comportait des répercussions politiques, la répression en est d'autant plus sévère. Soucieux de frapper les notables de la communauté samaritaine, Pilate n'hésite pas à recourir à des exécutions.

CHAPITRE XII

LE DÉPART DE PILATE POUR ROME
(*Ant.*, XVIII, 89)

1. LE PERSONNAGE.

Josèphe achève ses récits sur Pilate en nous décrivant son comportement en face de la décision de Vitellius :

καὶ Πιλᾶτος δέκα ἔτεσιν διατρίψας ἐπὶ Ἰουδαίας εἰς Ῥώμην ἠπείγετο ταῖς Οὐιτελλίου πειθόμενος ἐντολαῖς οὐκ ὂν ἀντειπεῖν. πρὶν δ᾽ ἐν τῇ Ῥώμῃ ἴσχειν αὐτὸν φθάνει Τιβέριος μεταστάς.

« Pilate donc, après dix ans passés en Judée, se hâtait vers Rome, obéissant aux ordres de Vitellius, qu'il ne pouvait pas rejeter. Mais, avant qu'il atteigne Rome, Tibère le devance en quittant la vie. »

Là où nous attendions une protestation de Pilate, nous trouvons, au contraire, un homme qui se soumet à la décision de Vitellius. Dur avec les habitants de la province dont il ne tolère aucune opposition, Pilate achève son séjour en Judée par une manifestation de soumission.

2. LA DATE DU DÉPART DE PILATE POUR ROME.

Pilate partit pour Rome au moment où Marcellus arrivait en Judée. Si l'on suit le récit de Josèphe, Vitellius ne se déplaça pas lors de ce départ, mais il vint un peu plus tard à Jérusalem.

Pour fixer la date du départ de Pilate, il nous faut tenir compte des éléments les plus sûrs du texte des Antiquités :
— « Pilate se hâtait vers Rome » ;
— il y arriva après la mort de Tibère.

Nous pouvons y ajouter une autre donnée. Peu de jours après les funérailles de Tibère, Caius libéra Agrippa, le fit roi et envoya Marullus en Judée pour diriger la province[1]. Pilate, ou une lettre de

---

1. *Ant.*, XVIII, 237. Cf. *supra*, p. 21, n. 4.

Vitellius, est donc arrivé à Rome peu de jours après les funérailles de Tibère [2]. En même temps qu'il s'occupait d'Agrippa, Caius, mis ainsi au courant des événements de Judée, régla cette affaire ; ce fut un des premiers actes de son gouvernement.

Arrivé à Rome peu après la mort de Tibère, survenue le 17 mars 37, Pilate a donc dû quitter la Judée vers la fin de l'année 36 ou au début de l'année 37, entre le 15 décembre environ et la fin février. La durée du voyage de Pilate a pu varier entre un et trois mois [3]. Ce second chiffre apparaît plus près de la réalité [4]. Le premier suppose des conditions excellentes de voyage à une période difficile. Comme la navigation était alors fermée [5], Pilate a dû prendre la route de terre [6], ce qui rendait le voyage plus long.

Sur ces dates, l'accord est assez général, mais les opinions divergent quand on tente de mettre cet événement en rapport avec les visites de Vitellius à Jérusalem [7]. E. M. Smallwood a pensé pouvoir fixer la date du départ de Pilate de Judée dans la seconde moitié de

---

2. Rapprocher étroitement les deux faits suppose qu'on se fie à la chronologie de Josèphe, ce que nous faisons, rien ne permet de la mettre sérieusement en doute en ce passage.

3. Cf. les éléments rassemblés par E. M. SMALLWOOD, The Dismissal of Pontius Pilate, dans JJS, V, 1954, pp. 12-21, à la p. 14. Pour fixer la durée des voyages, cet auteur s'appuie sur M. P. CHARLESWORTH, Trade Routes and Commerce in the Roman Empire, 1926, tr. fr., Les routes et le trafic commercial dans l'Empire romain, Paris, 1938. Selon DION CASSIUS, Hist. Rom., LIII, 15, 6, un gouverneur qui quittait sa province, ne disposait pas de plus de trois mois pour regagner Rome dès lors que son successeur était arrivé.

4. P. L. MAIER, The Fate of Pontius Pilate, dans HERMÈS, XCIX, 1971, p. 365, propose 80 jours de voyage. La distance de Césarée à Rome était de 2.000 miles environ, et pour un tel parcours, selon P. L. Maier, la longueur moyenne d'une étape était de 25 miles par jour (soit 40,200 km ; le mile romain équivaut à 1479 m). E. BADIAN, Travel, dans Oxf. Cl. Dict., [2]1970, pp. 1089-1090, propose une estimation légèrement plus forte pour le kilométrage couvert en une journée de voyage : « Except in the Postal Service and by private couriers, 40 Roman miles (soit environ 59 km) seems to habe been a very good day's journey at the best ». Toutes ces estimations ne peuvent être qu'approximatives. La traversée hivernale de l'Anatolie était dure et longue. Deux mois et demi pour le trajet Césarée-Rome ne semblent pas constituer une estimation exagérée. Pour une étude plus précise de ces questions, cf. W. M. RAMSAY, Roads and Travel (in NT), dans A Dictionary of the Bible, ed. by J. HASTINGS, extra volume, Edimbourg, 1904, pp. 375-402 ; cf. également A. M. RAMSAY, The Speed of the Roman Imperial Post, dans JRS, XV, 1925, pp. 60-74 ; S. V. Mc CASLAND, Travel and Communication in the N. T., dans The Interpreter's Dictionary of the Bible, IV, New York-Nashville, 1962, pp. 690-693.

5. Les limites de la période de navigation varient : « une conception large » va du début mars au milieu novembre » ; une autre, du 27 mai au 14 septembre, cf. J. ROUGÉ, Recherches sur l'organisation du commerce maritime en Méditerranée sous l'Empire romain, Paris, 1966, pp. 32-33.

6. Pour une brève description de cette route, cf. H. METZGER, Les Routes de Saint Paul, Neuchâtel, 1954, pp. 22 ss ; J. ROUGÉ, Actes, 27, 1-10, dans Vig Chr, XIV, 1960, pp. 193-203, à la p. 197.

7. Pour les dates des visites de Vitellius, plusieurs solutions ont été proposées, cf. E. M. SMALLWOOD, The Dismissal of Pontius Pilate, dans JJS, V, 1954, pp. 12-21 ; cet auteur a résumé sa position dans son ouvrage, The Jews, pp. 171-173.

décembre 36. Elle obtient un tel résultat à partir de l'étude des
montées de Vitellius à Jérusalem. Selon cet auteur, Vitellius ne fit
que deux visites à Jérusalem et non pas trois, comme le laissent supposer les récits d'*Ant.*, XV, 405 ; XVIII, 90-98 et XVIII, 122-124. Elle
pense que le récit d'*Ant.*, XVIII, 90-98 regroupe des données qui font
allusion à deux voyages dont nous trouvons la mention en *Ant.*, XV,
405 et XVIII, 122-124. Vitellius aurait donc effectué une première
visite très peu de temps après le départ de Pilate, il voulait se rendre
compte de la situation en Judée alors qu'il n'y avait là qu'un gouverneur intérimaire. Au cours de cette visite, Vitellius « fit remise aux
habitants de l'ensemble des impôts sur la vente des récoltes [8] »,
destitua Caïphe du souverain pontificat et le remplaça par Jonathan [9] ;
en nommant un nouveau grand prêtre, Vitellius aurait voulu satisfaire
les Juifs, mécontents des bonnes relations passées entre Caïphe et
Pilate. Ces marques de bienveillance enhardirent le peuple qui
demanda alors au gouverneur de Syrie de lui redonner la garde des
vêtements sacrés [10]. Sur ce point, Vitellius ne prit pas de décision,
mais écrivit à Tibère. La réponse, favorable aux Juifs, lui parvint en
même temps qu'il recevait l'ordre d'entreprendre une expédition
contre Arétas. Sur le chemin de la Nabatène, il passa à Jérusalem
pour transmettre la réponse de l'empereur [11] et pour sacrifier au Dieu
des Juifs, puisque cette montée coïncidait avec la fête nationale des
Juifs [12], sans doute la Pâque [13] qui eut lieu le 20 avril 37. Il destitua
alors le grand prêtre qu'il avait nommé quelques mois plus tôt ; au
cours de son séjour, parvint à Jérusalem la nouvelle de la mort de
Tibère, Vitellius invita alors les Juifs à prêter serment de fidélité à
Caius [14] et renonça à l'expédition contre Arétas. Entre l'envoi de la
lettre à Tibère et la réception par Vitellius de la réponse, il fallait un
minimum de trois mois. C'est donc dans la seconde moitié de décembre 36 qu'il faut placer le départ de Pilate ; en effet, si ce dernier
n'était parti qu'en janvier 37, l'ensemble des événements rappelés ci-
dessus n'aurait pas pu se dérouler en un temps si bref. Le lecteur
aura senti la part hypothétique d'une telle reconstitution.

Les précisions que E. M. Smallwood apporte sur la date de départ
de Pilate ne nous paraissent pas devoir être retenues, car sa démarche
suscite des difficultés. En effet, l'auteur fait éclater arbitrairement le
texte d'*Ant.*, XVIII, 90 ss en éliminant la mention de Pâque, précision chronologique qui y est attachée. Aucun argument ne permet de
distribuer cet ensemble sur deux visites. Même abstraction faite de
cette mention de la Pâque, peut-on assimiler *Ant.*, XV, 405 et le récit
de XVIII, 90 ss ? Dans le premier texte, il est uniquement fait men-

---

8. *Ant.*, XVIII, 90.
9. *Ant.*, XVIII, 95.
10. *Ant.*, XV, 405.
11. *Ant.*, XVIII, 90.
12. *Ant.*, XVIII, 122.
13. *Ant.*, XVIII, 90.
14. *Ant.*, XVIII, 124.

tion de la garde des vêtements du grand prêtre, rien n'y est dit, par exemple, de la remise de l'ensemble des impôts sur la vente des récoltes ou d'une décision sur un changement de grand prêtre.

Si l'on veut mettre en rapport le départ de Pilate pour Rome et les visites de Vitellius à Jérusalem, une autre solution est préférable. Tenant compte des différences entre les récits d'*Ant.*, XV, 405 et d'*Ant.*, XVIII, 90 ss, il est plus plausible d'accepter trois montées de Vitellius à Jérusalem. Ces trois montées se présentent ainsi :

— Vitellius fait une visite à Jérusalem en 36, le peuple lui demande la restitution de la garde des vêtements ; pour prouver sa reconnaissance au peuple qui lui a fait bon accueil, le légat de Syrie écrit à Tibère à ce sujet [15].

— A la Pâque 37, Vitellius, porteur de la réponse de Tibère, monte à Jérusalem et accorde la garde des vêtements aux Juifs [16]. La raison de sa montée peut fort bien être le désir de se rendre compte de la situation, quelque temps après le départ de Pilate pour Rome en décembre 36 ou au début 37. A la fin de la fête, il destitue Caïphe et lui substitue Jonathan.

— A la Pentecôte 37 [17], revenant à Jérusalem à l'occasion des préparatifs de guerre contre Arètas, il destitue Jonathan après la fête et lui substitue Théophile [18]. Au cours de cette venue, il sacrifie à Dieu et apprend l'arrivée de Caius au pouvoir.

Cette proposition a l'avantage de respecter le contenu des textes et leur enchaînement.

Les différentes solutions proposées se rencontrent sur deux points, les plus importants pour notre recherche et les mieux fondés :

— Pilate partit pour Rome fin 36 ou début 37.

— Vitellius ne s'est pas déplacé pour ordonner à Pilate de partir pour Rome.

Quand Pilate arriva à Rome, Tibère était mort. Caius poursuivit-il « l'affaire » Pilate ? Il n'est pas possible de répondre avec sûreté à une telle question. P. L. Maier a cru pouvoir affirmer qu'il n'y eut probablement pas de procès contre Pilate en raison de la mort de Tibère [19]. Cet auteur appuie son opinion sur deux textes, l'un de Suétone [20], l'autre de Dion Cassius [21], qui font allusion à une amnistie générale de Caius au début de son règne. Il fait aussi remarquer que Gnaeus Domitius Ahenobarbus, père du futur empereur Néron, accusé de lèse-majesté, d'adultères et d'inceste, connut le salut grâce à la

15. *Ant.*, XV, 405.
16. *Ant.*, XVIII, 90.
17. *Ant.*, XVIII, 122 ss.
18. Jonathan a donc porté une seule fois les vêtements sacrés : pour la Pentecôte 37, cf. *Ant.*, XIX, 313-316.
19. P. L. MAIER, The Fate of Pontius Pilate, dans HERMÈS, XCIX, 1971, pp. 362-371, aux pp. 367-368.
20. SUÉTONE, *Vies*, Caligula, XV.
21. DION CASSIUS, *Hist. Rom.*, LIX, 6, 2.

mort de Tibère et à l'avènement de Caligula, qui suivit[22]. Les textes avancés par P. L. Maier ne manquent pas de pertinence, ils ne permettent pas cependant de définir avec certitude le sort de Pilate d'autant plus que la violence de la lettre d'Agrippa, rapportée par Philon et analysée dans notre ch. X, invite à nuancer les positions de P. L. Maier. Philon utiliserait-il des propos aussi violents à l'adresse d'un fonctionnaire romain si celui-ci n'avait pas été officiellement blâmé pour son comportement en Judée ? En ce domaine, les hypothèses prennent le pas sur les certitudes ; dès son arrivée à Rome, Pilate échappe à l'historien.

22. Cf. SUÉTONE, *Vies*, Néron, V.

TROISIÈME PARTIE

CHAPITRE XIII

LE DESTIN DE PILATE DANS LA LITTÉRATURE ET LA VIE DE L'ÉGLISE ANCIENNE[1]

Pilate arriva à Rome après la mort de Tibère, survenue le 17 mars 37. Il disparaît alors de l'histoire, mais sa figure hantera la littérature chrétienne et excitera l'imagination d'un certain nombre d'écrivains chrétiens à l'orthodoxie parfois douteuse. Les traces de Pilate dans la littérature de l'Église ancienne sont de nature et de genre variés, car les auteurs qui se sont intéressés à ce personnage ne poursuivaient pas les mêmes buts. Afin de retracer l'histoire de Pilate dans la tradition chrétienne et les apocryphes avec toute la clarté désirable, nous distinguerons trois types de témoignages :

1) Les ouvrages patristiques anciens qui mettent sur le compte de Pilate la rédaction d'un compte rendu officiel lors du procès de Jésus de Nazareth, qu'il s'agisse d' « Actes » supposés de Pilate ou de rapport adressé par lui à l'empereur.

2) Les textes apocryphes que nous pouvons lire aujourd'hui et qui sont attribués à Pilate ou soi-disant contemporains de ce gouverneur.

3) Enfin, nous nous préoccuperons des « visages » que quelques témoins de la littérature chrétienne primitive ont donnés à Pilate, et de l'intérêt qu'il a suscité dans les églises chrétiennes.

1. PILATE ET LE SOI-DISANT COMPTE RENDU RÉDIGÉ A LA SUITE DE LA MORT DE JÉSUS DE NAZARETH.

Parmi les auteurs ecclésiastiques anciens, saint Justin et Tertul-

1. En plus des études de G. A. Müller et H. Peter indiquées *supra*, p. 17, n. 14, cf. S. LIBERTY, The Importance of Pontius Pilate in Creed and Gospel, dans *JThS*, XLV, 1944, pp. 38-56, aux pp. 41-44 ; A. EHRHARDT, Pontius Pilatus in der frühchristlichen Mythologie, dans *Ev Th*, IX, 1949-1950, pp. 433-447 ; F. Stegmüller a dressé un répertoire de la littérature apocryphe, liée d'une manière ou d'une autre, au nom de Pilate, et des différentes éditions de ces textes, *Repertorium Biblicum Medii Aevi* collegit disposuit edidit F. STEGMÜLLER, I, Madrid, 1950, pp. 148-158 ; VIII *Supplementum*, Madrid, 1976, pp. 141-153.

lien sont les premiers à faire mention d'une activité littéraire de Pilate. Il semble de bonne méthode d'étudier chaque témoin pour lui-même avant de se demander si l'on peut rapprocher les affirmations de ces documents et les textes qui nous sont parvenus sous le nom du gouverneur de Judée.

A deux reprises, dans sa première Apologie qu'il composa vers 150, Justin fait référence à des Actes de Pilate [2]. Dans l'un et l'autre texte, ce Père de l'Église renvoie à ces « Actes » afin de prouver la véracité de ses dires. Au ch. XXXV de sa première Apologie, Justin ne réalise pas une recherche originale, il a recours à des documents qui rassemblaient un certain nombre de textes vétéro-testamentaires que l'Église primitive appliquait à l'histoire de Jésus de Nazareth [3]. L'apologiste considère certains des textes vétéro-testamentaires mentionnés comme des prophéties de la Passion du Christ. En consultant les Actes de Pilate, les Romains auxquels Justin destine son œuvre [4], pourront vérifier la réalisation de ces prophéties dans les événements qui ont marqué la Passion du Christ : « dynasthe mathein ek tôn epi Pontiou Pilatou genomenôn aktôn. [5] » « (Et que cela se produisit) vous pouvez l'apprendre dans les Actes produits par Ponce Pilate ». Au ch. XLVIII de la même Apologie, Justin ne considère plus les événements de la Passion, mais les guérisons et résurrections opérées par le Christ : elles étaient annoncées par l'Ancien Testament ; si les destinataires de l'Apologie veulent vérifier la réalité des miracles accomplis par Jésus, ils n'ont qu'à se reporter aux Actes de Pilate [6]. Dans ces textes, l'apologiste chrétien ne fait aucun commentaire particulier sur Pilate, il se contente d'en appeler au témoignage de ses

---

2. JUSTIN, I Apologie, XXXV, 9 ; XLVIII, 3 (DE OTTO, Corpus apologetarum christianorum saeculi secundi, I, ³1876, Wiesbaden, 1969, p. 106 et p. 132) ; JUSTIN, Apologies, tr. L. PAUTIGNY, Paris, 1904, pp. 72 et 98. Il faut probablement ajouter à ces deux mentions I Ap., XXXVIII, 7 où Justin invite ses destinataires à vérifier tout ce que les Juifs ont fait subir au Christ (mathein dynasthe), mais il ne cite pas le lieu où ses propres affirmations trouvent leur confirmation. Sur le genre littéraire de cette apologie, véritable requête adressée à l'empereur, cf. P. KERESZTES, The Literary Genre of Justin's First Apology, dans Vig Chr, XIX, 1965, pp. 99-110.

3. Sur le recours à des « Testimonia » en ce ch. XXXV de la 1ʳᵉ Apologie, cf. P. PRIGENT, Justin et l'Ancient Testament, Paris, 1964, pp. 279-285. Justin se servirait d' « un document qui liait étroitement les phophéties et l'histoire de Jésus », p. 282. P. Prigent utilise et prolonge les remarques de L. VAGANAY, L'Évangile de Pierre, Paris, 1930, pp. 156-161. M. G. MARA, Évangile de Pierre, Paris, 1973, pp. 24-28, a dénoncé, avec raison, la tendance de L. Vaganay à dévaloriser l'Évangile de Pierre en refusant à peu près constamment les possibilités de contact direct entre l'Évangile de Pierre et les écrits chrétiens primitifs. Il n'en demeure pas moins vrai que les faits allégués par L. Vaganay, et précisés par P. Prigent, semblent déterminants : Justin dans sa 1ʳᵉ Apologie et l'auteur anonyme de l'Évangile de Pierre puisent sans doute à un même document qui constituerait une sorte de « Testimonium ».

4. Cf. I Ap., I, les destinataires sont l'empereur, son fils, Lucius, le Sénat et tout le peuple romain.

5. Cf. I Ap., XXXV, 9. Au ch. XLVIII, Justin emploie les mêmes termes, dans un autre ordre. Nous avons retraduit le texte du ch. XXXV.

6. JUSTIN, I Ap., XLVIII, 3.

« Actes » qui permettraient à la bonne société romaine de constater l'exactitude de ce qu'affirme la foi chrétienne.

La nature et la valeur des « Actes » allégués par Justin n'ont pas manqué d'exciter l'imagination des spécialistes. Il pourrait s'agir, selon certains, d'un texte apocryphe rédigé dans des milieux chrétiens qui cherchaient à faire du gouverneur romain un témoin de l'accomplissement des prophéties vétéro-testamentaires. Quelques auteurs [7] ont même perfectionné cette hypothèse en reconnaissant en ces *Acta Pilati*, le document où Justin trouvait rassemblées les prophéties utilisées aux ch. XXXV et XLVIII. De ces *Acta Pilati* anciens dériverait l'ensemble de la littérature sur Pilate [8]. En fait, une telle solution n'est pas convaincante, comme l'avait déjà montré Harnack [9]. Elle ne prend pas assez en compte — la nature de l'œuvre de Justin : une apologie, — et ses destinataires : la haute société romaine ; or, à l'égard de pareils destinataires, un document, né en milieu chrétien, serait de peu de poids.

A ce propos, L. Vaganay écrivait : « L'allusion de saint Justin aux Actes de Pilate indique seulement qu'il en suppose l'existence. On le devine à sa façon d'argumenter : l'Ancien Testament établit la vérité de la religion chrétienne, car les faits principaux de la vie du Sauveur ont été prédits par les prophètes ; mais vous, Romains, vous avez aussi un moyen de contrôle, vous n'avez qu'à consulter les Actes de Pilate qui doivent contenir le récit des mêmes événements. Il ne dit jamais, il ne veut même pas donner à entendre qu'il a puisé dans cet ouvrage. Il conjecture simplement sa présence dans les archives romaines, comme il le fait pour les régistres du cens de Quirinius (I Ap., XXXIV, 2). C'est là un procédé d'apologiste (cf. TERTULLIEN, *Apologétique*, XXI, 19). Ce n'est pas une preuve de l'existence d'anciens *Acta Pilati* inconnus d'ailleurs d'Origène et d'Eusèbe [10]. » Ces Actes de Pilate auxquels Justin renvoie sont à recevoir comme une supposition de Justin : il conjecture que les Romains disposent d'archives qui leur permettent de contrôler l'exactitude de ses affirmations. Il n'y a donc aucun lien entre ce soi-disant document et les Actes de Pilate que nous connaissons [11].

---

7. Von Schubert, Zahn, Kunze, Stanton, cités par L. VAGANAY, *op. cit.*, p. 159.

8. C'est une solution de ce type qui a la faveur de F. SCHEIDWEILER qui a présenté et traduit les Actes de Pilate dans E. HENNECKE - W. SCHNEEMELCHER, *Neutestamentliche Apokryphen*, I, ³1959, Tübingen, cf. p. 331. Nous aurons l'occasion de discuter ce point de vue, cf. *infra*, pp. 262-263.

9. A. HARNACK, *Geschichte der altchristlichen Litteratur bis Eusebius*, II, 1, Leipzig, 1897, pp. 603-612.

10. L. VAGANAY, *L'Évangile de Pierre*, Paris, 1930, p. 159. P. Prigent fait siennes les remarques de L. Vaganay, cf. P. PRIGENT, *Justin et l'Ancien Testament*, Paris, 1964, p. 282. C'est déjà cette solution que retenait O. BARDENHEWER, *Geschichte der altkirchlichen Litteratur*, Fribourg, 1902, I, pp. 409-410. A. EHRHARDT, *Pontius Pilatus in der frühchristlichen Mythologie*, dans *Ev Th*, IX, 1949-1950, p. 437, défend la réalité de ces actes en raison de la dignité même des personnes auxquelles l'apologie est adressée.

11. C'est aussi le point de vue de E. Francis Osborn dans son étude sur Justin : « Justin's double reference to the Acts of Pontius Pilatus has no rele-

Dans l'Apologétique qu'il composa vers 197, Tertullien, le second auteur à retenir notre attention, présente des données nouvelles sur Pilate. Ce gouverneur aurait fait un rapport à Tibère sur les événements de Syrie-Palestine relatifs au Christ. De plus, notre auteur christianise Pilate. Examinons tout d'abord la question du prétendu rapport de Pilate à l'empereur. A ce propos, Tertullien écrit : « Donc Tibère, sous le règne de qui le nom chrétien a fait son entrée dans le monde, soumit au Sénat les faits qu'on lui avait annoncés de Syrie-Palestine, faits qui avaient révélé là-bas la vérité de la divinité du Christ, et il manifesta son avis favorable. Le Sénat, n'ayant pas lui-même vérifié ces faits, vota contre. César persista dans son sentiment et menaça de mort les accusateurs des chrétiens [12]. » Un autre passage de l'Apologétique dévoile l'auteur de ces informations : « Pilate, qui était lui-même déjà chrétien dans le cœur, annonça tous ces faits relatifs au Christ, à Tibère, alors César [13] ». Malgré son caractère invraisemblable [14], la valeur historique de cette donnée de l'Apologétique a été défendue, ces dernières années, par un certain nombre de savants ; elle mérite donc un examen.

S. Reinach [15] a cru jadis retrouver le rapport dont parle Tertullien dans un apocryphe connu comme la lettre adressée par Pilate à l'empereur Claude [16]. Évidemment, il considère un tel rapport comme un faux qui aurait été écrit par des chrétiens, déçus de ne pas trouver dans les archives de l'Empire un document sur la mort du Christ : « Ponce Pilate n'aurait jamais fait mettre à mort un homme libre, accusé de s'être dit le roi des Juifs, sans en aviser Tibère, ne fut-ce que pour se créer un titre à sa faveur. Si Jésus-Christ a été mis à mort par ordre de Pilate, il a dû exister au moins un rapport officiel à ce sujet ; et cette opinion était si bien celle des anciens, mieux qualifiés que nous pour connaître les obligations d'un procurateur, que chrétiens et païens ont cherché le rapport de Pilate sur la mort de Jésus et que, ne le trouvant pas, ils en ont fabriqué plusieurs [17]. » Justin et

---

vance to the fourth century document of that name which we possess, and the matters he refers to are not found in it. There are no reasons for believing that such a writing existed in Justin's time », E. Francis OSBORN, *Justin Martyr*, Tübingen, 1973, p. 133.

12. TERTULLIEN, *Apologétique*, V, 2 (CSEL, LXIX, 1939, p. 14), tr. de J. P. WALTZING, dans TERTULLIEN, *Apologétique*, éd. tr. J. P. WALTZING, avec la collaboration de A. SEVERYNS, CUF, Paris, 1929, p. 13.

13. *Apologétique*, XXI, 24 (CSEL, LXIX, 1939, p. 58) ; tr. J. P. WALTZING - A. SEVERYNS, *op. cit.*, p. 52.

14. J. P. WALTZING, *Tertullien Apologétique. Commentaire analytique, grammatical et historique*, Paris, 1931, p. 48, qualifie « ce que Tertullien raconte de la proposition de Tibère » de « légende invraisemblable », mais il pense qu'un rapport de Pilate à Tibère fut très probablement rédigé, il appuie cette dernière remarque, entre autres, sur la 1re Apologie de Justin ; nous avons rappelé ci-dessus que dans cet écrit il ne s'agit que d'une hypothèse de saint Justin, cf. *supra*, p. 251.

15. S. REINACH, A propos de la curiosité de Tibère, dans *Cultes, Mythes et Religions*, III, Paris, 1908, pp. 16-23.

16. Cf. *infra*, pp. 264-265.

17. S. REINACH, *op. cit.*, p. 16.

Tertullien auraient été les victimes de ces faussaires. S. Reinach, convaincu de la nécessité d'un rapport de Pilate à l'empereur, voit dans l'absence de celui-ci un obstacle au caractère historique de la Passion. Ce raisonnement suppose qu'à chaque événement de quelque importance, le gouverneur de province faisait un rapport à l'empereur. En fait, nous ne savons rien sur une telle pratique, et de toute façon, l'exécution d'un Juif non citoyen accusé par des coreligionnaires n'était pas un événement très marquant. De plus, S. Reinach fait de la lettre de Pilate à Claude l'apocryphe ancien qui serait en arrière-plan des affirmations de saint Justin et de Tertullien, or Justin, comme nous l'avons déjà indiqué, lorsqu'il fait référence à des *Acta Pilati*, pense à un document officiel rédigé par les autorités romaines.

Plus récemment, E. Volterra a repris l'examen de cette question [18]. Même s'il en tire des conclusions radicalement différentes, cet auteur est d'accord avec S. Reinach sur la nécessité d'un rapport de Pilate à l'empereur : pour tout événement important, le gouverneur faisait un rapport à Rome. Or, ce rapport, estime E. Volterra, n'est identifiable à aucun des apocryphes que nous connaissons et, de toute façon, il ne peut pas émaner d'un milieu chrétien ; il ne serait donc pas invraisemblable que Tertullien se réfère à un document authentique, œuvre de Pilate. Le refus du Sénat d'accueillir le Christ au Panthéon est connu en Orient comme en Occident [19]. E. Volterra voit dans cette large diffusion le signe que Tertullien a utilisé un document. En fait, cette notoriété de la légende ne joue pas, de façon contraignante, en faveur d'un document antérieur à Tertullien. Tous les auteurs cités dépendent de Tertullien, soit directement comme c'est le cas pour Eusèbe [20], soit par l'intermédiaire de ce dernier pour les autres [21].

---

18. E. Volterra, Di una decisione del Senato Romano ricordata da Tertulliano, dans *Scritti in onore di Contardo Ferrini pubblicati in occasione della sua beatificazione*, I, Milan, 1947, pp. 471-488. Un certain nombre de savants italiens ont, à la suite de E. Volterra, réhabilité l'affirmation de Tertullien, cf. C. Cecchelli, Un tentato riconoscimento imperiale del Christo, dans *Studi in onore di A. Calderini e R. Paribeni*, Milan, 1956, I, pp. 351-362 ; M. Sordi, I primi rapporti fra lo Stato romano e il cristianesimo e l'origine delle persecuzioni, dans *Rendiconti della Classe di Scienze morali, storiche e filologiche dell'Accademia dei Lincei*, Rome, XII 1957, pp. 58-93 ; Sui primi rapporti dell'autorità romana con il cristianesimo, dans *Studi Romani*, VIII, 1960, pp. 393-409 ; M. Sordi, *Il Cristianesimo e Roma*, Bologne, 1965, pp. 26-28. Nous reviendrons sur le point de vue de M. Sordi, cf. *infra*, p. 255, n. 25.

19. Cf. Tertullien, *Apologétique*, V, 2 ; Eusèbe, *H. E.*, II, II (Eusebius Werke, II, 1, GCS IX, Leipzig, 1903, pp. 108-112 ; Eusèbe de Césarée, *Histoire Ecclésiastique*, livres I-IV, SC 31, tr. G. Bardy, Paris, 1952, pp. 52-54) ; Orose, *Historiarum Liber VII*, 4 (indiqué à tort Liber VIII par E. Volterra, *op. cit.*, p. 477) (CSEL V, Vienne, 1882, p. 441) ; le *Chronicon Paschale* (*PG*, XCII, col. 555) ; Zonaras, *Annales*, XI, 3 (éd. L. Dindorfius, III, Leipzig, 1870, pp. 11-12) ; les lettres échangées entre Abgar et Tibère (cf. L. J. Tixeront, *Les origines de l'Église d'Edesse et la légende d'Abgar*, Paris, 1888, pp. 75-77.

20. Cf. Eusèbe, *H. E.*, II, II, 4-6 (tr. G. Bardy, *op. cit.*, pp. 53-54).

21. Sur la dépendance des écrivains orientaux tardifs à l'égard d'Eusèbe, cf. F. Haase, *Altchristliche Kirchengeschichte nach orientalischen Quellen*, 1925. Les lettres échangées entre Abgar et Tibère comportent des versions différentes.

Même si Tertullien utilise une source, ce qui ne peut être absolument exclu, ce document est né en milieu chrétien et il est conforme à la visée apologétique qui fait du gouverneur un témoin de la foi chrétienne. Il n'est pas invraisemblable qu'il faille distinguer dans le texte de Tertullien deux niveaux : Tertullien se référerait tout d'abord à un texte, né en milieu chrétien, qui se présenterait comme un rapport de Pilate à l'empereur ; à partir de ce document, l'apologiste mettrait en scène un Tibère très favorable aux chrétiens. Ainsi il pousserait à l'extrême un essai apologétique. Le rapport auquel Tertullien fait allusion pourrait être en ce cas la lettre de Pilate à Claude [22], document ancien selon certains chercheurs. Contrairement à ce qu'affirme E. Volterra, le texte de Tertullien ne dessert pas les chrétiens. En effet, ce texte ne met pas en valeur le refus du Sénat, mais bien plutôt il souligne la bienveillance de l'empereur Tibère qui menaça les persécuteurs des chrétiens. Au IIe siècle, n'a-t-on pas intérêt à insister sur cette bienveillance de Tibère, même si elle a été suscitée par quelque légende apocryphe ? Nous sommes dans une perspective conforme à l'apologétique chrétienne. E. Volterra nous semble victime de deux erreurs. Comme S. Reinach, et sans le prouver, il considère comme un fait acquis la nécessité d'un rapport du gouverneur lors d'une exécution capitale ; en outre, il majore la notoriété du fait chrétien à ses débuts. Si le gouverneur devait faire un choix parmi les événements qu'il rapportait à Rome, l'exécution de Jésus de Nazareth n'était pas parmi les plus importants [23]. En ces années 30, il est difficile d'imaginer qu'un gouverneur ait informé Tibère à propos de chaque événement qui se passait dans sa province. Quatre-vingts ans plus tard, l'attitude de Pline le Jeune qui s'enquiert auprès de Trajan de la conduite à tenir envers les chrétiens [24] manifeste plus les traits du caractère de Pline que la pratique courante, même à l'époque de Trajan. Nous ne pouvons donc, en aucune façon, considérer comme authentique l'assertion de Tertullien, et prendre en

---

Le texte que cite E. Volterra, op. cit., p. 479, et qui est particulièrement intéressant pour notre problème, est donné par Moyse de Khorène qui a fabriqué ce texte à partir de divers documents : « Moyse a mis dans la bouche de l'empereur les sentiments que Tertullien lui attribue dans son apologie, ch. V et que l'auteur arménien a connus par les emprunts d'Eusèbe (H. E., II, II, 6). Comme, d'autre part, il a pris encore dans ce même chapitre d'Eusèbe tout le commencement de la lettre à partir des mots : « Quoique nous ayons déjà entendu, etc... », il s'ensuit que ce texte, tel que Moyse nous le donne, n'est qu'un plagiat dans lequel il a ajouté bout à bout des morceaux tirés de l'historien grec et de la Doctrine d'Addaie », J. TIXERONT, Les origines de l'Église d'Edesse et la légende d'Abgar, Paris, 1888, pp. 75-77. Sur la dépendance des divers auteurs à l'égard de Tertullien, cf. également les remarques de T. D. BARNES, Legislation against the Christians, dans JRS, LVIII, 1968, pp. 32-50, aux pp. 32-33.

22. Cf. infra, pp. 264-265.

23. Il suffit de se rappeler que c'est comme « en passant » que Flavius Josèphe rapporte cet événement, cf. supra, pp. 174-177.

24. PLINE LE JEUNE, Lettres, Livre X, 96 ; cf. PLINE LE JEUNE, Lettres, livre X, éd. tr. M. DURRY, CUF, Paris, 1947, pp. 73-75.

considération une telle donnée pour écrire l'histoire de Pilate[25]. Mais ce texte est d'une grande valeur pour l'histoire de Pilate dans l'Église ancienne. En effet, Tertullien ne fait pas référence à Pilate en des termes neutres ; il le présente comme un chrétien de cœur ; nous avons là une affirmation qui a, sans doute, aidé à façonner un portrait flatteur de Pilate dans certains courants de l'Église primitive. Nous reviendrons sur ce point dans la troisième partie de ce chapitre.

Au début du IVe siècle, Eusèbe connaît le rapport de Pilate à Tibère, mais le gouverneur de Judée est, selon cet historien, le simple écho de ce qui s'est passé et se dit dans la province dont il a la charge[26], Pilate ne reprend pas à son compte ce qu'il rapporte. Pour appuyer ses affirmations, Eusèbe cite Tertullien, Apologétique, V, 1-2, mais il ne fait pas mention du texte de l'Apologétique qui voit en Pilate un chrétien de cœur, car Eusèbe est également l'écho d'une tradition qui met en valeur le châtiment de Pilate[27]. L'historien de l'Église n'est, en aucune façon, un témoin indépendant de Tertullien en ce qui concerne le rapport de Pilate à Tibère, il dit sa source et se contente de transformer le visage de Pilate. Mais Eusèbe ne parle pas que d'un rapport de Pilate à l'empereur, il mentionne aussi l'existence d'Actes anti-chrétiens dont il traite aux livres I et IX de son Histoire ecclésiastique[28]. Au livre I, Eusèbe invoque à deux reprises[29] le témoignage de Flavius Josèphe pour démontrer la fausseté d'Actes

---

25. Volterra croit trouver un argument en faveur de sa thèse en *Apologétique* II, 6 ; IV, 8 ; V, 6 ; VI, 2, 4, 7 ; IX, 2 ; Tertullien s'y montre bien informé des coutumes juridiques romaines. Mais en pareille matière, ne faut-il pas mieux vérifier chaque cas plutôt qu'extrapoler ? En fait, ces textes renvoient à des lois et n'ont pas de rapport direct avec le problème qui nous retient. M. Sordi ne s'est pas contentée de perfectionner les arguments de E. Volterra en faveur d'un rapport officiel de Pilate à Tibère ; elle a voulu justifier la sympathie de Pilate à l'égard des chrétiens ; Pilate serait devenu très favorable aux chrétiens à la suite du meurtre d'Etienne. Il aurait pris la défense des Judéo-chrétiens, soumis à l'Empire, contre les Zélotes juifs. Le Sénat en refusant de donner une suite favorable à ce rapport aurait fait une véritable déclaration d'illicéité à l'égard du christianisme, et toutes les persécutions ultérieures trouveraient leur fondement juridique dans cette attitude du Sénat. Cette thèse a provoqué la sévérité de plusieurs recenseurs de l'ouvrage de M. Sordi, *Il Cristianesimo e Roma*, Bologne, 1965 ; contentons-nous de relever le jugement de H. I. Marrou : « Thèse on le voit solidement charpentée, — mais je ne crois pas être trop sévère en disant d'elle : trop beau pour être vrai ! », dans *Athenaeum*, NS XLIV, 1966, pp. 412-415, à la p. 413.

26. Eusèbe, *H. E.*, II, II, 1-6 (éd. E. Schwartz, Eusebius Werke, II, 1, GCS IX, Leipzig, 1903, pp. 108-112 ; Eusèbe de Césarée, *Histoire Ecclésiastique*, livres I-IV, tr. G. Bardy, SC 31, Paris, 1952, pp. 52-54).

27. Eusèbe, *H. E.*, II, VII (éd. E. Schwartz, *op. cit.*, pp. 122-124 ; G. Bardy, *op. cit.*, p. 60).

28. Eusèbe, *H. E.*, I, IX, 3, XI, 9 (éd. E. Schwartz, *op. cit.*, pp. 72 et 80 ; G. Bardy, *op. cit.*, pp. 34 et 38) ; IX, V, 1, VII, 1 (éd. E. Schwartz, *Eusebius Werke*, II, 2, GCS IX, Leipzig, 1908, pp. 810 et 812 ; Eusèbe de Césarée, *Histoire Ecclésiastique* livres VIII-X, tr. G. Bardy, SC 55, Paris 1958, pp. 50 et 52).

29. Eusèbe, *H. E.*, I, IX, 3, XI, 9.

(hypomnêmata) « fabriqués tout récemment contre notre Sauveur [30] ». La comparaison de l'historien juif et des Actes fait apparaître, selon Eusèbe, l'impudence des auteurs de ces Actes [31]. Mais ce n'est qu'au livre IX qu'Eusèbe rapproche explicitement les Actes et le gouverneur de Judée, encore le fait-il en liant Pilate et notre Sauveur [32].

Ces Actes sont « remplis de tout blasphème contre le Christ [33] » et « fabriqués par outrage [34] ». Plus qu'à des Actes de Pilate, c'est à un ensemble de textes dirigés contre le Sauveur qu'Eusèbe se réfère. En effet, il n'emploie qu'une fois l'expression « Actes de Pilate », et encore écrit-il : « Actes de Pilate et de notre Sauveur [35] ». Ces textes dont parle Eusèbe se situent bien dans l'histoire des persécutions. Sous Maximin Daia, les chrétiens connurent toutes formes de supplices, car cet empereur ne se contenta pas d'appliquer les anciens édits de Dioclétien, mais il prit des mesures nouvelles [36]. Il interdit aux chrétiens de se réunir dans les cimetières, pratique courante depuis la destruction des églises, et exigea des cités qu'elles lui adressent des pétitions contre les chrétiens [36 bis]. Mais pour transformer les mentalités, il trouva mieux encore ; il fit rédiger « les Actes de Pilate et de notre Sauveur », dirigés contre les chrétiens : « Dans les écoles, les enfants avaient chaque jour à la bouche Jésus, Pilate et les Actes fabriqués par outrage [37] ». Enfin, il fit afficher des aveux de femmes qui, torturées, affirmaient avoir participé aux orgies des chrétiens. Toutes ces mesures négatives s'accompagnèrent de la remise en valeur des cultes païens. Maximin Daia n'arrêta la persécution en 312 qu'en raison de l'intervention de Constantin. L'année suivante, le persécuteur finit même par publier un édit de tolérance afin de se rallier les chrétiens dans sa lutte contre Licinius. Mais défait par ce dernier, il n'eut pas le temps de le mettre en œuvre, et ce n'est qu'avec Licinius que les chrétiens trouvèrent la tranquillité [38]. C'est donc dans un contexte de

30. Eusèbe, *H. E.*, I, IX, 3 (Eusèbe de Césarée, *Histoire Ecclésiastique*, Livres I-IV, tr. G. Bardy, Paris, 1952, p. 34), G. Bardy traduit différemment aux livres I et IX le terme *hypomnêmata*. Ce changement semble être fait sans raison valable.

31. Eusèbe, *H. E.*, I, XI, 9.

32. Eusèbe, *H. E.*, IX, V, 1, VII, 1.

33. Eusèbe, *H. E.*, IX, V, 1 (Eusèbe de Césarée, *Histoire Ecclésiastique*, Livres VIII-X, tr. G. Bardy, SC 55, Paris, 1958, p. 50).

34. *Op. cit.*, IX, VII, 1.

35. *Op. cit.*, IX, V, 1.

36. Cf. K. Baus, Von der Urgemeinde zur frühchristlichen Grosskirche, dans *Handbuch der Kirchengeschichte*, hgb von H. Jedin, I, Fribourg-Bâle, 1965, pp. 452-454.

36 bis. H. Castritius, *Studien zu Maximinus Daia*, Kallmünz, 1969, pp. 48-62. Selon cet auteur, Maximin Daia n'aurait persécuté les chrétiens que sous la pression des villes sises sur son territoire. Même si la documentation autorise une telle interprétation, on peut cependant se demander si les villes, en agissant ainsi, ne cherchaient pas à plaire à l'empereur, car elles lui donnaient l'occasion de justifier son action.

37. Eusèbe, *H. E.*, IX, VII, 1 (trad. G. Bardy, *op. cit.*, p. 52).

38. Cf. Lactance, *De la mort des persécuteurs*, XLVIII ; Lactance, *De la mort des persécuteurs*, éd. tr. J. Moreau, SC 39, Paris, 1954, pp. 131-135.

persécutions redoublées qu'ont été créés ces Actes ; ils devaient contribuer à forger une mentalité anti-chrétienne. Si l'on est fidèle à la terminologie d'Eusèbe, il faut parler ou des « Actes dirigés contre les chrétiens et fabriqués sous Maximin Daia » ou des « Actes de Pilate et de notre Sauveur ». Nous connaissons le but de ces Actes et leur orientation générale, mais nous ne savons rien de précis sur leur contenu. Ces Actes, fabriqués sous Maximin Daia, nous sont également connus par une mention du discours apologétique attribué à Lucien d'Antioche et rapporté par Rufin [39].

Mais ces Actes de Pilate anti-chrétiens ne devaient pas avoir le dernier mot. Des Actes de Pilate d'une tout autre nature sont mentionnés, à propos de la fixation de la date de Pâques, par Épiphane [40] et par l'auteur d'une homélie sur la date de Pâques en l'an 387 [41]. Épiphane rédige une notice où il mentionne l'existence de deux groupes qui célèbrent la fête de Pâques à date fixe : d'un côté, ceux qui suivent les mythes juifs, de l'autre, un groupe qui, fixé en Cappadoce, célèbre Pâques le VIII des Calendes d'avril. Ces gens « prétendent avoir trouvé la date juste, savoir dans les Actes de Pilate, où il est rapporté que le Seigneur a souffert le VIII des Calendes d'avril [42] ». Cette date correspond à ce que nous trouvons dans le texte actuel des Actes de Pilate [43]. Épiphane n'admet pas cette date et il réfute les partisans de cette opinion, car il fait remarquer que d'autres exemplaires (antigrapha) des Actes de Pilate donnent le XV des Calendes d'avril comme jour de la Passion. Mais il s'empresse d'ajouter qu'il a fait lui-même des recherches précises et qu'il s'agit du XIII des Calendes d'avril ; d'autres invoquent le X de ces mêmes Calendes [44]. Pour notre propos, remarquons qu'Épiphane ne disqualifie pas le document invoqué, il se contente de souligner qu'on ne peut rien tirer de sûr de ce témoignage puisque ses copies donnent des dates différentes, et que ses propres recherches ont permis de trouver la date exacte.

L'homéliste de 387 veut convaincre ses auditeurs qu'il faut, à l'imitation du Christ, célébrer Pâques après l'équinoxe ; et, pour soutenir son point de vue, il fait appel aux Actes de Pilate : « Mais

---

39. RUFIN, Hist. Ecclés., IX, 6, 3 (Eusebius Werke, II, 2, éd. E. SCHWARTZ, GCS IX, Leipzig, 1908, pp. 813-815) ; G. BARDY, Recherches sur saint Lucien d'Antioche et son école, Paris, 1936, pp. 134-149, à la p. 143.
40. Cf. ÉPIPHANE, Panarion, L, 1, éd. K. HOLL, II, GCS XXXI, Leipzig, 1922, pp. 245-246.
41. Une homélie anatolienne sur la date de Pâques en l'an 387, éd. tr. F. FLOËRI et P. NAUTIN, SC 48, dans Homélies pascales, III, Paris, 1957, pp. 126-127. L'auteur de l'homélie, attribuée à tort à Jean Chrysostome par la tradition manuscrite, pourrait être Grégoire de Nysse, cf. op. cit., pp. 78-105.
42. Traduction de P. Nautin, dans La Controverse sur l'auteur de l'Elenchos, dans RHE, XLVII, 1952, pp. 5-43, aux pp. 19-26 ; la traduction donnée ici se trouve p. 24.
43. Cf. Acta Pilati, Evangelia Apocrypha, éd. TISCHENDORF, Leipzig, 1876, p. 212.
44. Cf. P. NAUTIN, La Controverse..., op. cit., p. 24.

nous gardons, nous autres, la vertu du mystère dans son intégrité. En effet, le temps où le Sauveur a souffert n'est pas inconnu ; car les Actes faits sous Pilate contiennent aussi la date de la Pâque. Il y est rapporté que le Sauveur a souffert le VIII des Calendes d'avril : cette date tombe après l'équinoxe et est acceptée par les gens exacts [45]. » Manifestement, ces deux mentions des Actes de Pilate se rapportent à un écrit chrétien. L'écrivain et l'homéliste renvoient aux Actes de Pilate que nous connaissons aujourd'hui ou plutôt à une première élaboration de cette œuvre.

Ces allusions ou mentions des Actes de Pilate, faites par des auteurs chrétiens, permettent de donner quelques précisions sur la nature des textes invoqués et de clarifier les rapports que ces notices entretiennent les unes avec les autres :

1) Justin se réfère à des Actes de Pilate que l'on pourrait trouver dans les archives impériales. Il suppose l'existence d'un document officiel.

2) Tertullien présente Tibère comme plein de compréhension à l'égard des faits allégués en faveur de la divinité du Christ. Il est possible qu'un apocryphe chrétien, antérieur à Tertullien, se présentait comme un rapport de Pilate à l'empereur [46]. Ce texte, s'il a existé, pourrait avoir un lien avec le document connu sous le nom de lettre de Pilate à l'empereur Claude.

3) Eusèbe et Rufin nous font connaître la fabrication d'Actes dirigés contre les chrétiens en temps de persécutions, et liés au nom de Pilate.

4) Avec Épiphane et l'homélie anatolienne sur la date de Pâques en 387, nous trouvons des allusions à une première élaboration des Actes de Pilate tels que nous les connaissons aujourd'hui.

2. LES ACTES DE PILATE.

Les Actes de Pilate que nous lisons aujourd'hui nous sont connus par deux recensions grecques désignées par les lettres A et B [47], ainsi

---

45. Tr. F. FLOËRI et P. NAUTIN, *op. cit.*, pp. 126-127. L'homéliste désigne l'ouvrage auquel il se réfère sous le titre de : *ta gar hypomnêmata ta epi Pilatou prachthenta.*

46. Cf. *supra*, p. 252.

47. *Evangelia Apocrypha*, éd. TISCHENDORF, Leipzig, 1876, pp. 210-322. Certains critiques ont reproché à Tischendorf d'avoir fabriqué des textes alors qu'il aurait dû les éditer tels que les manuscrits les donnaient, cf. F. C. CONY-BEARE, Acta Pilati, dans *Studia Biblica et Ecclesiastica*, IV, Oxford, 1896, p. 69. Selon G. C. O'CEALLAIGH, Dating the Commentaries of Nicodemus, dans *HThR*, LVI, 1963, pp. 21-58, les erreurs de Tischendorf ont été reproduites par tous ceux qui ont travaillé à sa suite. Mais même si l'on peut en relever les imperfections, à défaut d'édition critique moderne, c'est encore à l'édition de Tischendorf que recourent tous ceux qui s'intéressent aux actes de Pilate. P. VANNUTELLI a proposé une synopse des deux recensions, dans son ouvrage : *Actorum Pilati textus synoptici*, Rome, 1938. Sur le cycle des Actes de Pilate, cf. F. SCHEIDWEILER, Nikodemusevangelium. Pilatusakten und Höllenfahrt Christi, dans E. HENNECKE - W. SCHNEEMELCHER, *Neutestamentliche Apokryphen*, ³1959, Tübingen, pp. 330-358.

que par plusieurs versions : latine[48], copte[49], syriaque[50], arménienne[51], géorgienne[52], slave[53]. Le texte grec de la recension A est plus ancien que celui de B qui manifeste assez souvent un souci de rectification doctrinale[54]. D'autre part, c'est à partir du texte de A qu'ont été faites les traductions. C'est donc cette recension A qui retiendra notre attention.

Les Actes de Pilate se présentent dans la recension A comme la traduction d'Actes rédigés d'abord en langue hébraïque par des Juifs, au temps de Notre Seigneur Jésus-Christ. Cette traduction aurait été faite en 440-441[55]. Le texte qui suit le prologue est même un peu plus précis : le rédacteur primitif serait Nicodème, et, en fait, malgré le titre donné, ce sont ses Actes qui nous sont présentés.

Les Actes sont un récit sur la Passion, la Résurrection et l'Ascension du Seigneur. Mais à travers tous ces événements, l'auteur s'intéresse tout particulièrement à l'attitude des chefs juifs, soit au cours de la Passion, soit dans leurs réactions après la Résurrection. L'ensemble du récit est un curieux mélange de textes évangéliques et de traits imaginaires. On ne peut d'ailleurs pas situer sur le même plan les ch. I-XI et les ch. XII-XVI si on considère ces ensembles dans leur rapport à la tradition évangélique. Les ch. I-XI traitent du procès de Jésus et de sa mort ; ils forment une composition assez libre, mais inspirée des textes évangéliques qui sont accompagnés de traits fantaisistes. La seconde partie XII-XVI : les démêlés de Joseph d'Arimathie avec les Juifs, le témoignage des trois hommes sur

48. Gesta Pilati, dans Evangelia Apocrypha, éd. TISCHENDORF, Leipzig, 1876, pp. 333-388. La version latine a connu un très grand succès en Occident.

49. Les apocryphes coptes, II Acta Pilati, éd, E. RÉVILLOUT, dans P.O., IX, Paris, 1913, pp. 57-132. Révillout joint à son édition une traduction française.

50. Studia Syriaca, éd. I. EPHRAIM II RAHMANI, fasc. II (1908). Cette édition de la traduction syriaque est accompagnée d'une traduction latine ; J. Sedlacek a donné une version allemande de la traduction latine sous le titre : « Neue Pilatusakten », dans Sitzungsberichte der Kgl. Böhm, G.d.W., 1908, n° 11, cité par F. SCHEIDWEILER, op. cit., p. 332, n. 1.

51. Acta Pilati, éd. F.C. CONYBEARE, dans Studia Biblica et Ecclesiastica, IV, Oxford, 1896, pp. 59-132. F.C. Conybeare utilise trois manuscrits. Il traduit les deux plus anciens (l'un en grec, l'autre en latin) en les prenant tels qu'ils sont sans essayer de reconstituer un texte arménien plus ancien. Selon lui, ces deux recensions proviennent d'une seule et même version arménienne, faite sans doute à partir du grec.

52. Cette version géorgienne daterait de 1031. Javachisvili l'a fait connaître, au moins, en partie, en 1947, cf. G.C. O'CEALLAIGH, Dating the Commentaries of Nicodemus, dans HThR, LVI, 1963, p. 22, n. 9.

53. L'Évangile de Nicodème. Texte slave et latin, éd. A. VAILLANT, Paris, 1968. Cette traduction slave a été faite sur le texte latin, probablement au Xe siècle. A partir de ce texte slave et des variantes du texte latin, proposées par Tischendorf, A. Vaillant a tenté de « donner l'équivalent exact de l'original latin du slave », p. IX.

54. Cf. les arguments apportés par F.C. Conybeare pour justifier ce point de vue, op. cit., pp. 59-61. C'est cette recension A qui a été traduite par F. SCHEIDWEILER, dans E. HENNECKE - W. SCHNEEMELCHER, Neutestamentliche Apokryphen, I, Tübingen, ³1959, pp. 333-348.

55. G.C. O'CEALLAIGH, op. cit., p. 50.

l'Ascension et l'enquête des Juifs, n'a plus de rapport avec la trame du texte biblique. La composition, en ces chapitres, relève alors de la fantaisie.

Le début des Actes de Pilate présente les accusations portées par les chefs juifs contre Jésus ; elles revêtent deux formes : les unes sont adressées à Pilate [56] ; les autres à Jésus [57]. Les premières sont classiques, car elles parcourent le récit évangélique : Jésus, fils de Josèphe le charpentier et de Marie, prétend être fils de Dieu et roi ; il ne respecte pas le sabbat et détruit la Loi des Pères ; il est un magicien, aux ordres de Béelzéboul ; les accusations adressées directement à Jésus sont d'un autre ordre : il est né de la fornication ; sa naissance a provoqué la mort des enfants à Bethléem, et ses parents ont fui en Égypte parce qu'ils ne comptaient pour rien parmi le peuple. Mais les défenseurs de Jésus ne manquent pas. Un groupe d'une douzaine de Juifs prend sa défense : Jésus n'est pas né de la fornication ; n'ont-ils pas eux-mêmes participé aux fiançailles de Marie et de Joseph [58] ? Des bénéficiaires de miracles se manifestent aussi en sa faveur [59]. La Seigneurie de Jésus, refusée par les Juifs, est reconnue par le cursor et les enseignes [60]. Le premier étend devant Jésus le foulard qui recouvrait sa tête ; les secondes, marquées de l'effigie des empereurs, s'inclinent au moment où Jésus entre pour comparaître devant Pilate. Bien qu'il soit très impressionné par ce qu'il a vu et entendu, et convaincu de l'innocence de Jésus, Pilate, sous la pression des Juifs, porte une sentence de condamnation à l'égard de Jésus : « Ta nation t'a confondu, tu te proclames roi. C'est pourquoi j'ai décidé que tu serais flagellé selon la loi des pieux empereurs, puis pendu sur une croix dans le jardin où tu fus arrêté. Que Démas et Cystas, les deux malfaiteurs, soient crucifiés avec toi [61]. » La colère des Juifs se retourne alors contre Joseph d'Arimathie qui a demandé le corps de Jésus [62]. Joseph est jeté en prison d'où il est tiré miraculeusement ; le récit de sa délivrance est très proche d'*Act.*, V, 17-21.

Les chefs juifs ont contre eux un double témoignage en faveur de la résurrection de Jésus, celui des gardes qu'ils avaient placés au tombeau [63] et celui de trois hommes, un prêtre, un docteur et un lévite qui ont vu, en Galilée, Jésus ressuscité s'entretenir avec ses disciples et s'élever au ciel [64]. Les chefs juifs ne prétendent pas que les témoignages des gardes et des trois hommes soient faux, mais ils ont souci

56. Acta Pilati, A, I, 1 ; *Evangelia Apocrypha*, éd. TISCHENDORF, Leipzig, 1876, p. 215 ; F. SCHEIDWEILER, *Pilatusakten*, dans E. HENNECKE - W. SCHNEEMELCHER, *Neutestamentliche Apokryphen*, I, Tübingen, ³1959, p. 334.
57. *Op. cit.*, II, 3.
58. *Op. cit.*, II, 4.
59. *Op. cit.*, VI-VIII.
60. *Op. cit.*, I, 2 ; I, 5-6.
61. *Op. cit.*, IX, 5.
62. *Op. cit.*, XII.
63. *Op. cit.*, XIII.
64. *Op. cit.*, XIV.

que rien ne s'ébruite de tous ces faits[65]. Poussés par Nicodème à poursuivre leurs investigations, les chefs juifs envoient des messagers à la recherche de Jésus sur toutes les montagnes de Galilée, mais une telle recherche s'avère infructueuse. Par contre, elle permet aux messagers de découvrir Joseph caché dans son village. Le récit de la délivrance merveilleuse de ce dernier accroît le trouble des chefs juifs[66] qui reprennent leur enquête avec beaucoup de soin et doivent se rendre à l'évidence : tout concourt à manifester la vérité de ce qui est raconté au sujet de Jésus. Cependant, les chefs juifs s'attachent à interpréter cette vérité au peuple en rappelant l'Écriture qui maudit celui qui est suspendu au bois tout comme celui qui adore une créature[67]. Ils se replient derrière une solution d'attente semblable à la solution proposée par Gamaliel en *Act.*, V, 34-39 : si l'œuvre vient de Dieu, rien ne pourra l'arrêter[68].

Ces Actes de Pilate se caractérisent par quelques grandes orientations :

— Pilate a le beau rôle : il est soucieux de faire une enquête rigoureuse et accorde plus de crédit aux témoins favorables à Jésus qu'à ses adversaires. Il est même qualifié par Joseph de circoncis de cœur[69]. Seule sa frayeur explique qu'il ait cédé aux pressions des Juifs ; il jeûne, ainsi que sa femme, lorsqu'il apprend du centurion ce qui est arrivé au matin de Pâques[70].

— Parmi les Juifs, des témoins se manifestent en faveur de Jésus[71].

— Les traits miraculeux sont soulignés, surtout quand on peut y mêler des païens[72].

— Des noms apparaissent : l'hémoroïsse s'appelle Bérénice[73], les malfaiteurs Demas et Cystas[74].

— Le récit comporte parfois une saveur johannique, avec des traits d'humour prêtés à quelques intervenants[75].

— Les juifs manifestent leur mauvaise foi tout au long du récit : ils n'acceptent pas le miracle des enseignes, ils tentent de discréditer les défenseurs de Jésus, ils expliquent l'éclipse de soleil au moment de la mort de Jésus, ils tentent de corrompre les gardes du tombeau et chassent les trois témoins des entretiens de Jésus avec ses disciples au moment de son Ascension.

— Les arguments favorables à la reconnaissance de la Résurrec-

65. *Op. cit.*, XIII, 3 ; XIV, 2.
66. *Op. cit.*, XV ; XVI, 1.
67. *Op. cit.*, XVI, 7.
68. *Op. cit.*, XVI, 7.
69. *Op. cit.*, XII, 1.
70. *Op. cit.*, XI, 2.
71. *Op. cit.*, II, 3.
72. *Op. cit.*, I, 5-6.
73. *Op. cit.*, VII.
74. *Op. cit.*, IX, 4.
75. *Op. cit.*, XIII, 2.

tion et de l'Ascension de Jésus sont si forts que les chefs juifs manquent d'être entraînés vers la foi chrétienne, mais ils se ressaisissent dans leur refus en invoquant les Écritures, et en faisant en sorte que le peuple ne sache rien.

L'ensemble du texte est une charge contre les Juifs, mais l'auteur qui pousse très loin son souci apologétique, insiste sur le trouble qui surgit chez les chefs juifs qui, en fin de compte, sont amenés à cacher au peuple le sens de ce qui est arrivé.

Le prologue de la recension grecque A date le texte de 440-441 [76]. Cette indication soulève deux questions : Peut-on faire remonter ces Actes, sinon sous leur forme actuelle, du moins, sous une autre forme, à une date beaucoup plus ancienne, comme le prétend le prologue lui-même ? Peut-on accepter cette donnée comme véritable date de composition ?

Épiphane et l'homéliste sur la date de la Pâque en 387 renvoient à ces Actes comme à un document bien connu, ce qui laisse déjà supposer une date antérieure à la fin du IVe siècle, époque de nos deux témoins. La seconde décennie du IVe siècle conviendrait bien pour une première rédaction de ces Actes. En effet, nous avons un terminus *a quo* et un terminus *ad quem*. Le terminus *a quo* est constitué par le silence d'Eusèbe qui connaît des Actes de Pilate anti-chrétiens, fabriqués sous Maximin Daia, mais ne dit rien d'Actes nés en milieu chrétien [77] ; l'historien ne connaît par Tertullien qu'un rapport fait par Pilate. Le terminus *ad quem* est donné par Épiphane et l'homéliste. Ces Actes de Pilate sont sans doute une réponse aux Actes anti-chrétiens de Maximin Daia. Une telle vue n'a pas semblé satisfaisante à F. Scheidweiler [78] qui est favorable à une date de rédaction beaucoup plus ancienne. Nous devons examiner les arguments qu'il propose. Selon cet auteur, le texte actuel des Actes laisserait apparaître un texte fondamental très ancien, connu déjà de Justin. Sa conviction s'appuie sur deux arguments. Quand Celse écrit vers 178, les Juifs accusent Marie d'avoir commis un adultère [79] ; or, il y eut une accusation plus ancienne, moins virulente portée contre Marie : elle n'aurait pas commis d'adultère, mais aurait eu des relations pré-conjugales. Or, nos Actes actuels de Pilate présupposent cette accusation ancienne qui, ensuite, s'est durcie en reproche d'adultère. En effet, selon les Anciens des Juifs [80], Jésus serait né de la fornication, ce qui est tout à fait conforme aux propos de Celse. Mais les Juifs pieux, en fait, répondent à une autre objection, celle de relations pré-conjugales de Marie : si les fiançailles ont eu lieu — ce dont ils ont

76. La traduction aurait été faite lors de la 9e indiction. Sur cette date, cf. *supra*, p. 259, n. 55.

77. Cf. *supra*, pp. 255-257.

78. Cf. F. Scheidweiler, dans E. Hennecke - W. Schneemelcher, Neutestamentliche Aprokryphen, ³1959, pp. 330-331.

79. Origène, *Contre Celse*, I, 32 ; Origène, *Contre Celse*, éd. tr. M. Borret, SC 132, I, Paris, 1967, p. 163.

80. *Acta Pilati* A, II.

été témoins — c'est que Joseph n'avait rien à reprocher à Marie. Ce décalage entre l'objection des Anciens et la réfutation des Juifs pieux montrerait en ce passage des retouches d'un texte ancien ; l'objection des Juifs aurait été réajustée selon la nouvelle accusation portée contre Marie, mais la réfutation garderait trace d'un propos primitif ; de plus, elle ne défend pas la conception virginale.

D'autre part, dans le récit des Actes de Pilate, Résurrection et Ascension s'enchaînent directement [81] ; d'ailleurs, selon un excellent manuscrit grec, Joseph d'Arimathie ne doit rester caché que quatre jours et non pas quarante, à l'abri de la colère des Juifs qui sont désarçonnés lorsque les trois Galiléens apportent à Jérusalem la nouvelle de l'Ascension de Jésus. Ce lien Résurrection-Ascension, selon F. Scheidweiler, supposerait aussi un texte très ancien, car il est en désaccord avec les 40 jours du livre des Actes canoniques. F. Scheidweiler précise son hypothèse : ces données, Joseph, vrai père de Jésus, et lien Résurrection-Ascension, caractéristique de Matthieu, s'expliqueraient encore mieux si l'on attribue le texte fondamental des Actes de Pilate à un milieu ébionite qui, comme l'affirme Épiphane, révisa l'Évangile de Matthieu, et tint à la paternité physique de Joseph.

L'argumentation de F. Scheidweiler est loin d'être convaincante. Nous nous sommes déjà expliqué sur l'impossibilité de considérer Justin comme témoin de ce texte ancien, car il s'agit chez l'apologiste non pas d'actes apocryphes de Pilate, nés en milieu chrétien, mais d'actes romains dont Justin suppose l'existence [82]. En outre, comment imaginer qu'Eusèbe puisse parler d'Actes de Pilate rédigés sous Maximin Daia sans rappeler que le meilleur argument contre ces faux c'est qu'il en existe d'autres, d'autant plus qu'il n'ignore pas un soi-disant rapport de Pilate à Tibère. Les arguments que F. Scheidweiler tire du texte lui-même peuvent-ils contrebalancer l'impression défavorable qui provient de l'absence de témoignages anciens en faveur de l'existence de tels actes ? Les deux arguments avancés ne nous paraissent pas déterminants, car invoquer Celse comme point de repère, c'est supposer un développement rectiligne des critiques faites à Marie par certains Juifs quand ils évoquent la naissance de Jésus, ce qui serait à prouver. De plus, l'idée d'un lien étroit Résurrection-Ascension en un espace de temps qui s'oppose aux quarante jours des Actes est un « bien » ecclésial qui a toujours été conservé à côté de la tradition lucanienne des quarante jours.

Mais, si rien ne permet d'affirmer l'existence d'une « forme » d'Actes de Pilate avant la seconde décennie du IVe siècle, il est diffi-

---

81. *Acta Pilati*, XIII et XIV.
82. Cf. *supra*, pp. 250-251. F. Scheidweiler a cru déceler une difficulté à cette interprétation en raison de l'appel que fait Justin à de tels documents pour attester des miracles dont il n'est pas question pendant la Passion. En fait, de même que Tertullien parle de « tous les faits relatifs au Christ », Justin suppose un rapport qui concerne l'ensemble des événements qui arrivèrent à Jésus.

cile d'accepter la date de 440-441, comme date de rédaction de ceux que nous connaissons. D'ordinaire, un texte apocryphe donne des indications fantaisistes quand il fait référence à sa date de composition, mais surtout, dans le cas présent, la critique interne du texte oblige à placer sa rédaction à une époque plus récente. Le récit des Actes de Pilate dépendrait notamment, comme les latinismes du texte le suggèrent, de Lydus, personnage important de la cour de Byzance, qui vécut dans la première moitié du VIᵉ siècle ; mais il emprunte aussi à une œuvre de Cyrille de Scythopolis, publiée vers 555. Ce serait donc de la seconde moitié du VIᵉ siècle qu'il conviendrait de dater ces récits de Nicodème [83].

La recension grecque B de ces Actes de Pilate est un remaniement tardif et plus ou moins habile de A [84]. B ajoute souvent des éléments bibliques non retenus par A dont il abrège la finale, tandis qu'il donne à la suite des Actes de Pilate un autre texte, connu plus tard sous le nom de « Descente du Christ aux enfers », mais il joint les deux textes sans aucune indication de changement. Le regroupement de ces deux textes est sans doute l'œuvre du Moyen-Age qui donne à cet ensemble le nom d'*Évangile de Nicodème*. C'est sous ce nom qu'à partir du XIIIᵉ siècle sont connus ces deux apocryphes, indépendants l'un de l'autre à l'origine [85].

La version latine la plus ancienne de la Descente du Christ aux enfers est curieuse. Les Juifs, émus par les révélations des fils de Syméon, prennent une attitude de pénitence. Joseph d'Arimathie et Nicodème informent Pilate de tout ce qui est arrivé. Les chefs juifs, interrogés par Pilate, reconnaissent la messianité de Jésus, mais ils supplient Pilate de ne rien divulguer de tout cela [86]. Pilate, après avoir consigné tous ces faits, rédige un rapport à l'empereur Claude [87]. Le texte grec de ce rapport dont nous avons la traduction latine dans cette finale de la descente aux enfers est inclus dans les Actes de Pierre et Paul [88]. On s'est souvent étonné que ce rapport soit adressé à Claude. R. A. Lipsius a donné de cet anachronisme une explication plausible : dans les Actes de Pierre et de Paul, le rapport est lié à un débat entre Pierre et Simon le Mage. Or la légende originelle situait ce débat sous Claude. L'auteur de la lettre apocryphe a

---

83. Cf. G. C. O'Ceallaigh, Dating the Commentaries of Nicodemus, dans *HThR*, LVI, 1963, aux pp. 49-58. G. C. O'Ceallaigh pense même que le texte ancien des Mémoires de Nicodème ne correspondrait à aucun des textes que nous avons.

84. B présuppose le Concile d'Ephèse (Invocation de Marie comme *Theotokos*), cf. *supra*, p. 259.

85. Vincent de Beauvais, *Speculum historiale*, VIII, 40 ss, semble être le premier à parler d'Évangile de Nicodème. Grégoire de Tours, *Historia Francorum* I, 23, (P. L., LXXI, col. 172), parle de Gesta Pilati. Sur l'indépendance des deux textes à l'origine, cf. E. Amman, dans *DBS*, I, 1928, col. 486-487.

86. Cf. *Evangelia Apocrypha*, éd. Tischendorf, pp. 406-412.

87. Cf. *Evangelia Apocrypha*, éd. Tischendorf, pp. 413-416.

88. Cf. Acta Petri et Pauli, éd. R. A. Lipsius, dans *Acta Apostolorum Apocrypha*, Leipzig, 1891, pp. 196-197.

reporté sur la lettre le temps de la dispute en oubliant tout lien avec la chronologie de la vie du Christ. Cette relation à Claude expliquerait l'adresse actuelle[89]. Est-ce ce rapport apocryphe que connurent Tertullien et Eusèbe ? Il semble que certains milieux chrétiens furent très tôt, dans un but apologétique, intéressés par l'existence d'un tel document ; ils cherchaient ainsi à accréditer la vérité de la foi chrétienne. Le contenu de la lettre est assez sobre ; les faits évoqués à propos de la mort et de la résurrection de Jésus suivent l'Évangile de Matthieu qu'ils forcent en faisant des gardes au tombeau les témoins de la Résurrection. La sobriété même du texte pourrait être un indice favorable à une production ancienne. En tout cas, il traduit, tout comme l'indication de Tertullien, le souci de certains milieux chrétiens de faire appel à un document officiel[90]. L'Anaphore[91] est à situer dans la même ligne que cette lettre, mais elle insiste sur les événements merveilleux qui marquèrent la mort de Jésus. Cet écrit est beaucoup plus récent, il date sans doute du Moyen-Age ; à cette époque, apparaissent encore d'autres légendes du cycle de Pilate.

Dans les textes que nous venons d'évoquer, nous avons senti combien le souci apologétique est marqué : il s'agit d'accréditer le mystère chrétien. On ne s'attache pas au destin de Pilate lui-même ; les apocryphes tardifs du cycle de Pilate portent, au contraire, un grand intérêt à Pilate.

3. LE « VISAGE » DE PILATE DANS L'ÉGLISE ANCIENNE.

Ce changement d'optique des apocryphes nous invite à esquisser l'histoire de la destinée de Pilate dans la tradition chrétienne. A plusieurs reprises, nous avons remarqué que la tradition évangélique cherche à minimiser la responsabilité de Pilate lors du procès de Jésus et à charger les Juifs. L'Évangile de Pierre accentue cette orientation, mais cette donnée n'est pas la seule. Il nous faut tracer à grands traits cette histoire. Si l'on compare les textes de Justin et de Tertullien que nous avons étudiés, des différences méritent d'être relevées. Justin fait appel à Pilate dans une perspective apologétique, car les Actes de Pilate pourraient témoigner de la vérité des prophé-

---

89. R. A. LIPSIUS, *Die apokryphen Apostelgeschichten und Apostellegenden*, II, 1, Braunschweig, 1887, p. 365. Dans la « Démonstration de la Prédication apostolique », Irénée de Lyon qualifie Ponce Pilate de « Préfet de Claude César », cf. IRÉNÉE DE LYON, *Démonstration de la prédication apostolique*, tr. L. M. FROIDEVAUX, Paris, 1959, p. 141.

90. J. QUASTEN, *Initiation aux Pères de l'Église*, I, Paris, 1955, pp. 135-136, a donné une traduction de cette lettre. Il est favorable à l'ancienneté de ce texte qui est « probablement identique à celui que mentionne Tertullien ». Déjà R. A. Lipsius considérait ce texte comme ancien, *op. cit.*, p. 365. W. Speyer a récemment défendu un point de vue semblable, cf. W. SPEYER, Neue Pilatus-Apokryphen, *Vig. Chr*, XXXII, 1978, pp. 53-59, à la p. 52. C. BECKER, *Tertullien, Apologeticum, Verteidigung des Christentums*, Munich 1952, p. 305, suppose aussi probable la connaissance de ce document par Tertullien.

91. *Evangelia Apocrypha*, éd. TISCHENDORF, pp. 435-442.

ties relatives à la Passion et aux miracles de Jésus [92], mais il ne porte aucun jugement sur Pilate. Tertullien est beaucoup moins réservé : « Pilate, qui était lui-même déjà chrétien dans le cœur, annonça tous ces faits relatifs au Christ, à Tibère, alors César [93] ». Selon Tertullien, le témoignage de Pilate ne concerne pas que les miracles et la Passion, mais aussi la Résurrection et l'Ascension de Jésus [94]. Pilate est ainsi mis au service de l'apologétique chrétienne : on ne se contente pas de diminuer sa responsabilité dans la condamnation de Jésus, mais il joue un rôle positif. Tertullien est le témoin le plus ancien que nous ayons conservé d'un courant patristique qui fait de Pilate, un chrétien. Dans cette ligne de réhabilitation du gouverneur de Judée, l'élément le plus surprenant de la légende de Pilate est sa reconnaissance comme martyr par la tradition copte et l'inscription de son nom au calendrier des saints dans l'Église éthiopienne.

Aux VIᵉ-VIIᵉ siècles, Pilate était une figure de saint très populaire parmi les Coptes. Il existe un apocryphe, « l'Évangile de Gamaliel », consacré à Pilate et à son martyre. Cet Évangile, conservé dans deux homélies éthiopiennes, est sans doute une œuvre copte du Vᵉ siècle qui connut plus tard une audience élargie grâce à une version arabe ; il fut ensuite repris par des traducteurs éthiopiens. Aux VIᵉ-VIIᵉ siècles, Pilate est un nom de baptême courant chez les Coptes ; Claude Sicard, missionnaire jésuite du XVIIIᵉ siècle, rapporte avoir trouvé encore ce nom en Égypte, au début du XVIIIᵉ siècle, et avoir entendu lire le Martyre de Pilate dans les églises [95].

Dans le Synaxaire éthiopien, le 25 de Sanê (19 juin), on lit la mention suivante : « Salut à Pilate qui se lava les mains pour montrer qu'il était pur du sang de Jésus-Christ, et à Abroqlâ (Procla), salut, sa propre femme, qui envoya dire : « Ne lui fais pas de mal ! car cet homme-là est pur et juste [96] ». Cette mention du Synaxaire éthiopien doit être cependant relevée avec réserve si l'on en croit I. Guidi, l'éditeur du texte dans la *Patrologia Orientalis*, car ce « salâm » n'apparaît que dans une catégorie de manuscrits. Tout comme les autres salâm, il ne se trouve pas dans le manuscrit A (XVᵉ siècle), ni dans le texte arabe du Synaxaire éthiopien ; par contre, il figure dans les manuscrits O et P qui sont plus récents que A et « s'écartent souvent de (celui-ci) et de l'arabe auxquels ils ajoutent des légendes et des commémorations et notamment les « salâm », si caractéristiques du Synaxaire éthiopien [97] ». Néanmoins, même si une telle mention

---

92. Justin, *I Ap.* XXXV ; XLVIII ; Justin, *Apologies*, tr. L. Pautigny, Paris, 1904, pp. 70-73 et 98-99.

93. Tertullien, *Apologétique*, XXI, 24 ; Tertullien, *Apologétique*, éd. tr. J. P. Waltzing - A. Severyns, CUF, Paris, 1929, p. 52.

94. *Apologétique*, XXI, 17-23, éd. tr. J. P. Waltzing - A. Severyns, *op. cit.*, pp. 51-52.

95. M. A. van den Oudenrijn, *Gamaliel. Äthiopische Texte zur Pilatusliteratur*, Fribourg, Suisse, 1959 ; sur la popularité de Pilate en milieu copte, cf. p. LIV.

96. *P. O.*, I, Paris, 1907, fasc. V, pp. 674-675.

97. I. Guidi, *op. cit.*, p. 524.

est tardive et non unanime, elle témoigne d'un courant traditionnel de cette Église. O et P ne sont peut-être d'ailleurs que des traductions d'un texte arabe plus ancien. L'Église grecque n'exalte pas la figure de Pilate, mais elle vénère la sainteté de sa femme, le 27 octobre. En effet, dans les *Ménées*[98], on lit cette mention : « A ce jour, mémoire de sainte Procla, épouse de Pilate : « Le Seigneur t'a à côté de lui, Procla, lui qui est resté devant ton mari, Pilate[99]. »

Mais à côté de ces traditions orientales, certains courants latins accordent aussi une place d'honneur à Pilate qui, par la mort, accède à la sainteté, c'est ce qu'évoque un apocryphe intitulé : « *Paradosis* »[100]. Dans ce texte, l'imagination supplée l'histoire : Pilate comparaît devant l'empereur et les dignitaires romains. L'empereur donne ordre au gouverneur d'Orient, Licianus, de disperser les Juifs qui vivent à Jérusalem et dans les villes environnantes, car Pilate a commis son forfait contre le Christ sous la pression des Juifs ; mais l'ancien gouverneur ne s'en tire pas lui-même à si bon compte ; condamné à la décapitation, il subit cette épreuve en chrétien priant pour que le Seigneur l'accueille ainsi que Procla, sa femme. Celle-ci rendit l'âme dès qu'elle eut vu un ange qui recevait la tête de son époux.

Cet apocryphe, intitulé « *Paradosis* », se trouve à la rencontre de deux courants, car ce n'est que par le châtiment que Pilate accède à la sainteté ; il nous invite à examiner une tradition qui se manifeste pour la première fois avec Eusèbe de Césarée, un siècle après Tertullien. Quand il parle du rapport de Pilate à l'empereur, Eusèbe s'appuie sur Tertullien[101], mais il ne dit aucunement que Pilate prit à son compte ce qu'il rapporta : il fit un rapport sur « les bruits qui circulaient déjà dans toute la Palestine au sujet de la résurrection d'entre les morts » de Jésus[102] ; l'historien ne fait pas de Pilate un chrétien ; bien au contraire, il rapporte une tradition inconnue de Tertullien, le châtiment de Pilate. Après avoir décrit les malheurs qui arrivèrent aux Juifs « pour ce qu'ils avaient osé contre le

---

98. Livre liturgique grec pour chaque mois.

99. Sur le plan de l'histoire, rien ne peut être dit sur la présence de la femme de Pilate en Judée. La seule allusion se trouve en Mt., XXVII, 19. Notre étude littéraire a reconnu en ce verset une insertion tardive, cf. *supra*, p. 182. Le statut des femmes de gouverneur a évolué. Sous la République, la coutume interdisait à un officiel d'emmener sa femme. Sous l'Empire, cette interdiction fut levée. De temps à autre, il y eut des propositions qui cherchaient à restaurer cette coutume ; par exemple, sous Tibère, la proposition de Severus Caecina qui vise en particulier un « magistrat chargé d'une province par le sort », TACITE, *Ann.* III, 33-34. Sur la proposition de Severus Caecina, son échec et ses conséquences, cf. PFLAUM, *Procurateurs*, pp. 298-302.

100. *Evangelia Apocrypha*, éd. TISCHENDORF, Leipzig, 1876, pp. 449-455 ; cf. une traduction partielle de ce texte, dans P. CAVARD, *Vienne la Sainte*, Vienne, 1939, pp. 63-65.

101. EUSÈBE, *H. E.*, II, II, 1-6. EUSÈBE DE CÉSARÉE, *Histoire Ecclésiastique*, livres I-IV, tr. G. BARDY, SC 31, Paris, 1952, pp. 52-54.

102. EUSÈBE, *op. cit.*, II, II, 1, tr. G. BARDY, *op. cit.*, p. 53.

Christ [103] » ; l'historien poursuit : « Il n'est pas à propos d'ignorer que, d'après ce qu'on raconte, Pilate lui aussi qui vivait au temps du Sauveur, tomba dans de tels grands malheurs sous Caïus dont nous avons parcouru l'époque, qu'il devint par nécessité son propre meurtrier et son propre bourreau : à ce qu'il semble, la justice divine ne l'épargna pas longtemps. C'est ce que racontent ceux des Grecs qui ont marqué les Olympiades avec les événements survenus en chacune d'elles [104]. » Selon la Chronique du même Eusèbe, le suicide de Pilate eut lieu dans la troisième année de Caligula (18 mars 39 - 10 mars 40). Eusèbe prétend alors tenir ses informations des histoires romaines [105]. L'imprécision des sources de l'historien rend suspecte cette tradition du suicide [106]. De plus, elle est tardive et ignorée d'Origène qui n'aurait pas manqué d'y faire appel pour réfuter Celse qui voyait dans l'absence de châtiment subi par Pilate le signe de la non-divinité de Jésus [107]. Celse faisait allusion à la légende de Penthée, puni pour avoir fait enchaîner le Dieu Dionysos [108]. Origène, pour répondre à l'argumentation de Celse, rappelle la dispersion de la nation juive, condamnée par Dieu pour avoir châtié le Christ ; il n'y a rien à reprocher à Pilate qui, selon lui, a suivi les conseils de sa femme.

Cette légende du châtiment de Pilate [109] cherche à montrer que nulle faute ne reste impunie ; la christianisation de l'Empire a facilité sa diffusion ; désormais, il était possible de critiquer le gouvernement romain. Dans l'Empire devenu chrétien, cette conviction est affirmée à plusieurs reprises à propos de Pilate ; Paul Orose en est un bon témoin : « Pilate, le gouverneur, qui avait porté la sentence de condamnation contre le Christ, après qu'il eut réprimé et provoqué plusieurs séditions à Jérusalem, fut soumis à de si grands tourments tandis que Caius le châtiait, qu'il chercha, en se transperçant de sa propre main, l'abrègement de ses maux dans la rapidité de la mort [110]. » Certains écrivains ecclésiastiques postérieurs amplifient

---

103. EUSÈBE, *op. cit.*, II, VI, 8, tr. G. BARDY, *op. cit.*, p. 60. Ces malheurs que connurent les Juifs déjà sous Pilate sont dus à leurs attentats contre le Sauveur (*H.E.*, II, VI, 3 ; tr. G. BARDY, *op. cit.*, p .59).
104. EUSÈBE, *op. cit.*, II, VII, tr. G. BARDY, *op. cit.*, p. 60.
105. Cf. EUSÈBE, *Chronique*, éd. R. HELM, *Werke*, VII, GCS XLVII, Berlin, ²1956, p. 178.
106. Cf. nos remarques sur le destin de Pilate selon l'histoire, *supra*, pp. 244-245.
107. ORIGÈNE, *Contre Celse*, II, 34 ; ORIGÈNE, *Contre Celse*, éd. tr. M. BORRET, SC 132, I, Paris, 1967, pp. 366-371.
108. Celse reprenait une légende rapportée par EURIPIDE, *Bacchantes*, 498 ; Cf. M. BORRET, *op. cit.*, 366-369.
109. Cf. P.L. MAIER, The Fate of Pontius, dans HERMÈS, XCIX, 1971, pp. 369-370.
110. OROSE, *Historiarum* liber VII, 5 (CSEL, V, Vienne, 1882, pp. 445-446). C'est aussi dans cette ligne que se situent, au Moyen-Age, en Occident GRÉGOIRE DE TOURS, *Historia Francorum*, I, 23, *P.L.*, LXXI, col. 173, et en Orient, NICÉPHORE CALLISTE, *Hist. eccl.*, II, X, *P.G.*, CXLV, col. 782, cités par P. CAVARD, *Vienne la Sainte*, Vienne, 1939, pp. 37-38.

et précisent cette légende du suicide de Pilate [111]. Ils insistent sur les tourments et châtiments qu'endura le gouverneur de Judée à cause de la condamnation du Christ, mais tous le font mourir à Rome. Adon, archevêque de Vienne au IXe siècle, ajoute un élément nouveau à cette légende puisqu'il situe le suicide de Pilate à Vienne, son lieu d'exil [112]. Au XVIe siècle, on trouve encore des témoignages très précis sur ce lien entre le gouverneur de Judée et Vienne [113]. Non seulement le Moyen-Age noircit le destin de Pilate, mais sa femme elle-même n'échappe pas à ce sombre tableau, c'est alors que prend naissance une curieuse interprétation de *Mt.*, XXVII, 19. Le rêve de la femme de Pilate est attribué à une influence démoniaque, car en faisant intervenir la femme de Pilate, Satan voudrait empêcher la rédemption de s'accomplir. Raban Maur, Bernard de Clairvaux, Nicolas de Lyre et Luther à leur suite, défendirent cette interprétation [114].

A côté de ces traditions qui exaltent la sainteté du gouverneur de Judée ou, en sens inverse, montrent la rigueur des châtiments qu'il encourut en raison de sa responsabilité dans la condamnation du Christ, on trouve au cours des siècles d'autres visages de Pilate. Contentons-nous ici d'évoquer le titre de « roi des Romains » qui lui est conféré dans un texte musulman du Xe siècle intitulé : « L'établissement des preuves de la dignité prophétique de notre maître Mohammed [115]. »

111. Cf. P. Cavard, *op. cit.*, pp. 32-71, aux pp. 37-39.

112. *Chronique*, PL, CXXIII, col. 77 ; cf. P. Cavard, *op. cit.*, pp. 39 ss ; cf. également F. M. Abel, Exils et tombeaux des Hérodes, dans *RB*, LIII, 1946, pp. 56-74, à la p. 70. Adon, comme beaucoup de ses contemporains, croyait sur la foi d'Eusèbe, (*H. E.*, I, XI, 3) qu'Hérode Antipas avait été exilé à Vienne. En fait, des fils d'Hérode le Grand, seul Archélaüs connut un exil dans cette ville, cf. *supra*, p. 34. La légende de l'exil et du suicide de Pilate à Vienne est due au rapprochement réalisé entre le sort des fils d'Hérode, tel qu'on le supposait à l'époque d'Adon, et celui du gouverneur de Judée, successeur d'Archélaüs et contemporain d'Hérode Antipas.

113. D'autres légendes du Moyen-Age conduisent Pilate en Italie du Nord et en Helvétie, cf. entre autres Jacques de Voragine, *La légende dorée*, tr. Théodor de Wyzewa, p. 291, cité par P. Cavard, *op. cit.*, p. 58, mais, même dans ce cycle littéraire, Vienne n'est pas ignorée. Dans ces légendes du Moyen-Age, le cadavre de Pilate est présenté souvent comme la cause de phénomènes naturels catastrophiques ; cf. *Mors Pilati, Cura sanitatis Tiberii, Vindicta Salvatoris*, dans *Evangelia Apocrypha*, éd. Tischendorf, pp. 456-458 ; pp. 471-486.

114. Raban Maur, *Comm.* sur Matthieu VIII, XXVII, PL, CVII, col. 1131 ; Bernard de Clairvaux, *Sermon pour le saint jour de Pâques*, PL, CLXXXIII, col. 276 (éd. Vivès, III, 1877, p. 218). Nicolas de Lyre, *Glos. ordin.* sur Mt XXVII, 19, éd. 1617, col. 452 ; Luther, *Propos de table*, WA, IV, 1916, n° 5043 s ; cf. E. Fascher, *Das Weib des Pilatus. Die Auferweckung der Heiligen*, Halle, 1951, aux pp. 10-19.

115. Voici la traduction anglaise de ce texte, telle que la propose S. Pines : « (Then) Pilate the great king of the Romans addressed Herod. He said to him : « Information has come to me that the Jews had an opponent of theirs, a man of education (adab) and knowledge, conducted before you for judgment. Give him over to me, so that I should probe him and see what is the matter with him ». And Herod gave him over to Pilate ». S. Pines, *The Jewish Christians of the Early Centuries of Christianity according to a New Source*, Jérusalem, 1966, p. 55. Dans la suite du récit, Pilate s'efforce en vain de calmer Jésus

Avec ces récits et leurs différentes interprétations, nous rencontrons les points extrêmes de la légende de Pilate. L'ensemble de la tradition patristique s'est située dans la ligne même des récits évangéliques ; elle mentionne la place de Pilate dans les événements de la Passion, souligne sa peur, voire sa lâcheté, mais elle se plaît surtout à insister sur la responsabilité des Juifs [116]. Selon l'Évangile de Matthieu [117], Pilate a montré son innocence dans la condamnation de Jésus et la lourde responsabilité des Juifs, en se lavant les mains ; il déclarait en même temps : « Je suis innocent de ce sang. C'est votre affaire », ce qui provoqua la réplique bien connue du peuple : « Nous prenons son sang sur nous et sur nos enfants. » Ce geste et cette parole ont, sans aucun doute, joué un rôle important dans l'élaboration d'un Pilate innocent, simple jouet des Juifs. Au milieu du second siècle, Méliton de Sardes s'appuyait sur cette scène pour affirmer :

« En effet, celui
devant qui les nations se prosternaient
et que les incirconcis admiraient
et que les étrangers glorifiaient,
pour lequel même Pilate se lava les mains,
c'est celui-là que, toi, tu mis à mort pendant la Grande Fête [118]. »

Quelques décennies plus tard, Tertullien, rappelant les figures du baptême, ne manquait pas de relever l'intervention de l'eau, au moment où Jésus est condamné à la croix [119]. Hippolyte, dans son commentaire sur Daniel, met en parallèle Pilate, innocent du sang de Jésus, et Daniel, innocent de celui de Suzanne [120]. C'est encore à cette

---

très effrayé ; en réponse à une question de Pilate, Jésus nie avoir dit qu'il était le Christ. Selon S. Pines, cet écrit musulman n'est que la reproduction adaptée d'un ouvrage judéo-chrétien qui polémiquerait aux v°-vi° siècles contre l'Église officielle. S. M. Stern a proposé pour ce traité des sources tout autres : juives, arabes, évangiles canoniques et apocryphes, l'ensemble accompagné de beaucoup d'imagination, cf. S. M. STERN, Quotations from Apocryphal Gospels in 'Abd Al-Jabbâr, dans JThS, NS XVIII, 1967, pp. 34-57, et 'Abd Al-Jabbâr's Account of How Christ's Religion Was Falsified by the Adoption of Roman Customs, dans JThS, NS XIX, 1968, pp. 128-185.

116. IRÉNÉE DE LYON, Contre les Hérésies, III, XII, 3, éd. tr. A. ROUSSEAU - L. DOUTRELEAU, SC 211, Livre III, vol. II, Paris, 1974, p. 187 ; IRÉNÉE, Démonstration de la prédication apostolique, 74, 77, tr. L.M. FROIDEVAUX, SC 62, Paris, 1959, pp. 141 et 144 ; AMBROISE DE MILAN, Traité sur l'Évangile de Luc, X, 97-102, tr. G. TISSOT II, SC 52, Paris, 1958, pp. 189-190 ; JÉRÔME, Contre JOVINIEN, PL XXIII, col. 322 ; AUGUSTIN Enarratio in psalmum, LXIII, 4, CCL XXXIX, Turnhout, 1956, p. 810 ; LÉON LE GRAND, Sermons, tr. R. DOLLE, III, SC 74, Paris, 1961, pp. 35, 57-58.

117. Mt., XXVII, 24-25.

118. MÉLITON DE SARDES, Sur la Pâque, § 92, éd. tr. O. PERLER, SC 123, Paris, 1966, p. 115.

119. TERTULLIEN, Traité du baptême, IX, tr. F. REFOULÉ - M. DROUZY, SC 35, Paris, 1952, pp. 78-79.

120. HIPPOLYTE, Commentaire sur Daniel, I, XXVII, éd. tr. M. LEFÈVRE, SC 14, Paris, 1947, pp. 119-121.

scène que se réfère Théodoret de Cyr qui souligne que Pilate ne voulait pas faire mourir Jésus[121].

Dans nombre de textes patristiques[122], il est simplement mentionné que Jésus souffrit sous Ponce-Pilate ; tout au plus peut-on remarquer que, sans minimiser sa faute, certains auteurs anciens voient en Pilate un prophète malgré lui dans la mesure où il a reconnu ou proclamé la royauté de Jésus[123]. Certains Pères font allusion à une activité sacrilège de Pilate à l'égard du Temple, mais ils ne font alors qu'une simple mention[124].

121. Théodoret, *Kirchengeschichte*, éd. L. Parmentier, GCS XIX, Leipzig, 1911, pp. 221-222.

122. Ignace d'Antioche, *Lettres*, Tralliens IX, 1, éd. tr. P. Th. Camelot, SC 10, Paris, ²1951, p. 119 ; Justin, *Dialogue avec Tryphon*, XXX, 3 ; LXXVI, 6 tr. G. Archambault, Hemmer-Lejay, Paris, 1909, I, p. 132 ; II, p. 10 ; Irénée de Lyon, *Contre les Hérésies*, III, 4, 2 éd. tr. A. Rousseau - L. Doutreleau, SC 211, III, vol. 2, Paris, 1974, p. 47. Selon Irénée, les disciples de Carpocrate prétendaient que Pilate avait fait un portrait du Christ au temps où celui-ci était avec les hommes, cf. *Contre les Hérésies*, I, XX, 4 (éd. W. W. Harvey, I, Cambridge, 1857, p. 210).

123. Augustin, *Sermon* CCI, PL 38, col. 1031-1032 ; Éphrém de Nisibe, *Commentaire de l'Évangile concordant ou Diatessaron*, XX, 16, tr. L. Leloir, SC 121, Paris, 1966, pp. 354-355.

124. Selon Origène, *In Matthaeum*, XXII, 15-22, t. XVII, 25 éd. E. Klostermann, Origenes Werke X, GCS XL, Leipzig, 1935, pp. 653-654, Pilate pensait faire introduire la statue de César dans le Temple. Selon Eusèbe, *Demonstr. Ev.*, VIII, II, 122, Pilate introduisit dans le Temple les effigies de l'empereur ; sur ce texte cf. *supra*, pp. 229-230 ; dans son *Histoire Ecclésiastique*, le même auteur, avant de parler de l'épisode des enseignes (II, VI, 4) et de celui de l'aqueduc (II, VI, 6-7), mentionne une activité blasphématoire de Pilate contre le Temple (*H. E.*, II, V, 7 ; Eusèbe de Césarée, *Histoire Ecclésiastique*, livres, I-IV, tr. G. Bardy, SC 31, Paris, 1952, p. 58). Selon Jérôme, *In Matthaeum*, XXIV, 15, CCL, LXXVII, 1969, p. 226, Pilate a introduit l'effigie de César dans le Temple. Éphrém de Nisibe lui fait même introduire une tête de porc à l'intérieur du Temple, cf. *op. cit.*, XVII, 12, tr. L. Leloir, pp. 322-323.

CONCLUSION GÉNÉRALE

L'analyse des récits, dans la deuxième partie de notre travail, permet de dégager quelques traits de la physionomie de Pilate. L'homme a un double visage : soumis à l'empereur qu'il craint et à qui il voue une dévotion, au moins extérieure, il est intransigeant avec les habitants de la province. Soucieux de ne pas perdre la face vis-à-vis de ces derniers, Pilate est bien décidé à ne rien faire qui puisse leur être agréable. N'est-ce pas la meilleure manière d'inspirer le respect ? Il est le maître en Judée et veut le faire sentir. L'homme n'a peut-être pas un grand sens politique, mais il est rusé, prudent et prévoyant. Ses répressions ne sont jamais menées à la légère ; il utilise les troupes pour ramener à la soumission les habitants de la province, mais il n'intervient pour réprimer l'agitation que dans la mesure où la force est du côté du pouvoir ; rusé, l'homme est même sournois. Pilate recourt volontiers à des stratagèmes pour affronter les protestations de la foule. Il croit à la vertu de la force et ne recherche pas des actes qui pourraient attirer la sympathie des Juifs pour le pouvoir romain.

Ce gouverneur, conscient de son importance et de sa charge, redoute tout ce qui touche au sacré. Enlever des boucliers dédiés est pour lui un problème, et l'attachement des Juifs à leurs coutumes ancestrales l' « étonne ». Ce trait de caractère provoque son retournement dans l'affaire des effigies de César[1]. Pilate, en préfet romain vigilant, est sensible aux moindres mouvements qui se produisent dans la province dont il a la charge. Mais l'homme n'est pas un personnage cruel, avide de sang, faisant bon marché de la vie de provinciaux[2] ; tout au plus, peut-on lui reprocher de ne pas maîtriser suffi-

---

1. De plus, lors de cet incident, il a accompli une action que ses prédécesseurs avaient évitée, il s'est donc placé dans une situation délicate.
2. On a souvent insisté sur la cruauté de Pilate : « In Luke, XIII, 1-2, we read of an act of Pilate's which accords with our secular author's references to the procurator's unbridled cruelty » P. WINTER, Pilate in History and in Christian Tradition, dans Marginal Notes on the Trial of Jesus, II, dans ZNW, L, 1959, p. 238 ; dans la même ligne cf. encore M. P. CHARLESWORTH, The Augustan Empire, dans The Cambridge Ancient History, Cambridge, X, 1934, pp. 649-650. Particulièrement représentatifs de ce point de vue sont les travaux de E. Stauffer qui a insisté sur la volonté de Pilate de persécuter les Juifs conformément à la politique de Séjan.

samment la brutalité de ses soldats et d'avoir la main lourde quand il use de son droit en matière capitale.

Cet homme qui redoutait tout ce qui touche au sacré, n'a pas cherché à blesser et provoquer l'âme juive, il l'a ignorée. Sur ce point, les faits sont clairs. Pilate n'a accompli aucune action en opposition radicale avec la Loi juive. Il n'a, en aucune façon, touché au Temple ou obligé les Juifs à accomplir des actions contraires à leur Loi[3], et il n'a pas frappé des pièces de monnaie avec des figures humaines. Mais il a voulu se comporter comme le faisait, dans n'importe quelle autre province, un gouverneur romain[4], et c'est là que réside son erreur. Il n'a pas pris les précautions d'usage que demandait la sensibilité juive. Il a fait sentir aux Juifs et à l'ensemble des habitants de la province que le pouvoir était du côté de Rome et que rien ne pouvait entraver les habitudes et les décisions romaines. C'est dans cette perspective qu'il faut comprendre le monnayage de Pilate, il a recouru à des symboles employés dans l'ensemble de l'Empire, mais il n'a pas utilisé des motifs qui auraient été insupportables pour les Juifs. Il est beaucoup plus un « maniaque » du pouvoir qu'un gouverneur cruel. Il préfère risquer de sérieux ennuis avec le pouvoir impérial plutôt que de tenir compte de la spécificité juive. Quand il provoque des remous, il s'enferme dans des situations difficiles, voire périlleuses, parce que le dernier mot doit lui appartenir. Il possède l'art de se placer dans des situations embarrassantes.

Dépourvu de sens politique, maladroit avec les Juifs, Pilate l'est aussi dans sa dévotion à l'empereur, celle-ci n'explique pas tout son comportement[5], mais elle fait ressortir sa maladresse. L'affaire des effigies et surtout celle des boucliers dorés ne lui procurent rien, sinon des ennuis, et, dans le dernier cas, un blâme de l'empereur. Insensible aux protestations juives, désireux de tranquillité et prêt à recourir à la force pour obtenir celle-ci, Pilate ne discute pas les ordres qui lui viennent d'un personnage important comme Vitellius.

Pilate a eu des rapports difficiles avec les masses juives. Tout autres semblent avoir été ses relations avec les milieux sacerdotaux et en particulier avec le grand prêtre. En effet, Caïphe est resté en fonction pendant tout le temps du gouvernement de Pilate, ce qui est un fait assez exceptionnel sous un gouverneur romain[6]. Or, Caïphe n'aurait pas pu se maintenir en place aussi longtemps s'il n'avait pas été en bons termes avec Pilate. Nous souscrivons volontiers à l'hypo-

---

3. Certains Pères de l'Église ont été si étonnés de cette « retenue » de Pilate qu'ils lui prêtèrent des actions blasphématoires, cf. *supra*, p. 271.

4. Cf. l'affaire des effigies de César, l'épisode de l'aqueduc.

5. H. WANSBROUGH, Suffered Under Pontius Pilate, dans *Scripture*, XVIII, 1966, pp. 84-93, à la p. 90, a voulu caractériser le comportement de Pilate par son zèle pour l'honneur de l'empereur et sa loyauté envers Rome ; cet aspect est important, mais insuffisant pour comprendre un personnage complexe et une situation délicate. Il est trop simple d'affirmer, comme le fait H. Wansbrough, une volonté d'hellénisation à tout prix, de la part du pouvoir impérial.

6. Cf. la liste des grands prêtres dans JEREMIAS, *Jérusalem*, pp. 516-517.

thèse de E. M. Smallwood, selon laquelle Caïphe a été déposé par Vitellius, en raison de ses rapports avec Pilate[7]. Dans les épisodes analysés ci-dessus, on ne voit pas Caïphe jouer le rôle qu'on attendrait dans les mouvements de protestation contre les initiatives de Pilate. L'affaire de l'aqueduc suppose même une certaine entente des autorités juives avec le gouverneur.

Si les grands prêtres, déposés ou en exercice, n'ont pas animé l'opposition contre Pilate, faut-il chercher dans les milieux zélotes, les inspirateurs des mouvements d'opposition à la politique du gouverneur[8]? Nous ne le pensons pas si on considère le zélotisme à cette époque comme un groupe organisé qui s'opposerait aux Romains. Par contre, le témoignage de Josèphe est très ferme, les actions que mènent les Juifs contre le comportement de Pilate sont l'expression d'une conscience juive qui se méfie du paganisme ambiant, représenté en grande partie par l'occupant romain. Le zèle pour Dieu qui animait les masses juives, n'est pas absent de leurs protestations. Pilate, par ses actions, donne l'occasion à la masse du peuple d'extérioriser des sentiments jusque-là cachés.

Les incidents provoqués par Pilate sont-ils dus à sa seule initiative ou sont-ils l'expression d'une politique générale anti-juive[9]? Des auteurs aussi importants que E. Stauffer[10], E. Bammel[11], ou P. L. Maier[12], ont voulu distinguer dans la carrière de Pilate un « avant » et un « après Séjan ». Ils ont cru pouvoir expliquer les attitudes de Pilate en fonction de ce critère : Séjan aurait été l'inspi-

---

7. Cf. *supra*, p. 243 ; E. M. SMALLWOOD, High Priests and Politics in Roman Palestine, dans *JThS*, NS XIII, 1962, pp. 14-34, à la p. 22. Rien ne permet de reconnaître dans les milieux sacerdotaux une velléité quelconque d'opposition à Pilate, comme le propose A. T. OLMSTEAD, *Jesus in the Light of History*, New York, 1942 p. 148.

8. Cette thèse est développée par S. G. F. BRANDON dans *Jesus and the Zealots*, Manchester, 1967, pp. 68-80. Cet auteur essaie d'interpréter l'ensemble des incidents qui se déroulent sous le gouvernement de Pilate comme des actions inspirées par un parti zélote. Cette interprétation relève d'a priori qui ne trouvent aucun fondement dans les textes ; de plus, S. G. F. Brandon devrait d'abord faire la preuve de l'existence d'un tel mouvement à cette époque, cf. J. A. MORIN, Les deux derniers des Douze : Simon le Zélote et Judas Iskariôth, dans *RB*, LXXX, 1973, pp. 332-358, aux pp. 348-349.

9. Cf. *supra*, pp. 221-225.

10. E. STAUFFER, *Jesus. Gestalt und Geschichte*, Berne, 1957, pp. 99-101.

11. « Nach dem Sturz Sejans und seiner Partei befand sich Pilatus in einer Zwangslage. » E. BAMMEL, Pilatus, dans *RGG*, V, [3]1961, col. 383 ; cf. aussi E. BAMMEL, Syrian Coinage and Pilate, dans *JJS*, II, 1951, pp. 108-110 ; E. BAMMEL, *Philos tou Kaisaros*, dans *ThLZ*, LXXVII, 1952, pp. 205-210.

12. P. L. MAIER, The Episode of the Golden Roman Shields at Jerusalem, dans *HThR*, LXII, 1969, pp. 114-115. SMALLWOOD, *The Jews*, pp. 165-167 sans être aussi affirmative que les auteurs cités ci-dessus, accepte cependant avec faveur le rapprochement entre les politiques de Séjan et de Pilate ; cela lui semble d'autant plus plausible quand on considère le monnayage réalisé par Pilate et son interruption brutale.

rateur de la politique de Pilate [13]. En fait, le comportement de Pilate s'explique d'abord par son caractère et par sa conception du rôle du gouverneur ; là est l'élément déterminant. La référence à Séjan ne doit être utilisée qu'avec grande précaution. Aucun texte ne permet de prétendre que Pilate fut l'exécutant d'une politique hostile aux Juifs, pensée et voulue par Séjan, acceptée par Tibère. On ne peut confondre indifférence à la sensibilité juive et hostilité systématique. Nous avons eu l'occasion de relativiser les propos de Philon sur Séjan [14]. Invoquer à l'appui d'une telle thèse Eusèbe de Césarée n'est pas convaincant, car Eusèbe est l'écho de Philon ; et de plus, il met en parallèle les attitudes de Séjan et de Pilate et ne fait pas dépendre la seconde de la première [15] : « Philon rapporte d'abord que, sous Tibère, Séjan, très puissant parmi ceux qui entouraient alors l'empereur, déployait son zèle pour faire périr complètement tout le peuple juif dans la ville de Rome. En Judée d'autre part, Pilate sous lequel furent accomplis les forfaits contre le Sauveur, entreprit contre le Temple de Jérusalem qui était encore debout, des choses interdites chez les Juifs et les excita ainsi profondément [16]. » Si Pilate avait été une créature de Séjan, chargée d'appliquer sa politique anti-juive, il n'aurait pas manqué d'être rappelé après la mort de celui-ci. Ce qui semble vrai, c'est que dans la première partie de sa carrière en Judée [17], son gouvernement s'est déroulé dans un contexte politique qui, sans doute, était méfiant vis-à-vis du prosélytisme juif ; ses différentes maladresses n'ont pas comporté de conséquences pour son temps de gouvernement. Après 31, deux événements ont pour Pilate des suites plus ou moins graves : lors de l'affaire des boucliers dorés, il est désapprouvé par l'empereur ; le massacre des Samaritains lui coûte sa place. Même si nous ignorons la décision de Caius à l'égard de Pilate, le fait est là : à la suite de cet incident, Pilate quitte la Judée. Ce dernier incident montre, d'ailleurs, que Pilate n'a pas exercé sa vigilance uniquement envers la population juive.

Sans doute, après la disparition dramatique de Séjan, Pilate a senti la nécessité de manifester sa fidélité à Tibère par la construction du *Tibériéum* et la dédicace des boucliers dorés. Si l'on analyse les textes en tenant compte de leur situation chronologique, on voit où est la véritable évolution. Le changement n'est pas dans la manière

13. M. GRANT, *The Jews in the Roman World*, Londres, 1973, pp. 94 et 99, ne se contente pas de faire de Pilate une « créature » de Séjan, il affirme même, sans la moindre preuve à l'appui, que la nomination de Valerius Gratus, en 15, était déjà son œuvre.

14. Cf. *supra*, pp. 223-225.

15. Cf. D. HENNIG, *L. Aelius Seianus*, Munich, 1975, pp. 174-179. Cet auteur a réagi avec vivacité contre la thèse qui semble aller de soi à nombre d'auteurs, d'un lien systématique entre la politique de Séjan et celle de Pilate.

16. EUSÈBE, *H. E.*, II, V, 7, tr. G. BARDY, I, p. 58.

17. Nous reprenons une distinction pratique en situant la première partie de la carrière de Pilate de son arrivée à la mort de Séjan, en 31. Nous n'attachons pas cependant une importance déterminante à cette distinction.

de procéder de Pilate, mais dans les conséquences que ses actes ont eues pour ses relations avec l'empereur.

Ni cruel, ni persécuteur, ni à la recherche de profits éhontés [18], Pilate n'est pas un Albinus ou un Gessius Florus, mais un gouverneur dépourvu de sens politique. Ce militaire, chargé de problèmes administratifs, ignore les moyens qui pourraient lui attirer la reconnaissance des habitants de la province et garantir leur fidélité à Rome. Ce préfet a laissé un mauvais souvenir en Judée. Plusieurs décennies après son gouvernement, Josèphe peut rapporter d'une façon détaillée des incidents auxquels Pilate a été mêlé alors qu'il ne peut rien dire de précis sur le gouvernement de ses prédécesseurs ou de ses successeurs immédiats. L'homme n'a pas été oublié, mais on n'a guère eu à retenir de lui que son ignorance de la sensibilité juive. La critique historique des différents textes permet de retrouver entre eux une convergence suffisante.

Pilate a souvent été noirci par les historiens et exégètes modernes ; le replacer dans son cadre de vie et situer les épisodes de son gouvernement dans leur véritable perspective obligent à une vue plus nuancée. Ce gouverneur n'avait sans doute rien de grand, il a rempli sa charge avec maladresse, mais n'a pas cherché à humilier les Judéens, il a plutôt désiré qu'ils se comportassent comme les autres provinciaux de l'Empire. Pilate, gouverneur de Judée, n'avait pas la finesse d'un Vitellius ou d'un Pétronius, gouverneurs de Syrie [19], qui, à la même époque, ont su comprendre les problèmes juifs ; mais, de plus, il était chaque jour aux prises avec des exigences juives qui lui apparaissaient comme une limitation du pouvoir romain et une mésestime de son propre gouvernement.

Les savants soulignent volontiers l'opposition entre les textes profanes et les textes évangéliques de la Passion [20]. En raison de cette insistance de la recherche moderne, nous attirons l'attention sur des

---

18. Cf. *supra*, pp. 226-229.

19. Cf. SMALLWOOD, *The Jews*, pp. 173-174. M. GRANT, *The Jews in the Roman World*, Londres, 1973, p. 87, insiste sur la différence qui séparait les gouverneurs de rang équestre et les gouverneurs de rang sénatorial, il tendrait à faire des premiers, des administrateurs dépourvus de grand talent, tout en faisant du gouverneur d'Égypte, une exception.

20. Représentatifs de cette manière de voir sont les travaux de E. STAUFFER, *Jesus. Gestalt und Geschichte*, Berne, 1957, pp. 99-101 et de P. WINTER, Pilate in History and in Christian Tradition, dans Marginal Notes on the Trial of Jesus, II, dans ZNW, L, 1959, pp. 234-250. Ces deux auteurs avancent d'ailleurs des raisons différentes pour expliquer ces prétendues oppositions. Selon E. Stauffer, la chute de Séjan explique parfaitement le changement d'attitude de Pilate. Pour P. Winter, les Évangiles, dans leur représentation de Pilate, sont l'expression de l'apologétique chrétienne : il n'est pas possible de noircir un gouverneur romain si l'Évangile veut atteindre l'Empire. La prise de position de P. Winter est à situer dans l'ensemble de sa recherche sur les récits de la Passion où il s'efforce de minimiser le rôle des Juifs. Cette perspective n'est pas fausse, mais beaucoup trop systématisée par cet auteur. Comme le montre la citation de P. Winter indiquée *supra*, p. 273, n. 2, Luc XIII, 1-2 est alors considéré comme un fait isolé dans la tradition évangélique.

phénomènes de convergence. Dans son ensemble, la tradition évangélique manifeste une certaine complicité entre Pilate et les milieux sacerdotaux. Sans cette complicité le procès de Jésus n'aurait pas pu avoir lieu. Le récit primitif de la comparution de Jésus devant Pilate était très bref. Au niveau ancien du récit [21], on peut faire quelques remarques. Pilate s'intéresse à ce qui, pour lui, est l'objet même du débat : Jésus de Nazareth revendique-t-il le pouvoir ? Quel danger représente-t-il à ce niveau ? Pilate ne veut pas céder à cette foule et il a reconnu que Jésus est innocent de ce dont on l'accuse, ou tout au moins inoffensif. Tel semble être le sens profond de l'épisode où Barabbas et Jésus sont mis en parallèle. Pilate ne veut pas affronter de face la foule ; selon son habitude, il cherche un stratagème. On peut s'étonner que Pilate cède au désir de la foule, après s'y être opposé. Pour comprendre ce changement, il faut situer cette comparution dans son cadre historique. Jésus est accusé de prétendre à la royauté. Une telle accusation est habile, car elle place Pilate dans une situation délicate : ou il convainc la foule de renoncer à ses poursuites contre Jésus ou il cède. S'il va contre la volonté de la foule, ne risque-t-il pas d'être dénoncé auprès de Tibère comme complice d'un émeutier [22] ? Le développement, donné par Jean, XIX, 12, correspond bien à la situation. L'accusation portée contre Jésus oblige Pilate à montrer s'il est un authentique défenseur de l'Empire. Sa crainte de l'empereur est exprimé dans l'Évangile de Jean, mais, dans tous les Évangiles, elle est sous-jacente dès le début du débat, et les Juifs jouent sur elle.

Dans le développement ultérieur des textes, d'autres recoupements entre les textes profanes et les récits évangéliques méritent d'être relevés. L'inquiétude de Pilate devant le « sacré » se retrouve en *Mt.* XXVII, 19, 24-25 [23]. Selon Pilate, Jésus est innocent. Mais cette insistance sur la conviction de Pilate conduit les évangélistes à accentuer l'opposition entre Pilate et la foule, et à mettre en avant la responsabilité des Juifs [24]. L'hésitation de Pilate sur laquelle jouent les chercheurs pour opposer récits profanes et récits évangéliques n'est en fait que l'expression de la volonté du gouverneur de ne rien faire par complaisance pour les Juifs. Pilate ne veut pas que sa décision au sujet de Jésus lui soit imposée par ceux qu'il a charge de gouverner. L'affaire de Jésus l'importe, il veut retrouver la tranquillité. Dans l'affaire de Jésus de Nazareth Pilate cède, car l'enjeu est tout autre que pour l'incident des boucliers dorés où, en voulant honorer l'empereur, il est allé, en fait, contre sa volonté. Dans les récits de

---

21. Cf. *supra*, p. 183 pour la tradition Matthieu-Marc, et p. 188 pour celle de Luc-Jean.

22. La situation est difficile pour Pilate en raison de l'accusation portée contre Jésus ; de plus, la foule est nombreuse, et l'émeute, facile.

23. Ces thèmes correspondent à une orientation de l'ultime rédacteur matthéen qui veut insister sur la conviction de Pilate : Jésus est innocent.

24. Mc, XV, 15 a « voulant contenter la foule » n'est qu'une façon d'insister sur la responsabilité des Juifs dans la condamnation de Jésus. Cf. *supra*, p. 183.

la Passion, Jésus provoque de l'agitation et divise les Juifs, le gouverneur se doit d'intervenir. Le trait lucanien sur l'inimitié entre Pilate et Hérode Antipas est très proche de ce que nous savons des rapports des gouverneurs avec les princes locaux[25]. Ces quelques remarques atténuent sensiblement les oppositions soulignées entre le portrait de Pilate dans les textes profanes et celui des textes évangéliques.

La tradition chrétiene ancienne avait eu une intuition juste en ne s'intéressant à Pilate qu'en fonction de son comportement dans le procès de Jésus de Nazareth. Les Actes de Pilate, malgré leurs invraisemblances, sont encore dans cette ligne. Seuls les écrits apocryphes tardifs en viendront à s'intéresser d'une manière toute particulière à la destinée de Pilate. Or, que serait cet homme dans la mémoire de l'humanité s'il n'avait été associé au procès de Jésus de Nazareth ? Tout au plus, laisserait-il quelques souvenirs aux lecteurs de Flavius Josèphe ou de Philon. Sans aucun doute, tel qu'on peut le percevoir dans son comportement, Pilate ne mérite ni le portrait abominable qu'ont dressé de lui nombre de chercheurs modernes, ni la destinée flatteuse que lui accordèrent certaines traditions ecclésiales. Il eut surtout la malchance d'être aux prises avec une affaire qui allait avoir des résonnances au-delà de ce que lui-même pouvait supposer. L'affaire de Jésus de Nazareth n'était qu'une condamnation parmi d'autres ; Pilate, sans doute, n'y avait pas attaché plus d'importance qu'à tant d'autres condamnations, c'est pourtant d'elle qu'il devait recevoir sa célébrité et continuer à intéresser la tradition chrétienne et les historiens.

25. Cf. *supra*, p. 228.

BIBLIOGRAPHIE

I. SOURCES ET INSTRUMENTS DE TRAVAIL [1]

SOURCES LITTÉRAIRES

Auteurs anciens.

Actes de Pilate et autres apocryphes
>   C. TISCHENDORF, *Evangelia Apocrypha*, Leipzig, 1876.
>   P. VANNUTELLI, *Actorum Pilati textus synoptici*, Rome, 1938.
>   M. R. JAMES, *The Apocryphal New Testament*, Oxford, 1924.
>   E. HENNECKE - W. SCHNEEMELCHER, *Neutestamentliche Apokryphen, I, Evangelien*, Tübingen, ³1959.
>   F. C. CONYBEARE, *Acta Pilati*, dans *Studia Biblica et Ecclesiastica*, IV, Oxford, 1896, pp. 59-132.
>   E. REVILLOUT, *Acta Pilati*, dans *PO*, IX, Paris, 1913, pp. 57-132.
>   *I. Ephraim II RAHMANI, *Studia Syriaca*, fasc, II, 1908.
>   *J. SEDLACEK, *Neue Pilatusakten*, 1908.
>   A. VAILLANT, *L'Évangile de Nicodème*, Paris, 1968.
>   M. C. KIM, *The Gospel of Nicodemus*, Toronto, 1973.
>   R. A. LIPSIUS, *Acta Petri et Pauli*, dans *Acta Apostolorum Apocrypha, I*, Leipzig, 1891, pp. 178-222.

AMBROISE DE MILAN, *Traité sur l'Évangile de Saint Luc*, tr. G. TISSOT, SC 45 et 52, Paris, 1956-1958.

APPIEN, *Historia Romana*, éd. L. MENDELSSOHN, Leipzig, 1879-1881.

AUGUSTIN, *In Iohannis Euangelium Tractatus CXXIV, CCL* XXXVI, Turnhout, 1954.

AUGUSTIN, *Enarratio in Psalmum LXIII*, CCL XXXIX, Turnhout, 1956, pp. 807-822.

CÉSAR, *La Guerre Civile*, éd. tr. P. FABRE, CUF, Paris, 1936.

CÉSAR, *Guerre des Gaules*, éd. tr. L. A. CONSTANS, CUF, Paris, 1926.

Chronicon Paschale, *PG*, XCII.

CICÉRON, *Pour L. Flaccus*, éd. tr. A. BOULANGER, CUF, Paris, 1938.

CICÉRON, *Pour M. Aemilius Scaurus*, éd. tr. P. GRIMAL, CUF, Paris, 1976.

DION CASSIUS, DIO's *Roman History*, ed. tr. H. B. FOSTER - E. CARY, « The Loeb Classical Library », I-IX, Londres, 1914-1927.

ÉPHREM DE NISIBE, *Commentaire de l'Évangile concordant ou Diatessaron*, tr. L. LELOIR, SC 121, Paris, 1966.

ÉPIPHANE, *Panarion*, éd. K. HOLL, II, GCS XXXI, Leipzig, 1922.

EUSÈBE DE CÉSARÉE, *Die Kirchengeschichte*, éd. E. SCHWARTZ, *Eusebius Werke*, II, GCS IX, Leipzig, 1903 et 1908.

---

1. Les ouvrages que nous n'avons pas pu consulter sont précédés d'un astérisque.

Eusèbe de Césarée, *Histoire Ecclésiastique*, tr. G. Bardy, SC 31, 41, 55, 73, Paris, 1952-1960.

Eusèbe de Césarée, *Die Demonstratio Evangelica*, éd. I. A. Heikel, *Eusebius Werke*, VI, GCS XXIII, Leipzig, 1913.

L'Évangile de Pierre, éd. tr. L. Vaganay, Paris, 1930.

Évangile de Pierre, éd. tr. M. G. Mara, SC 201, Paris, 1973.

Évangiles, P. Benoit - M. E. Boismard, *Synopse des quatre Évangiles*, I, Paris, ²1973.

Flavius Josèphe
   Opera edidit et apparatu critico instruxit B. Niese, Berlin, 1887-1895, 7 vol. Le vol. VII est un index des noms propres.
   Œuvres complètes de Flavius Josèphe, *traduites en français sous la direction de* Théodore Reinach, Paris, 1900-1932.
   The Jewish War, books I-III, éd. tr. H. St. J. Thackeray, « The Loeb Classical Library », Londres, 1927.
   Jewish Antiquities, books XVII-XX, éd. tr. L. H. Feldman, « The Loeb Classical Library », Londres, 1965.
   De Bello Judaico. Der jüdische Krieg, éd. tr. O. Michel - O. Bauernfeind, Munich, 1959-1969.
   Autobiographie, éd. tr. A. Pelletier, CUF, Paris, 1959.
   Contre Apion, éd. tr. Th. Reinach - L. Blum, CUF, Paris, 1930.
   La Guerre des Juifs, tr. P. Savinel, Paris, 1977.

Grégoire de Tours, *Historia Francorum*, PL LXXI. Histoire des Francs, tr. R. Latouche, Les Classiques de l'Histoire de France au Moyen Age, Paris, 1963-1965.

Hippolyte de Rome, *La tradition apostolique de saint Hippolyte. Essai de reconstitution*, éd. tr. B. Botte, Münster, 1963.

Hippolyte de Rome, *Commentaire sur Daniel*, éd. M. Lefèvre, SC 14, Paris, 1947.

Homélie anatolienne sur la date de Pâques en l'an 387, éd. tr. F. Floëri - P. Nautin, SC 48, Paris, 1957.

Ignace d'Antioche, *Lettres*, éd. tr. P. Th. Camelot, SC 10, Paris, ²1951.

Irénée de Lyon, *Contre les Hérésies*, éd. tr. A. Rousseau, B. Hemmerdinger, L. Doutreleau, C. Mercier, SC 100, 152-153, 210-211, Paris, 1965.

Irénée de Lyon, *Démonstration de la Prédication apostolique*, tr. L. M. Froidevaux, SC 62, Paris, 1959.

Jérôme, *Aduersus Iouinianum*, PL XXIII, col. 205-338.

Jérôme, *Commentaire sur l'Évangile de Matthieu*, PL XXVI.

Justin, *Corpus Apologetarum christianorum saeculi secundi*, éd. De Otto, I, (³1876), Wiesbaden, 1969.

Justin, *Apologies*, tr. L. Pautigny, Hemmer-Lejay, Paris, 1904.

Justin, *Dialogue avec Tryphon*, 2 vol. tr. G. Archambault, Hemmer - Lejay, Paris, 1909.

Digeste, dans *Corpus Iuris Ciuilis*, I, éd. Th. Mommsen - P. Krueger, Berlin, 1911.

Lactance, *De la mort des persécuteurs*, éd. tr. J. Moreau, SC 39, Paris, 1954.

Léon le Grand, *Sermons*, tr. R. Dolle, SC 74, Paris, 1961.

Méliton de Sardes, *Sur la Pâque*, éd. tr. O. Perler, SC 123, Paris, 1966.

Origène, *Contre Celse*, éd. tr. M. Borret, SC 132, 136, 147, 150, 227, Paris, 1967-1976.

Origène, *Matthäuserklärung*, éd. E. Klostermann, *Origines Werke*, X, GCS XL, Leipzig, 1935.

Orose P., *Historiarum aduersum paganos libri septem*, éd. C. Zangemeister, CSEL, V, Vienne, 1882.

Pausanias, *Description of Greece*, tr. W. H. S. Jones, « The Loeb Classical Library », Londres, 1918-1935.

PHILON D'ALEXANDRIE
Opera quae supersunt ediderunt L. COHN et P. WENDLAND, Berlin, 1896-1930 (7 vol. Le vol. VII contient les index composés par I. LEISEGANG). Le In Flaccum et la Legatio ad Caium ont été édités par L. COHN et S. REITER, dans le vol. VI, 1915.
In Flaccum, Introduction, traduction et notes par A. PELLETIER, dans les œuvres de Philon d'Alexandrie, publiées sous le patronage de l'Université de Lyon, Paris, 1967.
Legatio ad Caium, ed. with an Introduction, Translation and Commentary by E. Mary SMALLWOOD, Leyde, 1961, ²1970.
The Embassy to Gaius, ed. tr. F. H. COLSON, « The Loeb Classical Library », X, Londres, 1962.
Legatio ad Caium, Introduction, traduction et notes par A. PELLETIER, dans les œuvres de Philon d'Alexandrie, publiées sous le patronage de l'Université de Lyon, Paris, 1972.
PLINE L'ANCIEN, Histoire Naturelle, X, éd. tr. E. de SAINT DENIS, CUF, Paris, 1961.
SÉNÈQUE, De la colère, éd. tr. A. BOURGERY, Paris, 1922.
STRABON, The Geography of Strabo, tr. H. L. JONES, « The Loeb Classical Library », Londres, 1917-1932.
STRABON, Géographie, livres III-IV, éd. tr. F. LASSERRE, CUF, Paris, 1966 ; livre XI, éd. tr. F. LASSERRE, CUF, Paris, 1975.
SUÉTONE, Vies des douze Césars, éd. tr. H. AILLOUD, CUF, Paris, 1931-1932.
TACITE, Annales, livres I-III, éd. tr. P. WUILLEUMIER, CUF, Paris, 1974.
Annales livres IV-VI, éd. tr. P. WUILLEUMIER, CUF, Paris, 1975.
TACITE, Annales, livres, VII-XVI, cf. TACITE, Annales, livres IV-XII ; livres XIII-XVI, éd. tr. H. GOELZER, CUF, Paris, 1924-1925.
TACITE, Histoires, éd. tr. H. GOELZER, CUF, Paris, 1921.
TERTULLIEN, Apologétique, éd. tr. J. P. WALTZING - A. SEVERYNS, CUF, Paris, 1929.
TERTULLIEN, Apologeticum, éd. H. HOPPE, CSEL, LXIX, Vienne-Leipzig, 1939.
TERTULLIEN, Apologeticum. Verteidigung des Christentums, hgb von C. BECKER, Munich, 1952.
TERTULLIEN, Traité du Baptême, tr. F. REFOULÉ - M. DROUZY, SC 35, Paris 1952.
THÉODORET, Kirchengeschichte, éd. L. PARMENTIER, GCS XIX, Leipzig, 1911.
ZONARAS, éd. L. DINDORFIUS, III, Leipzig, 1870.

Littérature rabbinique.
Mishna, éd. Ch. ALBECK, Jérusalem, 1954-1959.
The Mishnah, Translated from the Hebrew with Introduction and Brief Explanatory Notes by H. DANBY, Oxford, 1933.
Tosefta, éd. M. S. ZUCKERMANDEL, Pasewalk, 1880 (réimpression Jérusalem, 1963).
Talmud
Talmud de Jérusalem (ou Yerushalmi) : Édition de Krotoschin, 1886, Traités Sanhédrin, Shekalim, Pesaḥim.
Talmud de Babylone (ou Babli), Traités Avodah Zarah, Horayyoth, Kerithoth, Ketuboth, Shabbath, Sanhédrin, Yoma, Zebaḥim.
Mekhilta d'Rabbi Ishmaël, éd. H. S. HOROVITZ - I. A. RABIN, Francfort, 1931, Jérusalem, ²1960.
Mekhilta d'Rabbi Šiméon ben Yoḥai, éd. J. N. EPSTEIN - E. Z. MELAMED, Jérusalem, 1955.
Megillat Taanit, éd. H. LICHTENSTEIN, HUCA, VIII-IX, 1931-1932, pp. 318-351.
Sifrei 'l Sepher devarim, éd. H. S. HOROVITZ - L. FINKELSTEIN, 1939 (réimpression New York, 1969).
Bereschit rabba, éd. J. THEODOR - Ch. ALBECK, Jérusalem, 1965.
The Code of Maimonides, book fourteen, The Book of Judges, New Haven, 1949.

SOURCES ÉPIGRAPHIQUES

L'Année Épigraphique, publiée dans RAr, et tirée à part, Paris, 1888 ss.

Corpus Inscriptionum Latinarum, Berlin, 1863 ss.

Inscriptiones Graecae, Berlin, 1873 ss.

Inscriptiones Graecae ad res romanas pertinentes, éd. R. CAGNAT, Paris, 1906 ss.

H. DESSAU, *Inscriptiones Latinae Selectae*, Berlin, 1892-1916.

Supplementum epigraphicum graecum, Lugduni Batavorum (Leyde), 1923 ss.

SOURCES NUMISMATIQUES

G. F. HILL, *Catalogue of the Greek Coins of Palestine*, Londres, 1914.

H. MATTINGLY, *Coins of the Roman Empire in the British Museum*, vol. I, Augustus to Vitellius, Londres, 1923.

SOURCES PAPYROLOGIQUES

Aegyptische Urkunden aus den koeniglichen Museen zu Berlin, Griechische Urkunden, II, Berlin, 1898.

Catalogue of the Greek Papyri in the John Rylands Library Manchester, II, Manchester, 1915.

The Oxyrhynchus Papyri, ed. by B. P. GRENFELL and A. S. HUNT, Londres, I, 1898, III, 1903.

INSTRUMENTS DE TRAVAIL

O. BARDENHEWER, *Geschichte der altkirchlichen Litteratur*, I, Fribourg, 1902.

P. BENOIT, *L'Évangile selon saint Matthieu*, Paris, ⁴1972.

P. BENOIT - M. E. BOISMARD, *Synopse des quatre Évangiles*, II, Paris, 1972.

G. BOETTGER, *Topographisch - historisches Lexicon zu den Schriften des Flavius Josephus*, Leipzig, 1879 (réimpression Amsterdam, 1966).

M. E. BOISMARD - A. LAMOUILLE, *L'Évangile de Jean*, Paris, 1977.

R. E. BROWN, *The Gospel according to John*, New York, I, 1966 ; II, 1970.

C. E. B. CRANFIELD, *The Gospel according to Mark*, Cambridge, 1959.

Ch. DAREMBERG - E. SAGLIO, *Dictionnaire des Antiquités Grecques et Romaines d'après les textes et les monuments*, Paris, 1877-1919.

L. H. FELDMAN, *Studies in Judaica, Scholarship on Philo and Josephus (1937-1962)*, New York, s. d.

W. GRUNDMANN, *Das Evangelium nach Matthäus*, Berlin, ²1971.

A. HARNACK, *Geschichte der altchristlichen Litteratur bis Eusebius. Die Chronologie der altchristlichen Litteratur bis Eusebius*, II, 1, Leipzig, 1897.

The Interpreter's Dictionary of the Bible, éd. G. A. BUTTRICK, T. S. KEPHER, J. KNOX..., 4 vol., New York - Nashville, 1962.

M. J. LAGRANGE, *Évangile selon saint Marc*, Paris, ²1947.

H. G. LIDDELL and R. SCOTT, *A Greek-English Lexicon*, 9th revised by H. Stuart JONES, Oxford, 1925-1940. A Supplement ed. by. E. A. BARBER, Oxford, 1968.

E. LOHMEYER, *Das Evangelium nach Markus*, Göttingen, 1951.

E. MAHLER, *Handbuch der jüdischen Chronologie*, Leipzig, 1916.

G. MAYER, *Index Philoneus*, Berlin - New York, 1974.

PAULY-WISSOWA-KROLL, *Real-Encyclopädie der Classischen Altertumswissenschaft*, Stuttgart - Munich, 1894 ss.

A. PLUMMER, *A Critical and Exegetical Commentary on the Gospel according to S. Luke*, Edimbourg, ⁴1910.

K. H. RENGSTORF, *A Complete Concordance to Flavius Josephus*, in cooperation with E. BUCK, E. GUTING, B. JUSTUS, H. SCHRECKENBERG, edited by K. H. RENGSTORF, Leyde, I, A - D, 1973 ; II, E - K, 1975.

J. et L. ROBERT, *Bulletin épigraphique*, dans *REG*, 1938 ss.

J. et L. Robert, *Index du Bulletin épigraphique de*, 1ʳᵉ partie *Les Mots Grecs* par l'Institut F. Courby, Paris, 1972.

A. Schalit, *Namenwörterbuch zu Flavius Josephus, suppl. I de « A Complete Concordance to Flavius Josephus »*, Leyde, 1968.

A. Schalit, *Literaturverzeichnis*, dans *Zur Josephus-Forschung*, Darmstadt, 1973, pp. 400-419.

H. Schreckenberg, *Bibliographie zu Flavius Josephus*, Leyde, 1968.

H. Schreckenberg, *Die Flavius Josephus — Tradition in Antike und Mittelalter*, Leyde, 1972.

H. Schreckenberg, *Neue Beiträge zur Kritik des Josephustextes*, dans *Theokratia*, II, 1970-72, *Festgabe für* K. H. Rengstorf *zum 70 Geburtstag*, Leyde, 1973, pp. 81-106.

F. Stegmüller, *Repertorium Biblicum Medii Aevi*, I, Madrid, 1950 ; VIII, *Supplementum*, Madrid, 1976.

Thesaurus linguae latinae, Leipzig, 1900 ss.

Theologisches Wörterbuch zum Neuen Testament herausgegeben von G. Kittel, Stuttgart, 1933-1979.

II. TRAVAUX

A. *Études sur Pilate, l'inscription de Césarée et les apocryphes du cycle de Pilate.*

G. F. Abbott, The Report and Death of Pilate, *JThS*, IV, 1903, pp. 83-86.

F. M. Abel, *Exils et tombeaux des Hérodes*, RB, LIII, 1946, pp. 56-74.

J. E. Allen, Why Pilate ? dans *The Trial of Jesus*, ed. by E. Bammel, Londres, 1970, pp. 78-83.

E. Amman, Apocryphes du Nouveau Testament, *DBS*, I, 1928, col. 460-533.

A. Bajsić, Pilatus, Jesus und Barabbas, *Biblica*, XLVIII, 1967, pp. 7-28.

E. Bammel, *Pilatus Pontius*, RGG, V, ³1961, col. 383-384.

E. Bammel, Syrian Coinage and Pilate, *JJS*, II, 1950/1951, pp. 108-110.

E. Bammel, Philos tou Kaisaros, *ThLZ*, LXXVII, 1952, col. 205-210.

*S. Bartina, Poncio Pilato en una inscripción monumentaria palestinense, *Cultura Biblica*, XIX, 1962, pp. 170-175.

W. Bauer, *Wörterbuch zum Neuen Testament*, Berlin, ⁵1958, col. 1304.

J. Blinzler, Die Niedermetzelung von Galiläern durch Pilatus, *NT* II, 1957-1958, pp. 24-49.

J. Blinzler, Pilatus Pontius, *LTK*, VIII, 1963, col. 504-505.

S. G. F. Brandon, Pontius Pilate in History and Legend, *History Today*, XVIII, 1968, pp. 523-530.

S. P. Brock, A Syriac Version of the Letters of Lentulus and Pilate, *Orientalia Christiana Periodica*, Rome, XXXV, 1969, pp. 45-62.

S. P. Brock, A Fragment of the Acta Pilati in Christian Palestinian Aramaic, *JThS*, N. S. XXII, 1971, pp. 157-158.

C. Brusa Gerra, *L'Iscrizione di Ponzio Pilato*, dans *Scavi di Caesarea Maritima*, Milan, 1965, pp. 217-220.

F. J. Buckley, Pilate Pontius, *New Catholic Encyclopaedia*, New York - Saint Louis, XI, 1967, pp. 360-361.

A. Calderini, L'Inscription de Ponce-Pilate à Césarée, *Bible et Terre Sainte*, n° 57, Juin 1963, pp. 8-14.

P. Cavard, La Légende de Ponce Pilate, dans *Vienne la Sainte,* Vienne, 1939, pp. 32-71.

G. C. O'Ceallaigh, Dating the Commentaries of Nicodemus, *HThR,* LVI, 1963, pp. 21-58.

E. Cerulli, La Légende de l'empereur Tibère et de Pilate dans deux nouveaux documents éthiopiens, *Byzantion,* XXXVI, 1966, pp. 26-34.

E. Cerulli, Tiberius and Pontius Pilate in Ethiopian Tradition and Poetry, *Proceedings of the British Academy,* LIX, (1973), 1975, pp. 141-158.

A. Degrassi, Sull'Iscrizione di Ponzio Pilato, *Atti della Accademia Nazionale dei Lincei,* Serie ottava, Classe di Scienze morali, storiche e filologiche, Rome, XIX, 1964, pp. 59-65.

S. J. de Laet, Le successeur de Ponce Pilate, *L'Antiquité Classique,* VIII, 1939, pp. 413-419.

M. Dibelius, Herodes und Pilatus, *ZNW,* XVI, 1915, pp. 113-126.

Dobschütz (von), C. R. de J. R. Harris, *The Homeric Centones and the Acts of Pilate,* Londres, 1898, *ThLZ,* XXIV, 1899, col. 333-335.

Dobschütz (von), *Christusbilder : Untersuchungen zur christlichen Legende,* TU XVIII, NF III, Leipzig, 1899, pp. 205-215 ; 230-237.

Dobschütz (von), Der Process Jesu nach den Acta Pilati, *ZNW,* III, 1902, pp. 89-114.

Dobschütz (von), Pilatus, *Realencyklopädie für protestantische Theologie und Kirche,* XV, 1904, pp. 397-401.

A. D. Doyle, Pilate's Career and the Date of the Crucifixion, *JThS,* XLII, 1941, pp. 190-193.

A. Ehrhardt, Pontius Pilatus in der frühchristlichen Mythologie, *EvTh,* IX, 1949-1950, pp. 433-447.

I. H. Eybers, The Roman Administration of Judea between A. D. 6 and 41, with special reference to the procuratorship of Pontius Pilate, *Theologia Evangelica,* 1969, pp. 131-146.

E. Fascher, Pilatus Pontius, *PW,* XX, 1950, col. 1322-1323.

E. Fascher, Das Weib des Pilatus (Matthäus 27, 19), pp. 5-31, dans *Das Weib des Pilatus (Matthäus 27, 19). Die Auferweckung der Heiligen (Matthäus 27, 51-53).* Zwei Studien zur Geschichte der Schriftauslegung, Halle, 1951.

A. Frova, L'Iscrizione di Ponzio Pilato a Cesarea, Nota di Antonio Frova presentata dal m.e. Aristide Calderini, Istituto Lombardo. Accademia di Scienze e Lettere. *Rendiconti. Classe di Lettere e Scienze, morale e storiche,* Milan, XCV, 1961, pp. 419-434.

A. Frova, Ponzio Pilato e il Tibériéum di Cesarea, dans La Veneranda Anticaglia. In Memoria di Aristide Calderini, Pavie, 1970, pp. 216-227.

S. Garofalo, L'imprevedibile carriera di Ponzio Pilato, *Historia,* Milan, II, 1958, pp. 12-20.

S. Garofalo, Ponzio Pilato, procuratore della Giudea, *Quaderni Assoc. Cult. Italiana,* Turin, IX, 1952, pp. 55-70.

J. González Echegaray, Pilato, Poncio, *Enciclopedia de la Biblia,* V, Barcelone, 1965, col. 1110-1117.

J. Guey, Communication sur la dédicace de Ponce Pilate découverte à Césarée de Palestine, *Bulletin de la Société Nationale des Antiquaires de France,* 1965, pp. 38-39.

*F. Haase, Die Pilatusakten, dans *Literarkritische Untersuchungen zur orientalisch-apokryphen Evangelienliteratur,* Leipzig, 1913, pp. 67-76.

E. Haenchen, Jesus vor Pilatus (Joh. 18, 28-19, 15), *ThLZ,* LXXXV, 1960, col. 93-102, (réimprimé dans *Gott und Mensch,* Tübingen, 1965, pp. 144-156).

P. L. Hedley, Pilate's Arrival in Judaea, *JThS,* XXXV, 1934, pp. 56-57.

A. E. Hillard - H. Clavier, Pilate, dans *Dictionary of the Bible,* ed. J. Hastings, rev. by F. C. Grant and H. H. Rowley, Edimbourg, ²1963, pp. 771-772.

U. Holzmeister, Wann war Pilatus Prokurator von Judaea ?, *Bib.*, XIII, 1932, pp. 228-232.

B. Justus, Zur Erzählkunst des Flavius Josephus, dans *Theokratia*, II, 1970-72. *Festgabe für* K. H. Rengstorf *zum 70 Geburtstag*, Leyde, 1973, pp. 107-136.

Ch. Kraeling, The Episode of the Roman Standards at Jerusalem, *HThR*, XXXV, 1942, pp. 263-289.

K. Lake, Some chapters of the Acta Pilati, dans Texts from Mount Athos, dans *Studia Biblica Ecclesiastica*, V, Oxford, 1903, pp. 152-163.

Lexikon der christlichen Ikonographie, hgb von E. Kirschbaum, III, Rome - Fribourg - Bâle - Vienne, 1971, col. 436-439.

S. Liberty, The Importance of Pontius Pilate in Creed and Gospel, *JThS*, XLV, 1944, pp. 38-56.

B. Lifshitz, Inscriptions latines de Césarée (Caesarea Palaestinae), *Latomus*, XXII, 1963, pp. 783-784.

G. Lippert, *Pilatus als Richter. Eine Untersuchung über seine richterliche Verantwortlichkeit an der Hand der den Evangelien entnommenen amtlichen Aufzeichnung des Verfahrens gegen Jesus*, Vienne, 1923.

R. A. Lipsius, *Die Pilatus - Acten*, Kiel, 1871.

P. L. Maier, *Pontius Pilate*, New York, 1968.

P. L. Maier, Sejanus, Pilate and the Date of the Crucifixion, *Church History*, XXXVII, 1968, pp. 3-13.

P. L. Maier, The Episode of the Golden Roman Shields at Jerusalem, *HThR*, LXII, 1969, pp. 109-121.

P. L. Maier, The Fate of Pontius Pilate, *Hermes*, XCIX, 1971, pp. 362-371.

J. Michl, Briefe, apokryphe, dans *LTK*, II, 1958, col. 688-693.

J. Michl, Pilatusschrifttum, dans *LTK*, VIII, 1963, col. 505-506.

A. Mingana - J. Rendel Harris, The Lament of the Virgin and the Martyrdom of Pilate, *BJRL*, XII, 1928, pp. 411-580.

D. Mollat, *Jésus devant Pilate, Bible et Vie chrétienne*, n° 39, 1961, pp. 23-31.

Th. Mommsen, Die Pilatus-Acten, *ZNW*, III, 1902, pp. 198-205.

F. Morison, And Pilate said..., New York, 1940.

G. A. Müller, *Pontius Pilatus, der fünfte Prokurator von Judäa und Richter Jesu von Nazareth*, Stuttgart, 1888. Cet ouvrage donne d'abondantes indications sur la bibliographie antérieure à 1888, pp. v-viii.

J. Müller-Bardorff, Nikodemusevangelium, *RGG*, IV, ³1960, col. 1485.

M. J. Ollivier, Ponce Pilate et les Pontii, *RB*, V, 1896, pp. 247-254 ; 594-600.

H. Peter, Pontius Pilatus, der Römische Landpfleger im Judäa, *Neue Jahrbücher für das klassische Altertum Geschichte und deutsche Literatur*, XIX, 1907, pp. 1-40.

S. Pines, *The Jewish Christians of the Early Centuries of Christianity according to a New Source*, Jérusalem, 1966.

L. Roth, Pontius Pilate, *Encyclopaedia Judaica*, Jérusalem, XIII, 1971, col. 848.

S. Sandmel, Pilate, Pontius, dans *The Interpreter's Dictionary of the Bible*, New York - Nashville, III, 1962, pp. 811-813.

F. Scheidweiler, Nikodemusevangelium-Pilatusakten und Höllenfahrt Christi, dans E. Hennecke - W. Schneemelcher, *Neutestamentliche Apokryphen*, I, Tübingen, ³1959, pp. 330-348.

E. M. Smallwood, The Date of the Dismissal of Pontius Pilate from Judaea, *JJS*, V, 1954, pp. 12-21.

C. Soltero, Pilatus, Jesus et Barabbas, *Verbum Domini*, XLV, 1967, pp. 326-330.

F. Spadafora, Pilato, Rovigo, 1973.

W. Speyer, Der Tod der Salome, *Jahrbuch für Antike und Christentum*, X, 1967, pp. 176-180.

W. Speyer, Neue Pilatus-Apokryphen, *Vig Chr*, XXXII, 1978, pp. 53-59.

E. Stauffer, *Die Pilatusinschrift von Caesarea*, Erlangen, 1966.

S. M. Stern, Quotations from Apocryphal Gospel in 'Abd Al-Jabbâr, *JThS*, NS XVIII, 1967, pp. 34-57.

S. M. Stern, 'Abd Al-Jabbâr's Account of How Christ's Religion Was Falsified by the Adoption of Roman Customs, *JThS*, NS XIX, 1968, pp. 128-185.

H. L. Strack - P. Billerbeck, *Kommentar zum NT aus Talmud und Midrash*, I, Munich, 1920, pp. 1025-1026.

E. D. Sutcliffe, An Apocryphal Form of Pilate's Verdict, *CBQ*, IX, 1947, pp. 436-441.

M. A. van den Oudenrijn, *Gamaliel, Äthiopische Texte zur Pilatusliteratur*, Fribourg, Suisse, 1959.

J. Vardaman, A New Inscription Which Mentions Pilate as « Prefect », *JBL*, LXXXI, 1962, pp. 70-71.

H. Volkmann, Die Pilatusinschrift von Caesarea Maritima, *Gymnasium*, LXXV, 1968, pp. 124-135.

E. Volterra, Di una decisione del Senato romano ricordata da Tertulliano, dans *Scritti in onore di Contardo Ferrini publicati in occasione della sua beatificazione*, I, Milan, 1947, pp. 471-488.

H. Wansbrough, Suffered Under Pontius Pilate, *Scripture*, XVIII, 1966, pp. 84-93.

E. Weber, Zur Inschrift des Pontius Pilatus, *Bonner Jahrbücher*, CLXXI, 1971, pp. 194-200.

K. P. K. Wieser, *Pontius Pilatus nach den jüdischen, neutestamentlichen, und apokryphen Quellen*, Diss., Vienne, 1959 (dactylogr.).

P. Winter, *Marginal Notes on the Trial of Jesus*. II. Pilate in History and in Christian Tradition, *ZNW*, L, 1959, pp. 234-249.

P. Winter, A Letter from Pontius Pilate, *NT*, VII, 1964-65, pp. 37-43.

L. A. Yelnitsky, L'inscription de Ponce Pilate à Césarée et sa signification historique, *Vestnik drevnei istorii*, XCIII, 1965, pp. 142-146 (en russe).

B. *Bibliographie générale.*

F. F. Abbott and A. C. Johnson, *Municipal Administration in the Roman Empire*, Princeton, 1926.

F. M. Abel, *Géographie de la Palestine*, II, Paris, 1938.

F. M. Abel, *Histoire de la Palestine*, I, Paris, 1952.

G. Alföldy, La politique provinciale de Tibère, *Latomus*, XXIV, 1965, pp. 824-844.

R. Amiran et A. Eitan, Excavations in the Courtyard of the Citadel, Jerusalem, 1968-1969, (Preliminary Report), *IEJ*, XX, 1970, pp. 9-17.

R. Amiran et A. Eitan, Jérusalem, Cour de la Citadelle, *RB*, LXXVII, 1970, pp. 564-570.

R. Amiran et A. Eitan, Herod's Palace, *IEJ*, XXII, 1972, pp. 50-51.

J. G. C. Anderson, Augustan Edicts from Cyrene, *JRS*, XVII, 1927, pp. 33-48.

S. Applebaum, Judaea as a Roman Province ; the Countryside as a Political and Economic Factor, dans *ANRW*, II, 8, 1977, pp. 355-396.

M. Avi-Yonah, Newly Discovered Latin and Greek Inscriptions, *QDAP*, XII, 1946, pp. 84-102.

M. Avi-Yonah, *The Holy Land from the Persian to the Arab Conquest (536 B. C. to A. D. 640). A Historical Geography*, Grand Rapids, 1966.

M. Avi-Yonah, When Did Judea Become a Consular Province ? *IEJ*, XXIII, 1973, pp. 209-213.

M. Avi-Yonah, Palaestina, *PW*, suppl. XIII, 1973, col. 321-454.

D. Bahat, Jérusalem : Jardin Arménien, *RB*, LXXVIII, 1971, pp. 598-599.

D. Bahat and M. Broshi, Jerusalem, Old City, the Armenian Garden, *IEJ*, XXII, 1972, pp. 171-172.

J. P. V. D. Balsdon, The Principates of Tiberius and Gaius, dans *ANRW*, II, 2, 1975, pp. 86-94.

E. Bammel, Der Achtundzwanzigste Adar, *HUCA*, XXVIII, 1957, pp. 109-113.

E. Bammel, Die Blutgerichtsbarkeit in der römischen Provinz Judäa vor dem ersten jüdischen Aufstand, *JJS*, XXV, 1974, *Studies in Jewish Legal History in Honour of* David Daube, ed. by B. S. Jackson, pp. 35-49.

E. Bammel, Zum Testimonium Flavianum, dans *Josephus-Studien. Festschrift für O. Michel*, Göttingen, 1974, pp. 9-22.

G. Bardy, *Recherches sur saint Lucien d'Antioche et son école*, Paris, 1936.

K. Baus, Von der Urgemeinde zur frühchristlichen Grosskirche, dans *Handbuch der Kirchengeschichte*, I, Fribourg - Bâle - Vienne, ³1965.

A. A. Bell, Josephus the Satirist ? A Clue to the Original Form of the Testimonium Flavianum, *JQR*, LXVII, 1976, pp. 16-22.

F. Benoit, Le sanctuaire d'Auguste et les cryptoportiques d'Arles, *RAr*, XXXIX, 1952, pp. 31-67.

P. Benoit, Prétoire, Lithostroton et Gabbatha, *RB*, LIX, 1952, pp. 531-550.

P. Benoit, Où en est la question du « troisième mur », dans *Studia Hierosolymitana in onore del P. Bellarmino Bagatti*, I, Jérusalem, 1976, pp. 111-126.

P. Benoit, Quirinius (Recensement de), *DBS*, IX, 1977, col. 693-720.

G. Bertram, Philo als politisch-theologischer Propagandist des spätantiken Judentums, *ThLZ*, LXIV, 1939, col. 193-199.

E. Bickermann, Utilitas Crucis, *RHR*, CXII, 1935, pp. 169-241.

J. Blinzler, *Der Prozess Jesu*, Regensburg, ³1960 (tr. fr. Le Procès de Jésus, Tours, 1962).

A. Boddington, Sejanus, Whose Conspiracy ?, *American Journal of Philology*, LXXXIV, 1963, pp. 1-16.

H. Bogner, Philon von Alexandrien als Historiker, dans *Forschungen zur Judenfrage*, II, Hambourg, 1937, pp. 63-74.

A. Bouché-Leclercq, Manuel des Institutions romaines, Paris, 1886.

G. Boulvert, *Esclaves et affranchis impériaux sous le Haut-Empire romain. Rôle politique et administratif*, Naples, 1970.

F. Bovon, *Les derniers jours de Jésus*, Paris-Neuchâtel, 1974.

G. W. Bowersock, Old and New in the History of Judaea, *JRS*, LXV, 1975, pp. 180-185.

J. Bowman, Early Samaritan Eschatology, *JJS*, VI, 1955, pp. 63-72.

J. Bowman, Samaritan Studies, I. The Fourth Gospel and the Samaritans, *BJRL*, XL, 1957-1958, pp. 298-308.

S. G. F. Brandon, *Jesus and the Zealots*, Manchester, 1967.

M. Broshi, Jérusalem : quartier arménien, *RB*, LXXIX, 1972, pp. 578-581.

M. Broshi, La population de l'ancienne Jérusalem, *RB*, LXXXII, 1975, pp. 5-14.

P. A. Brunt, Charges of Provincial Maladministration Under the Early Principate, *Historia*, X, 1961, pp. 189-227.

P. A. Brunt, Procuratorial Jurisdiction, *Latomus*, XXV, 1966, pp. 461-489.

P. A. Brunt, The « Fiscus » and its Development, *JRS*, LVI, 1966, pp. 75-91.

P. A. Brunt, *Italian Manpower 225 B. C. - A. D. 14*, Oxford, 1971.

F. Büchsel, Die Blutgerichtsbarkeit des Synedrions, *ZNW*, XXX, 1931, pp. 202-210.

F. Büchsel, Noch einmal : Zur Blutgerichtsbarkeit des Synedrions, *ZNW*, XXXIII, 1934, pp. 84-87.

W. H. Buckler, Auguste, Zeus Patroos, *Revue de Philologie, de Littérature et d'Histoire anciennes*, LXI, 1935, pp. 177-188.

R. J. BULL, Césarée Maritime, *RB*, LXXXII, 1975, pp. 278-280.

T. A. BURKILL, The Competence of the Sanhedrin, *Vig Chr*, X, 1956, pp. 80-96 (réimprimé dans *Mysterious Revelation. An Examination of the Philosophy of St. Mark's Gospel*, New York, 1963, pp. 300-318).

T. A. BURKILL, Sanhedrin, *The Interpreter's Dictionary of the Bible*, New York - Nashville, IV, 1962, pp. 214-218.

H. CASTRITIUS, *Studien zu Maximinus Daia*, Kallmünz, 1969.

D. R. CATCHPOLE, *The Trial of Jesus. A Study in the Gospels and Jewish Historiography from 1770 to the Present Day*, Leyde 1971.

L. CERFAUX - J. TONDRIAU, *Un concurrent du Christianisme. Le culte des souverains dans la civilisation gréco-romaine*, Paris-Tournai, 1957.

C. B. CHAVEL, The Releasing of a Prisoner on the Eve of Passover in Ancient Jerusalem, *JBL*, LX, 1941, pp. 273-278.

B. S. CHILDS, *The Book of Exodus*, Philadelphie, 1974.

Ch. CLERMONT-GANNEAU, Une stèle du Temple de Jérusalem, *RAr*, N. S. XXIII, 1872, pp. 214-234.

R. J. COGGINS, *Samaritans and Jews. The Origins of Samaritanism Reconsidered*, Oxford, 1975.

J. COLIN, *Les villes libres de l'Orient gréco-romain et l'envoi au supplice par acclamations populaires*, Bruxelles, 1965.

J. COLIN, Sur le procès de Jésus devant Pilate et le Peuple, *Revue des Études Anciennes*, LXVII, 1965, pp. 159-164.

M. F. COLLINS, The Hidden Vessels In Samaritan Traditions, *Journal for the Study of Judaism*, III, 1972, pp. 97-116.

P. COLLOMP, La place de Josèphe dans la technique de l'historiographie hellénistique, dans *Études historiques de la Faculté des Lettres de Strasbourg*, CVI : *Mélanges 1945*, Paris, 1947, pp. 81-92 (réimprimé en allemand dans A. SCHALIT, éd. *Zur Josephus-Forschung*, Darmstadt, 1973, pp. 278-293).

P. COUISSIN, *Les Armes romaines*, Paris, 1926.

H. CROUZEL, Le lieu d'exil d'Hérode Antipas et d'Hérodiade selon Flavius Josèphe, dans *Studia Patristica* X, (1967), *TU* CVII, Berlin, 1970, pp. 275-280.

R. W. DAVIES, Police Work in Roman Times, dans *History Today*, XVIII, 1968, pp. 700-707.

R. W. DAVIES, « Cohortes equitatae », *Historia*, XX, 1971, pp. 751-763.

R. W. DAVIES, The Daily Life of the Roman Soldier Under the Principate, dans *ANRW* II, 1, 1974, pp. 299-338.

S. J. DE LAET, *Portorium*, Bruges, 1949.

F. DE MARTINO, *Storia della Costituzione Romana*, Naples, 1958-1967.

F. DE VISSCHER, *Les édits d'Auguste découverts à Cyrène*, (1940), réimpression Osnabrück, 1965.

J. Duncan M. DERRETT, Law in the New Testament : The Story of the Woman Taken in Adultery, *NTS*, X, 1963-1964, pp. 1-26.

M. DIBELIUS, *Die Reden der Apostelgeschichte und die antike Geschichtsschreibung*, Heidelberg, 1949 (texte de 1944), réimprimé dans *Aufsätze zur Apostelgeschichte*, hgb von H. GREEVEN, Göttingen, 1951, pp. 120-162.

S. DOCKX, Date de la mort d'Etienne le Protomartyr, *Bib.*, LV, 1974, pp. 65-73.

A. DOMASZEWSKI (von), *Die Fahnen im römischen Heere* (1885), réimprimé dans A. von DOMASZEWSKI, *Aufsätze zur römischen Heeresgeschichte*, Darmstadt, 1972, pp. 1-80.

A. DOMASZEWSKI (von), Auxilia, *PW*, II, 1896, col. 2618-2622.

G. DOWNEY, Tiberiana, dans *ANRW*, II, 2, 1975, pp. 15-130.

A. M. DUBARLE, Le témoignage de Josèphe sur Jésus d'après la tradition indirecte, *RB*, LXXX, 1973, pp. 481-513.

A. M. Dubarle, Le témoignage de Josèphe sur Jésus d'après des publications récentes, RB, LXXXIV, 1977, pp. 38-58.

C. Dunant et J. Pouilloux, Recherches sur l'histoire et les cultes de Thasos, II, Paris, 1958.

R. Dunkerley, Was Barabbas also Called Jesus ?, ET, LXXIV, 1962-1963, pp. 126-127.

J. Dupont, Études sur les Actes des Apôtres, Paris, 1967.

W. R. Farmer, Maccabees, Zealots and Josephus, New York, 1956.

R. O. Fink, A. S. Hoey, W. F. Snyder, The Feriale Duranum, Yale Classical Studies, VII, 1940, pp. 1-222.

Cl. I. Foulon-Piganiol, Le rôle du peuple dans le procès de Jésus, NRT, XCVIII, 1976, pp. 627-637.

J. B. Frey, La question des images chez les Juifs à la lumière des récentes découvertes, Bib., XV, 1934, pp. 265-300.

A. Frova, Césarée Maritime, RB, LXIX, 1962, pp. 415-418 ; LXX, 1963, pp. 578-582 ; LXXI, 1964, pp. 408-410.

A. Frova, Caesarea Maritima (Israele), Istituto Lombardo, Accademia di Scienze e Lettere, Milan, 1959, pp. 9-33.

A. Frova, Gli scavi della missione archeologica italiana a Cesarea (Israele), estratto dall'Annuario della Scuola Archeologica di Atene, XXXIX-XL, NS XXIII-XXIV, 1961-1962, Rome, 1962, pp. 649-657.

A. Garzetti, From Tiberius to the Antonines, A History of the Roman Empire, A. D. 14-192, Londres, 1974, (tr. anglaise d'un ouvrage publié à Rome en 1960).

J. Gaudemet, Institutions de l'Antiquité, Paris, 1967.

P. Geoltrain, Débat récent autour du « Testimonium Flavianum », RHR, CLXXXV, 1974, pp. 112-114.

A. George (et P. Grelot), Introduction à la Bible, ed. n^{lle}, III, 1. Au seuil de l'ère chrétienne (sous la direction de), Paris, 1976.

E. R. Goodenough, The Politics of Philo Judaeus. Practice and Theory, with a general bibliography of Philo by H. L. Goodhart and E. R. Goodenough, New Haven, 1938.

E. R. Goodenough, Introduction to Philo Judaeus, Oxford, ^{2}1962.

M. Grant, The Jews in the Roman World, Londres, 1973.

O. Guéraud, Décret d'une Association en l'honneur de son Président, Bulletin de la Société Royale d'Archéologie — Alexandrie, X, 1938, pp. 21-40.

J. Gutmann, The « Second Commandment » and the Image in Judaism, HUCA, XXXII, 1961, pp. 161-174.

E. Haenchen, Historie und Geschichte in den Johanneischen Passionsberichten, dans Die Bibel und Wir, Tübingen, 1968, pp. 182-207.

E. Haenchen, Die Apostelgeschichte, Göttingen, ^{6}1968.

F. M. Heichelheim, Roman Syria, dans An Economic Survey of Ancient Rome, IV, Baltimore, 1938, pp. 121-258.

D. Hennig, L. Aelius Seianus. Untersuchungen zur Regierung des Tiberius, Munich, 1975.

O. Hirschfeld, Die kaiserlichen Verwaltungsbeamten bis auf Diocletian, Berlin, ^{3}1963 (1re éd. 1877). Cette édition est une simple réimpression de la seconde, publiée en 1905.

H. W. Hoehner, Herod Antipas, Cambridge, 1972.

S. B. Hoenig, The Great Sanhedrin, New York, 1953.

A. S. Hoey, Rosaliae Signorum, HThR, XXX, 1937, pp. 15-35.

A. S. Hoey, dans R. O. Fink, A. S. Hoey and W. F. Snyder, The Feriale Duranum, Yale Classical Studies, VII, 1940, pp. 1-222.

M. HOMBERT et C. PRÉAUX, *Recherches sur le recensement dans l'Égypte romaine*, Leyde, 1952.

E. HONIGMANN, Syria, *PW*, IV A, 1932 col. 1549-1727.

Ph. HOROVITZ, Essai sur les pouvoirs des procurateurs-gouverneurs, *Revue Belge de Philologie et d'Histoire*, XVII, 1938, pp. 53-62 ; 775-792.

T. HORVATH, Why Was Jesus Brought to Pilate ?, *NT*, XI, 1969, pp. 174-184.

J. H. HUMPHREY, Prolegomena to the Study of the Hippodrome at Caesarea Maritima, *BASOR*, fev. 1974, pp. 2-45.

J. H. ILIFFE, The *thanatos* Inscription from Herod's Temple, *QDAP*, VI, 1938, pp. 1-3.

J. IMBERT, Le procès de Jésus, essai de mise au point, dans *Studi in onore di Gius. GROSSO*, V, Turin, 1972, pp. 395-417.

J. JEREMIAS, Zur Geschichtlichkeit des Verhörs Jesu vor dem Hohen Rat, *ZNW*, XLIII, 1950-1951, pp. 145-150.

J. JEREMIAS, *Jérusalem au temps de Jésus*, tr. fr. Paris, 1967.

C. N. JOHNS, Excavations at the Citadel, Jerusalem, *PEQ*, LXXII, 1940, pp. 36-58.

C. N. JOHNS, The Citadel, Jerusalem, *QDAP*, XIV, 1950, pp. 121-190.

A. H. M. JONES, *The Cities of the Eastern Roman Provinces*, Oxford, (1937), ²1971.

A. H. M. JONES, The Aerarium and the Fiscus, *JRS*, XL, 1950, pp. 22-29 (réimprimé dans *Studies in Roman Government and Law*, Oxford, 1960, pp. 101-114).

A. H. M. JONES, « I Appeal Unto Caesar », dans *Studies Presented to David Moore Robinson on His Seventieth Birthday*, II, St Louis, Missouri, 1953, pp. 918-930 (réimprimé dans *Studies in Roman Government and Law*, Oxford, 1960, pp. 51-65).

A. H. M. JONES, Procurators and Prefects in the Early Principate, dans *Studies in Roman Government and Law*, Oxford, 1960, pp. 117-125.

A. H.M. JONES, *The Roman Economy. Studies in Ancient Economic and Administrative History*, ed. by P. A. BRUNT, Oxford, 1974.

J. JUSTER, *Les Juifs dans l'Empire romain*, Paris, 1914.

L. KADMAN, *The Coins of Caesarea Maritima*, Jérusalem, 1957, (Corpus Nummorum Palaestinensium vol. II).

P. KERESZTES, The Literary Genre of Justin's First Apology, *Vig Chr*, XIX, 1965, pp. 99-110.

A. KINDLER, More Dates on the Coins of the Procurators, *IEJ*, VI, 1956, pp. 54-57.

A. KINDLER, *Coins of the Land of Israel*, Jérusalem, 1974.

J. KLAUSNER, *Jésus de Nazareth*, Paris, 1933.

KUBITSCHEK, Signa, *PW*, II A, 1921, col. 2325-2347.

H. LEISEGANG, Philon, *PW*, XX, 1, 1941, col. 1-50.

P. LEMAIRE et D. BALDI, *Atlante storico della Bibbia*, s. l., 1955.

H. J. LEON, *The Jews of Ancient Rome*, Philadelphie, 1960.

X. LÉON-DUFOUR, Passion, *DBS*, VI, 1960, col. 1419-1492.

Lee I. LEVINE, *Roman Caesarea : An Archaeological-Topographical Study*, Jérusalem, 1975.

Lee I. LEVINE, *Caesarea Under Roman Rule*, Leyde, 1975.

H. LIETZMANN, Der Prozess Jesu, dans *Sitzungsberichte der Preussischen Akademie der Wissenschaften*, phil.-hist. Klasse, XIV, Berlin, 1931, pp. 313-322 (réimprimé dans H. LIETZMANN, *Kleine Schriften*, II, *Studien zum Neuen Testament*, hgb von K. ALAND, Berlin, 1958, pp. 251-263).

H. LIETZMANN, Bemerkungen zum Prozess Jesu, II, dans *ZNW*, XXXI, 1932, pp. 78-84 (*Kleine Schriften*, II, pp. 269-276).

B. LIFSHITZ, Jérusalem sous la domination romaine. Histoire de la ville depuis la conquête de Pompée jusqu'à Constantin (63 a. C. - 325 p. C.), dans *ANRW*, II, 8, 1977, pp. 444-489.

H. Lindner, *Die Geschichtsauffassung des Flavius Josephus im Bellum Judaicum*, Leyde, 1972.

E. Lohse, Der Prozess Jesu Christi, dans *Ecclesia und Res publica. Festschrift für* K. D. Schmidt, Göttingen, 1961, pp. 24-39 (réimprimé dans *Die Einheit des Neuen Testaments*, Göttingen, 1973, pp. 88-103).

Fr. Lundgreen, Das palästinische Heerwesen in der neutestamentlichen Zeit, *Palästinajahrbuch*, XVII, 1921, pp. 46-63.

J. Mac Donald, *The Theology of the Samaritans*, Londres, 1964.

G. Mc Lean Harper, Jr, Village Administration in the Roman Province of Syria, *Yale Classical Studies*, I, 1928, pp. 105-168.

D. Magie, *Roman Rule in Asia Minor to the End of the Third Century After Christ*, 2 vol., Princeton, 1950, ²1966.

D. Mannsperger, Rom. et Aug. Die Selbstdarstellung des Kaisertums in der römischen Reichsprägung, dans *ANRW* II, 1, 1974, pp. 919-996.

H. Mantel, *Studies in the History of the Sanhedrin*, Cambridge, Massachusetts, 1965.

H. Mantel, Sanhedrin, *Encyclopaedia Judaica*, Jérusalem, XIV, 1971, col. 836-839.

J. Marquardt, *Organisation de l'Empire romain*, 2 vol., Paris, 1889 et 1892, t. 8 et 9 du *Manuel des Antiquités Romaines* par Théodore Mommsen & Joachim Marquardt.

A. Mazar, The Aqueducts of Jerusalem, dans *Jerusalem Revealed*, Jérusalem, 1975, pp. 79-84.

B. Mazar et I. Dunayevsky, En-Gedi, Fourth and Fifth Seasons of Excavations. Preliminary Report., *IEJ*, XVII, 1967, pp. 133-143.

J. Merkel, Die Begnadigung am Passahfeste, *ZNW*, VI, 1905, pp. 293-316.

Y. Meshorer, *Jewish Coins of the Second Temple Period*, Tel-Aviv, 1967.

H. Metzger, *Les Routes de saint Paul dans l'Orient Grec*, Neuchâtel - Paris, 1954.

F. Millar, The Fiscus in the First Two Centuries, *JRS*, LIII, 1963, pp. 29-42.

F. Millar, The Aerarium and its Officials Under the Empire, *JRS*, LIV, 1964, pp. 33-40.

F. Millar, Some Evidence on the Meaning of Tacitus Annals, XII ,60, *Historia*, XIII, 1964, pp. 180-187.

F. Millar, The Development of Jurisdiction by Imperial Procurators, Further Evidence, *Historia*, XIV, 1965, pp. 362-367.

T. B. Mitford, New Inscriptions from Roman Cyprus, dans *Opuscula Archaeologica*, VI, edidit Institutum Romanum Regni Sueciae, Lund, 1950, pp. 1-95.

H. R. Moehring, The Persecution of the Jews and the Adherents of the Isis Cult at Rome AD 19, *NT*, III, 1959, pp. 293-304.

Th. Mommsen, Die Conscriptionsordnung der römischen Kaiserzeit, *Hermes*, XIX, 1884, pp. 1-79 ; 210-234.

J. A. Morin, Les deux derniers des Douze : Simon le Zélote et Judas Iskariôth, *RB*, LXXX, 1973, pp. 332-358.

P. Nautin, La Controverse sur l'auteur de l' « Elenchos », *RHE*, XLVII, 1952, pp. 5-43.

A. Neumann, Veterani, *PW*, suppl. IX, 1962, col. 1597-1609.

R. C. Nevius, A Reply to Dr. Dunkerley, *ET*, LXXIV, 1962-1963, p. 255.

V. Nikiprowetzky, La mort d'Eléazar fils de Jaïre et les courants apologétiques dans le De Bello Judaico de Flavius Josèphe, dans *Hommages à* André Dupont-Sommer, Paris, 1971, pp. 461-490.

A. D. Nock, The Roman Army and the Roman Religious Year, *HThR*, XLV, 1952, pp. 187-252.

B. Oestreicher, A New Interpretation of Dates on the Coins of the Procurators, *IEJ*, IX, 1959, pp. 193-195.

E. F. Osborn, *Justin Martyr*, Tübingen, 1973.

J. Ouellette, Le deuxième commandement et le rôle de l'image dans la symbolique religieuse de l'A. T. Essai d'interprétation, *RB*, LXXIV, 1967, pp. 504-516.

H. M. D. Parker, *The Roman Legions* (1928), with a Bibliography by G. R. Watson, Cambridge - New York (1958), 1971.

A. Pelletier, *Flavius Josèphe adaptateur de la lettre d'Aristée*, Paris, 1962.

A. Pelletier, L'originalité du témoignage de Flavius Josèphe sur Jésus, *RSR*, LII, 1964, pp. 177-203.

S. Perowne, *The Later Herods. The Political Background of the New Testament*, Londres - Southampton, 1958.

P. Petit, *La Paix Romaine*, Paris, 1967.

H. G. Pflaum, *Les procurateurs équestres sous le Haut-Empire romain*, 2 vol., Paris, 1950.

H. G. Pflaum, *Les carrières procuratoriennes équestres sous le Haut-Empire romain*, 4 vol., Paris, 1960-1961.

H. G. Pflaum, Les progrès des recherches prosopographiques concernant l'époque du Haut-Empire durant le dernier quart de siècle (1945-1970), dans *ANRW*, II, 1, 1974, pp. 113-135.

A. Piganiol, *Histoire de Rome*, Paris, ⁵1962.

S. Pines, *An Arabic Version of the Testimonium Flavianum and its Implications*, Jérusalem, 1971.

L. Préchac, Réflexions sur le « Testimonium Flavianum », *Bulletin de l'Association Guillaume Budé*, 1969, pp. 101-111.

P. Prigent, *Justin et l'Ancien Testament*, Paris, 1964.

P. Prigent, Thallos, Phlégon et le Testimonium Flavianum témoins de Jésus, dans *Paganisme, Judaïsme, Christianisme. Mélanges offerts à M. Simon*, Paris, 1978, pp. 329-334.

M. Radin, *The Jews Among the Greeks and Romans*, Philadelphie, 1915.

B. Reicke, *Neutestamentliche Zeitgeschichte*, Berlin, 1965.

A. Reifenberg, *Ancient Jewish Coins*, Jérusalem, ²1947, ⁴1965.

A. Reifenberg, Caesarea. A Study in the Decline of a Town, *IEJ*, I, 1950-1951, pp. 20-32.

A. J. Reinach, Signa Militaria, dans *Dictionnaire des Antiquités Grecques et Romaines*, sous la direction de Daremberg-Saglio, IV, Paris, pp. 1307-1325.

S. Reinach, *Cultes, Mythes et Religions*, III, Paris, 1908.

Th. Reinach, *Les monnaies juives*, Paris, 1887.

E. Renan, *Mission de Phénicie*, Paris, 1864.

F. Richard, Portus Augusti, Cahiers d'histoire, XXII, 1977, pp. 295-311.

H. A. Rigg, Barabbas, *JBL*, LXIV, 1945, pp. 417-456.

G. Rinaldi, Cesarea di Palestina, *Bibbia e Oriente*, IV, 1962, pp. 100-103.

J. Ringel, *Césarée de Palestine*, Paris, 1975.

C. Roth, An Ordinance against Images in Jerusalem AD 66, *HThR*, XLIX, 1956, pp. 169-177.

J. Rougé, *Recherches sur l'organisation du commerce en Méditerranée sous l'Empire romain*, Paris, 1966.

J. Rougé, Actes 27, 1-10, *Vig Chr*, XIV, 1960, pp. 193-203.

J. Rougé, L'incendie de Rome en 64 et l'incendie de Nicomédie en 303, dans *Mélanges d'histoire ancienne, offerts à W. Seston*, Paris, 1974, pp. 433-441.

D. B. Saddington, Race Relations in the Early Roman Empire, dans *ANRW*, II, 3, 1975, pp. 112-137.

Sh. SAFRAI, The Temple Treasury, Encyclopaedia Judaica, Jérusalem, XV, 1971, col. 979-983.

E. SANDER, Militärrecht, PW suppl. X, 1965, col. 394-410, aux col. 396-404.

Ch. SAUMAGNE, Tacite et saint Paul, Revue Historique, CCXXXII, 1964, pp. 67-110.

A. SCHALIT, Evidence of an Aramaic Source in Josephus « Antiquities of the Jews », ASTI, IV, 1965, pp. 163-188 (réimprimé en allemand, dans A. Schalit, hgb. Zur Josephus-Forschung, Darmstadt, 1973, pp. 367-400).

A. SCHALIT, Koenig Herodes, Der Mann und Sein Werk, Berlin, 1969.

A. SCHALIT, Josephus Flavius, Encyclopaedia Judaica, Jérusalem, X, 1971, col. 251-263.

E. SCHÜRER, The History of the Jewish People in the Age of Jesus Christ (175 BC - AD 135), A new English Version rev. and ed. by G. VERMES and F. MILLAR, I, Edimbourg, 1973.

J. SCHWARTZ, L'Égypte de Philon, dans Colloques nationaux du CNRS, Philon d'Alexandrie, Lyon 11-15 septembre 1966, Paris, 1967, pp. 35-44.

R. SEAGER, Tacitus Annals 12, 60, Historia, XI, 1962, pp. 377-379.

W. SESTON, Le Clipeus Virtutis d'Arles et la composition des Res Gestae Divi Augusti, CRAI, 1954, pp. 286-297.

A. N. SHERWIN-WHITE, Procurator Augusti, PBSR, XV, (New Series, II), 1939, pp. 11-26.

A. N. SHERWIN-WHITE, Roman Society and Roman Law in the N. T., Oxford, 1963.

A. N. SHERWIN-WHITE, The Roman Citizenship, Oxford, ²1973.

R. J. H. SHUTT, Studies in Josephus, Londres, 1961.

P. J. SIJPESTEIJN, The Legationes ad Gaium, JJS, XV, 1964, pp. 87-96.

M. SIMON, Situation du Judaïsme alexandrin dans la Diaspora, dans Colloques nationaux du CNRS, Philon d'Alexandrie, Lyon 11-15 septembre 1966, Paris 1967, pp 17-33.

E. M. SMALLWOOD, Some Notes on the Jews Under Tiberius, Latomus, XV, 1956, pp. 314-329.

E. M. SMALLWOOD, High Priests and Politics in Roman Palestine, JThS, NS XIII, 1962, pp. 14-34.

E. M. SMALLWOOD, The Jews Under Roman Rule, Leyde, 1976.

W. F. SNYDER, Public Anniversaries in the Roman Empire: The Epigraphical Evidence for their Observance during the First Three Centuries, Yale Classical Studies, VII, 1940, pp. 223-317.

D. SPERBER, Aspects of Agrarian Life in Roman Palestine I : Agricultural Decline in Palestine during the Later Principate, dans ANRW, II, 8, 1977, pp. 397-443.

W. SPEYER, Die literarische Fälschung im heidnischen und christlichen Altertum, Munich, 1971.

A. SPIJKERMAN, Coins mentioned in the N. T., Liber Annuus, VI, 1955-1956, pp. 279-298.

A. SPIJKERMAN, Some Rare Jewish Coins, Liber Annuus, XIII, 1962-1963, pp. 298-318.

E. STAUFFER, Zur Münzprägung und Judenpolitik des Pontius Pilatus, La Nouvelle Clio, I et II, 1949-1950, pp. 495-514.

E. STAUFFER, Jesus. Gestalt und Geschichte, Berne, 1957.

E. STAUFFER, Jerusalem und Rom im Zeitalter Jesu Christi, Berne, 1957.

A. STEIN, Die Präfekten von Ägypten in der römischen Kaiserzeit, Berne, 1950.

A. STEIN, Der römische Ritterstand, Munich, 1927 (réimpression 1963).

G. H. STEVENSON, The Administration of the Provinces, dans The Cambridge Ancient History, X, The Augustan Empire, Cambridge, 1934, pp. 205-217.

G. H. STEVENSON, Roman Provincial Administration till the Age of the Antonines, Oxford, 1939.

D. STOCKTON, Tacitus Annals XII 60 : A Note, *Historia*, X, 1961, pp. 116-120.

R. D. SULLIVAN, The Dynasty of Judaea in the First Century, dans *ANRW*, II, 8, 1977, pp. 296-354.

R. SYME, *Tacitus*, 2 vol., Oxford, 1958.

R. SYME, The Ummidii, *Historia*, XVII, 1968, pp. 72-105.

H. S. J. THACKERAY, *Josephus, the Man and the Historian*, New York, 1929, (réimpression 1967).

H. THÉDENAT, Diploma, dans *Dictionnaire des Antiquités Grecques et Romaines*, sous la direction de DAREMBERG-SAGLIO, I, 2, Paris, 1887, pp. 266-268.

H. THÉDENAT, Lituus, dans *Dictionnaire des Antiquités Grecques et Romaines*, sous la direction de DAREMBERG-SAGLIO, III, 2, Paris, 1904, pp. 1277-1278.

L. J. TIXERONT, *Les origines de l'Église d'Edesse et la légende d'Abgar*, Paris, 1888.

R. VAUX (de), *Les Institutions de l'Ancien Testament*, Paris, I ²1961, II ²1967.

P. VIDAL-NAQUET, Du bon usage de la trahison, dans *Flavius Josèphe, La Guerre des Juifs*, tr. P. SAVINEL, Paris, 1977, pp. 7-115.

L. H. VINCENT, *Jérusalem de l'A. T. Recherches d'archéologie et d'histoire*, 2 vol., Paris, 1954-1956.

G. R. WATSON, *The Roman Soldier*, Bristol, 1969.

R. R. C. WEAVER, *Familia Caesaris. A Social Study of the Emperor's Freedmen and Slaves*, Cambridge, 1972.

G. WEBSTER, *The Roman Army*, Chester, 1956.

G. WEBSTER, *The Roman Imperial Army of the First and Second Centuries A. D.*, Londres, (1969), 1974.

J. WILKINSON, Ancient Jerusalem: Its Water Supply and Population, *PEQ*, CVI, 1974, pp. 33-51.

P. WINTER, Marginal Notes on the Trial of Jesus, *ZNW*, L, 1959, pp. 14-33 ; pp. 221-251 (réimprimé avec de légères modifications dans *On the Trial of Jesus*, 1961).

P. WINTER, *On the Trial of Jesus*, Berlin, 1961.

P. WINTER, The Trial of Jesus and the Competence of the Sanhedrin, *NTS*, X, 1963-1964, pp. 494-499.

P. WINTER, Josephus on Jesus and James, Ant. XVIII, 3, 3 (63-4) and XX, 9, 1 (200-203), dans *HJP*, pp. 428-441.

Y. YADIN, The Excavation of Masada 1963/1964. Preliminary Report, *IEJ*, XV, 1965, pp. 1-120.

S. ZEITLIN, *Megillat Taanit as a Source for Jewish Chronology and History in the Hellenistic and Roman Periods*, Philadelphie, 1922.

S. ZEITLIN, A Survey of Jewish Historiography: from the Biblical Books to the Sefer ha-Kabbalah with Special Emphasis on Josephus, *JQR*, LIX, 1968-1969, pp. 171-214 ; LX, 1969-1970, pp. 37-68.

A. ZERON, Einige Bemerkungen zu M. F. COLLINS « The Hidden Vessels in Samaritan Traditions », *Journal for the Study of Judaism*, IV, 1973, pp. 165-168.

The Cambridge Ancient History, vol. X, *The Augustan Empire*, 44 BC - AD 70, ed. by S. A. COOK, F. E. ADCOCK, M. P. CHARLESWORTH, Cambridge, 1934.

The Excavations at Dura-Europos, Final Report V, part I, New-Haven, 1959.

The Jewish People in the First Century, I, ed. by S. SAFRAI and M. STERN in co-operation with D. FLUSSER and W. C. van UNNIK, Assen, 1974 ; II, Assen - Amsterdam, 1976.

Scavi di Caesarea Maritima, Milan, 1965.

Zur Josephus-Forschung, hgb von A. SCHALIT, Darmstadt, 1973.

INDEX DES RÉFÉRENCES

Textes rabbiniques

INDEX ANALYTIQUE ET ONOMASTIQUE

TABLE DES MATIÈRES

DEUXIÈME PARTIE

PILATE D'APRÈS LES TEXTES LITTÉRAIRES DU 1ᵉʳ SIÈCLE ET DU DÉBUT DU 2ᵉ SIÈCLE 129

IMPRIMERIE A. BONTEMPS

LIMOGES (FRANCE)

Dépôt légal : 3e trimestre 1981